JALOUX

DU MÊME AUTEUR :

Faux-semblant, Lattès, 1996.
Confession exclusive, Lattès, 1997.
Mardi Gras, Lattès, 1999.
Inavouable, Lattès, 2001.
L'Alibi impossible, Lattès, 2002.
La Place de l'autre, Lattès, 2003.

www.editions-jclattes.fr

Sandra Brown

JALOUX

Roman

Traduit de l'américain par
Nicolas Thiberville

JC Lattès
17, rue Jacob 75006 Paris

Collection « Suspense et Cie »
dirigée par Sibylle Zavriew

Titre de l'édition originale
Envy
publiée par Warner Books, New York

Jaloux

Prologue
Key West, Floride, 1988

Sardines et crackers salés. Les denrées de base de son alimentation. En y ajoutant un morceau de fromage et un cornichon à l'aneth, vous réunissiez les quatre grandes familles d'aliments. Aucun mets ne pouvait rivaliser en finesse.

Telle était l'inébranlable opinion d'Hatch Walker, dont le visage tanné par le soleil et buriné par le vent n'aurait pu être aimé que d'une mère gargouille. Tandis qu'il mastiquait son dîner, ses yeux, si souvent plissés pour affronter la morsure du vent, scrutaient attentivement l'horizon.

Hatch guettait les éclairs. Le temps avait beau être calme, il savait qu'au loin, quelque part, la tempête rassemblait ses forces et se chargeait d'humidité, aspirant l'eau de la mer avant de la déverser sur terre.

Mais ce n'était pas pour maintenant. Au-dessus du port, la lune brillait dans un ciel clair. Les étoiles défiaient la lueur éclatante des lampadaires. Pour autant, le vieux Hatch n'était pas dupe. Les changements de temps, il les ressentait dans ses os avant même que le baromètre n'ait chuté. Il flairait les tempêtes bien avant que les nuages n'apparaissent ou que les voiles ne se tendent sous l'effet des premières bourrasques. Et il se trompait rarement dans ses prédictions. Il allait pleuvoir avant l'aube.

Ses dents tachées de nicotine croquèrent un morceau

de cornichon. Il savoura un instant les parfums d'ail et de saumure puis enfourna une bouchée de fromage. Divin. Il avait beau essayer, il ne comprenait pas ces gens prêts à dépenser une semaine de salaire pour un repas qui ne remplissait même pas un dé à coudre, quand ils pouvaient manger aussi bien – et même, selon lui, mille fois mieux – pour seulement un dollar cinquante.

Bien sûr, ils ne payaient pas que les aliments. Leur argent servait aussi à financer les voituriers, les nappes blanches amidonnées, et ces petits pédés de serveurs à boucles d'oreilles qui vous regardaient de haut si vous leur réclamiez une corbeille de pain supplémentaire. Ils payaient également pour le nom français sophistiqué apposé à la va-vite sur la carte au lieu du traditionnel « poisson du jour ». Ce genre d'endroits prétentieux, il en avait vu dans tous les ports du monde. Quelques-uns avaient même ouvert ici, à Key West, et ceux-là il les méprisait plus que tout.

En ce soir de semaine, les rues étaient relativement calmes. La saison pleine battait de l'aile. Remercions le bon Dieu pour les petits plaisirs de la vie, se dit Hatch en buvant une gorgée de Pepsi avant de laisser échapper, sous forme d'une éructation sonore, son mépris envers les touristes en général, et ceux qui envahissaient Key West en particulier.

Ils affluaient chaque année par milliers, se badigeonnaient de crème solaire qui sentait le vomi de singe, et se trimbalaient avec des appareils photos et des gosses geignards qui auraient préféré aller s'extasier à Orlando devant les merveilles *made in Disney* plutôt que de contempler l'un des plus spectaculaires couchers de soleil du monde.

Hatch n'éprouvait que du mépris pour ces crétins qui se tuaient à la tâche pendant onze mois et demi au point de risquer un infarctus avant l'heure, si bien que les deux semaines restantes, ils devaient travailler deux fois plus dur à prendre du bon temps. Encore plus surprenant, ils étaient prêts, pour ce privilège, à payer la peau du cul, leur cul blanc et mou de touriste.

Malheureusement, son gagne-pain dépendait de ces

gens-là. Un dilemme pour Hatch. Il méprisait les hordes de vacanciers, mais il n'aurait pu subsister sans eux.

Car Walker's Marine Charters and Rentals recevait sa part de l'argent dépensé par les vacanciers durant leur bruyante occupation de la ville. Hatch louait des équipements de plongée et des bateaux ; il accompagnait aussi les touristes dans des expéditions de pêche au gros, pour qu'une fois revenus à quai, ils se fassent photographier souriants et bronzés avec leur noble proie, probablement plus offensée de figurer sur une stupide photo que d'avoir été pêchée.

Les affaires tournaient au ralenti depuis le début de la soirée, mais en contrepartie, il y avait la tranquillité. La paix, pour ainsi dire. Et ça n'était pas plus mal. Il préférait ça à la vie sur les bateaux de la marine marchande, où les cabines étaient bruyantes et exiguës, et l'intimité inexistante. Cette vie-là, il en était plus que repu. Il ne rêvait plus que de calme et de solitude.

L'eau de la marina se tenait aussi immobile que celle d'un lac. Les lumières du quai se reflétaient à peine vacillantes à la surface. De temps à autre, on percevait le craquement d'un mât ou la sonnerie d'un téléphone sur l'un des yachts. Parfois, en provenance du front de mer, c'étaient quelques notes de musique ou des battements de percussion qui s'échappaient d'une discothèque. La circulation produisait un chuintement continu. A part ça, tout était calme, et même si cela signifiait une piètre semaine financièrement parlant, Hatch préférait de loin cette situation.

Il aurait pu fermer sa boutique pour la soirée et rentrer chez lui de bonne heure, s'il n'avait dû attendre le retour de l'un de ses bateaux. Il avait loué le sept mètres cinquante à des gamins, si tant est qu'on puisse appeler ainsi des jeunes d'une vingtaine d'années. Comparés à lui, ils étaient des gamins. Deux garçons et une fille, ce qui, selon Hatch, représentait une combinaison des plus explosives.

Ils étaient minces et bronzés, beaux et sûrs d'eux jusqu'à l'insolence. Hatch était persuadé qu'aucun des trois n'avait jamais exercé le moindre métier honnête de toute sa vie. Ils étaient du coin, ou du moins ils vivaient là à l'année. Il les avait souvent croisés en ville.

Les trois jeunes avaient pris le large juste avant le coucher du soleil, à moitié soûls, et Hatch les avait vus embarquer avec deux grandes glacières. Lourdes comme des ancres, à en juger par la façon dont ils avaient dû les traîner. Il y avait fort à parier qu'elles contenaient principalement des bouteilles d'alcool. Ils n'avaient emporté aucun matériel de pêche. Aussi vrai qu'il s'appelait Hatch Walker, ces gamins étaient partis dans le seul but de picoler et passer quelques heures de débauche en pleine mer. Au début, il avait un peu hésité à leur louer le bateau, mais son tiroir-caisse presque vide avait fini par le persuader qu'ils n'étaient pas si ivres que ça.

Il leur avait quand même ordonné de ne pas boire pendant les manœuvres, ce à quoi ils avaient répondu par leur plus beau sourire, assurant que c'était tout sauf leur intention. L'un des garçons avait eu bien du mal à contenir son hilarité en entendant ce vieux rabat-joie décati les sermonner. Quant à l'autre, il avait lancé d'un ton ironique :

— A vos ordres, capitaine !

Hatch avait aidé la jeune femme à grimper dans le bateau en espérant qu'elle savait ce qu'elle faisait. Mais cela il n'en doutait pas. Elle aussi, il l'avait déjà croisée. A plusieurs reprises. Chaque fois en compagnie d'hommes différents. Le bas de son bikini couvrait à peu près autant de surface qu'un timbre-poste, et Hatch avait bien remarqué qu'elle n'était pas du genre à garder le haut très longtemps.

Elle n'avait d'ailleurs pas tardé à le prouver.

Avant même que le bateau n'ait quitté la marina, l'un des garçons lui avait arraché son soutien-gorge et l'avait brandi au-dessus de sa tête en signe de victoire. Les tentatives de la jeune femme pour le récupérer avaient vite dégénéré en séance de pelotage.

Tandis que le bateau s'éloignait en cahotant, Hatch avait observé la scène d'un air désespéré, heureux de n'avoir pas eu de fille dont il aurait fallu protéger la vertu.

Il ne resta bientôt plus qu'une sardine dans la boîte. Hatch la retira de l'huile où elle baignait, la disposa en diagonale sur un cracker, ajouta le dernier morceau de cornichon, la dernière tranche de fromage, une bonne dose de Tabasco et coiffa le tout d'un deuxième cracker. Il enfourna le sandwich en entier, puis ôta les miettes prises dans sa barbe.

Tout en mâchant avec satisfaction, il dirigea son regard vers l'entrée du port. Et sa bouchée faillit lui rester en travers de la gorge. Un morceau de biscuit lui écorcha l'œsophage comme il tentait d'avaler en marmottant :

— Mais qu'est-ce qu'il nous fait, lui ?

A peine avait-il prononcé ces paroles que le bateau à l'approche lançait un long coup de sirène. Hatch en fut presque projeté de sa chaise.

Il n'y serait de toute manière pas resté très longtemps. Car le temps que le sandwich à la sardine arrive intact dans son estomac, Hatch se trouvait déjà devant la porte de la cabane rongée par les intempéries qui abritait sa boutique de location. De là il descendit de son pas lourd vers le quai, furieux, en agitant les bras et en injuriant le pilote – probablement un touriste en provenance d'un de ces Etats carrés complètement paumés dans les terres, qui n'avait à priori jamais vu d'étendue d'eau plus grande qu'un abreuvoir. Hatch lui cria qu'il entrait dans la marina beaucoup trop vite, qu'il enfreignait le code de la navigation et que son imprudence pouvait lui coûter une amende bien salée, voire une ou deux nuits en taule.

Puis il se rendit compte que le bateau n'était autre que le sien. Le sien ! Cet abruti maltraitait le plus grand et le plus beau bateau de sa flotte.

Hatch se mit alors à débiter un chapelet d'injures, vestiges de son passé dans la marine marchande. Il allait leur faire regretter le jour de leur naissance, à ces gamins. Il avait beau être vieux, laid et voûté, avoir la barbe grise et une patte folle depuis une regrettable dispute avec un Cubain lanceur de couteaux, il faisait encore le poids contre deux jeunes play-boys.

— Et ne vous y trompez pas, bande de petits cons !

L'embarcation dépassa les bouées sans ralentir son allure. Elle se rapprochait dangereusement et rata de peu un bateau de treize mètres que le remous fit tanguer, envoyant un dinghy heurter violemment la coque d'un yacht de luxe. Les occupants, rassemblés sur le pont autour d'un dernier verre, se précipitèrent vers le bastingage en insultant le marin insouciant.

Hatch brandit le poing en direction du jeune homme qui tenait la barre. Cet imbécile d'ivrogne se dirigeait droit sur la jetée, tel un kamikaze, lorsque, soudain, il coupa le moteur et mit brusquement cap à bâbord dans une gerbe d'écume.

Hatch eut tout juste le temps de s'écarter avant que le bateau ne se fracasse contre le quai. Le jeune homme descendit les marches du cockpit presque à quatre pattes, traversa le pont, sauta sur la jetée, puis trébucha contre un taquet avant de tomber à genoux.

Hatch se rua sur lui, l'agrippa par les épaules et le retourna comme s'il s'agissait d'un poisson à étriper. En fait, s'il avait eu son couteau, il aurait été capable de découper le gosse des gonades jusqu'au gosier. Heureusement, il n'était armé que d'injures, de menaces et d'accusations.

Mais il n'eut pas le temps de les prononcer.

Jusqu'à maintenant, toute l'attention d'Hatch s'était focalisée sur le bateau, l'imprudence et la vitesse excessive avec laquelle il était entré dans la marina. En revanche, il n'avait pas vraiment prêté garde au pilote lui-même.

Il voyait à présent que le visage du garçon était couvert de sang. Son œil gauche était enflé et presque entièrement fermé. Son t-shirt en lambeaux lui collait à la peau comme un vieux chiffon humide.

— A l'aide ! Oh, mon Dieu ! Mon Dieu ! cria le jeune homme en repoussant la main du vieux Hatch et en se relevant précipitamment. Ils sont là-bas, reprit-il en faisant de grands gestes désespérés vers la mer. Dans l'océan. Je n'ai pas pu les retrouver. Ils... Ils...

Un jour, Hatch avait vu un homme se faire attaquer par un requin. Il était parvenu à le tirer hors de l'eau avant que l'animal ne lui arrache la deuxième jambe. L'homme était sauf, mais plutôt mal en point. En état de choc, complètement terrorisé, il chialait comme un veau et tenait des propos incohérents tandis que son sang s'écoulait par seaux entiers sur le sable.

C'était la même panique qui se lisait dans les yeux du jeune garçon. Il ne s'agissait pas, comme Hatch l'avait cru au départ, d'une mauvaise plaisanterie. Le gamin – celui qui l'avait sèchement salué un peu plus tôt – se trouvait dans un état de détresse qui frisait l'hystérie.

— Calme-toi, fiston.

Hatch le prit par les épaules et le secoua légèrement.

— Qu'est-ce qui s'est passé ? Où sont tes amis ? demanda-t-il.

Le jeune homme se prit la tête dans les mains, et Hatch constata qu'elles étaient couvertes de sang et d'ecchymoses. Le gosse sanglotait frénétiquement.

— Dans l'eau.

— Ils sont tombés à l'eau ?

— Oui. Oh, mon Dieu... mon Dieu...

— Ce trou-du-cul a failli détruire mon yacht ! C'est quoi ce bordel ?

Un homme en tongs s'avançait les mains sur les hanches, charriant avec lui une odeur d'eau de Cologne que n'importe quelle pute un tant soit peu respectueuse d'elle-même aurait refusé de porter. Il était vêtu d'un simple maillot de bain presque entièrement masqué par son ventre proéminent couvert de poils bruns et frisés, et s'exprimait avec un accent nasillard du Nord-Est – le genre de type qu'Hatch détestait dès le premier abord.

— Le gosse est blessé. Il y a eu un accident.

— Accident mon cul. Regardez, il a complètement enfoncé la coque du *Dinky Doo*.

Le groupe venait d'être rejoint par la compagne de l'homme au maillot de bain, elle-même vêtue d'un ensemble bikini-talons aiguilles. Son bronzage et ses nichons étaient entièrement artificiels. Elle tenait un caniche nain sous chaque bras. Les chiens arboraient des petits nœuds roses et jappaient à qui mieux mieux en une synchronisation furieuse.

— Appelez la police, lança Hatch.

— J'aimerais savoir ce que ce fils de pute a l'intention de...

— *Appelez la police !*

L'intérieur de la « boutique » d'Hatch sentait la sardine, le poisson mort, l'huile de moteur et un mélange de marijuana et d'humidité. Il régnait une atmosphère étouffante ; l'air de la pièce était vicié, comme si la cabane, habituellement occupée par une seule personne, ne pouvait contenir la dose d'oxygène nécessaire à trois hommes.

Le sol était jonché de matériel de pêche et de plongée, de cordages, de cartes marines, d'outils divers et variés, il y avait même un antique classeur en métal dans lequel Hatch n'avait jamais dû archiver quoi que ce soit, sans oublier un bureau, récupéré à bord d'une épave et qu'il avait acheté trente dollars lors d'une vente aux enchères.

Deux fois déjà, le garçon était allé vomir dans ses toilettes, mais Hatch attribuait ces nausées davantage au choc nerveux et à la frayeur qu'au verre de brandy qu'il lui avait servi en douce à un moment où personne ne regardait.

Surtout, le gamin avait ingurgité pas mal d'alcool sur le bateau. Il l'avait lui-même avoué à l'officier en charge des services maritimes, à qui la police de Key West venait de laisser la place. Ils l'avaient auparavant questionné au sujet de l'accident. Le garde-côte, quant à lui, voulait savoir pourquoi ses deux compagnons avaient fini dans l'Atlantique.

Le gosse avait fourni leurs noms, âges et adresses. Hatch avait vérifié les informations sur le contrat de location et confirmé ses dires.

Hatch n'appréciait pas tellement d'avoir à partager son territoire, en revanche il était content que les autorités ne l'aient pas obligé à attendre dehors la fin des interrogatoires. La marina fourmillait à présent de badauds, attirés par la scène du drame comme des mouches par un tas de fumier. Impossible de faire deux mètres sans tomber sur un uniforme.

Ayant personnellement connu les prisons un peu partout dans le monde, Hatch éprouvait une profonde aversion pour les uniformes et les insignes. Il aimait autant éviter toute forme d'autorité. Si un homme ne pouvait vivre selon ses propres lois, son propre sens du bien et du mal, alors à quoi bon vivre ? Cette attitude l'avait souvent conduit à finir dans le panier à salade, mais c'était sa philosophie et il lui restait fidèle.

Il avait pourtant été contraint de contacter les services maritimes et la police locale, qui avaient questionné le jeune homme et organisé une opération de sauvetage. Pour ça, ils avaient assuré.

Le gamin était visiblement au bord de la crise de nerfs. Les autres, comprenant qu'il risquait de craquer à tout moment, avaient eu assez de jugeote pour ne pas ajouter de pression supplémentaire lors de l'interrogatoire. Afin de l'apaiser et d'obtenir des réponses, ils y étaient vraiment allés mollo.

Le garçon portait encore son maillot de bain et des baskets trempées qui dégoulinaient sur le plancher de bois brut. En plus de lui avoir servi un brandy, Hatch lui avait jeté une couverture sur les épaules, mais le gosse s'en était depuis débarrassé, tout comme du t-shirt.

Dehors, des pas et une voix excitée lui firent soudain lever la tête. Il lança un regard plein d'espoir vers la porte.

Mais le bruit finit par s'estomper. L'officier de police, qui s'était éloigné le temps de se servir un café, se retourna et décrypta parfaitement le regard du garçon.

— On te tiendra au courant dès qu'on en saura plus, fiston, promit-il.

— Ils sont sûrement encore en vie, répondit le jeune homme d'une voix éraillée qui semblait sur le point de s'éteindre.

On aurait cru qu'il avait hurlé au secours pendant des heures.

— C'est juste que je n'ai pas réussi à les retrouver dans l'obscurité, poursuivit-il. Il faisait tellement sombre.

Il promena son regard sur Hatch, puis sur l'officier.

— Je n'ai pas arrêté de les appeler... Pourquoi ils n'ont pas répondu ? Pourquoi ils n'ont pas crié à l'aide ? A moins que...

Il s'interrompit, incapable de dire tout haut ce que tout le monde redoutait.

L'officier reprit sa place sur la chaise d'Hatch, juste à côté de celle où le garçon était assis, la tête rentrée dans les épaules. De longues et pesantes minutes s'écoulèrent, pendant lesquelles le garde-côte se contenta de siroter son café. *Sluurp. Sluurp.*

Tout cela était franchement irritant, mais Hatch parvint à se contenir. C'était l'affaire de la justice à présent, pas la sienne. Son bateau était assuré. Bien sûr, il y aurait la paperasse à remplir, et un type suspicieux en costard avec qui il allait falloir marchander, mais au bout du compte, tout finirait par rentrer dans l'ordre. Peut-être même allait-il réaliser un petit bénéfice.

En revanche, il était moins optimiste concernant le sort du gamin. Aucune somme d'argent n'allait pouvoir améliorer sa vie après cet événement. Hatch avait aussi peu d'espoir pour lui que pour ses deux compagnons. Les statistiques jouaient en leur défaveur.

Il avait bien rencontré quelques hommes qui avaient survécu à un naufrage, mais très peu. Si vous tombiez à l'eau, la noyade restait encore la mort la plus douce. Mourir de froid prenait plus de temps. Et pour les prédateurs, vous ne représentiez qu'une source de nourriture parmi tant d'autres.

Le garde-côte saisit la tasse ébréchée et la fit rouler entre ses paumes.

— Pourquoi tu n'as pas utilisé la radio pour envoyer un SOS ?

— C'est ce que j'ai fait. Enfin... j'ai essayé. Je n'ai pas réussi à la faire marcher.

L'officier fixait le contenu de sa tasse.

— Quelques bateaux ont entendu ton appel. Ils t'ont donné pour consigne de ne surtout pas bouger. Tu ne l'as pas respectée.

— Je ne les ai pas entendus. Je suppose que...

Il laissa sa phrase en suspens et jeta un coup d'œil vers Hatch avant de poursuivre.

— Je pense que je n'ai pas dû bien écouter quand il nous a expliqué le fonctionnement de la radio.

— Regrettable erreur.

— Je sais, monsieur.

— Tu n'es pas ce qu'on peut appeler un marin chevronné ?

— Chevronné ? Non, monsieur. Mais c'est la première fois que je rencontre ce genre de problèmes.

— Hum. Parle-moi de la bagarre.

— La bagarre ?

Le garde-côte fronça les sourcils.

— N'essaye pas de te foutre de ma gueule, fiston. Tu as un énorme coquard, le nez en sang et la lèvre enflée. Tes mains sont écorchées et pleines de bleus. Je sais très bien à quoi ressemble une baston, alors ne joue pas à ça avec moi.

Les épaules du jeune homme se mirent à trembler. Ses yeux s'emplirent de larmes, mais il ne tenta pas de les contenir ni d'essuyer son nez qui coulait.

— C'était à cause de la fille ? demanda l'officier d'une voix radoucie. Selon M. Walker, ici présent, elle était plutôt du genre affriolant. Un vrai canon, c'est comme ça qu'il a dit. Est-ce que l'un de vous deux sort avec elle ?

— Vous voulez dire, comme une petite amie ? Non, monsieur. C'est juste une fille qu'on connaît.

— Toi et ton pote, vous vous l'êtes disputée ?

— Non, monsieur. Pas... pas exactement. C'est pas à cause d'elle que ça a commencé.

— Alors quoi ?

Le garçon renifla mais resta muet.

— Tu ferais mieux de tout me dire maintenant, fit le garde-côte, parce que quand on découvrira ce qu'on est censés découvrir là-bas, on s'acharnera sur toi jusqu'à ce que tu craches la vérité.

— On était bourrés.

— Hum.

— Et puis...

Le gamin redressa la tête, observa Hatch, puis le garde-côte et continua gravement :

— C'est mon meilleur ami.

— Bien. Alors, que s'est-il passé ?

Le gosse lécha la morve qui recouvrait sa lèvre supérieure.

— Il est devenu fou. Complètement cinglé. Je ne l'avais jamais vu comme ça.

— C'est-à-dire ?

— Aussi énervé. Aussi violent. Comme s'il avait craqué d'un seul coup.

— Craqué ?

— Oui.

— Qu'avais-tu fait pour qu'il craque ?

— Rien ! Deux secondes plus tôt il était en bas avec la fille. Je leur avais laissé un peu d'intimité, vous voyez ?

— Tu veux dire qu'ils s'envoyaient en l'air ?

— Ouais. Ils s'amusaient, quoi ! Et la minute d'après, il arrive sur le pont et il se jette sur moi.

— Sans raison ?

Le garçon hocha la tête.

— C'était censé être une fête. Une célébration, même. Je ne comprends pas comment ça a pu dégénérer aussi vite. Je jure sur Dieu que je n'y comprends rien.

Il enfouit son visage blessé dans ses mains et se remit à sangloter.

Le garde-côte lança à Hatch un regard interrogateur. Ce dernier l'observa à son tour, comme s'il voulait savoir ce que l'officier attendait de lui. Il n'était pas avocat. Il n'était pas non plus un proche. Et il n'avait sûrement rien d'un garde-côte ou d'un flic. Cette affaire ne le concernait plus.

Voyant qu'il n'obtiendrait pas de déclaration spontanée, l'officier lui demanda s'il avait quelque chose à ajouter à la déposition du jeune homme.

— Non.

— Les avez-vous vus, ou entendus se battre ?

— Je les ai juste vus rigoler entre eux.

Le garde-côte se tourna vers le garçon.

— Deux amis ne se frappent pas sans raison. Même quand ils ont trop bu. Ils s'insultent, échangent quelques coups. Mais quand la tempête est passée, c'est oublié, non ?

— Je suppose que oui, répondit le gosse d'un air renfrogné.

— Alors je veux que tu joues franc-jeu avec moi. Tu m'entends ? Qu'est-ce qui a provoqué la dispute ?

Le gamin avala sa salive avec effort.

— Il s'est jeté sur moi.

— Pourquoi ?

— Je jure que je n'ai fait que me défendre, geignit-il. Je ne voulais pas me battre avec lui. C'était censé être une fête.

— Pourquoi s'est-il jeté sur toi ?

Il secoua la tête.

— Tu ne me dis pas la vérité, fiston, hein ? Tu sais très bien pourquoi il t'a frappé. Alors parle. Qu'est-ce qui a bien pu rendre fou ton meilleur ami au point de vouloir te cogner dessus ?

Le silence s'abattit pendant vingt bonnes secondes, puis le gamin marmonna un mot. Un seul petit mot.

Hatch n'était pas certain d'avoir bien entendu, surtout parce que le premier coup de tonnerre avait éclaté à cet instant précis, faisant vibrer la petite fenêtre carrée de la cabane, et aussi parce que la réponse du garçon semblait pour le moins étrange.

C'est aussi ce qu'avait dû penser le garde-côte. Il hocha la tête comme s'il s'agissait d'un malentendu et se pencha vers le gosse pour mieux entendre.

— Tu veux bien répéter ? Parle plus fort, fiston.

Le jeune homme releva la tête et s'essuya le nez du revers de la main. Il s'éclaircit la gorge et cligna de son œil valide pour avoir une vision nette de l'officier.

— La jalousie, lâcha-t-il d'un ton brusque. Le voilà le problème. La jalousie.

P.M.E.

St. Anne Island, Géorgie.
Février 2002

1.

— Il y doit bien y avoir quelque chose.

Maris Matherly-Reed tapa impatiemment son crayon contre le bloc-notes où elle venait de griffonner une série de triangles et de ronds. En dessous, elle avait esquissé un vague croquis, une idée qu'elle avait eue pour la jaquette d'un ouvrage.

— P.M.E., c'est bien ça ?

— C'est ça.

— Désolé m'dame, rien à ce nom-là. J'ai vérifié deux fois.

L'idée pour la couverture du livre – un récit autobiographique relatant la liaison sulfureuse que l'écrivain entretenait avec sa demi-sœur – lui était venue pendant que l'opérateur, à l'autre bout du fil, cherchait à localiser le numéro de téléphone. L'appel, qui n'aurait dû prendre qu'une poignée de secondes, s'était transformé en une attente de plusieurs minutes.

— Vous n'avez aucune personne enregistrée au nom de P.M.E. dans cette région ?

— Ni dans cette région ni ailleurs. J'ai lancé la recherche pour l'ensemble du territoire.

— Peut-être dans les pages jaunes ?

— J'ai vérifié aussi.

— Est-il possible qu'il soit sur liste rouge ?

— Si c'était le cas, je le verrais. Je n'ai rien qui corresponde à ces initiales. Si vous aviez le nom de famille...

— Oui, mais je ne l'ai pas.

— Alors désolé, je ne peux rien pour vous.

— Tant pis. Merci d'avoir essayé.

Frustrée, Maris reconsidéra son croquis et gribouilla par-dessus. Peu importait la jaquette, elle n'aimait pas ce livre et ne l'aimerait jamais. Ses accents incestueux la mettaient mal à l'aise, et elle craignait que la majorité des lecteurs ne partagent sa gêne.

Mais l'éditrice à qui l'on avait soumis le manuscrit tenait absolument à l'acheter. Le sujet garantissait à l'auteur plusieurs apparitions à la télé et à la radio, des articles dans la presse, probablement une adaptation en téléfilm. Même si les critiques s'avéraient mauvaises, le sujet était assez croustillant pour générer de gros chiffres de vente. Les autres membres du comité de lecture avaient tous approuvé l'éditrice, et Maris n'avait eu d'autre choix que de se ranger du côté de la majorité. A charge de revanche.

Ce qui la ramena au prologue de *Jaloux*, qu'elle avait lu dans l'après-midi. Elle l'avait découvert parmi la pile de manuscrits non sollicités qui prenaient la poussière sur l'une des étagères de son bureau pendant des mois, jusqu'à ce jour inattendu où son emploi du temps lui permettait d'y jeter un œil avant d'envoyer à leurs auteurs anxieux la traditionnelle lettre de refus. En imaginant leur cuisante déception à la lecture de ce message froid et impersonnel, Maris se disait que chacun de ces écrivains méritait au moins quelques minutes de son temps.

Et puis il y avait toujours cette faible, cette infime probabilité pour que la perle rare se soit glissée dans la pile. Elle allait peut-être un jour en extraire le futur Hemingway, le Steinbeck ou le Faulkner de demain. C'était le rêve fou de tout éditeur.

Maris, elle, se contentait de dénicher les best-sellers. Et les douze pages de ce prologue se montraient plus que prometteuses. Elles avaient plus enthousiasmé Maris que tout ce qu'elle avait lu récemment, même parmi les auteurs qu'elle avait déjà publiés, et sûrement plus en tout cas que tous les apprentis écrivains dont elle avait feuilleté les romans ces derniers temps.

Le texte avait piqué sa curiosité, comme elle l'attendait d'un premier chapitre ou d'un prologue. Elle avait mordu à l'hameçon et brûlait d'impatience de connaître la suite de l'histoire. Et la suite, d'ailleurs, était-elle écrite ? Ou du moins ébauchée ? L'auteur en était-il à sa première tentative ? S'était-il/elle déjà essayé à d'autres genres ? Quelles étaient ses références ? En avait-il/elle seulement ?

Rien n'indiquait le sexe de l'écrivain, mais un pressentiment l'amenait à penser qu'il s'agissait d'un homme. Le dialogue intérieur d'Hatch Walker collait parfaitement à son tempérament corsé et ressemblait fort à un langage masculin. La narration était conforme à l'âme tant poétique que pervertie du vieux marin.

En revanche, l'auteur semblait totalement inexpérimenté dans l'art de soumettre son manuscrit à un éditeur potentiel. Aucune des règles en vigueur n'était respectée. L'usage voulait qu'on envoie une enveloppe affranchie pour la réponse. Elle n'y était pas. Il manquait aussi la lettre de présentation. Pas de numéro de téléphone, pas d'adresse postale, pas même une adresse e-mail. Rien que ces trois initiales et le nom de cette île dont Maris n'avait encore jamais entendu parler. Comment pouvait-on espérer vendre son roman si on ne laissait pas ses coordonnées ?

Le cachet apposé sur l'enveloppe lui apprit que le manuscrit avait été envoyé quatre mois plus tôt. Si cette personne avait soumis son prologue à plusieurs éditeurs, il se pouvait que le texte ait déjà été acheté. Raison de plus pour localiser cet écrivain au plus vite. Soit elle perdait son temps, soit elle venait de dénicher un roman plein de promesses. Dans les deux cas, il valait mieux qu'elle soit fixée le plus tôt possible.

— Tu n'es pas encore prête ?

Noah apparut sur le pas de la porte, vêtu de son smoking Armani.

— Mazette, quel bel homme ! commenta Maris.

En consultant la pendule de son bureau, elle s'aperçut qu'elle avait perdu toute notion du temps et qu'elle était effectivement en retard. Elle se passa la main dans les cheveux et eut un petit rire.

— Par contre, moi, je vais avoir besoin d'un bon ravalement de façade, fit-elle.

Noah, son mari depuis maintenant vingt-deux mois, referma la porte derrière lui et se dirigea vers le bureau. Il jeta une revue financière sur la table et vint se placer derrière elle pour lui masser la nuque et les épaules, les endroits où, chez elle, se concentraient toute la tension et la fatigue.

— Rude journée ?

— Pas tant que ça. Juste une réunion dans l'après-midi. J'en ai profité pour mettre un peu d'ordre là-dedans.

Elle indiqua la pile de manuscrits refusés.

— Tu as lu ces trucs-là ? Maris, voyons ! la réprimanda-t-il. Pourquoi te tracasser avec ça ? Tu sais bien que Matherly Press n'achète que des manuscrits soumis par des agents.

— Ça, c'est la ligne de conduite officielle. Mais en tant que Matherly, j'ai le droit d'enfreindre les règles si ça me chante.

— Voilà que je suis marié à une anarchiste, lança-t-il pour l'asticoter avant de l'embrasser dans le cou. Si tu fomentes une insurrection, ne pourrais-tu pas au moins t'arranger pour que ta cause aille dans le sens de notre compagnie, plutôt que de dépenser le temps ô combien précieux de notre éditrice et vice-présidente ?

— Quel titre peu engageant ! remarqua-t-elle avec un léger frisson. On imagine une femme mal fagotée qui porte des chaussures de grand-mère et traîne derrière elle une odeur de pastilles pour la gorge.

Noah se mit à rire.

— Moi j'imagine une femme influente, ce que tu es, et une personne débordée de travail, ce que tu es également.

— Tu as oublié de mentionner mon élégance et mon sex-appeal.

— Inutile de le préciser. N'essaye pas de changer de

sujet. Pourquoi lire ces manuscrits, alors que même nos plus jeunes éditeurs ne le font pas ?

— Parce que mon père m'a appris à honorer toute personne qui chercherait à se lancer dans l'écriture. Même si le talent n'est pas au rendez-vous, tout effort mérite d'être salué.

— Loin de moi l'idée de contester le vénérable Daniel Matherly.

Malgré les reproches de Noah, Maris avait l'intention de continuer à lire les manuscrits. Même si cela représentait une perte de temps, ce travail, bien qu'improductif, constituait l'un des principes sur lesquels Matherly Press avait été fondée plus d'un siècle auparavant. Noah se moquait de ces coutumes archaïques parce qu'il n'était pas né Matherly. Il était membre de la famille par alliance et non par le sang, et cette différence fondamentale expliquait son attitude désinvolte envers la tradition.

Le sang de cette dynastie était teinté d'encre, et Maris croyait fermement que l'admiration et le respect dont sa famille avait toujours fait preuve envers la langue écrite et les écrivains avaient joué un rôle fondamental dans le succès et la longévité de la maison.

— Au fait, j'ai amené une copie de l'article, fit Noah.

Maris s'empara du magazine. Un Post-it indiquait la page concernée.

— Très belle photo, commenta-t-elle.

— Bon photographe.

— Le modèle n'est pas mal.

— Merci.

— *Noah Reed ne fait vraiment pas ses quarante ans*, lut Maris à voix haute.

Elle inclina la tête et se mit à le dévisager.

— Je suis assez d'accord. Tu ne fais pas plus de trente-neuf.

— Ha ha !

— *Des exercices physiques quotidiens dans la salle de sport de Matherly Press – l'une des innovations que Reed a apportées en rejoignant la compagnie il y a trois ans –*

maintiennent son mètre quatre-vingt-cinq mince et souple. Eh bien, cette journaliste semble être tombée sous ton charme. Tu n'aurais pas eu une liaison avec elle, par hasard ?

— Absolument pas, répondit-il en riant.

— Elle fait partie des rares...

Le jour de leur mariage, pour le taquiner, Maris lui avait fait remarquer que vu le nombre de femmes qui pleuraient la perte de l'un des célibataires les plus convoités de la ville, elle était surprise de ne pas voir les portes de la cathédrale St. Patrick drapées de noir.

— Est-ce qu'elle parle de ton sens des affaires et de tout ce que tu as apporté à Matherly Press ?

— Oui, un peu plus bas.

— Voyons voir... *...les tempes grisonnantes ajoutent à son allure distinguée... son maintien et son charme impérieux...*, patati patata. Tu es sûr que... Ah, voilà. *Il dirige Matherly Press avec son beau-père, l'éditeur légendaire Daniel Matherly, président-directeur général et président du comité de lecture, et sa femme, Maris Matherly-Reed, dont Noah Reed vante la pertinence des choix éditoriaux. Modestement, c'est à elle qu'il attribue la réputation de la compagnie pour ses publications de best-sellers.*

Ravie, elle lui adressa un grand sourire.

— Tu as dit ça ?

— Et plus encore, mais tout n'a pas été cité.

— Merci.

— Je n'ai dit que la vérité.

Maris termina la lecture de l'article et reposa le magazine.

— Très élogieux. Mais malgré tout son blabla, cette journaliste a omis deux éléments majeurs.

— A savoir ?

— Que tu es un excellent écrivain.

— *The Vanquished*, Maris, c'est de l'histoire ancienne.

— Eh bien selon moi, il devrait figurer dans tous les articles où ton nom apparaît.

— Et le deuxième point ? demanda-t-il du ton brusque dont il usait chaque fois qu'elle évoquait son seul et unique livre publié.

— Elle ne dit rien de ta sublime technique de massage.

— A votre service, madame.

Fermant les yeux, Maris pencha la tête d'un côté.

— Un peu plus bas sur ta dr... Aah. Oui, là.

Il enfonça son pouce entre les omoplates et la tension commença à se dissiper.

— Tu es toute nouée, remarqua-t-il. Ça t'apprendra à fouiller toute la journée dans ces cochonneries.

— En l'occurrence, il se pourrait bien que j'aie fait une découverte intéressante.

— Tu plaisantes ?

— Non.

— Une fiction ?

— Oui. Ce n'est qu'un prologue, mais c'est très intrigant. Ça commence...

— Je serais ravi que tu m'en parles, trésor, mais il faudrait peut-être que tu t'actives si tu ne veux pas qu'on arrive en retard.

Il déposa un baiser sur son front et voulut faire un pas en arrière, mais Maris lui agrippa les mains et les amena contre ses seins.

— C'est vraiment obligatoire ?

— Plus ou moins.

— On peut bien rater une réception. Papa s'est désisté, lui.

— Justement. Matherly Press a réservé une table. Deux sièges vides, ça se remarquerait. Et puis l'un de nos auteurs doit recevoir un prix.

— Mais il ne sera pas seul. Il y a déjà son agent et son éditeur pour venir l'applaudir.

De nouveau, elle attira ses mains contre sa poitrine.

— On n'a qu'à appeler et dire qu'on est malades. On pourrait rentrer à la maison et oublier tout le reste. Ouvrir une bouteille de vin, se prélasser dans le Jacuzzi en mangeant une pizza. Faire l'amour dans le salon. Ou ailleurs.

Il se mit à rire et lui pressa les seins avec une tendresse moqueuse.

— Tu disais quoi, au fait, à propos de ce prologue ? demanda-t-il.

Il se dégagea de son étreinte et se dirigea vers la porte.

Maris poussa un grognement mécontent.

— Je pensais te faire une offre impossible à refuser.

— C'est tentant. Je t'assure. Mais notre absence éveillerait les soupçons.

— Oui, tu as raison. Je n'aimerais pas que les gens pensent qu'on se comporte encore comme de jeunes mariés fougueux.

— Que nous sommes, Maris.

— Mais…

— Mais nous avons aussi des obligations professionnelles, tu le sais très bien. Je préfère que les gens parlent de Matherly Press au présent et au futur plutôt qu'au passé.

— Et c'est la raison pour laquelle nous assistons à presque toutes les manifestations littéraires organisées à New York, conclut-elle comme si elle récitait une leçon de catéchisme apprise par cœur.

— Exactement.

Leur emploi du temps était rempli de petits déjeuners, déjeuners, dîners, réceptions et autres cocktail-parties. Selon Noah, il était extrêmement important, voire quasiment obligatoire, d'être vus comme des membres actifs des cercles littéraires, surtout depuis que le père de Maris ne pouvait plus s'impliquer comme par le passé.

Récemment, Daniel Matherly avait ralenti son rythme de travail. Il ne participait plus autant aux réunions d'affaires. Et même si les requêtes continuaient d'affluer, il acceptait de moins en moins d'engagements pour des conférences. Le Four Seasons appelait tous les jours pour savoir s'il utiliserait sa table habituelle ou s'ils étaient libres d'y installer d'autres personnes.

Durant presque cinquante ans, Daniel avait été un personnage incontournable. Sous sa direction, Matherly

Press avait fixé les règles du marché, dicté les courants et dominé les listes de best-sellers. Son nom était devenu synonyme de livres publiés aussi bien dans le pays qu'à l'étranger. C'était une force de la nature, mais depuis quelques mois, il avait volontairement ralenti son allure.

Cette semi-retraite ne signifiait cependant ni la fin, ni même un quelconque affaiblissement de la viabilité de leur maison d'édition, ce que Noah considérait comme vital de faire comprendre à la communauté littéraire. Et si cela impliquait d'assister à plusieurs dîners par mois, alors ils le feraient.

Il consulta sa montre.

— Dans combien de temps penses-tu être prête ? Il faudrait que je prévienne le chauffeur.

Maris soupira avec résignation.

— Donne-moi une vingtaine de minutes.

— Je vais être généreux. Je te laisse une demi-heure.

Il lui envoya un baiser avant de quitter la pièce.

Maris ne se précipita pas aussitôt sur sa trousse à maquillage. Au lieu de ça, elle demanda à son assistante de lui passer un appel. Elle venait d'avoir une autre idée sur la manière de débusquer l'auteur de *Jaloux*.

Tandis qu'elle attendait d'être mise en relation, elle plongea le regard par la baie vitrée de son bureau. Exposée sud-est, elle formait l'un des angles de la pièce et occupait presque toute la surface du mur. C'était une douce soirée d'été sur Midtown Manhattan. Le soleil venait de tomber derrière les gratte-ciel, amenant un crépuscule prématuré dans les rues en contrebas. Déjà les lumières s'allumaient dans les immeubles et faisaient scintiller les structures de brique et de granite. Derrière les fenêtres des bâtiments voisins, Maris apercevait d'autres employés occupés à ranger leurs affaires.

Sur les boulevards, les automobilistes en route pour leur domicile concurrençaient ceux qui se dirigeaient vers les salles de spectacle. Les taxis se disputaient le moindre centimètre carré d'asphalte, se frayant d'improbables chemins entre les bus et les camions de livraison.

Les coursiers à vélo, apparemment en proie à des désirs de mort, jouaient à qui se dégonflerait le premier avec les autres usagers de la route. Sur les trottoirs surchargés, les portes à tambour déversaient leur flot de piétons qui se bousculaient à la recherche d'un peu d'espace, brandissant sacs et mallettes comme des armes.

De l'autre côté de l'avenue des Amériques, une file d'attente se formait devant le Radio City Music Hall où Tony Bennett devait se produire. Noah, Daniel et Maris s'étaient vu offrir des billets VIP, mais avaient dû décliner l'invitation à cause de ce fameux banquet de remise des prix.

Pour lequel elle était d'ailleurs censée se préparer, se souvint-elle juste au moment où son téléphone se mettait à bipper.

— Je te le passe sur la une, l'informa son assistante.

— Merci. Tu peux y aller. A demain.

Maris enfonça le bouton clignotant.

— Allô ?

— Oui, ici le shérif-adjoint Dwight Harris.

— Bonjour, monsieur Harris. Merci d'avoir pris mon appel. Permettez-moi de me présenter : Maris Matherly-Reed.

— Vous pouvez répéter ?

Elle s'exécuta.

— Hum.

Elle marqua une pause pour lui laisser le temps de faire un commentaire ou de poser une question, mais voyant qu'il ne disait rien, elle entra directement dans le vif du sujet.

— Je cherche à joindre une personne qui, selon toute vraisemblance, habite St. Anne Island.

— Oui, c'est dans notre comté.

— En Géorgie, c'est bien ça ?

— Tout à fait ma p'tite dame, répondit-il fièrement.

— St. Anne est une île ?

— Affirmatif. Enfin... c'est petit, mais c'est quand même une île. A environ trois kilomètres du continent. Qui cherchez-vous ?

— Une personne dont les initiales sont P.M.E.

— Vous avez dit P.M.E. ?

— Auriez-vous idée de qui il peut s'agir ?

— Non, je ne vois pas. On parle d'un homme ou d'une femme ?

— Je n'en sais malheureusement rien.

— Vous ne savez pas. Hum.

Il s'interrompit un instant avant de demander :

— Vous ne savez même pas si c'est un homme ou une femme, alors qu'est-ce que vous lui voulez ?

— C'est pour affaires.

— Pour affaires ?

— Tout à fait.

— Hu-hum.

Echec. Maris fit une dernière tentative.

— Vous auriez pu connaître, ou avoir entendu parler d'une personne qui...

— Non.

Visiblement, cette conversation ne menait à rien et lui faisait perdre le peu de temps qu'il lui restait.

— Bien, je vous remercie monsieur Harris. Désolée de vous avoir dérangé.

— Y a pas de mal.

— Auriez-vous la gentillesse de prendre mon nom et mes coordonnées téléphoniques ? Si jamais vous entendez parler de quelqu'un dont le nom correspond à ces initiales, je vous serais très reconnaissante de bien vouloir me prévenir.

Il inscrivit les numéros.

— Vous savez, s'il s'agit d'une procédure légale, je serais ravi de...

— Non, non. Rien de tout cela.

— Business.

— Exactement.

— D'accord, très bien, lança-t-il manifestement déçu. Désolé de n'avoir pas pu vous aider.

Elle le remercia à nouveau, ferma son bureau à clé et se dirigea rapidement vers les toilettes, où l'attendait sa robe de cocktail. Elle l'y avait déposée en arrivant, tôt dans la matinée. Parce qu'elle changeait souvent de tenue avant de quitter son travail, Maris avait pris pour habitude de conserver, dans un petit casier, divers articles de toilette et autres produits de beauté.

Lorsqu'elle rejoignit Noah quinze minutes plus tard, ce dernier ne put s'empêcher de pousser un sifflement admiratif. Il l'embrassa sur la joue.

— Quelle transformation ! Tu as fait des miracles. Vraiment, tu es splendide.

Comme ils descendaient au rez-de-chaussée, elle s'examina dans la glace de l'ascenseur et constata que ses efforts n'avaient pas été vains. « Splendide » était un peu exagéré, mais si l'on considérait l'état ébouriffé dans lequel elle se trouvait au départ, elle pouvait être heureuse de s'en tirer à si bon compte.

Elle portait une robe de soie couleur framboise à fines bretelles, au décolleté prononcé. Pour le côté paillettes, elle avait choisi d'arborer des clous d'oreille en diamants, ainsi qu'un sac à main Judith Leiber en forme de papillon et serti de petits cristaux, cadeau de Noël de son père. Pour compléter la tenue, elle avait jeté sur ses épaules un pashmina acheté à Paris, où elle avait fait un crochet l'an passé en revenant de la Foire internationale du livre de Francfort.

Ses longs cheveux étaient noués en une queue-de-cheval chic et sophistiquée. Elle s'était remaquillé les yeux et avait souligné ses lèvres d'un trait de crayon avant d'y appliquer du gloss. Pour donner un peu de couleur à son teint pâle elle s'était poudré le visage et le décolleté avec un auto-bronzant. Son wonderbra, une merveille de technologie, rehaussait sa poitrine de manière flatteuse.

— *Son bronzage et ses nichons étaient entièrement artificiels.*

Les portes de l'ascenseur s'ouvrirent et Noah lui lança un regard surpris tandis qu'il s'écartait pour la laisser passer.

— Qu'est-ce que tu viens de dire ?

— Rien, répondit-elle en riant. Je citais une phrase que j'ai lue aujourd'hui.

2.

Même s'il avait cessé de pleuvoir une demi-heure plus tôt, l'air était si humide que l'eau ne parvenait pas à s'évaporer. Elle s'accumulait en flaques. Elle perlait sur les pétales des fleurs et la peau duveteuse des pêches bien mûres prêtes à être cueillies. Les branches des conifères ployaient sous le poids de cette charge liquide. De grosses gouttes roulaient le long des feuilles pour venir s'écraser sur un sol spongieux et détrempé.

La moindre petite brise, en agitant les arbres, aurait suffi à provoquer de minuscules douches de pluie, mais aucun mouvement ne venait perturber l'air. L'atmosphère était inerte, d'une texture presque aussi compacte que le silence.

Le shérif-adjoint Dwight Harris descendit de la voiturette de golf qu'il avait empruntée en arrivant au débarcadère de St. Anne. Avant de s'engager dans l'allée qui conduisait à la maison, il ôta son chapeau et marqua une pause, soi-disant pour prendre le temps de s'orienter, mais surtout parce qu'il se demandait après coup si c'était une bonne idée de venir ici à la nuit tombée. Il ne savait pas trop à quoi s'attendre.

Il n'était encore jamais venu, pourtant il connaissait parfaitement l'histoire de cette maison. Quiconque était passé à St. Anne avait forcément entendu parler de la demeure coloniale située à la pointe est de l'île, sur une petite langue de terre orientée vers l'Afrique. Et si l'on pouvait douter de la crédibilité de certains récits, les descriptions de la résidence, en revanche, étaient diablement proches de la réalité.

Typique de l'architecture coloniale, la construction en bois à deux étages reposait sur des fondations en briques. Six grandes marches menaient à la véranda. Celle-ci s'étendait sur toute la longueur du bâtiment et venait envelopper l'édifice de chaque côté. La porte d'entrée et les jalousies étaient peintes du même noir laqué. Six colonnes supportaient un balcon central situé au deuxième étage, et de part et d'autre du toit, très pentu, des cheminées jumelles semblaient jouer le rôle de presse-livres. Tout cela ressemblait fort à ce que le shérif-adjoint avait pu imaginer.

Simplement, il n'avait pas prévu que l'endroit lui donnerait autant la chair de poule.

Soudain il sursauta et poussa un petit cri de frayeur. Tombée d'une branche de l'arbre sous lequel il se tenait, une goutte de pluie venait d'atterrir sur sa nuque. Il s'essuya le cou, remit son chapeau et jeta un œil autour de lui pour s'assurer que personne n'avait assisté à la scène. Après tout, ce n'étaient que l'obscurité et le mauvais temps qui donnaient à l'endroit cet aspect sinistre. Tout en se traitant de lâche, il se força à avancer.

Tâchant d'esquiver les flaques, il s'engagea dans l'allée recouverte de débris de coquillages et délimitée par deux rangées de chênes verts. Quatre de chaque côté. Des lianes de mousse espagnole pendaient le long des branches. Les racines des arbres séculaires serpentaient le long du sol, certaines aussi épaisses que la cuisse d'un homme obèse.

L'entrée principale s'avérait des plus impressionnantes. Quant à l'arrière de la maison, Harris savait qu'il dominait l'Atlantique.

La bâtisse n'avait pas toujours été aussi imposante. Les quatre pièces d'origine avaient été construites plus de deux siècles auparavant par le planteur qui avait racheté l'île à un colon anglais, ce dernier ayant préféré finir ses vieux jours en Angleterre plutôt que de succomber à la fièvre jaune dans ce tout nouveau pays américain. L'agrandissement de l'édifice avait suivi le développement de la plantation, où l'on avait commencé par cultiver l'indigo et la canne à sucre avant de se consacrer au coton.

Plusieurs générations se succédèrent avant que les quatre pièces d'origine ne soient converties en habitation pour les esclaves : c'est ainsi que la construction de la grande résidence débuta. A l'époque, c'était une véritable merveille, du moins pour St. Anne Island. Les matériaux de construction et le mobilier furent amenés par bateau, puis acheminés à travers champs et forêts sur des chariots tirés par des mules. Les travaux durèrent plusieurs années, mais la maison fut solidement bâtie et résista à l'occupation de l'armée nordiste et au passage de plusieurs dizaines d'ouragans.

Ce fut un insecte qui causa sa perte.

En effet, au début du XXe siècle, l'anthonome ruina bien plus que les récoltes de coton. Plus destructeur que la guerre et les éléments déchaînés, l'insecte anéantit l'économie locale et le mode de vie traditionnel de St. Anne.

L'un des descendants du premier planteur, anticipant avec clairvoyance sa perte imminente, décida de se pendre au lustre de la salle à manger. Les autres membres de la famille prirent la fuite en pleine nuit et disparurent complètement de la circulation, laissant derrière eux de nombreuses dettes.

Les années s'écoulèrent. La forêt finit par envahir la propriété qui entourait la demeure, ainsi que les champs jadis blancs de coton. Des vauriens squattaient les chambres autrefois habitées par l'aristocratie – l'un des présidents des Etats-Unis y avait même séjourné un moment. Les seules personnes à s'aventurer dans le bâtiment délabré étaient des jeunes un peu cinglés qui acceptaient de relever un défi, ou bien un éventuel ivrogne à la recherche d'un endroit où cuver son vin.

La maison resta ainsi en ruine jusqu'à ce qu'un étranger, un non-insulaire, la rachète dans le but d'y entreprendre d'importantes rénovations. Cela faisait maintenant plus d'un an qu'il s'y était installé. Selon Harris, il s'agissait probablement d'un yankee, un fan d'*Autant en emporte le vent* qui avait voulu devenir propriétaire d'une maison coloniale dans le Sud, un type qui devait posséder plus d'argent que de raison.

Toutefois, sur l'île, les rumeurs lui étaient plutôt favorables. Les gens disaient qu'il avait fait du bon boulot. Pour Harris, il restait tout de même pas mal de travaux avant que la résidence ne resplendisse comme à la grande époque. Le shérif-adjoint n'enviait pas au nouveau propriétaire la tâche monumentale qui l'attendait, ni les dépenses faramineuses qu'allait engendrer une telle entreprise, et encore moins la poisse qui semblait coller à cet endroit.

La légende racontait que le fantôme du pendu continuait à hanter la vieille demeure et que le plafonnier de la salle à manger se mettait parfois à osciller sans raison.

Harris accordait peu de crédit aux histoires de revenants. Il avait vu des gens en chair et en os se livrer à des actes bien plus épouvantables que les soi-disant tours de malice perpétrés par les esprits. Il aurait pourtant accueilli avec plaisir la lumière d'une lampe tandis qu'il montait les marches, traversait la véranda et s'approchait de la porte d'entrée.

Il actionna timidement le heurtoir en cuivre avant de frapper à nouveau, cette fois plus fort. Plusieurs secondes s'écoulèrent, aussi lourdement que s'abattaient les gouttes d'eau tombées des corniches. Il n'était pas très tard, mais le propriétaire était peut-être déjà au lit. Les gens de la campagne ne se couchaient-ils pas en général plus tôt que les citadins ?

L'adjoint du shérif en était à se dire qu'il valait mieux revenir à un autre moment – et de préférence en plein jour – lorsque des bruits de pas se firent entendre. Quelques secondes plus tard, la porte s'entrebâillait.

— Oui ?

Harris tenta de scruter à travers la faible ouverture. Il s'était préparé psychologiquement à affronter les choses les plus diverses, du fantôme du pendu jusqu'au double canon d'un fusil de chasse pointé sur son ventre par un occupant mécontent d'avoir été inutilement tiré du lit.

Heureusement, il n'était question ni de l'un ni de l'autre, et l'homme paraissait raisonnablement amical. Harris le distinguait mal : les traits de son visage se fondaient dans l'obscurité, mais sa voix sonnait de façon agréable. Au moins, il ne l'avait pas injurié.

— 'Soir m'sieur. Dwight Harris, shérif-adjoint rattaché au bureau du shérif de Savannah.

L'homme se pencha légèrement en avant et dirigea son regard par-delà l'épaule de son visiteur, en direction de la voiturette de golf garée au bout de l'allée. Afin de décourager les touristes et les visiteurs importuns, aucun ferry ne desservait St. Anne Island. Ceux qui venaient ici devaient louer un bateau ou bien effectuer la traversée à bord de leur propre embarcation. A leur arrivée, pour parcourir les cinq mille hectares de l'île, ils avaient le choix entre la marche à pied et la location d'un véhicule de golf. Seuls les résidents permanents utilisaient leur pick-up sur ces routes étroites dont la plupart n'avaient délibérément jamais été bitumées.

Le petit utilitaire ne revêtait pas la même solennité qu'une voiture de patrouille, et Harris se dit que cela devait diminuer un peu son autorité. Afin de reprendre un peu confiance, il tira sur la ceinture où était accroché son revolver pour remonter son pantalon.

— En quoi puis-je vous aider, monsieur l'adjoint ? demanda l'homme derrière la porte.

— Premièrement, je tiens à m'excuser de venir vous déranger comme ça. Mais j'ai reçu un coup de fil dans la matinée. Une fille de New York.

L'autre écoutait sans un mot.

— Elle m'a expliqué qu'elle cherchait à retrouver quelqu'un dont les initiales sont P.M.E., reprit Harris.

— Vraiment ?

— C'est ce qu'elle a affirmé. Evidemment, je ne lui ai pas laissé voir que ça me disait quelque chose.

— Car ça vous disait quelque chose ?

— Quoi ? Les initiales ? Non, m'sieur. Pas exactement.

— Néanmoins vous êtes venu jusque-là.

— Je reconnais qu'elle a éveillé ma curiosité. Cette

histoire d'initiales. Mais ne vous inquiétez pas. On respecte la vie privée des gens, par ici.

— Une coutume admirable.

— Il y a toujours eu des gens qui sont venus se cacher à St. Anne pour une raison ou une autre.

A peine eut-il prononcé cette phrase qu'Harris la regretta. Elle contenait une accusation à peine voilée. Un long silence s'ensuivit. Il se racla nerveusement la gorge avant de reprendre.

— Bref, en tout cas, je me suis dit qu'il fallait bien rendre service à cette dame. Je suis venu avec le bateau du département. Je me suis renseigné en arrivant et on m'a indiqué votre maison.

— Que voulait-elle, cette femme ?

— Eh bien, je ne sais pas vraiment. Elle a dit que ça n'était pas un problème judiciaire. Juste qu'elle devait parler affaires avec P.M.E. J'ai pensé que vous deviez être le grand gagnant d'un de ces sweepstakes et qu'Ed McMahon et Dick Clark étaient à votre recherche.

— Je n'ai jamais participé à un sweepstake.

— Ah ? Bon... Très bien...

Harris inclina son chapeau pour se gratter la nuque. Il se demandait pourquoi l'homme ne l'invitait pas à entrer, et pourquoi il n'avait pas au moins allumé la lumière. Les tergiversations n'ayant rien donné, il demanda carrément :

— Vous êtes P.M.E. oui ou non ?

— A-t-elle laissé son nom ?

— Hein ? Oh, la dame ? Oui.

Harris sortit un petit papier de la poche de sa chemise, constatant avec gêne qu'elle était trempée de sueur. L'autre ne parut cependant pas s'émouvoir de ce détail et prit le papier pour le lire.

— Ce sont ses numéros de téléphone, expliqua Harris. Je me suis dit que ça devait être une femme importante pour en avoir autant. C'est pour ça que je suis venu aussitôt.

— Merci de vous être donné tout ce mal, shérif.

— Shérif-adjoint.

— Pardon.

Avant même d'avoir pu dire ouf, Harris vit la porte se refermer devant lui.

— Vous aussi, bonne soirée, marmonna-t-il en retournant à la voiturette.

Il sentit les morceaux de coquillage se briser sous ses bottes. Le crépuscule avait laissé place à l'obscurité la plus complète et il faisait encore plus sombre sous la voûte des arbres. Il n'avait pas exactement peur. Son interlocuteur s'était montré assez courtois. Il n'avait pas manifesté la moindre animosité. Son accueil avait peut-être été un brin inhospitalier, mais pas hostile.

Tout de même, Harris était content d'en avoir fini avec cette mission. Si jamais une telle situation venait à se représenter, il enverrait quelqu'un d'autre. Qu'est-ce que ça pouvait bien lui faire, après tout, le business d'une New-Yorkaise ?

En s'asseyant au volant, il constata que le siège était trempé. Le temps qu'il atteigne l'embarcadère, l'eau avait eu le temps de s'infiltrer dans son pantalon.

L'homme à qui il avait emprunté la voiturette – pour les flics, c'est gratuit – l'observa avec méfiance tandis qu'il s'approchait pour rendre la clé.

— Vous l'avez trouvé ?

— Oui. Merci de m'avoir indiqué le chemin, répondit Harris. Vous l'avez déjà rencontré, ce type ?

— De temps en temps, acquiesça l'autre d'une voix traînante.

— Est-ce qu'il est du genre... bizarre ?

— Pas que j'sache.

— Il n'a jamais créé de problèmes dans le coin ?

— Nan. Il est souvent chez lui.

— Les gens d'ici l'aiment bien, non ?

— Vous voulez prendre de l'essence, avant de repartir ?

Cela équivalait à une invitation à quitter les lieux. Harris pouvait remballer ses questions. Il avait espéré se faire une image plus précise de l'homme qui vivait dans la maison hantée et se cachait derrière sa porte lorsque des gens venaient frapper chez lui mais, apparemment, il n'apprendrait rien de plus. Il n'avait aucune raison de mener plus loin les investigations – hormis sa curiosité, qui le poussait à vouloir résoudre l'énigme de ce personnage qui signait de ses initiales, et cette New-Yorkaise qui enquêtait également.

Il remercia le conducteur de la voiturette.

— A vot' service, répondit celui-ci en crachant son jus de tabac dans la boue.

3.

— Monsieur et madame Reed ? Une dernière photo, s'il vous plaît.

Maris et Noah adressèrent un sourire au photographe chargé de couvrir le banquet littéraire pour le magazine *Publishers Weekly*. Pendant le cocktail, on les avait immortalisés au côté d'autres éditeurs, avec l'auteur qui venait de recevoir le prix, et avec la célébrité venue présenter la soirée, une ancienne joueuse de tennis qui se prenait pour un écrivain depuis qu'un nègre lui avait pondu un roman à clef relatant son parcours sur le circuit professionnel.

Les Reed avaient pu dîner dans une quiétude relative, mais à présent que la soirée touchait à sa fin, les photographes les sollicitaient de nouveau. Comme promis, le journaliste prit un dernier cliché et déguerpit aussitôt pour aller mitrailler un gourou de la gym, dont le dernier livre de fitness caracolait en tête des ventes.

Tandis qu'ils traversaient l'élégant hall d'entrée du Palace Hotel, Maris poussa un soupir de soulagement.

— Enfin. J'ai hâte de me mettre en pyjama.

— Un dernier verre et on pourra faire nos adieux.

— Un dernier verre ?

— Oui. Au LeCirque.

— Maintenant ?

— Je te l'ai dit, Maris.

— Tu ne m'as rien dit du tout.

— Je suis certain de t'avoir prévenue. Juste avant le dessert, je t'ai chuchoté à l'oreille que Nadia nous avait invités à la rejoindre boire un verre en compagnie d'un des récipiendaires.

— Je ne pensais pas que tu parlais de ce soir, répondit Maris d'un air renfrogné.

Elle détestait cordialement Nadia Schuller, une critique littéraire arriviste qui aimait à se mêler de tout, et avait le chic pour les convier, elle et Noah, à des soirées qu'il était impossible de refuser avec élégance.

Publiée dans les plus grands journaux, la rubrique de Nadia, « Causerie littéraire », était l'une des plus influentes du pays – selon Maris, cela s'expliquait surtout par le fait qu'elle avait tout mis en œuvre pour devenir la seule et unique critique littéraire connue du grand public. Aussi bien sur un plan professionnel que personnel, Maris la tenait en piètre estime.

La journaliste se montrait habile à vous faire croire que ce genre de soirées arrangées allaient dans l'intérêt de tout le monde, mais Maris la suspectait de ne chercher que son propre avantage à jouer ainsi les entremetteuses. Nadia n'avait pas son pareil pour assurer sa propre promotion ; elle ne se contentait jamais d'un « non », n'hésitant pas à menacer ceux qui osaient lui résister. Maris voyait clair dans son jeu, mais son mari, lui, semblait complètement aveugle.

— On ne pourrait pas décommander, Noah ? Juste pour cette fois ?

— Mais puisqu'on est là...

— Je t'en prie, pas ce soir, implora-t-elle.

— Bon, bon. Faisons un compromis, proposa-t-il en lui souriant affectueusement. C'est une réunion importante, tu sais.

— Avec Nadia, c'est toujours soi-disant important. Impératif, même.

— Je te l'accorde. Mais cette fois, je ne pense pas qu'elle exagère.

— Tu as parlé d'un compromis ?

— Oui, si tu veux, je peux t'excuser auprès d'eux. Je dirai à Nadia que tu avais mal au crâne, ou que tu dois te lever tôt demain matin. Le chauffeur te raccompagnera et je te rejoindrai après avoir bu un verre. C'est l'histoire d'une demi-heure, tout au plus.

Elle glissa la main sous sa veste et lui caressa le torse à travers sa chemise amidonnée.

— Je pense avoir un meilleur compromis, monsieur Reed. Je propose à Nadia un petit plongeon dans l'East River. Puis on rentre à la maison. J'ai parlé de pyjama, tout à l'heure. Eh ben, je pourrais peut-être m'en dispenser.

— Tu as commencé ta phrase par « eh ben ».

— C'est toi l'écrivain. Je ne suis qu'une simple éditrice.

— J'*étais* écrivain.

— Tu l'es encore.

Elle s'approcha un peu plus et aligna ses cuisses contre les siennes.

— Alors ? demanda-t-elle. Que penses-tu de cette histoire de pyjama ?

— Noah ? On vous attend.

Nadia Schuller s'approcha d'eux avec la démarche d'un général sur le point d'apostropher ses troupes. La seule différence tenait à ses vêtements, beaucoup plus raffinés que ceux d'un militaire, et à son sourire hypocrite. Elle savait parfaitement user de son charme pour s'imposer auprès de ses interlocuteurs, les désarmer, ou tout simplement obtenir ce qu'elle voulait. Et beaucoup tombaient dans le panneau. On l'invitait souvent sur les plateaux de télévision. Letterman l'adorait, et il n'était pas la seule célébrité que Nadia comptait au nombre de ses amis. C'était devenu son business que de se faire photographier à la moindre occasion en compagnie des plus célèbres acteurs, musiciens, top models et autres politiciens.

Avec le temps, elle s'était hissée à un rang que, selon Maris, elle ne méritait pas. Autoproclamée autorité en matière de littérature, elle ne possédait toutefois aucune référence significative dans ce domaine. Pour autant, les écrivains et les éditeurs ne pouvaient se payer le luxe de lui manquer de respect, sous peine de voir leur prochain livre écarté de sa rubrique.

Ce soir-là, Nadia était au bras d'un auteur à succès à l'air un peu hébété. Ou défoncé, si les rumeurs à son sujet disaient vrai. Ou bien peut-être encore avait-il tout simplement le tournis, à se retrouver ainsi ballotté dans tous les sens par une Nadia comme à son habitude survoltée.

— Ils ne garderont pas notre table toute la nuit, Noah. Vous venez ou quoi ?

— Euh..., bredouilla ce dernier.

Il hésita et lança un regard à Maris.

— Quel est le problème ? demanda Nadia d'une voix aussi perçante qu'une roulette de dentiste.

Elle avait adressé sa question à Maris, pressentant que ce devait être elle la source du problème.

— Il n'y a aucun problème, Nadia. Noah et moi avions une conversation privée.

— Oh... J'espère ne pas avoir interrompu l'une de ces scènes typiques de couple marié ?

Nadia aurait pu être jolie s'il n'y avait eu sur son visage cet aspect cinglant, qui se manifestait dans son sourire caustique et son regard calculateur. Elle apparaissait toujours impeccablement habillée et maquillée, ses accessoires étaient tous du meilleur goût, seulement voilà, même parée d'étoffes précieuses et de bijoux dont les pierres l'étaient plus encore, elle n'avait rien de féminin.

On disait de Nadia qu'elle consommait les hommes comme d'autres du chewing-gum. Elle les mâchonnait et recrachait ceux qu'elle jugeait trop faibles ou qui ne lui servaient à rien dans l'avancement de sa carrière – en d'autres mots, les couilles molles. Maris n'avait pas de peine à croire les ragots concernant sa nymphomanie. Ce qui la surprenait davantage, c'était le nombre d'hommes qui la trouvaient sexuellement attirante.

— Oui, effectivement, nous avions une *scène* de couple marié. J'expliquais à Noah que la dernière chose dont j'avais envie, c'était de venir boire un verre avec vous, lança Maris avec un petit sourire.

— C'est vrai que tu as l'air affreusement fatiguée, renchérit Nadia de la même manière.

— Désolé, Nadia, intervint Noah, mais nous devons décliner l'invitation. Je vais ramener ma femme et aller la border.

— Mais non, chéri, fit Maris.

Elle n'allait pas jouer la femme blessée devant Nadia Schuller.

— Je ne voudrais surtout pas que tu te soustraies à cette obligation à cause de moi, reprit-elle.

— Il n'est en aucun cas question d'obligation, rétorqua la journaliste d'un ton sec. Plutôt une rare opportunité de pouvoir parler littérature avec l'un des écrivains les plus enthousiasmants du moment.

L'écrivain enthousiasmant n'avait pas encore pipé mot. Le regard trouble, il semblait totalement étranger à la scène. Maris lança à Nadia un regard entendu.

— Bien sûr. C'est ce que je voulais dire.

Se tournant vers Noah, elle ajouta :

— Vas-y. On se retrouvera à la maison.

Il l'observa d'un air de doute.

— Tu es sûre ?

— J'insiste.

— Alors c'est arrangé, coupa Nadia.

Elle donna un petit coup sur le bras de l'écrivain, qui lui emboîta le pas comme un somnambule.

— Dites-vous au revoir pendant qu'on va s'installer, reprit-elle. Je commande ta boisson habituelle, Noah ?

— Oui, s'il te plaît.

— Repose-toi, ma chérie, conseilla-t-elle ensuite à Maris d'un ton désinvolte.

Assis face à la fenêtre, Parker Evans avait le regard perdu dans le vide.

Il ne voyait pas le rivage mais, en se concentrant, percevait le bruit du ressac. Des nuages de pluie masquaient la lune. Aucune autre source lumineuse, naturelle ou artificielle, ne venait dissiper l'obscurité.

Depuis la fenêtre du premier étage, qui dominait l'arrière de sa propriété, Parker distinguait, à l'autre bout de l'étendue herbeuse, l'endroit où le terrain descendait brutalement de plusieurs degrés avant de s'incliner en pente plus douce jusqu'à la plage. Cette lisière apparaissait comme le seuil d'une zone vide et sombre qui se fondait dans l'océan. Pas étonnant que les anciens marins aient craint les terreurs inconnues qui s'étendaient par-delà cette limite.

La pièce derrière lui était également plongée dans le noir, et il ne s'agissait pas d'un oubli. Il avait délibérément laissé les lumières éteintes pour ne pas contempler son reflet sur la vitre. Il préférait encore ne rien voir du tout.

De toute manière, il n'avait besoin d'aucun éclairage pour lire la liste de numéros de téléphone qu'il tenait à la main. Il n'était d'ailleurs même plus nécessaire de les consulter. Ils étaient enregistrés dans sa mémoire.

Sa longue patience avait fini par porter ses fruits. Maris Matherly-Reed cherchait à entrer en contact avec lui.

Pas plus tard que la veille, Parker s'apprêtait à changer de tactique et à élaborer un nouveau plan. Après avoir passé six mois à attendre qu'elle se manifeste, il se disait qu'elle avait dû lire le prologue de *Jaloux*, qu'elle l'avait détesté et mis à la poubelle sans prendre la peine de lui envoyer une lettre de refus.

Ou bien peut-être avait-il été égaré par le personnel du service courrier, ou balancé directement aux ordures. Très peu de maisons d'édition s'encombraient encore de manuscrits autres que ceux proposés par les agents.

Et même si son prologue était passé à travers les mailles du filet, un éditeur débutant payé à faire le tri avait très bien pu le condamner aux oubliettes avant même qu'il n'ait eu la chance d'atterrir sur le bureau de Mme Matherly-Reed. Dans tous les cas, il s'était dit que son plan avait foiré et qu'il fallait en concocter un nouveau.

Comme quoi tout pouvait basculer en un jour. Apparemment, elle avait lu les douze pages et tentait à présent de le contacter.

Marris Madderly Reade. Le shérif-adjoint avait mal

orthographié les trois noms. Parker espérait qu'il était plus doué pour noter les numéros de téléphone.

« Pour parler affaires », avait-elle expliqué à Dwight Harris. Ce qui pouvait être synonyme de bonnes comme de mauvaises nouvelles. Ou quelque chose entre les deux.

Elle avait pu chercher à le joindre pour lui dire que son écriture ne valait rien et qu'il devrait avoir honte d'oser envoyer ce genre de merde à une maison aussi prestigieuse que Matherly Press. Ou bien peut-être allait-elle tenter une approche plus subtile et lui expliquer qu'il avait du talent mais que son texte ne correspondait pas à leur politique éditoriale. Elle lui souhaiterait alors bonne chance en lui conseillant de soumettre le prologue à d'autres éditeurs.

Mais ce type de réponses arrivaient la plupart du temps sous la forme d'une lettre de refus, écrite dans un langage assez ferme pour décourager toute tentative ultérieure sans pour autant pousser le malheureux écrivain à se jeter par la fenêtre.

Il avait fait toutefois en sorte qu'elle ne puisse le joindre par courrier. En conséquence, si elle avait eu l'intention de refuser le prologue de *Jaloux*, il n'aurait jamais entendu parler d'elle. Au lieu de ça, elle avait entrepris des démarches pour le retrouver. Il en déduisait qu'elle s'intéressait au livre.

Pourtant, il était encore trop tôt pour sabler le champagne. Trop tôt pour qu'il s'attribue le prix Nobel de l'intelligence. Avant de s'emballer, il se força à reprendre un rythme cardiaque régulier et une respiration normale, et tâcha de garder la tête froide. Le succès ou l'échec de son entreprise ne dépendaient pas de ce qu'il avait déjà fait, mais de ce qu'il lui restait à accomplir.

Alors au lieu de célébrer sa victoire, il s'était planté devant la fenêtre à contempler la nuit pluvieuse et sans lune. Tandis que le ressac balayait doucement le rivage, il avait mis en balance les différentes options qui s'offraient à lui. Pendant que ses lointains voisins dormaient, regardaient les programmes de la nuit ou faisaient l'amour sous la couette, Parker Evans complotait.

Il possédait l'avantage de connaître la fin de l'histoire. A aucun moment il n'avait songé à en modifier le dénouement. Il n'avait jamais envisagé de laisser la tentative de Maris Matherly-Reed sans réponse, ni de tout abandonner sur-le-champ.

Non, à présent qu'il avait atteint ce stade, il se devait d'aller jusqu'au bout. Mais il n'avait pas droit à l'erreur. Il fallait minutieusement penser chacun des chapitres pour écrire l'intrigue parfaite.

Quand sa détermination venait à s'émousser, il lui suffisait de repenser aux six putains de mois qui lui avaient été nécessaires pour en arriver à ce stade de la saga. Six mois interminables.

Enfin... six mois et quatorze années.

Maris tâtonna à la recherche du téléphone. Elle plissa les yeux pour déchiffrer l'heure indiquée sur le cadran du réveil. 5 h 23. Du matin. Qui donc...

La panique l'éveilla pour de bon. Etait-ce cet horrible coup de fil tant redouté qui lui annoncerait que son père venait de faire un infarctus, un arrêt cardiaque, une chute, ou pire encore ?

Etreinte par l'angoisse, elle décrocha le combiné.

— Allô ?

— Maris Matherly-Reed ?

— Oui.

— Ça vous amuse de faire chier les gens ?

Totalement prise au dépourvu, elle mit un moment à assimiler la question.

— Je vous demande pardon ? Qui est à l'appareil ?

Elle se redressa, alluma sa lampe de chevet et tendit le bras pour réveiller Noah. Mais son côté du lit était vide. Elle observa bouche bée les draps bordés, l'oreiller intact.

— Je n'aime pas trop voir le shérif débarquer chez moi, lança son interlocuteur d'un ton furieux.

Où est Noah ?

— Je suis désolée... j'étais... vous m'avez tirée du sommeil... Vous parliez de shérif ?

— Oui, c'est bien ça. Le *shérif*, ça vous dit quelque chose ?

Son cœur bondit dans sa poitrine.

— P.M.E. ?

— Un shérif-adjoint s'est pointé chez moi pour me questionner. Pour qui...

— Je...

— ... vous prenez-vous...

— Je...

— ... Pour venir fourrer votre nez...

— Vous...

— ... dans les affaires des gens ? Vraiment, je vous remercie !

— Allez-vous me laisser parler, à la fin ?

L'homme se tut brusquement, mais Maris ressentait l'animosité à l'autre bout de la ligne. Après avoir pris une profonde inspiration, elle reprit d'un ton adouci :

— J'ai lu votre prologue et je l'ai beaucoup aimé. Je voulais en discuter avec vous, mais je n'avais aucun moyen de vous contacter. Vous ne m'avez pas laissé les moindres coordonnées. C'est pourquoi j'ai appelé le bureau du shérif, dans l'espoir de...

— Renvoyez-le-moi.

— Excusez-moi ?

— Le prologue. Renvoyez-le-moi.

— Pourquoi ?

— C'est de la merde.

— Détrompez-vous...

— Je n'aurais jamais dû vous le soumettre.

— Je ne suis pas de votre avis. J'ai trouvé ces quelques pages très intrigantes. L'histoire est envoûtante et très bien écrite. Si le reste du roman est aussi bon, je serais prête à vous faire une offre.

— Il n'est pas à vendre.

— Comment ça ?

— Ecoutez, j'ai peut-être un accent du Sud, mais je

ne parle pas encore javanais. Quel est le mot que vous n'avez pas compris ?

Il était en effet facile de reconnaître son accent. D'ordinaire, elle aimait la façon qu'avaient les gens du Sud de prononcer les *r*, leur voix un peu traînante. Mais les manières rêches et désagréables de cet homme lui déplaisaient. Si elle n'avait décelé un réel potentiel dans sa manière d'écrire, elle aurait déjà mis fin à la conversation depuis longtemps.

S'armant de patience, elle demanda :

— Si vous ne souhaitiez pas publier votre livre, pourquoi en avoir soumis le prologue à un éditeur ?

— J'ai été victime d'un moment d'égarement, répondit-il en singeant sa prononciation. Depuis, j'ai changé d'avis.

Maris décida d'aborder un autre sujet :

— Avez-vous un représentant ?

— Un représentant ?

— Oui, un agent.

— Je ne suis pas acteur.

— Avez-vous déjà soumis d'autres écrits ?

— Renvoyez-moi le prologue, point barre.

— L'avez-vous proposé ailleurs ?

— A d'autres éditeurs ? Non.

— Pourquoi m'avoir choisie ?

— Vous savez quoi ? Gardez-le, ce prologue. Foutez-le à la poubelle, brûlez-le, épluchez vos légumes dessus si ça vous chante, je m'en fous.

Pressentant qu'il était sur le point de raccrocher, elle insista :

— Ecoutez-moi encore un instant, je vous en prie.

— C'est moi qui paye pendant ce temps-là.

— Avant que vous ne preniez une décision que, selon moi, vous pourriez regretter, j'aimerais avoir l'opportunité de vous donner un avis professionnel. Je vous promets d'être impitoyable. Si je trouve ça mauvais, je vous le dirai sans détour, mais je veux pouvoir en juger par moi-même. En cela j'aimerais que vous me fassiez parvenir la totalité du manuscrit.

— Vous l'avez.

— Je l'ai ?

— Je parle chinois ou quoi ?

— Le prologue est tout ce que vous avez ?

— J'ai la suite, mais elle n'est pas *écrite*. Tout est dans ma tête.

— Oh...

C'était pour le moins décevant. Elle avait supposé que le livre était entièrement écrit ou à la rigueur en passe d'être achevé.

— Alors je ne saurais trop vous conseiller d'écrire la suite. Pendant ce temps...

— Pendant ce temps vous me faites perdre le mien, et ma facture s'alourdit de minute en minute. Si vous ne voulez pas dépenser un timbre pour me renvoyer le prologue, alors déchirez-le. Sur ce, au revoir, et je vous prierais de ne plus m'envoyer le shérif.

Maris resta plusieurs secondes à écouter la tonalité avant de raccrocher. La conversation lui avait paru presque surréaliste. Elle se demandait même si elle ne l'avait pas rêvée.

Mais non, elle était bel et bien éveillée. Selon les normes en vigueur à Manhattan, c'était presque le milieu de la nuit – et son mari n'était toujours pas rentré. Si cet étrange coup de téléphone ne l'avait pas tout à fait tirée du sommeil, l'absence inexpliquée de Noah, en revanche, la réveilla pour de bon.

Elle était assez inquiète pour appeler les urgences, mais la dernière fois qu'elle avait vu Noah, il se trouvait en compagnie de Nadia Schuller, ce qui la rendit furieuse au point de balancer un coussin contre le mur.

Dans tous les cas, sa nuit était définitivement terminée. Elle repoussa les couvertures, se leva, et s'apprêtait à enfiler sa robe de chambre lorsque Noah fit irruption dans la pièce en bâillant. Il portait encore son pantalon et sa chemise de smoking, et tenait ses chaussures à la main.

— Le téléphone a sonné ? demanda-t-il.

— Oui.

— C'était Daniel ? Rien de grave, j'espère.

Bien que soulagée de le voir, elle resta abasourdie par sa nonchalance.

— Puis-je savoir où tu as passé la nuit, Noah ? lança-t-elle.

Il s'arrêta net et l'observa d'un air perplexe.

— En bas, sur le canapé du bureau.

— Et pourquoi ça ?

— Quand je suis rentré, tu dormais déjà et je n'ai pas voulu te réveiller.

— A quelle heure es-tu rentré ?

Il haussa les sourcils, visiblement agacé par cette inquisition.

— Vers une heure, je pense.

Son calme ne fit qu'irriter Maris un peu plus.

— Tu m'avais promis de rentrer au bout d'une demi-heure.

— On a bu deux verres au lieu d'un, et après ? Où est le problème ?

— Le problème, c'est que j'ai été réveillée à cinq heures du matin et que j'étais toute seule dans la chambre, s'exclama-t-elle. Traite-moi d'irrationnelle, mais à moins qu'il n'y ait une bonne raison, je m'attends à ce que mon mari dorme à mes côtés.

— Apparemment, jusque-là, je ne t'avais pas manqué.

— Et à qui la faute ? cria-t-elle d'une voix perçante, une voix de femme en colère.

Cela rappelait la caricature de l'épouse en robe de chambre débraillée et bigoudis, le rouleau à pâtisserie à la main, qui surprend son mari infidèle en train de rentrer par la porte de derrière.

Elle mit un moment à se maîtriser, même si intérieurement elle fulminait encore.

— Si tu te souviens bien, Noah, je t'ai proposé une petite soirée entre amoureux, mais tu as décliné mon offre pour qu'on assiste à ce banquet interminable. Après ça, j'ai voulu te persuader de rentrer avec moi pour qu'on ait au moins un petit moment à nous, mais tu as préféré aller boire un verre avec Vampira et cette espèce de déchet.

Il laissa tomber ses chaussures, puis ôta sa chemise et son pantalon.

— Chaque livre que ce « déchet » publie dépasse le demi-million d'exemplaires vendus, commença-t-il, et il s'en écoule trois fois plus en livre de poche. Il pense pouvoir largement dépasser ces chiffres et cherche actuellement un nouvel éditeur.

» Quant à Vampira, elle a organisé cette petite réunion en pensant que chacun y trouverait son compte. Ce qui s'est avéré être le cas. L'écrivain est d'accord pour qu'on lui fasse une offre. Son agent doit nous contacter pour discuter des termes du contrat. Je pensais te faire la surprise, ainsi qu'à Daniel, mais bon...

Il haussa les épaules d'un air entendu et alla s'asseoir au bord du lit.

— Et histoire de mettre les choses au clair, reprit-il, je dois t'avouer que le « déchet » était tellement ivre qu'on ne pouvait décemment pas le laisser rentrer seul en taxi. Nadia et moi l'avons raccompagné à son appartement et mis au lit. Et ce n'était pas une partie de plaisir, je peux te l'assurer. Puis nous avons repris un taxi dans l'autre sens. J'ai laissé Nadia à la Trump Tower et en arrivant ici je suis monté, j'ai vu que tu dormais et décidé d'aller passer la nuit en bas. Tout ce que j'ai fait ce soir, je l'ai fait dans notre intérêt.

Il plaça la main sur son cœur et baissa la tête.

— Pardonne-moi mon manque d'égard.

En dépit de ces explications logiques, Maris s'estimait en droit d'être en colère.

— Tu aurais pu appeler, lui reprocha-t-elle.

— J'aurais pu. Mais sachant à quel point tu étais fatiguée, j'ai préféré te laisser dormir.

— Je n'aime pas me sentir obligée envers Nadia.

— Je n'aime pas me sentir obligé envers qui que ce soit. D'un autre côté, ce n'est pas très malin de ta part de t'aliéner intentionnellement Nadia. Ceux qu'elle apprécie, elle leur accorde des faveurs. Dans le cas contraire, c'est le genre à faire des coups bas.

— Et dans les deux cas – surtout si tu es un homme – tu te fais baiser.

Il sourit à la plaisanterie.

— Comment se fait-il que les femmes, et tout particulièrement toi, soient aussi belles lorsqu'elles se mettent en colère ?

— Je ne suis plus en colère.

— Je sais.

— Enfin, peut-être que je le suis encore.

— Ecoute, si tu t'es fait du souci, j'en suis désolé. Ce n'était pas mon intention.

Il plongea son regard dans le sien avec tendresse.

— Tu n'as aucune raison d'être jalouse, tu sais.

— Ah, vraiment ? J'ai toutes les raisons d'être parano vu le nombre de liaisons que tu as eues avant moi.

— Toi aussi, tu as eu des aventures.

— Deux, c'est-à-dire autant que toi en une semaine. Et en plus, tu t'y es mis avec dix ans d'avance.

Son exagération le fit sourire.

— Je ne prendrai même pas la peine de relever. Tu sembles oublier que c'est toi que j'ai épousée.

— En sacrifiant tous ces plaisirs...

Il éclata de rire et tapota le lit à côté de lui.

— Au lieu de dire des absurdités, pourquoi tu ne rentrerais pas un peu tes griffes ? Je sais que tu as envie de me pardonner.

Elle lui jeta un regard noir.

— Ne pousse pas le bouchon.

— Maris...

Elle s'approcha de lui à contrecœur. Il tendit le bras pour lui attraper la main et l'attira sur le lit. Il lui caressa les cheveux et l'embrassa sur la joue. Elle commença par opposer une résistance symbolique, mais abandonna assez vite.

Ils échangèrent un long baiser.

— J'en rêvais depuis hier, murmura-t-elle.

— Il suffisait de demander.

— C'est ce que j'ai fait.

— C'est vrai, admit-il en poussant un soupir de regret. Laisse-moi me racheter.

— Mieux vaut tard que jamais.

— Tu n'avais pas parlé d'enlever ce pyjama ?

Quelques instants plus tard ils se retrouvaient nus.

— Qui a appelé ? demanda-t-il tout en lui mordillant le cou.

— Hmm ?

— Le coup de fil, tout à l'heure. C'était qui ?

— Plus tard.

Elle lui prit la main et la dirigea entre ses cuisses.

— Si tu veux vraiment parler, alors dis-moi des choses cochonnes.

4.

Daniel Matherly reposa le manuscrit et se pinça la lèvre inférieure d'un air pensif.

— Qu'en penses-tu ? demanda Maris. C'est mon imagination, ou bien le texte est vraiment bon ?

Profitant de la fraîcheur matinale, ils prenaient le petit déjeuner chez Daniel, à l'ombre d'un sycomore, sur le patio de sa maison de l'Upper East Side. Disposés çà et là, des pots en terre cuite garnis de fleurs ajoutaient de petites touches de couleur.

Pendant que son père lisait le prologue de *Jaloux*, Maris était allée aider Maxine, la gouvernante, à préparer le repas. Cette dernière avait intégré la famille une bonne dizaine d'années avant la naissance de Maris.

Ce matin-là, elle était d'humeur acariâtre et s'était plainte de la présence de la jeune femme dans la cuisine, critiquant notamment sa manière de presser les oranges. En réalité, le vieille femme l'adorait et se comportait avec elle comme avec sa propre fille depuis que Maris avait perdu sa mère à l'école primaire. La fille de Daniel prenait le comportement autoritaire de la gouvernante pour ce qu'il était : une marque d'affection.

Ils avaient mangé en silence – omelette, tomates grillées et toasts – tandis que Daniel finissait la lecture du prologue.

— Merci, Maxine, fit-il comme la gouvernante s'approchait pour débarrasser la table et leur resservir du café. Et oui, dit-il – cette fois à l'attention de Maris – je trouve ça très bien écrit.

— Je suis contente que tu l'aimes aussi.

Elle était ravie de voir qu'il partageait son opinion, car elle estimait beaucoup son jugement. Son père était peut-être la seule personne au monde qui avait lu et relu plus d'ouvrages qu'elle. Si leurs points de vue divergeaient à propos d'un ouvrage, cela tenait principalement à leurs goûts respectifs, car tous deux savaient reconnaître un livre bien écrit.

— Un nouvel auteur ?

— Je n'en sais rien.

— Tu ne sais pas ? demanda-t-il l'air surpris.

— Ce manuscrit ne m'a pas été soumis d'une manière habituelle.

Elle lui expliqua les circonstances dans lesquelles elle avait été amenée à lire le prologue, et le peu d'informations dont elle disposait concernant ce mystérieux écrivain. Elle termina en relatant la conversation téléphonique qu'elle avait eue avec lui au petit matin.

— Qui peut bien signer de ses initiales ? fit-elle d'une voix énervée. C'est puéril et surtout complètement bizarre. Un peu comme Prince et son Love Symbol.

Daniel poussa un petit rire. Il versa un peu de crème allégée dans son dernier café autorisé de la journée.

— Cela ajoute un soupçon de mystère et de poésie, fit-il.

— Et moi, ça m'en... quiquine, s'exclama-t-elle.

— Tu sais, l'esprit de contradiction est le propre des grands écrivains. Des mauvais aussi, d'ailleurs.

Tandis que Daniel songeait à cet énigmatique auteur, Maris se mit à étudier son visage. Quand est-il devenu si vieux ? se demanda-t-elle avec inquiétude. Il avait les cheveux blancs depuis une éternité, mais avait récemment commencé à les perdre. Daniel avait épousé Rosemary, alors veuve, en deuxième mariage. De quinze ans son aîné, il allait déjà vers la soixantaine à la naissance de Maris.

Mais il était resté physiquement très actif. Il surveillait son alimentation, à contrecœur mais consciencieusement. Il avait cessé de fumer des cigarettes depuis plusieurs années, mais refusait toutefois d'abandonner la pipe. Ayant dû supporter la lourde responsabilité d'élever seul son enfant, il avait fait en sorte de ralentir au maximum le processus du vieillissement.

Le poids de l'âge ne se faisait sentir que depuis quelque temps. Souffrant d'arthrite à la hanche, il utilisait parfois une canne et se plaignait qu'elle lui donnât l'air décrépit. Le mot était un peu fort, même si secrètement Maris trouvait qu'elle diminuait en effet l'image robuste associée à son père. Sur ses mains, les taches de vieillesse avaient proliféré et pris un aspect plus sombre. Ses réflexes semblaient s'amenuiser de mois en mois.

En revanche, lorsqu'il se tourna vers elle, Maris s'aperçut que son regard n'avait rien perdu de son éclat ni de son charme.

— Je me demande ce que tout cela peut bien signifier, dit-il.

— Tout quoi ?

— Le fait de ne pas communiquer d'adresse ni de numéro de téléphone. Et puis ce coup de fil pour dire que le prologue est nul, et cetera.

Elle quitta son siège et s'approcha d'un pot de géraniums pour arracher une feuille morte oubliée par Maxine. Maris avait conseillé à la gouvernante de porter des lunettes, mais la vieille femme avait protesté en affirmant que sa vue était aussi bonne qu'avant. Ce à quoi Maris avait rétorqué :

— C'est vrai. Tu as toujours été myope comme une taupe et trop fière pour chercher à y remédier.

Tout en faisant distraitement tournoyer la feuille entre ses doigts, elle considéra les propos de son père.

— Il voulait que j'entreprenne des recherches pour le retrouver, tu ne crois pas ?

En voyant Daniel sourire, elle sut qu'elle avait fourni la bonne explication. Il avait toujours employé cette méthode lorsqu'il l'aidait pour ses devoirs scolaires. Il ne lui donnait jamais les solutions, mais la guidait jusqu'à ce qu'elle trouve elle-même les réponses.

— A la rigueur, il n'avait même pas besoin de téléphoner, poursuivit-elle. S'il n'avait pas tenu à ce que je le retrouve, il aurait jeté mes numéros. Au lieu de ça il appelle, et à une heure de la journée où il est sûr de me prendre au dépourvu.

— Et il s'indigne de façon un peu trop virulente...

Elle fronça les sourcils et regagna sa chaise.

— Je ne sais pas. Il semblait vraiment furieux. Surtout pour l'histoire du shérif-adjoint.

— Oui, probablement. On ne peut d'ailleurs pas l'en blâmer. Mais d'un autre côté, il n'a pu résister à la tentation d'entrer en contact avec toi et d'entendre ce que tu pensais de son travail.

— Qui, en l'occurrence, est très convaincant. Ce prologue m'a amenée à me questionner sur le jeune homme du bateau. Qui est-il ? Quelle est son histoire ? Qu'est-ce qui a pu provoquer la bagarre entre lui et son meilleur ami ?

— La jalousie, fit Daniel.

— C'est assez provocateur, reconnais-le. Quel est l'objet de cette jalousie ? Et qui jalousait l'autre ?

— Je vois que ce prologue a atteint son objectif. L'écrivain a su faire naître en toi toutes ces interrogations.

— Pour ça, oui.

— Alors ? Que comptes-tu faire ?

— Essayer d'établir un contact professionnel. Si tant est que ce soit possible avec ce genre d'individu. Je ne me fais pas d'illusion, je sais que ce sera difficile de travailler avec lui.

— As-tu seulement son numéro ?

— Je l'ai. Il s'est inscrit sur le cadran de mon téléphone. Je peux dire merci à la technologie.

— Ah, le miracle du monde moderne ! A mon époque...

— A ton époque ? répéta-t-elle en riant. C'est autant ton époque que la mienne.

Elle se pencha vers lui et tapota doucement sa main constellée de taches. Un jour ou l'autre il allait disparaître, et elle ne savait vraiment pas comment elle pourrait surmonter cette épreuve. Elle avait grandi dans cette maison et partir n'avait pas été chose facile, même lorsqu'elle était allée étudier à l'université. Sa chambre, au troisième étage, restait toujours prête à l'accueillir si elle le désirait. Celle de Daniel, elle, était située au deuxième, et malgré la douleur provoquée par la montée et la descente de l'escalier, il ne comptait pas l'installer ailleurs.

Maris gardait en mémoire les matins de Noël, lorsqu'elle se réveillait avant l'aube et se précipitait dans sa chambre pour le supplier de l'accompagner en bas voir les cadeaux que le Père Noël avait déposés pour elle au pied du sapin.

Elle conservait ainsi des milliers de souvenirs de son enfance, tous aussi joyeux que vivaces : le patin à glace à Central Park avec son père, les balades dans la rue quand ils s'arrêtaient pour manger un hot-dog ou un falafel, les librairies où ils allaient fouiller les piles de livres d'occasion, les repas au Plaza après le théâtre, les lectures au coin du feu, les grandes réceptions dans la salle à manger et les casse-croûte de minuit avec Maxine dans la cuisine. Tous de beaux souvenirs.

Parce qu'elle était sa fille unique et qu'il l'avait eue sur le tard, Daniel l'aimait passionnément. La mort de Rosemary aurait pu être un chagrin assez fort pour creuser un fossé entre eux deux. Au contraire, cela avait renforcé leurs liens. Autoritaire, il avait rarement eu besoin de recourir à des sanctions. Pour ne pas avoir à affronter ses reproches, Maris s'était toujours montrée obéissante.

Son seul acte de rébellion avait été de sortir un soir en douce, pour aller retrouver un groupe d'amis dans une boîte de nuit que son père lui avait interdit de fréquenter. En revenant à la maison, au petit matin, elle découvrit à quel point Daniel était un père vigilant. Il avait verrouillé la fenêtre de la cuisine par laquelle elle était passée.

Obligée de sonner à la porte, elle attendit sur le perron un temps interminable avant qu'il ne vienne lui ouvrir. Il ne cria pas. Il lui expliqua simplement qu'elle devait assumer les conséquences de son acte, et la punit pour un mois. Le pire pour elle avait été de constater à quel point il était déçu. Elle n'avait jamais recommencé.

Daniel l'avait gâtée, mais pas pourrie. Elle gagnait son argent de poche en accomplissant des corvées. Ses résultats scolaires étaient surveillés de près. Il l'avait davantage félicitée pour ses réussites que sanctionnée pour ses erreurs. Surtout, il l'aimait, et avait fait en sorte qu'elle ne l'oublie jamais.

— Alors tu penses que je devrais insister pour ce livre ? s'enquit-elle.

— Absolument. L'auteur t'a lancé un défi, même si ce n'était pas son intention. Et c'est bien connu, Maris Matherly-Reed est de tous les défis.

Il avait cité presque mot pour mot un article paru récemment dans une revue financière.

— Il me semble avoir lu ça quelque part, dit-elle en riant.

— Et surtout, je sais que tu ne peux pas résister à l'appel d'un bon roman.

— C'est pour ça que je suis aussi enthousiaste, papa, acquiesça-t-elle en reprenant son sérieux. Depuis quelque temps, mon travail se cantonne à la stricte publication des ouvrages. Je n'interviens qu'une fois le livre écrit et corrigé. Et ça me plaît... Mais hier, en lisant ce prologue, j'ai compris à quel point le travail éditorial me manquait. Je ne fais plus que lire les versions finales des manuscrits avant de les envoyer en fabrication. Je n'ai pas le temps de m'occuper de quoi que ce soit d'autre car des dizaines de livres requièrent mon attention. Je regrette de ne plus travailler en binôme avec un auteur, l'aider dans la progression de son écriture, lui montrer les éventuelles faiblesses de l'intrigue. Voilà ce qui me passionne vraiment.

— C'est la raison qui t'a poussée à choisir ce métier, observa Daniel. Tu voulais être éditrice, et tu étais douée. Si douée que tu as gravi tous les échelons et que tes responsabilités ont fini par t'éloigner de tes premières amours. Je pense que cela serait très stimulant pour toi d'y revenir.

— Je le crois aussi, mais ne brûlons pas les étapes, tempéra-t-elle d'un ton désabusé. Je ne sais pas si *Jaloux* mérite mon attention. Le livre n'est même pas encore écrit. Mais mon instinct...

— Auquel je me fie entièrement.

— ... me pousse à croire qu'il sera bon. Il y a dans ce prologue une texture qui ne demande qu'à être étoffée. Et puis j'adore l'accent du Sud.

— Comme dans *The Vanquished*.

Son enthousiasme descendit aussitôt d'un cran.

— Oui.

— Comment va Noah ? demanda Daniel après quelques secondes de silence.

En tant que lectrice, en tant qu'épouse aussi, elle avait été profondément déçue que Noah n'écrive pas un second livre. Daniel le savait, et le fait de mentionner le titre de son seul et unique roman était un moyen de la questionner au sujet de son mari.

— Tu sais très bien comment il va. Tu le vois tous les jours.

— Je posais la question à titre personnel, et non professionnel.

Pour éviter le regard inquisiteur de son père, elle détourna les yeux et se mit à observer l'immeuble voisin. Le patio était entouré d'un mur de briques recouvert de lierre qui masquait la vue du rez-de-chaussée, mais elle apercevait un chat tigré à l'une des fenêtres du second étage. L'animal se frottait contre la rambarde.

La tête de Maxine apparut dans l'encadrement de la porte.

— Vous ne voulez plus rien ?

— Non, merci, répondit Daniel.

— N'hésitez pas à m'appeler.

Elle disparut à l'intérieur. Maris resta un instant silencieuse. Elle suivait du doigt les motifs dessinés sur son set de table. Quand elle releva la tête, son père avait adopté la posture qu'il prenait toujours pour l'écouter lorsqu'il la voyait tourmentée. Le menton dans le creux de la main, l'index le long de la joue, pointé vers son sourcil blanc.

Il ne faisait jamais pression pour l'obliger à parler. Il attendait patiemment et, lorsqu'elle était prête, elle se livrait. Mais pas avant. Un trait de caractère qu'elle avait hérité de lui.

— Noah est rentré très tard la nuit dernière, commença-t-elle.

Sans entrer dans les détails, elle lui fit la liste des explications qu'il avait fournies.

— Ça a fini par s'arranger, mais je me sens encore en colère.

— Tu n'aurais pas un peu dramatisé ? demanda timidement Daniel.

— Tu crois ?

— Je n'ai pas assisté à la scène, mais j'ai l'impression que ses raisons étaient plutôt valables.

— Je suppose que oui.

Il fronça les sourcils.

— Tu penses que Noah a repris ses vieilles habitudes de célibataire ?

Connaissant l'admiration et le respect que son père témoignait à Noah, elle était peu encline à réciter une litanie de reproches, au risque de passer, au mieux, pour une pleurnicheuse, au pire, pour une paranoïaque. Elle se rendait compte qu'en utilisant ainsi Daniel comme défouloir, elle le mettait dans une position inconfortable. Il n'était pas que le beau-père de Noah, il était également son employeur.

M. Matherly l'avait engagé trois ans plus tôt, car Noah avait démontré qu'il était – hormis Daniel lui-même – l'éditeur le plus perspicace et audacieux sur la place de New York. Lorsque la relation entre Maris et lui était devenue plus intime que professionnelle, Daniel avait émis quelques réserves et mis sa fille en garde contre une histoire d'amour au bureau. Mais il avait donné son accord quand Noah, après une année passée au sein de Matherly Press, lui avait confié son intention d'épouser Maris. Noah avait même proposé de démissionner en échange de sa bénédiction. Daniel n'avait pas voulu en entendre parler et l'avait accueilli dans la famille avec enthousiasme. Il en avait profité pour le nommer vice-président et directeur commercial de sa maison d'édition.

Durant presque deux années, ils étaient parvenus à séparer travail et vie privée. Le fait d'exprimer ses revendications d'épouse pouvait mettre en péril cet équilibre. Daniel ne voulait pas s'impliquer de quelque manière que ce soit, choisir un camp plutôt que l'autre, ou s'immiscer dans leur couple.

D'un autre côté, Maris ressentait le besoin de s'épancher, et son père avait toujours été son meilleur confident.

— Pour répondre à ta question, papa, je ne pense rien de tel. Je ne crois pas que Noah ait une liaison. Enfin pas vraiment.

— Qu'est-ce qui te chiffonne, alors ?

— Depuis quelques mois, j'ai le sentiment qu'il ne s'intéresse plus trop à moi. Voire plus du tout, rectifia-t-elle avec un petit sourire triste.

— Le champagne de la lune de miel ne pétille pas toute la vie, Maris.

— Je sais. C'est juste que...

Elle laissa sa phrase en suspens et poussa un profond soupir.

— Je dois être trop romantique.

— Ce n'est pas de ta faute. Personne n'est responsable. Tous les mariages passent par ce genre de période. Même les plus solides. C'est une sorte de traversée du désert.

— Je sais. J'espère juste qu'il ne s'est pas lassé de moi. On va bientôt fêter nos deux ans. C'est un véritable record pour Noah.

— Tu connaissais son passé en l'épousant, lui rappela-t-il avec douceur. Il avait une solide réputation de tombeur.

— J'ai accepté parce que je l'aimais. Je suis tombée amoureuse de lui en lisant *The Vanquished*.

— Et entre toutes ces femmes, c'est toi qu'il a choisi de demander en mariage.

Elle sourit d'un air triste et songeur, puis secoua la tête comme pour chasser ses pensées.

— Tu as raison. Je vais mettre ça sur le compte

d'un dérèglement hormonal. Mais je me sens négligée, voilà tout.

— Et je dois avouer que j'ai ma part de responsabilité.

— Que veux-tu dire ?

— J'ai confié à Noah énormément de charges. Non seulement il a son travail, et Dieu sait à quel point c'est astreignant, mais en plus il a commencé à prendre mon relais depuis que j'ai ralenti la cadence. J'ai suggéré qu'il engage quelqu'un pour l'épauler.

— Il a du mal à déléguer.

— C'est pourquoi j'aurais dû insister. Je vais faire en sorte de régler cette question. Entre-temps, ce serait une bonne idée que vous partiez quelques jours en vacances. Aux Bermudes, par exemple. Prenez un peu le soleil, faites une cure de cocktails tropicaux et profitez-en pour flemmarder au lit.

Elle sourit à sa candeur, mais c'était un sourire triste. Il avait dit presque la même chose l'an passé, lorsqu'il les avait expédiés tous les deux à Aruba pour un long week-end. Elle était partie avec l'espoir de revenir enceinte, mais ils avaient eu beau y mettre tout leur cœur, leurs tentatives étaient restées infructueuses. Maris en avait été profondément affectée. Peut-être avait-ce été le début de leur éloignement, même si le gouffre n'apparaissait que maintenant.

Daniel sentit qu'il venait d'aborder un sujet qu'elle avait préféré oublier, ou du moins mettre de côté pour le moment.

— Je vous exhorte à prendre un peu de vacances, Maris. Loin du travail et de l'agitation de la ville. Donnez-vous une chance de remettre votre couple sur les rails.

Elle n'osait pas l'avouer, mais elle ne partageait pas son optimisme. Selon elle, passer du temps au lit n'allait pas résoudre leurs problèmes. Leur querelle, ce matin-là, s'était terminée sous la couette, mais Maris n'y avait vu que l'expression de leur incapacité à régler le conflit. Ils avaient choisi la solution de facilité. Leurs corps avaient retrouvé les mouvements familiers, mais le cœur n'y était pas.

Noah avait employé la flatterie pour la calmer, ce qui, avec le recul, lui apparaissait comme mielleux et condescendant. Elle était sincèrement en colère, et ce n'était pas le meilleur moment pour s'entendre dire à quel point elle était belle. Faire l'amour avait été la manière la plus élégante de mettre fin à une dispute que ni l'un ni l'autre n'avait souhaitée. Elle n'avait pas voulu continuer à l'accabler et il n'avait pas voulu répondre à ses accusations, alors ils avaient fait l'amour. Ce que tout cela impliquait s'avérait plutôt inquiétant.

Pour rassurer son père, elle feignit de réfléchir à sa proposition de vacances sous les tropiques.

— En fait, papa, j'avais pensé m'éloigner quelques jours de mon côté.

— Oui, ça peut être une bonne idée. A la campagne ?

Souvent, lorsque la ville la rendait claustrophobe, elle se réfugiait dans leur maison secondaire, dans l'ouest du Massachusetts, et y restait le temps d'un long week-end. Elle en profitait pour lire des manuscrits et s'occuper de la paperasse en retard. Là-bas, dans les Berkshires, sans les interruptions continuelles qu'elle subissait au bureau, elle pouvait se concentrer et accomplir une bonne dose de travail sur une période relativement courte. Naturellement, Daniel pensait qu'elle avait choisi d'aller s'y reposer.

Elle secoua la tête.

— Non. J'ai prévu de me rendre en Géorgie.

Noah accueillit la nouvelle avec équanimité.

— J'approuve tout à fait ton idée de partir quelques jours, fit-il quand elle lui annonça son intention d'effectuer un voyage dans le Sud. Un changement de décor te fera le plus grand bien. Mais qu'est-ce qui t'attire comme ça en Géorgie ? Un nouveau centre de thalasso ?

— Un auteur.

— Tu pars travailler ? Je pensais que tu y allais pour te détendre.

— Tu te rappelles le prologue dont je t'ai parlé hier ?

— Celui que tu as trouvé dans la pile ?

Elle ignora son sourire sceptique.

— J'ai eu des difficultés à retrouver l'auteur, mais j'y suis finalement parvenue.

— Comment ça, des difficultés ?

— C'est une longue histoire, et nous avons une réunion dans dix minutes. Tout ce que je peux te dire, c'est qu'il ne s'agit pas d'un écrivain classique.

— En quoi est-il si différent ?

— C'est le genre récalcitrant. Grossier. Et pas très éclairé. Je crois qu'il n'a pas conscience de son talent. Il va lui falloir un coach et surtout pas mal d'encouragements. Je pense qu'un face-à-face sera beaucoup plus productif qu'une collaboration par fax et téléphones interposés.

Noah n'écoutait que d'une oreille. Il parcourait une somme de messages que son assistante avait déposée devant lui avant de s'éclipser discrètement. Consultant sa montre, il se leva d'un coup et rassembla divers documents.

— Désolé, chérie, mais nous devrons reprendre cette conversation plus tard. La réunion ne peut pas attendre. Quand as-tu prévu de partir ?

— Demain.

— Si tôt ?

— J'ai besoin de savoir si je dois persévérer ou bien si ça ne vaut pas la peine que je m'intéresse à ce livre. Le seul moyen, c'est de rencontrer l'auteur.

Noah contourna le bureau et vint l'embrasser sur la joue.

— Alors que dirais-tu d'une petite soirée en tête à tête ? Je peux demander à Cindy de réserver une table. Où aimerais-tu dîner ?

— C'est moi qui choisis ?

— C'est toi.

— Alors je préférerais manger à la maison. On pourrait commander un repas thaï.

— Parfait. Je me charge du vin.

Ils étaient presque parvenus à la porte lorsqu'il s'arrêta brusquement :

— Merde ! Je viens de me rappeler que j'avais un rendez-vous, ce soir.

— Avec qui ? grommela-t-elle.

Il indiqua le nom d'un agent qui représentait plusieurs écrivains célèbres.

— Joins-toi à nous. Il sera ravi. Ensuite, on ira boire un dernier verre tous les deux.

— Je ne peux pas sortir toute la soirée, Noah. J'ai pas mal de choses à faire avant de partir. A commencer par mes bagages.

— J'ai déjà repoussé deux fois, insista-t-il avec regret. Si je reporte encore, il va croire que je cherche à l'éviter.

— Tant pis. Tu rentreras tard ?

Il fit la grimace.

— Comme tu le sais, il est assez bavard, donc ça risque de durer. En tout cas plus longtemps que je n'aimerais.

Constatant sa déception, il s'approcha d'elle et, d'une voix plus douce, ajouta :

— Je suis navré, Maris. Tu veux que j'annule ?

— Non. C'est un agent important.

— Si j'avais su que...

— Excusez-moi, monsieur Reed, l'interrompit son assistante depuis le couloir. Vous et Mme Matherly-Reed êtes attendus en salle de conférences.

— Oui, une seconde.

Il attendit que son assistante se retire et se tourna vers Maris.

— Le devoir nous appelle.

— Comme toujours.

— Tu me pardonnes ?

— Comme toujours.

Il l'étreignit brièvement.

— Tu es la femme la plus compréhensive qui ait jamais existé. Pas étonnant que je sois fou de toi.

Il l'embrassa avant de la pousser vers la porte.

— Après toi, ma chérie.

Jaloux

Chapitre 1
Eastern State University, Tennessee, 1985

Les membres de la confrérie considéraient les fondateurs de leur société comme des êtres brillants, pensant qu'ils avaient imaginé puis construit leur résidence de manière à ce qu'elle reprenne la forme en diamant de leurs armoiries.

Mais ce qu'ils attribuaient au génie était en réalité le fruit du hasard.

En prospectant à la recherche d'un endroit où construire leur foyer, ces jeunes gens de la promotion 1910, par souci d'économie, avaient acheté le terrain le moins cher possible : une parcelle en angle, isolée à quelques encablures du campus et que son propriétaire avait hâte de vendre. Son atout principal ne tenait ni à sa configuration, ni à son emplacement, mais à son prix presque dérisoire.

Il y eut donc au départ un terrain, puis ils durent concevoir une structure qui s'y adaptait, ledit terrain n'ayant pas été choisi en fonction d'un quelconque projet architectural. Après coup, certains avaient peut-être constaté que le bâtiment possédait une forme de diamant, mais la ressemblance était purement fortuite.

Puis, en 1928, à la suite d'un projet d'extension, il fut décidé que l'avenue principale qui séparait le campus en deux deviendrait un espace paysager ouvert uniquement aux piétons. Et l'on dévia la circulation automobile sur la route qui passait devant cette fameuse résidence à l'architecture peu banale.

Par conséquent – et cela n'était dû en rien au génie des fondateurs – l'emplacement devint un lieu stratégique et conféra à l'édifice une présence impérieuse que lui envièrent toutes les autres confréries.

L'entrée du bâtiment à trois étages faisait face à l'un des coins du terrain ; de chaque côté, les ailes s'étendaient en formant des angles de quarante-cinq degrés. Entre celles-ci, à l'arrière de l'immeuble, se trouvaient un parking au nombre de places insuffisant, des paniers de basket sans filets, des poubelles constamment pleines à craquer, deux vieux barbecues rouillés et un enclos grillagé occupé par Brew, le labrador couleur chocolat, mascotte de la confrérie.

La façade, en revanche, était beaucoup plus imposante. L'allée pavée menant à l'entrée était bordée de poiriers de Bradford qui se couvraient chaque année de fleurs blanches comme la neige, offrant ainsi une décoration naturelle pour le bal de printemps de la confrérie, baptisé Spring Swing.

Ces poiriers apparaissaient fréquemment sur la couverture des dépliants vantant les mérites de l'université, ce qui ne manquait pas d'entretenir le ressentiment des confréries rivales. Lorsque des rumeurs d'attaque à la tronçonneuse circulaient sur le campus, des tours de garde étaient organisés jour et nuit. Si ces arbres venaient à être abattus, non seulement la confrérie perdrait la face, mais en plus le bâtiment aurait l'air nu.

Chaque automne, les feuilles des poiriers se paraient d'une belle teinte rouge vif, comme en ce samedi après-midi où un calme étrange régnait sur le campus. L'équipe de football disputait un match à l'extérieur. D'ordinaire, lorsqu'ils jouaient à domicile, la porte d'entrée de la résidence restait ouverte, laissant échapper une musique tonitruante. C'était l'endroit où se rassemblaient les membres de la confrérie et leurs petites amies, les parents et les anciens élèves.

Les jours de match, la circulation était bouchée sur plusieurs kilomètres. Et parce que toutes les voitures devaient emprunter ce carrefour pour se rendre au stade, les étudiants de la confrérie installaient des chaises devant la porte et profitaient du spectacle engendré par cette grande parade automobile. Ils huaient les supporters des équipes adverses et draguaient les filles. Certaines n'hésitaient pas à répondre à leurs avances et parfois, sur une invitation spontanée, quittaient leur voiture pour rejoindre la fête. On racontait que plusieurs histoires d'amour étaient nées ainsi, aboutissant pour certaines à un mariage.

Durant ces événements, le campus devenait rouge cramoisi. Si les couleurs de l'école étaient défendues, on hissait les drapeaux. Des heures durant, et jusqu'au coup d'envoi, les cuivres et les tambours de l'orchestre résonnaient tout autour de la résidence. Il y avait comme de l'électricité dans l'air et l'ambiance était à la fête.

Mais, ce jour-là, le campus était pratiquement désert. Le temps, pluvieux et maussade, ne se prêtait à aucune activité de plein air. Les étudiants en profitaient pour rattraper leur sommeil, travailler ou faire leur lessive – tout ce qu'ils n'avaient pas le temps de faire durant la semaine.

Les couloirs de la résidence, humides et froids, avec leurs odeurs de bière et de mâle, étaient plongés dans le silence et l'obscurité. Quelques-uns s'étaient réunis autour de la grande télé qu'un ancien élève avait gracieusement offerte à la confrérie l'an passé. L'écran diffusait un match de NCAA sur lequel beaucoup avaient misé de l'argent. De temps à autre, des clameurs filtraient à travers l'escalier jusqu'aux chambres situées aux deuxième et troisième étages, mais ces bruits ne suffisaient pas à rompre le silence et la torpeur.

Soudain, on entendit :

— Roark ! Espèce d'enfoiré !

Le cri fut immédiatement suivi par un claquement de porte.

Roark fit un geste pour esquiver la serviette mouillée qu'on lui lançait à la figure et se mit à rire.

— Tu l'as trouvé ?

— C'est à qui, ça ?

Todd Grayson brandit devant lui un gobelet en plastique contenant sa brosse à dents. Ce qui n'aurait rien eu d'exceptionnel s'il n'avait en l'occurrence servi de crachoir. Les poils de la brosse trempaient dans une sorte de liquide marron et visqueux.

Roark était étendu sur le canapé à trois pieds situé sous leurs deux lits, eux-mêmes suspendus au plafond par des chaînes. Afin d'optimiser le faible espace de la pièce, les deux garçons avaient imaginé et construit ces lits, au mépris total du règlement qui interdisait toute modification de la structure du bâtiment.

Une pile de briques composait le quatrième pied de l'horrible divan, point de convergence de leur habitat, « noyau de notre cellule », comme l'avait désigné Todd lors d'une soirée particulièrement arrosée. En cherchant de quoi meubler leur chambre, ils avaient déniché cette atrocité pour dix dollars chez un brocanteur. Avec son tissu miteux, déchiré et taché de substances impossibles à identifier, ce canapé était vite devenu l'élément indispensable et constitutif de la laideur globale de la pièce, à tel point qu'ils avaient décidé de le léguer aux futurs occupants.

Mais pour l'heure, Todd était dans une rage telle que tous les muscles de son corps frémissaient.

— Dis-moi à qui appartient ce gobelet !

— Il vaut mieux que tu ne le saches pas, répondit Roark, plié de rire.

— A Brady ? Si c'est Brady, je te tue.

Brady vivait au bout du couloir. C'était un brave type, le camarade idéal, le genre à venir vous dépanner illico et sans râler si votre voiture tombait en panne en pleine nuit sous la neige. Brady avait un cœur d'or. L'hygiène corporelle, en revanche, n'était pas son fort.

— Rassure-toi, ce n'est pas Brady.

— Castro, alors ? Ne me dis pas que c'est lui, gémit Todd. Ce gars-là est bourré de maladies.

Castro n'avait rien d'un Cubain. Il s'appelait en réalité Ernie Campbello, mais on le surnommait Castro à cause des longs cheveux noirs et bouclés qui couvraient non seulement son crâne et la partie inférieure de son visage, mais son corps tout entier.

— Va savoir ce qui se cache sous sa fourrure, ajouta Todd, provoquant le rire de son ami.

— Au fait, une certaine Lisa a téléphoné.

Cette simple phrase eut pour effet immédiat d'apaiser la colère de Todd.

— Lisa Knowles ?

— Oui, ça doit être ça.

— Quand ?

— Il y a cinq minutes.

— Elle a laissé un message ?

— J'ai l'air d'une secrétaire ?

— Plutôt d'un trou de balle avec des dents. Alors ? Elle a dit quoi ?

— Que t'avais une toute petite bite. Elle a peut-être dit « microscopique », j'ai oublié le mot exact. Désolé... Mais j'ai pris son numéro. Le papier est sur ton bureau.

— C'est bon, j'appellerai plus tard.

— Qui c'est, cette fille ? Elle est mignonne ?

— Pas mal, mais elle a déjà un mec. Je suis avec elle en cours de civi américaine et elle voulait m'emprunter mes notes.

— Pas de bol ! commenta Roark avec un petit sourire.

Todd le fusilla du regard et balança le gobelet dans la poubelle. Il était en train de prendre sa douche dans la salle de bains commune lorsque son ami était venu en douce mettre sa brosse à dents dans le gobelet plein de glaviots.

— Sois pas dégoûté, fit Roark tandis que l'autre fouillait son tiroir à la recherche d'un caleçon. Une bonne blague pour le prix d'une brosse à dents. Avoue que ça en valait bien le double.

— Tu vas me dire à qui appartient ce gobelet ?

— Aucune idée. Je l'ai trouvé sur un rebord de fenêtre.

— Super ! Ça pouvait être à n'importe qui !

— Oui, c'était un peu l'idée.

— Je me vengerai, le menaça Todd en enfilant un t-shirt. T'as signé ton arrêt de mort, mon pote.

Roark se contenta de ricaner.

— Tu n'avais rien de mieux à faire, reprit Todd, au lieu de rester vautré toute la journée ?

— Je dois finir ça avant la fin du week-end, fit Roark en indiquant son exemplaire de *Gatsby le magnifique*.

Todd poussa un petit grognement.

— La plus grande tarlouze de toute l'histoire de la littérature américaine, lâcha-t-il d'un ton méprisant. On va manger ?

— Ça marche.

Roark se laissa tomber du sofa et enfila une paire de baskets. Avant de sortir, c'était un geste rituel, ils embrassèrent la Playmate en photo sur leur calendrier.

— A plus tard, chérie.

Ils s'y sentaient comme chez eux. Ils entraient en habitués. A peine avaient-ils franchi la porte de chez T.R., que T.R. en personne leur servait un pichet de bière et l'apportait à leur table.

— Merci T.R.

— Merci T.R.

Il n'y avait pas de cartes, mais inutile de commander : T.R. connaissait parfaitement leurs goûts. Il retourna derrière son comptoir en se dandinant et entreprit de confectionner leurs pizzas. Il avait aussi pour habitude de mettre la note sur leur compte commun jusqu'à ce qu'ils se décident à payer. Ce genre de services personnalisés, T.R. les offrait à ses clients depuis plus de trente ans.

Arrivé à l'université en première année, il avait échoué aux examens du premier trimestre et décidé d'utiliser l'argent qu'il lui restait pour verser un acompte sur ce local, alors sur le point d'être muré. Mais il n'avait pas pris la peine d'entreprendre des rénovations et le lieu était resté en l'état. Plusieurs professeurs d'ingénierie et d'architecture continuaient à l'utiliser comme objet d'étude en matière de poutres porteuses.

Avec les années, une épaisse couche de poussière graisseuse s'était déposée un peu partout. Le lino était glissant par endroits, collant à d'autres, et personne n'osait regarder sous les tables par peur de ce qu'ils pourraient y trouver. Quant aux toilettes, elles ne servaient qu'en cas d'extrême urgence, afin de soulager les vessies saturées de bière.

Le local ne ressemblait pas à grand-chose, mais il était considéré comme une institution. Tous les gars du campus connaissaient T.R., car il satisfaisait deux besoins vitaux de l'étudiant mâle : bière fraîche et pizza.

Dès le milieu du trimestre, il appelait chaque client par son prénom, et même pour ceux dont les noms lui échappaient, il connaissait les goûts en matière de pizza. Pour Todd et Roark : pâte épaisse, pepperoni, double mozzarella, le tout saupoudré d'une pincée de piment rouge.

Roark mâcha pensivement sa première bouchée dégoulinante de fromage.

— Tu le penses vraiment ? demanda-t-il.

— Quoi ?

— Que Gatsby est une tarlouze.

Todd prit une serviette en papier au distributeur et s'essuya la bouche avant de boire une gorgée de bière.

— Ce gars-là est pété de fric, répondit-il. Il vit comme un pacha et possède tout ce qu'un homme peut désirer.

— Sauf la femme qu'il aime.

— Une égoïste, une espèce de tarée complètement égocentrique, borderline voire carrément névrotique et qui passe son temps à le faire chier.

— Oui, mais pour Gatsby, Daisy représente ce que l'argent ne peut pas acheter. L'inaccessible.

— La respectabilité ?

Todd détacha une nouvelle part de pizza qu'il croqua à pleines dents.

— Avec tout son fric, qu'est-ce qu'il peut bien en avoir à foutre d'être accepté ? poursuivit-il. Il a payé son idéal au prix fort.

Il secoua la tête avant d'ajouter :

— Et ça ne le vaut pas.

— Hum.

L'air dubitatif, Roark s'envoya une rasade de bière. Ils discutèrent encore des mérites de Gatsby et de l'œuvre de Fitzgerald en général, ce qui les amena à évoquer leurs propres aspirations littéraires.

— Tu en es où avec ton manuscrit ? demanda Roark.

Leur mémoire de fin d'études consistait en un roman de soixante-dix mille mots minimum, dernière étape avant l'obtention de la licence de lettres. Le dernier obstacle qui se dressait entre eux et le diplôme, le fléau des étudiants en techniques de l'écriture, n'était autre que leur professeur, M. Hadley.

— Hadley n'arrête pas de me faire chier à propos de mes personnages.

— C'est-à-dire ?

— Il trouve qu'ils manquent d'originalité, de spontanéité, de profondeur, que ce sont des personnages en carton, etc, etc.

— Il dit ça à tout le monde.

— Il te l'a dit aussi ?

— Je n'ai pas encore eu droit à ma critique. Je dois le voir mardi prochain à la première heure. Je serai content d'en ressortir vivant.

Todd et Roark s'étaient rencontrés en première année, dans un cours de composition qui était obligatoire. L'enseignant, un jeune diplômé qui, comme ils devaient en convenir tous deux par la suite, était incapable de faire la différence entre sa bite et un imparfait du subjonctif, leur avait donné, dès la première semaine, une dissertation de cinq pages sur *Les Dévotions* de John Donne.

Avec un air suffisant, il avait adopté une attitude toute professorale et expliqué :

— Il se peut que le texte ne vous soit pas très familier, mais vous reconnaîtrez sûrement la phrase « pour qui sonne les glas ».

— Excusez-moi monsieur. Est-ce la même chose que « pour qui sonne *le* glas » ? avait demandé Todd d'une voix innocente.

Reconnaissant là une âme sœur, Roark s'était présenté à lui à la fin du cours. Leur amitié naquit cet après-midi-là. Une semaine plus tard, ils négocièrent un échange de chambre avec les colocataires que l'université leur avait attribués en début d'année.

— Ça me va, grommela celui de Roark lorsqu'ils lui soumirent l'idée.

Il mit Todd en garde.

— Je te préviens, il tape sur sa machine vingt-quatre heures sur vingt-quatre.

Ils obtinrent les deux meilleures notes de la classe pour leur premier travail d'écriture.

— Ce connard ne se serait pas fendu d'un A, lança Roark avec aigreur en observant le B+ griffonné sur la couverture de son cahier d'examen.

— Toi au moins, tu as eu droit au « plus », rétorqua Todd qui avait dû se contenter d'un simple B.

— Tu aurais eu la même note si tu n'avais pas joué au con le premier jour. Il t'a dans le nez.

— Qu'il aille se faire foutre. Quand j'écrirai le Grand Roman Américain, il en sera encore à noter les dissertations de ses étudiants de première année.

— Le problème, c'est que ça n'arrivera pas, fit Roark d'un ton pince-sans-rire.

Il adressa à Todd un large sourire avant d'ajouter :

— C'est *moi* qui l'écrirai, ce Grand Roman Américain.

L'amour des livres et l'envie d'écrire constituaient la fondation sur laquelle leur amitié s'était construite. Ce n'est qu'au bout de plusieurs années que les premières fissures commencèrent à apparaître. Et le temps qu'ils s'en aperçoivent, les dégâts étaient trop importants pour empêcher la chute de l'édifice.

Tous deux étaient des étudiants modèles. Ils assuraient de bons résultats dans les matières obligatoires, et excellaient dans le domaine littéraire. Au second semestre, ils incorporèrent la même confrérie. Fervents amateurs de sport, ils jouaient dans l'équipe de foot et les différentes équipes de basket de la résidence, s'affrontant parfois avec la même avidité que lorsqu'ils rencontraient d'autres formations.

Ils étaient connus sur le campus et prenaient une part active à la vie estudiantine. Todd fut élu au comité des étudiants. Roark organisa une collecte de nourriture au profit d'une association pour les sans-abri. Tous deux collaboraient au journal de l'université, écrivant des éditoriaux et divers articles, dont certains s'orientaient vers la sociologie.

A la suite de l'un de ces articles, Roark fut approché par le doyen du département journalisme. Ce dernier le félicita pour son travail et lui proposa de concentrer ses efforts sur l'écriture journalistique. Roark déclina l'offre. Il préférait la littérature.

Il ne parla jamais de cette conversation à Todd, mais fêta de bon cœur la première place que ce dernier obtint à l'occasion d'un concours national d'écriture. Le texte que Roark avait présenté n'avait même pas récolté une note honorable. Il tenta de dissimuler sa jalousie.

Ils faisaient souvent ribote avec les autres étudiants de la confrérie. Il leur arrivait certains soirs d'écluser assez de bière pour mettre un navire à flot. De temps à autre, ils partageaient un joint, mais ils n'en firent jamais une habitude, pas plus qu'ils ne testèrent les drogues dures. Ils se soignaient l'un l'autre en cas de gueule de bois, se prêtaient de l'argent dans les périodes de vache maigre, et lorsque Roark contracta une angine streptococcique et que sa température grimpa à plus de quarante, ce fut Todd qui le transporta en urgence à l'infirmerie.

Le jour où Todd apprit la mort de son père, Roark le conduisit à travers deux Etats et le soutint tout au long des funérailles.

Il leur arrivait de se disputer. Un jour, Roark emprunta la voiture de Todd et enfonça le pare-chocs arrière en reculant dans une bouche d'incendie. Todd lui demanda plusieurs fois de la porter en réparation. Il insista si lourdement que le sujet devint délicat.

— Tu vas me lâcher avec ça ? répliqua Roark.

— Et toi, tu vas la faire réparer, ma putain de bagnole ?

Cet échange musclé mit un terme à la dispute. Le lendemain, Roark apporta la voiture au garage et Todd n'y refit jamais allusion.

Puis il y eut l'affaire du livre de Pat Conroy.

Roark s'était rendu à Nashville et avait fait la queue pendant deux heures pour rencontrer l'écrivain et obtenir un exemplaire dédicacé de *The Great Santini*. Il admirait Conroy plus que tout auteur contemporain et se sentit presque gêné lorsque ce dernier lui souhaita bonne chance dans sa quête littéraire. Le livre dédicacé devint son bien le plus précieux.

Un jour, Todd voulut le lui emprunter. Il promit de le remettre à sa place après l'avoir lu, mais le volume demeura par la suite introuvable, même lorsque Roark passa la chambre au crible.

Ce qu'il advint du livre resta un mystère. Ils finirent par arrêter de se quereller, mais dès lors, Roark ne prêta plus aucun ouvrage à Todd, qui de son côté ne chercha plus à lui en emprunter.

Ils étaient tous deux beaux garçons, chacun à sa manière, et ne manquaient jamais de conquêtes. Quand ils ne parlaient pas de livres, ils parlaient de filles. Si l'un des deux avait la chance d'en inviter une pour la nuit, l'autre s'arrangeait pour dormir dans une chambre voisine.

Un matin, après que l'une de ces filles eut emprunté le « chemin de la honte », surnom donné au couloir d'entrée de la résidence, Todd observa Roark et lui dit d'un air morose :

— Elle n'était pas si terrible, qu'est-ce que tu en penses ?

— Pourtant, hier soir, tu n'arrêtais pas de la mater.

— Oui, soupira Todd. Mais on ne se rend pas bien compte quand il fait sombre.

Ils parlaient des femmes sans relâche et sans pudeur, sans leur faire de cadeau. Seul Roark faillit avoir une relation sérieuse, et lors d'une occasion simplement.

Il la rencontra lors de la collecte de nourriture. Elle

s'était portée volontaire pour donner un coup de main. Son sourire était magnifique, son corps mince et athlétique. C'était une étudiante brillante, très à l'aise dans de nombreux domaines. Elle avait de l'humour et riait de bon cœur aux plaisanteries de Roark. Elle savait écouter et se concentrer sur un sujet lorsque la conversation prenait un tour sérieux. Elle lui apprit à jouer *Chopsticks* au piano, et il la persuada de lire *Les Raisins de la colère*.

Leurs baisers étaient fougueux, mais elle refusait d'aller plus loin. Elle se tenait à un code moral très strict fondé sur ses convictions religieuses et n'avait pas l'intention d'y déroger. Elle n'avait pas couché avec son grand amour du lycée et comptait se réserver pour l'homme qu'elle épouserait et qui partagerait sa vie.

Roark admirait son engagement, mais tout cela était pour le moins frustrant.

Puis un soir elle lui téléphona pour lui annoncer qu'elle venait de finir le roman de Steinbeck. Elle voulait le voir s'il était libre. Il passa la prendre en voiture et ils roulèrent un moment avant de se garer.

Elle avait adoré le livre et le remercia de lui avoir fait partager cette expérience. Ce soir-là, leurs baisers furent plus passionnés qu'à l'accoutumée. Elle releva son sweat-shirt et amena la main de Roark contre ses seins nus. Et si le fait de la caresser et de sentir l'excitation de la jeune femme ne représentait pas l'expérience sexuelle la plus folle que Roark ait connue, c'était en tout cas la plus poignante. Elle sacrifiait pour lui quelque chose d'intime, et il était assez sensible pour le comprendre.

Il se demanda s'il était en train de tomber amoureux.

Une semaine plus tard, elle le plaquait. Les larmes aux yeux, elle lui apprit qu'elle s'était remise avec son ancien amour de lycée. Il en resta abasourdi et quelque peu en colère.

— Est-ce que tu pourrais au moins m'expliquer tes raisons ?

— Tu es appelé à devenir quelqu'un de célèbre, Roark. Une personnalité. Moi je ne suis qu'une pauvre fille du Tennessee. Je vais travailler comme institutrice quelques années, puis j'aurai des enfants et je finirai présidente de l'association des parents d'élèves.

— Il n'y a rien de mal à ça.

— Oh, je ne suis pas en train de m'excuser. C'est la vie que j'ai choisie, celle qui me correspond. Mais ce n'est pas une vie pour toi.

— Pourquoi faudrait-il planifier maintenant le reste de nos vies ? Pourquoi ne pas continuer à passer du bon temps et remettre ce genre de décisions à plus tard ?

— Parce que si on continue à se voir, je coucherai avec toi.

— Et ce serait si terrible ?

— Non, ce n'est pas ça...

Elle l'embrassa fougueusement, sa bouche étreignant la sienne avec la passion retenue à laquelle il s'était attendu.

— J'ai très envie de faire l'amour avec toi, murmura-t-elle. Mais j'ai fait vœu d'abstinence et je ne peux pas rompre ce serment. C'est pour ça qu'on doit se quitter.

Pour Roark, cet argument paraissait complètement irrationnel, mais rien ne semblait pouvoir la dissuader. Il fut déprimé et irritable pendant deux semaines. Todd, sentant que la belle histoire d'amour s'était brusquement éteinte, le prit avec des pincettes.

Mais au bout d'un moment, l'humeur maussade de son ami finit par l'agacer. Il expliqua à Roark que le meilleur moyen de guérir d'une fille était d'en rencontrer une autre, et le traîna presque hors de la chambre. Ils passèrent une nuit de débauche.

Roark n'en fut pas « guéri » pour autant mais, n'ayant pas d'autre choix, il surmonta peu à peu l'épreuve. Avec le recul, il dut admettre qu'elle avait vu juste. A part peut-être sur le fait qu'il allait devenir célèbre. Ce point-là restait à vérifier. Mais pour le reste, elle s'était montrée extrêmement perspicace.

A la fin du semestre, elle changea d'université pour se rapprocher de sa ville natale, où l'attendait son amour de jeunesse. Roark lui souhaita bonne continuation et lui dit que son petit ami était le mec le plus chanceux de la

Terre. Elle rougit, le remercia du compliment et lui dit qu'elle guetterait la parution de son premier livre.

— J'en achèterai une dizaine d'exemplaires et je les distribuerai à mes amis en me vantant d'avoir été jadis l'une des conquêtes du grand Roark Slade.

Ce furent là les seules complications sentimentales que connurent les deux amis. Mais les femmes occupaient une grande part de leurs pensées, alimentaient leur concupiscence et, en ce pluvieux samedi après-midi, ce fut une fille qui mit fin à leur conversation concernant les critiques sévères et pour le moins démoralisantes de M. Hadley.

Deux étudiantes s'étaient montrées assez braves – ou imprudentes – pour pénétrer ce sanctuaire chargé de testostérone qu'était le restaurant de T.R. Au même moment, Roark conseillait à Todd de ne pas se préoccuper d'Hadley.

— Après tout, ce n'est que son opinion.

Todd, qui faisait face à la porte, changea brusquement de sujet.

— Mon opinion à moi, c'est que cette fille-là est une vraie bombe.

Roark jeta un œil par-dessus son épaule.

— Laquelle ?

— Celle au sweat bleu, avec ses Tic Tac.

C'était leur code pour désigner une poitrine aux tétons saillants.

— Pas mal, acquiesça Roark.

Todd adressa un sourire à la fille. Elle le lui rendit.

— Hé, Christie ! appela Roark.

— Oh, Roark, salut, répondit la fille d'un accent traînant qui semblait allonger les mots à n'en plus finir. Ça va ?

— Bien. Et toi ?

— Super.

Lorsque Roark revint s'asseoir, Todd marmonna dans son verre :

— Espèce d'enfoiré. J'aurais dû m'en douter.

Roark sourit et but une gorgée de bière.

— Elle est vraiment canon, reprit-il tout en la

dévorant des yeux. Je ne me rappelle pas t'avoir déjà vu avec elle.

— On n'est jamais sortis ensemble.

— Simple connaissance ?

— Oui, on peut dire ça.

— Mon cul. Tu te l'es faite.

— Non...

— Menteur.

— Bon, peut-être une fois. On a dû se rouler quelques pelles dans une soirée.

Les deux filles étaient à présent entourées d'un groupe de garçons qui avaient entrepris de leur enseigner l'art de manier la queue de billard. La leçon exigeait qu'elles se penchent au-dessus de la table, ce qui offrait à Todd une superbe perspective de l'anatomie de Christie. Il ne put s'empêcher de pousser un petit sifflement admiratif.

— Essaye de ne pas baver, suggéra Roark. Ce serait gênant.

Il se leva de la banquette et alla rejoindre le petit groupe. Les autres gars lui jetèrent des regards en coin lorsqu'il prit Christie par l'épaule pour l'emmener vers la table où Todd et lui étaient installés.

— Christie, je te présente Todd, mon colocataire. Todd, voici Christie.

Il la fit asseoir face à son ami.

— Salut Christie.

— Salut.

— Une bière ?

— Avec plaisir.

Todd fit signe à T.R. d'amener un autre pichet et un troisième verre.

— Pizza ?

— Non, merci.

Roark attendit que Todd ait fini de servir Christie.

— Bon, ce n'est pas que ça m'amuse, mais je dois y aller. Ça ne te dérange pas si je te laisse en compagnie de Todd ? Ne t'inquiète pas, il est inoffensif.

La petite moue que Christie se composa alors aurait

pu faire vendre des millions de tubes de rouge à lèvres L'Oréal – à des hommes.

— On est samedi soir, minauda-t-elle. Tu dois vraiment partir ?

— J'ai rendez-vous avec Gatsby, Daisy et toute la bande. Ils doivent m'attendre à l'heure qu'il est.

Désignant Todd d'un geste de la tête, il ajouta :

— S'il se tient mal, dis-le-moi. Je me chargerai de lui botter le cul.

— Ne t'en fais pas, je saurai m'occuper de lui, assura-t-elle en lançant à Todd un regard plein de promesses.

— Je n'en doute pas, répliqua ce dernier avec un haussement de sourcils. Quand tu veux, chérie.

Roark les laissa à leurs petits sous-entendus. Ce n'est qu'au bout de plusieurs heures qu'il revint dans la chambre qu'il partageait avec Todd. Après avoir écouté à la porte quelques instants, il toqua.

— Oui ?

— Je peux entrer ?

— Vas-y.

Todd était allongé seul sur son lit, un pied dans le vide. Il semblait épuisé mais parvint tout de même à marmonner :

— Merci de m'avoir laissé la chambre. Où étais-tu passé ?

— A la bibliothèque.

— Comment va Gatsby ?

— Il n'est pas plus une tarlouze que toi, mon vieux. Christie est partie depuis longtemps ?

— Environ dix minutes. Tu es pile à l'heure.

— Tant mieux.

— Tu sais qu'elle m'a demandé si c'étaient des amis à toi.

— Qui ça ?

— C'est ce que je lui ai demandé. Et elle a répondu : « Les personnes qu'il est parti rejoindre. »

— Tu veux rire ?

— Non. Elle n'avait jamais entendu parler de Gatsby. Mais on s'en fout, elle baise comme une déesse.

— D'ailleurs, ça sent le sexe ici, fit Roark en traversant la pièce pour aller ouvrir la fenêtre.

— Oh, avant que j'oublie, ton prof favori a téléphoné.

— Hadley ?

— Il a un empêchement pour demain et il veut reporter votre rendez-vous à neuf heures, mardi matin.

— Parfait. Je n'aurai pas à me lever aux aurores.

Todd bâilla et se tourna vers le mur.

— Merci encore pour Christie. Cette fille est incroyable. Bonne nuit.

5.

Après la réunion, Maris revint seule chez elle.

L'espace d'un instant, tandis qu'elle prenait son courrier, elle fut tentée d'interroger le portier de nuit pour savoir à quelle heure Noah était rentré la veille, mais elle ne sut comment formuler la question sans que cela soit embarrassant, aussi bien pour lui que pour elle.

Elle se fit livrer un dîner thaï. En mangeant, elle relut les corrections qu'un auteur venait d'apporter à son manuscrit, et, les ayant approuvées, inscrivit la mention signifiant que le texte était prêt à être envoyé à une secrétaire d'édition.

Elle consulta une dernière fois son agenda pour s'assurer que ni elle ni son assistante n'avaient oublié de reporter un rendez-vous. Elle avait bloqué le reste de la semaine pour son voyage en Géorgie, ce qui était peut-être un peu optimiste étant donné qu'elle n'avait même pas prévenu l'écrivain de son arrivée imminente.

Mais en la circonstance, mieux valait s'excuser après coup que de lui demander son autorisation. Elle devait se montrer autoritaire, opter pour une approche directe et offensive. La timidité ne donnerait rien. Les préparatifs du voyage avaient renforcé sa détermination : qu'il le veuille ou non, elle irait à sa rencontre.

Après avoir repoussé ce déplaisant coup de fil jusqu'au dernier moment, elle composa le numéro qui s'était inscrit le matin même sur l'écran digital de son téléphone. Il ne décrocha qu'à la quatrième sonnerie.

— Allô ?

— Bonjour. Maris Matherly-Reed à l'appareil.
— Doux Jésus.
— Non, Maris Matherly-Reed.
Il laissa passer la plaisanterie sans réagir, sans même lancer un « Qu'est-ce que vous me voulez ? », mais son silence hostile en disait long.
— Je pensais...
Elle s'interrompit. Mauvaise tactique. Ne lui laisse pas le choix, Maris, piège-le, pensa-t-elle.
— Je viens à St. Anne Island, reprit-elle.
— Je vous demande pardon ?
— Je ne parle pas chinois, que je sache. Quel est le mot que vous n'avez pas compris ?
Il resta silencieux un instant avant de pousser un grognement qui pouvait s'apparenter à un rire.
— Et de deux. Vous êtes en forme, ce soir.
— Oui, en effet.
— Alors comme ça, vous allez venir à St. Anne.
— Exactement.
— Il faut que je vous prévienne, c'est un peu différent de ce que vous connaissez. Les gens comme vous...
— Les gens comme moi ?
— ... en général, fréquentent des îles un peu plus civilisées. Hilton Head. St. Simons. Amelia.
— Je ne viens pas pour passer des vacances.
— Ah bon ?
— Je viens pour vous parler.
— On s'est déjà parlé.
— Pas en tête à tête.
— Et de quoi voulez-vous qu'on parle ? De la flore et de la faune des îles en Géorgie ?
— De votre livre.
— Je vous ai déjà dit qu'il n'était pas à vendre.
— Vous m'avez aussi affirmé qu'il n'y avait pas de livre du tout. Que dois-je croire ?
Elle venait de le piéger, et son silence indiquait qu'il en avait parfaitement conscience.
— J'arrive demain soir.
— C'est votre argent...
— Pourriez-vous me recommander un...

Elle parlait déjà dans le vide. Il venait de lui raccrocher au nez. Elle rappela immédiatement.

— Allô ?

— J'étais en train de vous demander si vous connaissiez un hôtel à Savannah.

Il raccrocha à nouveau et Maris éclata de rire. Comme l'avait dit son père, il s'indignait de façon un peu trop virulente. Mais monsieur P.M.E. ignorait que ses dérobades ne faisaient que renforcer la détermination de l'éditrice.

Elle venait juste de sortir la valise de sous son lit lorsque la sonnerie du téléphone retentit. Elle pensa aussitôt que c'était lui qui rappelait. Il avait probablement inventé une très bonne excuse pour ne pas avoir à la rencontrer à son arrivée, le lendemain.

Se préparant à affronter un flot d'excuses bidon, elle décrocha le combiné avec un joyeux « Allô ? », mais à sa surprise, un homme au fort accent de Brooklyn demanda à parler à Noah.

— Je suis désolée, mais il n'est pas là.

— Ah ? J'avais pourtant une clé à lui remettre.

— Une clé ?

— D'habitude, on n'appelle pas chez les gens le soir, seulement M. Reed m'a donné vingt billets pour que je lui apporte cette clé. Vous êtes sa dame ?

— On parle bien de la même personne ?

— Noah Reed, qui travaille dans l'édition, c'est ça ?

— Oui, il s'agit bien de mon mari.

— Parce que voilà, il m'a donné une adresse à Chelsea et...

— Quelle adresse ?

Il lui communiqua une adresse sur la 22e Ouest.

— Appartement 3B. Il m'a demandé de changer la serrure hier, parce qu'il avait déjà entreposé pas mal de trucs et qu'il voulait pas que des vieilles clés se baladent dans la nature, voyez ce que j'veux dire ? Le problème c'est qu'hier je lui ai amené une seule clé, et lui, il en voulait au moins une de rechange. Alors j'ai promis de lui en apporter une ce soir.

» Bref, tout ça pour dire que je suis là-bas avec la

clé, mais que le concierge est sorti. Il y a un numéro de téléphone sur la porte, mais ça va pas changer grand-chose. Et puis je préfère pas laisser la clé aux voisins. On sait jamais, avec les gens, vous comprenez ?

— Quel genre de trucs ?

— Hein ?

— Vous avez dit qu'il avait déjà entreposé pas mal de choses.

— Oui, des trucs. Des meubles. Le genre de choses que les riches mettent chez eux. Des tapis, des tableaux, des conneries, quoi. Est-ce que je pourrais me permettre, moi, d'acheter ce genre d'objets ? Enfin bref, tout ce que je sais, c'est que j'ai envie de rentrer chez moi et de me poser le cul dans mon fauteuil, parce qu'il y a un match des Mets à la télé. Mais d'un aut' côté, j'ai promis à M. Reed... Et vu qu'il m'a donné vingt...

— Billets. Je sais. Et je vous en donnerai vingt de plus si vous m'attendez. Je serai là dans un quart d'heure.

Maris se rua littéralement hors de l'immeuble et traversa au pas de course les deux blocs jusqu'à la station de métro située à l'angle de Broadway et de la 22e. Un taxi mettrait trop longtemps à arriver, et elle avait vraiment hâte de voir le genre de meubles que Noah avait pu entreposer dans ce local de Chelsea dont elle ne savait rien. Elle brûlait de connaître la raison pour laquelle il avait besoin d'un deuxième appartement. Et surtout, elle voulait savoir à qui était destinée cette seconde clé.

Le lierre qui courait le long de la façade en vieille brique apportait une élégance chaleureuse à l'immeuble. Des jardinières de fleurs venaient embellir le petit porche, séparé du niveau de la rue par un petit escalier. D'autres façades du même type s'alignaient le long de l'avenue, réaménagée de façon pittoresque par des urbanistes qui avaient cherché à recréer une certaine ambiance de quartier, et l'esprit d'un New York plus doux, plus agréable, mais depuis longtemps révolu.

La porte d'entrée n'était pas verrouillée. Le serrurier attendait Maris dans le hall. Il portait une combinaison dont il était parvenu, on ne sait trop comment, à remonter la fermeture Eclair par-dessus son ventre proéminent.

— Comment êtes-vous entré ? demanda-t-elle après s'être présentée.

— Je ne suis pas serrurier pour rien, répondit-il avec un petit rire. Mais pour vous dire la vérité, la porte était ouverte. Y faisait trop chaud pour attendre dans la rue, je transpirais comme un porc.

Elle aussi sentait l'air frais de la climatisation contre sa peau moite. Une moiteur qu'elle attribuait au contact des autres passagers dans le métro. Le réseau était connu pour être glacial et venteux en hiver, étouffant en été. Mais sa transpiration était également due à l'anxiété causée par ce qu'elle allait découvrir au troisième étage, derrière la porte de l'appartement B.

— Vous pouvez me régler tout de suite ?

Elle l'observa d'un air interrogateur, puis se rappela les vingt dollars qu'elle lui avait promis. Elle le paya et demanda la clé.

— Y faut d'abord que je la teste, lui dit-il. Une clé, c'est pas si simple à fabriquer. Je ne remets jamais une clé sans vérifier qu'elle fonctionne.

— Très bien.

— Y a pas d'ascenseur. Y va falloir grimper à pied.

Elle lui fit signe de passer devant.

— Pourquoi n'êtes-vous pas déjà monté pour la tester ? Vous auriez pu la laisser dans l'appartement et claquer la porte derrière vous.

— Oui, mais j'aurais pas pu fermer à double tour, répondit-il par-dessus son épaule comme ils atteignaient le premier palier. Et puis imaginez qu'un objet disparaisse. C'est tout de suite moi qu'on accuserait.

— J'en doute.

— Laissez tomber. Je prends pas le risque d'entrer si la personne est pas là.

Il soufflait comme un phoque en arrivant au

troisième étage. Il s'approcha de la porte, ôta la clé de sa poche et l'introduisit dans la serrure.

— Impec', fit-il en ouvrant la porte.

Il se tint un instant immobile et, d'un geste, invita Maris à entrer.

— Le bouton est juste sur votre droite.

Elle tâtonna à la recherche de l'interrupteur et alluma la lumière.

— *Surprise !*

Le cri provenait d'une bonne cinquantaine de personnes qu'elle reconnut immédiatement. Elle resta bouche bée et tout le monde éclata de rire à voir son air stupéfait.

Noah se détacha du groupe pour venir à sa rencontre. Un large sourire éclairait son visage. Il la serra dans ses bras et déposa un baiser claquant sur sa bouche.

— Joyeux anniversaire, ma chérie.

— Mais notre anniversaire n'est pas...

— Je sais. Mais d'habitude, tu finis toujours par découvrir mes surprises. Cette année, je me suis dit que j'allais te devancer. A en juger par ta réaction, on peut dire que ça a marché.

Il se tourna vers le serrurier.

— Vous étiez parfait.

Il s'agissait en réalité d'un comédien engagé pour l'occasion.

— A cause de vous, lui dit Maris, j'étais vraiment convaincue que mon mari me trompait.

— Joyeux anniversaire, madame Reed, lança-t-il en imitant l'accent de la reine d'Angleterre.

Son rôle le plus remarquable était celui de Falstaff, comme Maris l'apprit un peu plus tard. Le comédien s'approcha d'elle et lui fit le baisemain.

— Passez une excellente soirée.

— Ne partez pas aussi vite. Restez donc boire un verre avec nous, proposa-t-elle.

L'homme accepta l'invitation.

— Ça ne pose pas de problèmes ? demanda-t-elle à

Noah comme le comédien rejoignait les autres convives au buffet.

— C'est toi qui décides, trésor.

— Alors, à qui appartient-il, cet appartement ?

— Eh bien ce qu'il t'a dit était vrai. Il est à moi.

— Vraiment ?

— Oui, pourquoi ?

— Mais...

— Je pense que tu as besoin d'un peu de champagne.

— Enfin, Noah...

— Je t'expliquerai tout un peu plus tard. Promis.

Après lui avoir servi une coupe, il la conduisit à travers la foule pour qu'elle aille saluer les invités. La plupart des membres du personnel de Matherly Press étaient présents. Beaucoup firent remarquer à quel point il avait été difficile de garder le secret. L'une d'entre eux confessa à Maris avoir failli lui demander ce qu'elle porterait ce soir-là.

— Noah m'aurait tuée si j'avais vendu la mèche.

— Et regarde dans quelle tenue je me présente, se désola Maris. Mon tailleur est complètement froissé et j'ai le visage luisant.

— Je donnerais tout pour te ressembler même quand tu n'es pas maquillée, rétorqua la jeune femme.

Il y avait également quelques écrivains avec lesquels Maris travaillait, ainsi que des amis d'horizons divers : une anesthésiste et son mari, qui enseignait la chimie à l'Université de New York, un agent de change, et un producteur qui avait réussi une brillante adaptation au cinéma de l'un des romans édités par Maris.

Puis, au milieu de la foule, elle aperçut Daniel. Il était assis, une main posée sur le pommeau en argent de sa canne, l'autre tenant une coupe de champagne.

— Papa !

— Joyeux anniversaire ma chérie. Avec un peu d'avance.

— Je n'arrive pas à croire que tu étais au courant, dit-elle en se penchant pour l'embrasser sur la joue, rougie sous l'effet du champagne. Tu n'as rien laissé paraître, ce matin.

— Ce qui n'a pas été facile étant donné le sujet de notre conversation.

Il lui adressa un regard éloquent qui rappela à Maris leur récent entretien.

Sentant ses joues s'empourprer, elle reconnut à voix basse :

— Ça explique maintenant l'attitude étrange de Noah. Je me sens tellement stupide.

— Tu n'as pas à te sentir stupide, répliqua Daniel en fronçant les sourcils d'un air sévère. Etre stupide, c'est ne pas savoir reconnaître tous ces petits signes avant-coureurs.

Elle l'embrassa à nouveau et retourna se mêler à la foule. Noah avait accompli un travail remarquable ; non seulement il avait réussi sa surprise, mais il avait en plus organisé une superbe fête. Le chef du restaurant favori de Maris avait préparé le buffet et orchestrait lui-même le service. Il y avait du champagne à volonté. La musique se fit de plus en plus forte au cours de la soirée et, même si c'était un jour de semaine, les invités restèrent tard. Daniel fut le dernier à partir.

— La vieillesse a ses avantages, expliqua-t-il à Maris sur le pas de la porte. Ils ne sont pas nombreux, mais il y en a tout de même. Comme celui de pouvoir se griser un soir de semaine en sachant qu'on pourra dormir tard le lendemain.

Maris le serra dans ses bras.

— Je t'aime, papa. Et je découvre chaque jour une nouvelle facette de ta personnalité.

— Par exemple ?

— Tu es vachement fort pour garder un secret.

— Surveille ton langage, jeune fille, ou je demande à Maxine de te laver la bouche avec du savon.

— Ce ne serait pas la première fois, rétorqua Maris en riant.

Après une dernière étreinte, elle lui demanda s'il se sentait d'attaque pour descendre seul l'escalier.

— Je suis monté jusqu'ici, non ? répondit-il en grommelant.

— Oui. Excuse-moi.

Malgré tout, elle fit signe à Noah de l'accompagner.

— Est-ce qu'une voiture l'attend ?

— Elle est en bas, lui assura Noah. J'ai vérifié.

— Bien. Papa, n'oublie pas que tu peux toujours me joindre sur mon portable. J'ai dit à Maxine d'appeler si...

— Et elle le fera, cette vieille fouineuse. Fais-moi sortir d'ici, Noah, avant que Maris ne décide que je suis bon pour l'hospice.

Noah le conduisit jusqu'à la cage d'escalier.

— A tout de suite, chérie, lança-t-il depuis le couloir. Je ne t'ai pas encore offert ton cadeau.

— Encore un ?

— Tu verras. Et surtout, ne va pas fouiller partout.

A présent que l'appartement était vide, elle avait tout le loisir de l'observer. A l'autre bout du salon, de grandes fenêtres donnaient sur le jardin en terrasse de l'immeuble mitoyen. Les « trucs » dont avait parlé le faux serrurier étaient tous de qualité, mais pas aussi luxueux qu'il l'avait prétendu. Des tableaux venaient décorer les murs, un large tapis couvrait l'espace réservé aux fauteuils et aux canapés, mais l'accent était mis avant tout sur le confort et l'aspect fonctionnel.

La kitchenette s'avérait relativement étroite, même selon les normes new-yorkaises. Dans le salon, une porte fermée ouvrait à priori sur une chambre. Elle s'y dirigeait lorsque deux mains la saisirent par la taille.

— Je croyais t'avoir dit de ne pas fouiller partout, fit Noah en lui tirant l'oreille.

— Ce n'était pourtant pas mon intention. Vas-tu enfin me dire pourquoi tu as loué cet appartement ?

— Chaque chose en son temps. Un peu de patience.

— Mon cadeau se trouverait-il derrière cette porte ?

— On n'a qu'à jeter un œil.

Il la poussa vers la porte.

— Vas-y, ouvre.

La pièce était petite, mais une large fenêtre

agrandissait l'espace. Le mobilier se composait d'un bureau, d'un fauteuil pivotant en cuir et d'étagères partiellement occupées par des livres. Il y avait également un téléphone, un ordinateur relié à une imprimante et un fax. Sur le bureau, un bloc-notes était posé à côté d'un pot à crayons métallique rempli de stylos neufs.

Maris observa tout en détail puis se tourna vers Noah.

Il posa les mains sur ses épaules et les massa tendrement.

— Je sais que tu t'es posé pas mal de questions à propos de mes horaires tardifs et de mes récentes absences.

— Je l'avoue.

— Je suis désolé de t'avoir causé de l'inquiétude. Je voulais que tout soit fin prêt avant de te faire la surprise. Ça m'a pris des semaines pour tout arranger. Des mois, même, si je compte le temps passé à chercher un endroit approprié.

— Un endroit approprié pour quoi ?

— Eh bien en tout cas, certainement pas pour organiser les rencontres extra-conjugales que tu imaginais.

Elle baissa les yeux.

— Là aussi, j'avoue.

— Tu pensais que je te trompais avec Nadia ?

— Elle était la première sur ma liste de suspectes.

— Maris..., fit-il d'un ton de reproche.

Elle secoua la tête comme pour chasser ces mauvaises pensées.

— Seigneur, je suis soulagée.

— C'est vrai, tu te sens mieux ?

— Beaucoup mieux. Mais dis-moi, si cet appartement n'est pas une garçonnière, à quoi te sert-il ?

Il se passa la main dans les cheveux, d'un geste qui trahissait sa timidité.

— A écrire.

— Ecrire ? répéta-t-elle dans un souffle.

— C'est ton cadeau d'anniversaire. Je me suis remis à écrire.

Pendant quelques instants, elle resta abasourdie, incapable de parler, puis elle se jeta dans ses bras.

— Noah ! C'est merveilleux. Depuis quand ? Et qu'est-ce qui t'a poussé à... D'habitude, tu te braques quand j'évoque le sujet. Oh, je suis heureuse, si tu savais...

Elle le couvrit de baisers et il se laissa faire en riant.

— Ne t'emballe pas, prévint-il ensuite en se dégageant de son étreinte. Il est très probable que je ne parvienne à rien.

— Je suis sûre que non, affirma-t-elle d'un ton résolu. Je n'ai jamais pensé que tu étais l'écrivain d'un seul livre. L'auteur de *The Vanquished*...

— Que j'ai écrit il y a plusieurs années, Maris, à l'époque où j'étais un jeune homme passionné, avec des rêves plein la tête.

— Et *doué,* insista-t-elle. Un talent comme le tien ne peut se cantonner à un seul roman. Il ne disparaît pas comme ça. Au contraire, il se bonifie avec l'âge et l'expérience.

— On verra bien.

Il observa son ordinateur d'un air de doute.

— Je ne demande qu'à vérifier ta théorie.

— Tu ne le fais pas que pour moi, j'espère ?

— Tu sais, l'écriture est un exercice difficile. Ça tient presque du masochisme. Alors si le cœur n'y est pas, toute tentative reste vouée à l'échec.

De ses poings fermés, il lui frotta doucement la mâchoire.

— C'est quelque chose dont j'ai vraiment envie, reprit-il. Et si en plus ça te fait plaisir, tant mieux.

— Rien ne pourrait me rendre plus heureuse.

Elle le serra contre elle et l'embrassa avec une ardeur qu'elle ne s'était pas connue depuis longtemps.

Tandis que leurs lèvres se rencontraient, Noah ôta sa veste. Le cœur de Maris s'emballa. Le décor lui était totalement étranger. Il y aurait un parfum d'interdit à faire l'amour dans ce nouvel appartement, sur le canapé, sur le tapis. Ou même sur le bureau. Pourquoi pas ? Ils étaient tous deux majeurs et vaccinés.

Elle glissa la main le long de son torse et commença à défaire son nœud de cravate, mais soudain il la repoussa, s'installa sur le fauteuil et alluma l'ordinateur.

— J'ai vraiment hâte de m'y mettre.

— *Maintenant ?*

Il pivota sur sa chaise et leva les yeux vers elle avec un sourire penaud.

— Ça t'embête ? J'ai mis des semaines à aménager mon nouveau terrain de jeu et je n'ai pas encore eu le temps d'en profiter. Cet après-midi, j'avais à peine mis la dernière touche que le chef et les serveurs arrivaient. J'aimerais juste installer le traitement de texte et peut-être prendre quelques notes. Il m'est venu une idée aujourd'hui et j'ai peur de tout oublier si je ne la couche pas sur papier. Ça t'ennuie si je travaille un petit peu ?

— Non, bien sûr que non, répondit-elle en se forçant à sourire.

Elle était déçue que la soirée ne s'achève pas sur une note romantique. Mais en toute honnêteté, elle ne pouvait pas lui en vouloir. Elle l'avait encouragé dans cette voie depuis des années.

— Je vais te dire au revoir et te laisser travailler.

— Tu n'es pas obligée de partir, Maris. Tu peux rester ici.

Elle fit un signe de tête négatif.

— Je ne voudrais pas te distraire. Et puis il faut que je prépare mes bagages.

Il lui prit la main et déposa un baiser sur sa paume.

— Ça ne t'embête pas de prendre un taxi ?

— Ne sois pas bête. Bien sûr que non.

Elle se pencha vers lui, son visage à hauteur du sien.

— C'était une magnifique surprise, Noah. Merci pour tout, et surtout pour ton cadeau. Je brûle d'impatience de lire ton prochain roman. Souviens-toi de ce qui s'est passé quand j'ai lu le premier.

Comme ils s'embrassaient, Noah fit glisser sa main jusqu'au creux de ses fesses. Lorsqu'elle se retira, il continua à lui caresser la cuisse.

— Réflexion faite, je pourrais remettre ça à demain.

— Travaille ! lança-t-elle en pointant du doigt le clavier de l'ordinateur.

Un quart d'heure plus tard, Noah pénétrait dans un autre appartement situé à un demi-bloc – soixante-dix-sept pas pour être précis – de celui où il avait installé ce fameux bureau dont il ne comptait jamais se servir. Il lança sa clé sur la console de l'entrée, entra dans le salon et se figea sur place.

— J'ai commencé sans toi, fit Nadia.

— Je vois ça.

Elle était allongée sur le sofa, entièrement nue sous une robe de chambre en soie bleue grande ouverte. Les yeux mi-clos, elle se caressait d'un mouvement régulier.

— Je sens que ça monte. Dépêche-toi si tu veux être dans le coup.

Il s'approcha tranquillement, se pencha vers elle et lui frôla le bout des seins. Ce simple geste suffit à la faire jouir. Il l'observa en souriant et continua de la titiller jusqu'à ce que son corps arqué ait fini d'évacuer tous les spasmes de plaisir. Elle se laissa retomber sur les coussins.

— Tu es vraiment une petite effrontée.

— Je sais.

Elle étendit les bras et s'étira longuement.

— Mais n'est-ce pas délicieux ?

Noah commença à se déshabiller.

— La surprise-partie était un vrai coup de génie. Maris a tout gobé.

— Ooh, raconte-moi ça.

— Elle a admis qu'elle me soupçonnait d'entretenir une liaison.

— Et avec qui, je te prie ?

Au regard qu'il lui lança, elle se mit à ronronner avec une satisfaction mauvaise.

— Maintenant que ma femme a vu mon petit bureau d'écrivain, ce qui, d'ailleurs, a eu sur elle un effet plutôt aphrodisiaque, je vais avoir une bonne excuse pour te rejoindre à n'importe quelle heure du jour ou de la nuit.

— Pour t'occuper de moi ?

— Exactement. Ainsi que pour régler nos petites affaires.

— Et Daniel, dans l'histoire ?

— C'est un vieillard, Nadia. Presque gâteux.

— Il ne vendra jamais Matherly Press. Il l'a déclaré publiquement je ne sais combien de fois.

D'un geste nonchalant, Noah ôta sa ceinture et s'en servit pour donner un petit coup sur la cuisse de Nadia.

— Ne t'inquiète pas, trésor. J'aurai vendu Matherly Press avant même qu'ils n'aient eu le temps de dire ouf. Maris s'est entichée d'un nouveau roman qu'elle a découvert dans sa pile de manuscrits. Ça va l'occuper un moment. Quant à son père, il est déjà virtuellement à la retraite ; il m'a confié la gestion des affaires. A mon avis, la première fois qu'ils entendront parler de la vente, ce sera en lisant *Publishers Weekly*, et il sera trop tard pour faire machine arrière. Je prendrai la place de Daniel et l'argent qui va avec, sans oublier les dix mille actions de WorldView et les dix millions qui se retrouveront sur mon compte en banque.

— Et il ne restera plus aux Matherly que les yeux pour pleurer.

— Oui. Mais c'est vraiment le cadet de mes soucis.

Il se débarrassa de son pantalon et de son caleçon. Les yeux de Nadia s'écarquillèrent de plaisir à la vue de son pénis saillant.

— C'est Maris qui t'a fait cet effet-là ? Fais-moi penser à la remercier.

— Maris n'a rien à voir là-dedans.

— Tu n'as pas encore tiré ton coup, c'est ça ?

— Si, ce matin.

— Et ce soir ? Je croyais que vous fêtiez son anniversaire.

— Maris a sa manière de le fêter, et j'ai la mienne.

Elle rit et se mit à le caresser doucement.

— Il faudrait que tu me racontes ça un jour.

— Il n'y a pas grand-chose à dire.

Elle passa lentement son pouce sur le gland.

— Miss Maris ne baise pas comme une petite cochonne ?

— Miss Maris ne baise pas, fit-il en s'agenouillant entre les cuisses de Nadia. Elle fait l'amour.

— Comme c'est mignon.

— C'est ce que j'aime chez toi, Nadia.

— Il y a tellement de choses que tu aimes chez moi. Sois plus précis.

— Tu es tout le contraire de Maris, répondit-il en la pénétrant.

6.

Les routes de St. Anne Island étaient bordées de chaque côté par des bois plus sombres et plus touffus que tous ceux que Maris avait pu voir au cours de son existence, que ce fût dans les Berkshires, près de sa maison de campagne, ou n'importe où ailleurs. Ils semblaient aussi ténébreux que les terribles forêts décrites par les frères Grimm dans leurs contes.

Le sous-bois, d'une incroyable densité, était dominé par des arbres gigantesques. De temps à autre, le bruissement des feuilles alertait Maris de la présence d'animaux, même si elle ne pouvait en déduire ni l'espèce, ni le niveau de dangerosité. Par crainte de ce qu'elle pouvait voir, elle préférait garder les yeux rivés sur la route.

Elle était arrivée plus tard que prévu. Un épisode orageux à Atlanta avait retardé de trois heures la correspondance pour Savannah. Le temps qu'elle descende dans un hôtel et prenne les dispositions nécessaires pour son voyage jusqu'à l'île, le soleil brillait à nouveau. En plein jour, l'endroit lui aurait paru totalement étranger, mais le crépuscule accentuait encore sa singularité, lui conférant un aspect sinistre qui emplissait Maris d'appréhension.

Elle avançait en cahotant dans la voiturette de golf et se sentait extrêmement vulnérable. Les grands arbres l'intimidaient. Ils étaient aussi inamicaux que l'homme qui lui avait loué le véhicule.

Lorsqu'elle lui avait demandé le chemin pour la maison de l'écrivain, il avait répondu par une autre question :

— Qu'est-ce vous lui voulez ?

— Vous le connaissez ?

— Ouais.

— Vous savez où il habite ?

— Ouais.

— Pourriez-vous m'indiquer la route, s'il vous plaît ? Il m'attend.

Il l'observa de la tête aux pieds.

— Ah ouais ?

Elle déplia la carte que lui avait donnée le pilote du bateau.

— On est là, c'est bien ça ? demanda-t-elle en indiquant sur le plan le débarcadère où le passeur s'était arrêté juste le temps nécessaire pour qu'elle descende. Par où dois-je aller en partant d'ici ?

— Y a qu'une seule route de toute manière, non ?

— Oui, je vois, dit-elle en tâchant de maîtriser son impatience. Mais si j'en crois la carte, elle se divise en trois branches. Regardez, à ce niveau-là.

— Z'êtes pas du coin, vous ? Seriez pas du Nord, par hasard ?

— Quelle différence ça peut bien faire ?

L'homme partit d'un rire moqueur et cracha son jus de chique dans la boue. D'un ongle jauni et taché, il lui traça la route qu'elle devait prendre.

— Vous suivez ce chemin pendant, hmm, environ un kilomètre après la fourche. Après vous verrez, y aura un aut' chemin sur la gauche, qui conduit à la maison. Et si vous vous r'trouvez à la flotte, c'est qu'vous s'rez allée trop loin.

Son sourire révéla de larges trous dans sa dentition.

Maris le remercia sèchement et se lança dans l'ultime étape de son voyage. Le « quartier commerçant » de l'embarcadère se limitait à deux boutiques – le loueur de voiturettes et le snack-bar Chez Terry, comme l'annonçait une pancarte peinte à la main, clouée audessus de la porte à moustiquaire.

Il s'agissait d'une construction circulaire surmontée d'un toit en tôle ondulée. Les murs extérieurs, sur les deux tiers de leur hauteur, étaient équipés de fenêtres à moustiquaires, mais l'éclairage intérieur s'avérait si faible que Maris ne distinguait que les néons des enseignes publicitaires, au fond de la salle, et les lampes suspendues au plafond, du genre de celles qui éclairent habituellement les tables de billard. Plusieurs véhicules, des pick-up pour la plupart, étaient garés d'un côté du bâtiment. Des nappes de musique s'échappaient par les fenêtres grillagées.

Dans la salle, un homme, vraisemblablement Terry, s'affairait devant un large gril en sirotant une bière. Maris sentit son regard malveillant braqué sur elle jusqu'à ce qu'un virage la mette hors de vue.

Elle avait la route pour elle toute seule. Pas une voiture, pas un camion ne passèrent, comme si le dock représentait le dernier bastion de la civilisation. Après avoir enduré ce voyage angoissant – c'était bien l'adjectif qui convenait – elle espérait un accueil chaleureux, tout en sachant qu'il y avait malheureusement peu de chances pour que les choses se déroulent ainsi.

Au bout d'un moment, elle sentit l'air iodé se mêler à l'odeur de la végétation. Pressentant que la plage ne se trouvait plus très loin, elle chercha des yeux la bifurcation mais, parvenue à sa hauteur, elle la dépassa. Aucun panneau ne l'avait annoncée. La voie était étroite, envahie par les buissons. Elle aurait très bien pu ne pas la voir du tout.

Exécutant un demi-tour serré, elle s'engagea dans le chemin, encore plus rocailleux que la route principale. La voiturette rebondissait à chaque nid-de-poule. Les branches d'arbres, au-dessus d'elle, formaient une voûte opaque. La forêt, à cet endroit, était encore plus épaisse, silencieuse et inquiétante.

Elle commençait à se dire que cette entreprise se révélait de plus en plus périlleuse, qu'il valait peut-être mieux faire preuve de bon sens et rebrousser chemin, retrouver la sécurité de sa chambre d'hôtel à Savannah, ville beaucoup plus hospitalière que St. Anne Island. Elle pourrait s'y faire servir un repas, prendre un bon bain moussant, boire un verre de vin. Ainsi requinquée, elle aurait tout le loisir d'appeler l'écrivain pour le persuader d'accepter une rencontre en terrain neutre.

Sur ces pensées, elle aperçut au loin la maison et fut aussitôt émerveillée.

Elle était d'une beauté poignante. Une beauté qui suscitait la tristesse. Comme une actrice vieillissante dont l'éclat se serait terni avec les années. Une robe de mariée à la dentelle jaunie. Un gardénia aux pétales noircis. La demeure présentait les signes visibles d'une splendeur déchue.

Mais malgré ses défauts, dans la douce lueur du crépuscule, elle évoquait le charme d'une aquarelle réalisée d'après un souvenir merveilleux et lointain.

Maris descendit de la voiturette et suivit l'allée bordée de grands chênes verts envahis de mousse. Elle gravit les marches aussi silencieusement que possible. Parvenue à la véranda, elle eut soudain bêtement envie de la traverser sur la pointe des pieds, comme Jem Finch dans *Du silence et des ombres*, pour ne pas alerter le méchant Boo Radley de sa présence dans cet endroit où elle était une intruse, et certainement pas la bienvenue.

Au lieu de ça, elle prit une profonde inspiration, se dirigea d'un pas assuré vers la porte et tendit la main pour saisir le heurtoir en cuivre.

— Maris Matherly-Reed ?

Elle sursauta. Le heurtoir retomba contre la porte avec un bruit métallique. Tournant la tête du côté où la voix avait jailli, elle se recula d'un pas et observa la longue véranda. Quelqu'un l'observait à la fenêtre.

— Alors comme ça, vous êtes venue.

— Bonjour.

Il continua de la fixer à travers la moustiquaire. Il avait l'avantage de la voir parfaitement alors qu'elle n'apercevait qu'une ombre. Malgré cela, elle ne fléchit pas. Elle n'avait pas fait tout ce chemin pour rien.

— Entrez, l'invita-t-il au bout d'un moment.

Elle ouvrit la porte laquée de noir pour se retrouver dans un grand vestibule. Là, elle le vit émerger de l'une des pièces attenantes en s'essuyant les mains sur un vieux torchon. Il portait un short kaki et une chemise aux manches retroussées. Ces deux éléments vestimentaires s'avéraient plutôt informes et aussi sales que le torchon. Quant à ses baskets, elles avaient connu de meilleurs jours.

— Vous êtes venue seule ? demanda-t-il en jetant un coup d'œil derrière elle.

— Oui.

— Les moustiques vont rentrer.

— Oh, pardon.

Elle se retourna pour fermer la porte.

— Pas de shérif cette fois ? railla-t-il d'une voix où l'on décelait une pointe de reproche.

Elle sentit qu'une explication s'imposait.

— J'ai eu recours au bureau du shérif parce que je ne voyais pas d'autre solution. J'ai simplement interrogé Dwight Harris, l'adjoint, pour savoir s'il connaissait une personne habitant le comté et dont les initiales correspondaient à P.M.E. Je ne savais pas qu'il entreprendrait des recherches et je m'excuse si cela vous a causé de l'embarras.

Il émit une sorte de grognement qu'elle ne sut comment interpréter. En tout cas, elle était soulagée qu'il ne l'ait pas insultée ou mise à la porte. En fin de compte, il était moins intimidant qu'elle ne l'avait imaginé. Plus vieux aussi, et physiquement moins imposant que sa voix au téléphone ne le laissait supposer. L'accent y était, mais pas la brusquerie.

On ne pouvait pourtant pas dire qu'il se montrait d'une grande sympathie. Ses yeux bleus la considéraient avec méfiance.

— Je ne savais pas trop à quoi m'attendre en venant ici, ajouta-t-elle dans l'espoir que sa franchise le désarmerait. Je pensais même que vous n'alliez pas me laisser entrer.

Il l'observa de bas en haut et elle regretta de n'avoir pas mis à exécution son projet d'aller faire un brin de toilette à Savannah. Elle aurait au moins dû se changer. Sa tenue était appropriée pour le climat new-yorkais, mais beaucoup trop chaude pour St. Anne Island.

L'aspect citadin de ses vêtements contrastait par trop avec l'île. Et après ce long voyage en taxi, en avion, puis en bateau, ils auraient eu besoin d'un bon coup de fer.

— Vous n'êtes plus à Manhattan, madame Matherly-Reed.

Sa remarque résumait plus ou moins ce qu'elle venait de se dire.

— Et l'éloignement n'est pas que géographique, précisa Maris. Si l'on excepte les voiturettes, St. Anne pourrait sortir tout droit du siècle dernier.

— L'île est plutôt primitive. Les gens d'ici tiennent à ce que ça reste comme ça.

De cette dernière phrase, elle déduisit qu'elle était une étrangère et qu'ils auraient préféré ne pas la voir débarquer. Gênée, elle chercha à détourner l'attention de son hôte en examinant la pièce où ils se trouvaient.

Un escalier imposant partait de l'entrée, mais l'étage était plongé dans l'obscurité. Une foule de questions lui vinrent à l'esprit.

— Cette maison est extraordinaire. Depuis combien de temps habitez-vous ici ?

— Un peu plus d'un an. Au départ, elle était totalement délabrée.

— Vous l'avez déjà bien rénovée.

— Oui, mais il reste beaucoup à faire. Je travaille actuellement sur un projet dans la salle à manger. Voulez-vous voir de quoi il s'agit ?

— Avec plaisir.

Ils échangèrent un sourire. Elle le suivit dans la pièce d'où il avait surgi quelques minutes plus tôt. Le lustre en cristal suspendu au plafond oscillait légèrement.

— L'une des premières rénovations a consisté à installer la climatisation, anticipa-t-il en voyant son air interloqué. L'air s'échappe du conduit juste au niveau du plafonnier, ce qui explique le mouvement. C'est du moins ce que j'ai choisi de croire.

Il laissa échapper un rire énigmatique, puis esquissa un geste en direction de la cheminée.

Le manteau, rehaussé de riches sculptures, avait été entièrement décapé.

— Je ne pensais pas que ce serait si compliqué, reconnut-il. Si j'avais su le nombre de couches de vernis et de peinture à gratter, et surtout le temps et la fatigue que ça allait impliquer, j'aurais fait appel à un professionnel.

Elle s'approcha de la cheminée, tendit la main puis, hésitante, se tourna vers lui.

— Je peux ?

Il fit signe que oui et elle suivit des doigts le contour d'une vigne finement ciselée.

— La personne qui a fait construire la maison a tenu un journal détaillé des travaux, expliqua-t-il. C'est un esclave du nom de Phineas qui a sculpté ce manteau, ainsi que la balustrade de l'escalier.

— Splendide. Je suis certaine que ce sera encore plus beau une fois rénové.

— C'est aussi ce qu'espère Parker. Il est du genre perfectionniste.

— Parker ?

— Le propriétaire.

Elle laissa retomber sa main et l'observa.

— Je croyais que c'était vous, le propriétaire.

Il secoua la tête d'un air amusé.

— Je ne fais que travailler ici.

— C'est très généreux de sa part.

— De la part de qui ?

— De M. Parker. Qu'il vous ouvre sa maison pour vous permettre de venir y écrire.

Il la considéra un instant avec perplexité, puis se mit à rire.

— Je crains que vous ne vous mépreniez, madame Matherly-Reed, et la faute m'en revient entièrement. Vous me confondez visiblement avec Parker, l'homme que vous êtes venue voir. Parker Evans.

Elle mit quelques secondes à assimiler l'information, puis sourit d'un air dépité.

— Parker Evans. Avec un M au milieu...

— Vous ne connaissiez pas son nom ?

— Il ne me l'avait pas dit.

— Vous ne l'aviez jamais entendu avant ?

— Pourquoi ? J'aurais dû ?

Il l'étudia un long moment, puis lui sourit en tendant la main.

— Je suis Mike Strother. Pardonnez-moi de ne pas m'être présenté à votre arrivée. Je ne pensais pas que vous alliez me confondre avec Parker.

— Enchantée, monsieur Strother.

— Appelez-moi Mike.

Elle lui sourit. L'attitude du vieil homme était celle d'un gentleman et elle se demandait comment elle avait pu le prendre pour l'individu aux manières rêches qu'elle avait eu au téléphone. Il avait le regard doux, même si elle le sentait encore sur ses gardes, comme s'il la jaugeait. Son patron n'avait pas dû parler d'elle en termes élogieux.

— Vous êtes l'entrepreneur en charge des travaux de rénovation ?

— Mon Dieu, non. Je suis encore loin d'être un professionnel. En réalité, je travaille pour Parker depuis bien longtemps.

— A quel titre ?

— Je fais un peu tout. Cuisinier, intendant, jardinier, valet de chambre.

— Est-il exigeant avec vous ?

— Vous n'avez pas idée, gloussa-t-il.

Les idées préconçues qu'elle s'était faites à propos de Parker M. Evans tombaient les unes après les autres. Au téléphone, il ne lui avait pas fait l'effet d'un homme qui aurait eu un domestique à son service.

— J'ai vraiment hâte de le rencontrer.

— En fait, il n'est pas là, répondit Mike d'un air gêné.

Il détourna les yeux pour ne pas croiser le regard de Maris.

Même si elle s'y était attendue, en avoir confirmation ne représentait pas seulement une cruelle déception, c'était également très troublant.

— Il était pourtant au courant de ma venue.

— Oui oui, il savait, confirma Mike. Il m'a dit que vous aviez l'air assez têtue pour faire le voyage même après qu'il vous a prévenue que vous risquiez de perdre votre temps. Mais personne n'est plus têtu que Parker lui-même. Il ne voulait pas être là à votre arrivée, car vous auriez pu croire qu'il vous attendait exprès. Alors il est sorti.

— Sorti ? Où ça ?

Furieuse, Maris s'avança d'un pas résolu vers l'homme qui lui avait loué la voiturette.

— Pourquoi m'avez-vous envoyée jusque chez M. Evans ?

— J'savais bien qu'vous mentiez en prétendant qu'il vous attendait, répondit-il avec un sourire idiot.

— Pourquoi ne pas m'avoir dit qu'il était ici ?

— Vous m'l'avez pas demandé.

Elle bouillait de rage, mais l'homme était trop stupide et grossier pour qu'elle gaspille sa colère avec lui. Non, elle préférait la réserver à M. Parker Evans. Elle avait en effet pas mal de choses à lui dire. Il était sûrement au courant de la petite partie de chasse à l'homme dans laquelle on l'avait envoyée. Terry, le barman, devait savoir lui aussi. Son gril était éteint, mais il se trouvait derrière le bar lorsqu'elle franchit la porte grinçante de son établissement.

Elle traversa le sol en béton, pataugea dans ce qu'elle espérait n'être qu'une flaque de bière, passa devant les tables de billard et se dirigea droit vers le comptoir, à l'arrière de la salle. Le loueur de voiturettes lui emboîta le pas.

Les boules de billard s'arrêtèrent de claquer. Les voix se turent. Quelqu'un éteignit la musique. Le spectacle allait bientôt commencer : en ouverture, la New-Yorkaise en furie.

Terry lui adressa un sourire sardonique.

— Donnez-moi une bière, ordonna Maris.

Le sourire du barman s'estompa à moitié. Il n'avait pas prévu ça. Plongeant la main dans la glacière, il en sortit une bouteille de bière qu'il décapsula et posa devant elle. D'un revers de la main, Maris ôta la mousse qui s'échappait du goulot et but une longue gorgée avant de reposer la bouteille avec un bruit sourd.

— Je cherche Parker Evans, lança-t-elle.

Terry planta ses avant-bras poilus sur le comptoir et se pencha vers elle.

— Qui dois-je annoncer ?

Les clients s'esclaffèrent. Terry jubilait : sa remarque pleine d'esprit avait fait mouche et il rit plus fort que les autres. Maris, elle, se retourna pour faire face à l'assistance. Un épais nuage de fumée enveloppait la pièce en dépit des moustiquaires. Les ventilateurs, incapables d'éliminer le smog, se contentaient de le disperser dans l'air chaud et humide.

Une douzaine de paires d'yeux la fixaient. Il n'y avait qu'une seule autre femme parmi les clients de Terry. Celle-ci portait un short extrêmement moulant et un débardeur du même acabit qui avait peine à contenir sa poitrine flasque. Un tatouage représentant un cobra à la langue fourchue émergeait de son décolleté. Une main insolemment posée sur la hanche, elle fumait une cigarette noire.

La taverne sentait la bière et la viande grillée, le tabac froid et la transpiration. Maris prit une profonde inspiration et les odeurs lui envahirent la gorge.

— N'est-ce pas un tantinet puéril, monsieur Evans ? jeta-t-elle à la cantonade.

Personne ne pipa mot. Deux hommes échangèrent un regard. L'un donna un coup de coude à l'autre en lui adressant un clin d'œil. Un autre leva sa bouteille de bière comme pour la saluer d'un geste moqueur. Un dernier, assis dans un coin, enduisait paresseusement de craie l'embout de sa queue de billard.

— Pour ne pas dire grossier, reprit Maris.

Se forçant à quitter le comptoir et le semblant de sécurité qu'il lui procurait, elle s'approcha d'un groupe d'hommes assis autour d'une table. Elle les dévisagea attentivement. A en juger par leurs regards stupides, elle doutait fort qu'ils sachent lire sans bouger les lèvres, encore moins qu'ils soient capables d'écrire un roman.

— J'ai fait un long déplacement pour venir vous voir.

— Vous n'avez qu'à repartir dans l'autre sens, rétorqua une voix qui provenait d'un recoin sombre.

La remarque déclencha une nouvelle vague de rires.

Elle observa longuement un homme attablé seul. Il était du même âge que Mike Strother ; visage buriné de marin, barbe blanche négligée. L'homme ne semblait se préoccuper de personne. Ses yeux chassieux étaient fixés sur un verre rempli d'une liqueur sombre, qu'il tenait entre ses mains calleuses.

— Le moins que vous puissiez faire, monsieur Evans, serait de me consacrer dix minutes de votre temps.

— Viens par là, poupée, et montre-moi ton cul, suggéra une voix nasillarde. J'vais t'faire passer les dix plus belles minutes de ta vie.

— Dans tes rêves, Dwayne, répliqua la femme au cobra. Tu tiens pas plus de deux minutes.

Nouvelle explosion de rires, encore plus déchaînés que la fois précédente. L'homme assis à côté de la femme la congratula pour sa vanne, mais ne put s'empêcher d'ajouter :

— Le vieux Dwayne, quand même, il a bien raison.

— Ouais, la yankee. Tu sais pas ce que tu rates tant qu't'as pas eu une bonne baise avec un gars du Sud.

Maris avait l'habitude de se faire siffler par des ouvriers, anonymes sous leurs casques de chantier. Il lui était arrivé de recevoir des coups de fil obscènes, de subir les propositions malhonnêtes d'hommes cachés dans des entrées d'immeubles. A l'âge de dix-sept ans, elle s'était fait peloter dans le métro, un souvenir qui lui donnait encore la chair de poule.

Mais le fait d'avoir été victime de tels comportements ne l'avait pas pour autant immunisée. Leur vulgarité ne la laissa pas indifférente, elle n'était cependant pas effrayée. Elle était plutôt en colère, et même carrément furieuse.

Sans chercher à dissimuler son mépris, elle accusa :

— Qui que vous soyez, monsieur Evans, sachez que vous n'êtes qu'un lâche.

Les ricanements cessèrent aussitôt. Le silence s'abattit comme une chape de plomb. Visiblement, c'était l'insulte qui ne passait pas. On pouvait traiter ces gens de tout, sauf de lâches.

Profitant de son effet, Maris fila droit vers la sortie, mais une queue de billard se mit en travers de son chemin. La barre heurta les os de son bassin avec un bruit sec.

Elle fut projetée en avant, mais la queue arrêta sa chute. L'empoignant d'une main ferme, elle tenta de la repousser, mais en vain. Tournant la tête vers celui qui lui barrait la route, elle reconnut l'homme qu'elle avait remarqué un peu plus tôt en train d'enduire de craie sa queue de billard.

— C'est moi, Parker Evans.

Maris restait stupéfaite. Non par l'impudence de son regard hostile où se reflétait la lueur rouge d'une enseigne au néon, mais par la chaise roulante dans laquelle il était assis.

7.

Un mélange entre une voiturette de golf et un pick-up : voilà à quoi s'apparentait le drôle d'engin de couleur verte vers lequel Parker Evans lui fit signe de se diriger. Maris apprit plus tard qu'il s'agissait d'un Gator, mais elle n'en avait jamais vu auparavant. Il l'invita à monter.

Encore sous le choc de l'avoir trouvé dans une chaise roulante, elle grimpa côté passager, puis détourna la tête tandis qu'il se hissait à la force des bras sur le siège conducteur. Il se pencha, replia le fauteuil et le balança à l'arrière du véhicule.

Le Gator avait été spécialement aménagé pour lui. Le frein et l'accélérateur s'actionnaient manuellement. Il manœuvra la voiture avec l'aisance issue d'une longue pratique et prit la direction du dock.

— Je peux vous accompagner jusqu'à la rampe, mais pas plus loin. La pente est trop raide pour mon fauteuil. Je pourrais descendre sans problèmes, mais je finirais sûrement à la baille. Remarquez, vous devez penser que je le mérite.

Elle resta silencieuse.

— Et même si je pouvais m'arrêter, je ne crois pas que je réussirais à remonter.

Maris était complètement déconcertée.

— La rampe ?

— Là où vous avez laissé votre bateau.

— Je n'ai pas de bateau. J'ai payé quelqu'un pour faire la traversée.

— Il ne vous a pas attendue ?

— Je ne savais pas combien de temps j'allais rester. J'ai dit que j'appellerais pour le retour.

Il stoppa le véhicule, l'air mécontent d'apprendre qu'il ne pourrait pas se débarrasser d'elle aussi vite que prévu. Il portait une chemise identique à celle de Mike, à ce détail près qu'il avait coupé les manches, révélant ainsi des bras puissants qui compensaient le handicap imposé par ses jambes paralysées. Elle vit ses muscles s'actionner comme il tournait le volant pour effectuer un demi-tour.

— On va appeler de chez Terry, ça ne prendra pas longtemps. Vous avez le numéro ?

— Serait-il possible que nous ayons une discussion, monsieur Evans ?

— A quel sujet ? demanda-t-il en arrêtant de nouveau la voiture.

— Ne soyez pas si obtus. J'ai fait un long voyage...

— Personne ne vous a invitée.

— Vous m'avez invitée en envoyant ce prologue, rétorqua-t-elle sèchement.

Une expression de surprise passa sur le visage de Parker. Il leva les mains dans un geste de résignation moqueuse.

Maris rassembla ses esprits et reprit d'un ton plus conciliant :

— La journée a été longue. Je suis fatiguée, et j'avoue que je ne serais pas contre un bon bain chaud et des draps frais. Mais pour l'instant je suis là et j'aimerais bien ne pas avoir fait le déplacement pour rien. En conséquence, il me serait agréable que nous ayons une conversation civilisée avant mon départ.

Il croisa les bras sur la poitrine, ce qui, selon Maris, devait représenter pour lui un geste civilisé. Cela lui donnait surtout un air insolent qui correspondait sûrement plus à son intention.

— Vous m'avez fait parvenir votre travail pour que je le lise, sinon vous ne l'auriez pas envoyé. Alors vous avez beau prétendre le contraire, je suis certaine que vous voulez publier votre livre. Ça tombe bien, je suis éditrice. Nous pourrions travailler ensemble. On ne serait pas obligés de se voir régulièrement. Je n'interviendrais qu'une fois les trois quarts du livre écrits. En fait, je pense qu'en venant ici, j'ai déjà accompli une bonne part de mon travail. Alors ? Vous êtes prêt à discuter ?

Malgré son arrogance, le regard de Parker restait assez déconcertant. Il affichait un air impénétrable qui ne donnait aucune indication de ses pensées. Il pouvait aussi bien être en train de considérer la proposition que de se préparer à la jeter hors de la voiture pour la laisser repartir à la nage. Les deux options semblaient aussi envisageables l'une que l'autre. Ou bien peut-être ne songeait-il à rien de tout cela.

Prenant son silence pour une invitation, elle poursuivit :

— Je me rends bien compte qu'il est un peu tard pour parler affaires aujourd'hui, mais je vous promets de ne pas vous accaparer trop longtemps. Mike m'a dit que...

— Je sais parfaitement ce qu'il vous a dit. Il m'a appelé chez Terry après votre passage. Quel crétin.

— Ce n'est pas l'impression qu'il m'a faite. Bien au contraire.

— Non, d'habitude, il représente tout ce qu'il y a de plus pondéré, calme, réfléchi, la voix de la sagesse. C'est un homme d'une grande sensibilité. Mais vous l'avez mis dans tous ses états. A l'heure qu'il est, il s'affole à ranger la maison, préparer le dîner, il s'active comme une vieille fille qui s'apprête à recevoir un homme pour la première fois.

Elle ne voyait pas ses yeux à cause du contre-jour, mais elle savait que Parker la détaillait du regard.

— Vous avez dû lui faire votre grand numéro de charme.

— Pas du tout. Mike est quelqu'un de bien, voilà tout.

Il eut un petit rire méchant.

— Contrairement à moi.

— Je n'ai pas dit ça.

— Eh bien pourtant c'est le cas, affirma-t-il de sa voix traînante. Je ne suis pas quelqu'un de bien.

— Je suis certaine que vous pourriez l'être, si vous le vouliez.

— C'est bien ça le problème. Je n'en ai pas envie.

Avant même qu'elle s'en aperçoive, il l'agrippa par la nuque et posa ses lèvres contre les siennes. C'était plus une agression qu'un baiser. Brutal, grinçant, insistant. Avec sa langue, il la força à ouvrir la bouche.

Maris poussa un cri de protestation et tenta de le repousser, mais en vain. Il continua d'explorer de force l'intérieur de sa bouche, et peu à peu le mouvement se fit plus lent, plus doux, moins pressant. Il lui caressa le menton, la joue, la commissure des lèvres. La colère de Maris se changea en détresse.

Pour finir, il frotta doucement ses lèvres contre les siennes avant de rompre le contact, et, même à cet instant, leurs visages restèrent proches, distants à peine d'un souffle.

Maris détourna la tête et se mit à observer la surface de l'eau. L'océan était relativement calme en comparaison des violents courants qui circulaient dans ses veines. Sur le continent, les lumières semblaient maintenant beaucoup plus lointaines. Elle se sentait étrangement déconnectée, comme si l'étroit bras de mer avait pris la dimension d'un golfe infranchissable.

Quelque part au large, la sirène d'un bateau poussa un cri d'alerte. Chez Terry, la musique avait repris et la chaîne stéréo diffusait une complainte amoureuse. Plus près d'eux, Maris percevait le clapotis des vagues contre les rochers, en contrebas de cette fameuse rampe que Parker Evans se disait incapable de remonter en fauteuil roulant.

— Ça ne marchera pas, monsieur Evans, dit-elle calmement. Je ne vais pas m'enfuir parce que vous essayez de me faire peur.

Elle se tourna vers lui et fut surprise de constater que son visage ne laissait transparaître aucune trace de satisfaction. Il ne semblait ni confus, ni désolé, et n'arborait pas non plus le sourire triomphant auquel elle s'était attendue. Non, il la fixait de son air mystérieux et déconcertant.

— J'ai ignoré les vulgarités de vos amis dans le bar, et je ne prêterai pas plus d'attention à ce baiser. Je sais très bien pourquoi vous m'avez fait venir chez Terry, et pourquoi vous m'avez embrassée.

— Ah oui ?

— Oui. Je vois clair dans votre manège.

— Mon manège ?

— Vous vouliez me faire peur.

— Très bien.

— Très bien ?

— Pensez ce que vous voulez.

Il soutint son regard quelques instants, puis redémarra la voiture.

— Mike vous a dit ce qu'il avait prévu pour le souper ?

Mike leur servit des sandwiches au jambon fumé. Ils étaient installés dans une petite pièce située à l'arrière de la maison, et que Mike présenta comme le solarium.

— Quel nom pompeux pour une simple véranda, commenta Parker d'un ton ironique.

— Au départ, c'était une simple véranda, expliqua Mike en servant la salade. On ne s'en rend pas compte parce qu'il fait nuit, mais cette pièce donne sur la mer. Parker a décidé d'y installer des panneaux amovibles qui permettent de moduler l'éclairage. Ainsi, il peut venir y travailler par n'importe quel temps.

Maris avait feint de ne pas remarquer l'ordinateur installé dans un coin de la pièce. Le reste de l'ameublement se composait d'éléments en rotin. La décoration s'avérait plutôt succincte : quelques coussins, une plante verte rachitique qui semblait condamnée à une mort imminente. C'était un antre de célibataire. Un refuge d'écrivain.

Tout autour du bureau, des piles de livres s'entassaient à même le sol et sur des étagères bondées.

Ouvrages de référence, romans contemporains et classiques, polars, science-fiction, épouvante, westerns, poésie, contes pour enfants, livres historiques et autres guides pratiques. Tous les volumes possibles et imaginables, en version cartonnée ou en édition de poche. Elle fut heureuse de constater que certains portaient le logo de Matherly Press. A l'aspect usé des ouvrages, on voyait que la bibliothèque ne servait pas d'apparat.

— Peu importe le nom que vous lui donnez, fit-elle, ça doit être un endroit très agréable pour lire. Et écrire, ajouta-t-elle en adressant à Parker un regard espiègle qu'il choisit d'ignorer, préférant badigeonner son sandwich de moutarde.

Une fois le repas servi, Mike prit place en face de Maris, confirmant ainsi l'intuition qu'elle avait eue dès le départ : il était autant un ami et un compagnon qu'un majordome – et elle comprenait à présent la triste nécessité de sa présence au côté de Parker.

— Vous vous êtes donné beaucoup de mal, Mike.

— Pensez-vous. Nous avions prévu de dîner tardivement et je suis ravi de vous recevoir ici. Parker n'est pas toujours d'une compagnie très agréable. Pour tout dire, lorsqu'il écrit, il ne m'adresse pas la parole pendant des heures, et quand il le fait, c'est pour râler.

— Et toi, tu passes ton temps à me pourrir la vie, rétorqua Parker en lui décochant un regard hargneux.

Maris éclata de rire. Malgré cet échange d'insultes, l'affection qui les unissait était évidente.

— J'ai moi-même été confrontée au mauvais caractère de M. Evans, Mike, mais je ne le prends pas personnellement. Je suis habituée, vous savez. Je travaille avec des écrivains tous les jours. Des gens sinistres, pour la plupart. Je reçois probablement moins d'insultes que leurs agents, mais j'ai droit à ma part.

— C'est le tempérament artistique qui veut ça, fit Mike en hochant sagement la tête.

— Tout à fait. D'ailleurs je ne me plains pas. D'après mon expérience – et mon père me l'a confirmé aujourd'hui – c'est souvent la marque du talent.

En s'essuyant la bouche avec sa serviette, elle fut

surprise de constater que ses lèvres étaient encore sensibles. Un peu plus tôt, en s'observant dans le miroir de la salle de bains, elle avait constaté une petite rougeur au-dessus de la lèvre supérieure, seul témoin de leur baiser. Elle y avait appliqué un peu de poudre puis s'était empressée d'éteindre la lumière pour ne pas voir, dans ses yeux, une autre trace qu'elle avait décidé d'occulter – résolution malheureusement compromise, entre autres, par cette petite rougeur.

Ils avaient peu parlé durant le trajet jusqu'à la maison. Elle avait gardé les yeux rivés sur les faisceaux lumineux que les phares projetaient sur la route. L'obscurité qui enveloppait la forêt lui avait permis au début d'ignorer les grands arbres, mais au bout d'un moment, elle n'avait pu s'empêcher de tourner la tête pour jeter un regard furtif.

— Oh !

— Quoi ?

— Des lucioles. Là, dans les bois.

— Des vers luisants. C'est comme ça qu'on les appelle, ici.

— Je n'en avais pas vu depuis des années.

— A cause des insecticides.

— Quand j'étais petite, j'en apercevais souvent dans le jardin de notre maison de campagne. Je les capturais dans un verre et je les mettais sur ma table de nuit pour dormir.

— Moi aussi, je faisais ça.

Elle se tourna vers lui, l'air surprise.

— Vraiment ?

— Oui. Avec les autres gosses du quartier, on jouait à qui en attraperait le plus.

Ainsi, il avait été capable de chasser les lucioles. Il n'avait donc pas passé toute sa vie dans un fauteuil roulant. Bien que curieuse de savoir comment il s'était retrouvé paralysé, elle s'était abstenue de poser la question, par politesse.

Il n'était pas la première personne handicapée qu'elle rencontrait. Elle avait énormément de respect pour ces gens qui parvenaient à tirer le meilleur parti de leur infirmité. Certains étaient les êtres les plus optimistes qu'elle ait eu la chance de connaître durant son existence. Les aptitudes physiques qui leur faisaient défaut, ils les remplaçaient par le courage et la force morale.

Parker Evans, lui, semblait posséder la force brute de ces athlètes handicapés capables d'accomplir des prouesses herculéennes à la seule force de leurs bras – et de leur volonté. Il s'agissait souvent de sportifs, ou de jeunes gens actifs victimes d'accidents tragiques et qui avaient vu leur carrière se briser en une seconde. Elle se demandait quel événement avait fait basculer la vie de Parker.

Elle l'observa, assis de l'autre côté de la table. Il était occupé à ramasser les miettes de pain dans son assiette, mais, comme s'il avait senti les yeux de Maris posés sur lui, il leva la tête et la surprit en train de l'observer. Il soutint son regard un long moment.

Il était indéniablement attirant, même si des années de souffrance et de désillusion avaient creusé des rides sur son visage, le faisant paraître plus vieux qu'il ne devait l'être en réalité. Ses rares sourires étaient teintés d'amertume. Son épaisse chevelure brune commençait à grisonner. Il ne passait visiblement pas beaucoup de temps à se peigner le matin et arborait une barbe de trois jours.

La couleur de ses yeux était difficile à déterminer. Ni bleus, ni verts, ni marron, ils tiraient plus vers la couleur noisette et avaient ceci de remarquable que l'iris était ponctué de petites taches ambrées. Cette particularité, couplée à cette singulière capacité de fixer un objet pendant un laps de temps incroyable, rendaient son regard envoûtant.

A la façon qu'il avait de la dévisager, elle pouvait croire qu'il lisait ses pensées comme dans un livre ouvert. Il la défiait. *Vas-y*, semblaient dire ses yeux, *tu meurs d'envie de savoir pourquoi je suis cloué dans ce fauteuil, alors pose-moi la question.*

Mais elle n'osa pas. Il était encore trop tôt. Elle

préférait attendre de le connaître mieux, ou au moins qu'il ait donné son accord verbal pour finir le roman.

— Avez-vous continué à écrire, monsieur Evans ?

— Un peu de thé ?

— Non, merci.

— Un autre sandwich ?

— Merci, je n'ai plus faim. Avez-vous de nouveaux chapitres à me faire lire ?

Parker lança un regard appuyé à Mike. Ce dernier comprit aussitôt.

— Excusez-moi, j'ai du rangement qui m'attend, expliqua le vieil homme en se levant.

Il quitta la pièce par une porte latérale.

— Vous avez de la suite dans les idées, constata Parker dès que Mike fut hors de portée de voix.

— Merci.

— Ce n'était pas un compliment.

— Je sais.

Il s'éloigna de la table, fit pivoter son fauteuil et s'approcha de la fenêtre, comme s'il pouvait percer l'obscurité et apercevoir la mer. Maris lui laissa le temps de cogiter. Elle ne voulait pas dire quoi que ce soit qui aurait pu jouer en sa défaveur.

Il finit par se tourner vers elle.

— Vous trouvez vraiment que ce livre en vaut la peine ?

— Pensez-vous que j'aurais pris la peine de voyager jusque dans ce coin perdu si je n'avais pas été emballée par ce que vous aviez écrit ?

— Donnez-moi une réponse claire et nette.

— Oui, monsieur Evans, je trouve ça vraiment bon.

Il l'observa d'un air exaspéré.

— J'ai mis ma langue dans votre bouche, alors vous ne trouvez pas votre « monsieur Evans » un peu ridicule ? Appelez-moi Parker, OK ?

— D'accord. Et vous, appelez-moi Maris.

— C'était mon intention.

Il semblait résolu à la provoquer par tous les moyens, mais de son côté, elle était tout aussi déterminée à ne pas lui en laisser l'occasion.

— D'où êtes-vous originaire, Parker ? Du Sud, je crois.

— Bingo ! Je me demande ce qui m'a trahi, répondit-il en exagérant son accent.

Elle laissa échapper un petit rire.

— Effectivement, il y a l'accent, mais les yankees ont du mal à faire la distinction entre les nuances régionales. Par exemple, il me semble qu'au Texas on ne parle pas comme en Caroline du Sud, si ?

— Rien ne ressemble à l'accent du Texas.

Elle rit à nouveau.

— De quelle région vient le vôtre ?

— Pourquoi ? En quoi est-il si particulier ?

— A cause de certains mots que vous employez...

— Comme ?

— Comme de dire « souper » au lieu de « dîner », ce genre de choses.

— Ce dont des expressions du coin que je manie sans m'en rendre compte, mais j'essaie de ne pas les utiliser quand j'écris.

— Vous devriez. Ça amène un peu de piment.

— Et la pointe de piment, c'est ce qui fait toute la différence.

Elle hocha la tête comme pour acquiescer.

— Je vois que vous y avez déjà réfléchi. J'ai relevé plusieurs expressions idiomatiques dans votre prologue.

Elle se pencha vers lui pour ajouter :

— Vous semblez prendre l'écriture très à cœur. Je me demande pourquoi vous êtes si peu enclin à publier votre roman.

— Par crainte de l'échec, affirma Parker comme si la réponse était toute prête.

— Je comprends ce que vous ressentez. Les artistes sont des gens qui doutent. C'est la nature de la bête. Mais ne sommes-nous pas contents que certains se jettent à l'eau ? demanda-t-elle avec un geste en direction de sa bibliothèque.

— Oui, mais combien restent dans le doute ? rétorqua-t-il. Combien ne supporteraient pas d'être tournés en ridicule par les critiques, combien ne pourraient endurer les revirements constants des lecteurs, la pression de devoir répondre à leurs attentes, le fait de se dire qu'ils n'ont aucun talent et qu'ils en trouveraient la confirmation dans les articles de presse ? Combien d'écrivains sont des alcooliques finis ? Combien, même, se font brûler la cervelle ?

Elle réfléchit un instant à la question avant de l'interroger :

— A votre avis, Parker, cela requiert-il plus de courage que de vivre en reclus sur une île perdue ?

La phrase fit mouche. Pendant de longues minutes, il sembla se livrer à une bataille intérieure, puis il mit son fauteuil en branle et se dirigea vers le bureau. Il alluma l'ordinateur et lança par-dessus son épaule :

— Ça ne signifie rien de particulier, d'accord ?

Elle acquiesça d'un signe de tête, même si elle savait que l'un comme l'autre était en train de mentir. Au contraire, *ça* voulait forcément dire *quelque chose*.

— J'ai écrit un premier chapitre.

— En plus du prologue ?

— Exactement. Si vous souhaitez le lire, je ne vous en empêcherai pas. Mais en étant bien d'accord sur le fait que ça ne m'engage à rien. Que vous aimiez le texte ou pas, sachez que je ne vous fais aucune promesse.

Maris vint se placer derrière lui et ils regardèrent les feuilles s'imprimer une à une.

— C'est la suite du prologue ?

— Non, la scène que vous avez lue correspond à la fin de l'histoire.

— Vous revenez d'un coup en arrière, puis le récit se déroule de façon chronologique ?

— C'est ça.

— Combien de temps en arrière ?

— Trois ans. Le premier chapitre se situe à une époque où Roark et Todd partagent la même chambre à l'université.

— Roark et Todd, répéta-t-elle en décidant que ces deux prénoms sonnaient bien. Qui est qui ?

— Comment ça ?

— Lequel se retrouve dans le bureau d'Hatch

Walker ? Qui fracasse le bateau en rentrant au port et qui est passé par-dessus bord ?

Cette fois, le sourire de Parker n'avait plus rien d'amer.

— Vous ne voulez pas me le dire, c'est ça ? demanda-t-elle.

— Si je vous répondais, quel intérêt auriez-vous à lire la suite ?

— La suite ? Ça veut dire que vous avez l'intention de finir le roman ?

Son sourire se figea.

— Voyons d'abord ce que vous en pensez.

— J'ai hâte de le lire.

— Ne vous emballez pas trop, Maris. Ce n'est qu'un chapitre.

Il sortit les feuilles du bac de l'imprimante, en fit un tas bien net et le lui tendit. Elle saisit le paquet mais, voyant qu'il refusait de le lâcher, elle lui jeta un regard interrogateur.

— Quand je vous ai embrassée tout à l'heure... Je n'avais pas l'intention de vous effrayer.

Avant qu'elle ne puisse répondre, il lui céda les feuilles et appela Mike en criant.

— Apporte-lui le téléphone, ordonna-t-il au vieil homme lorsque celui-ci apparut dans l'encadrement de la porte. En partant maintenant, vous devriez arriver à l'embarcadère en même temps que le bateau.

— Mais il est onze heures passées, s'exclama Mike. Tu ne peux pas la renvoyer à cette heure-là.

— Ce n'est pas grave, Mike. Ça ne me dérange pas, assura Maris d'une voix presque trop précipitée.

Elle se sentait troublée.

— Hors de question, protesta Mike.

Ignorant le regard désapprobateur de Parker, il déclara :

— Vous resterez ici ce soir. Vous dormirez dans le cottage.

8.

Afin d'assurer la discrétion de la rencontre, le déjeuner se tenait dans une salle privée, au trente et unième étage du WorldView Center. La pièce était lambrissée et meublée avec un luxe discret. Un épais tapis, tissé main, conférait aux lieux un silence ouaté ; les compositions florales étaient raffinées et encore humides de rosée, l'éclairage tamisé. Pour ajouter à cette ambiance digne, de lourdes draperies avaient été tendues le long de la baie vitrée, qui offrait d'ordinaire une vue magnifique sur les immeubles de Midtown Manhattan.

L'hôte, assis en bout de table, proposa poliment :

— Encore un peu de café, Nadia ? Monsieur Reed ?

Nadia Schuller fit signe au serveur ganté de blanc de lui resservir une tasse. Noah déclina la proposition. Ils avaient déjeuné d'une vichyssoise, de homard et d'asperges marinées. Des fraises Romanoff avaient ensuite été proposées au dessert accompagnées d'un assortiment de chocolats.

Noah remercia leur hôte pour ce déjeuner somptueux.

— Je suis content que ça vous ait plu, se réjouit Morris Blume avant de congédier les serveurs.

Tandis que Nadia versait de la crème dans son café, Noah lui jeta un regard signifiant qu'il était temps de parler affaires.

Morris Blume et cinq autres représentants de WorldView assistaient à la réunion. Six mois plus tôt, Nadia s'était chargée d'organiser une première rencontre entre Noah et Blume. Ce dernier avait déclaré d'entrée de jeu qu'il souhaitait acquérir Matherly Press.

Aussitôt le rendez-vous terminé, ses avocats s'étaient mis fiévreusement au travail pour rédiger l'offre d'acquisition. Après des mois de recherches et d'analyses, après avoir esquissé des graphiques, des courbes d'évolution du marché et avancé nombre de prévisions, ils avaient remis le projet final à Noah sous la forme d'un énorme classeur. Ce déjeuner devait lui permettre de donner une réponse à Blume.

— Vous avez eu un mois pour étudier notre projet, monsieur Reed, j'ai hâte de connaître vos impressions, affirma Blume.

Le président de WorldView, aussi fin qu'une allumette, était d'une pâleur extrême qu'accentuait une calvitie prématurée. Une touffe de cheveux clairsemés poussait encore sur le haut de son crâne, mais il les rasait tous les matins, laissant une trace grisâtre sur sa calotte luisante. Il portait des lunettes à fines montures argentées et des costumes d'un gris ultraconventionnel. L'homme semblait doté d'une aversion naturelle pour la couleur.

Blume dirigeait le conglomérat international depuis la prise de contrôle hostile du groupe, quatre ans plus tôt. Agé de trente-six ans à l'époque, il avait impitoyablement évincé son prédécesseur ainsi que tous les membres de la direction appartenant à ce qu'il appelait la catégorie « des archaïques et des ignares ».

Sous sa direction, WV, comme l'appelaient affectueusement les traders, avait peu à peu diversifié ses activités : au départ spécialisé dans les divertissements et les médias, le groupe s'était lancé dans le commerce Internet, les communications satellites et les technologies liées aux fibres optiques. Blume avait ainsi propulsé la compagnie dans le XXIe siècle. De quelques millions de dollars, la valeur de l'entreprise était passée à soixante milliards en l'espace de seulement quatre ans... Les actionnaires pardonnaient facilement à Blume ses méthodes quelque peu douteuses.

Alors qu'est-ce qu'un mastodonte de la taille de

WorldView pouvait bien attendre d'un moustique tel que Matherly Press ?

C'est la question que Noah posa à Blume.

— Matherly Press va si mal que ça ? répondit le P-DG blafard avec désinvolture.

Toute l'assemblée éclata de rire, y compris Noah. Il appréciait l'arrogance de ce salaud à sa juste valeur, car il était lui-même un salaud arrogant.

— Vous avez déjà racheté une maison d'édition au Royaume-Uni, fit Noah. L'encre n'a pas encore eu le temps de sécher sur le contrat.

— C'est vrai, admit Blume d'un ton solennel. Platt & Powers devrait s'avérer un bon investissement. Leur section presse est leader sur les îles britanniques. Ils distribuent tout, du vénérable quotidien d'informations jusqu'au plus sordide des magazines de cul.

Il s'interrompit pour adresser à Nadia un sourire reptilien.

— Je vous assure, Nadia, que je suis beaucoup plus familier de l'un que de l'autre.

— Dommage, répondit-elle en lui jetant un regard par-dessus sa tasse de café.

Blume attendit que les rires s'estompent avant de reprendre :

— L'an passé, Platt & Powers a publié douze best-sellers.

— Treize, s'empressa de rectifier l'un des comptables présents autour de la table.

— Et encore davantage en version poche, poursuivit Blume. Dans le giron de WorldView, la maison d'édition devrait cette année dominer la liste des best-sellers. Nous avons le savoir-faire et un budget à la hauteur de nos espérances.

— J'ai eu l'occasion d'interviewer deux auteurs que vous avez persuadés de quitter leur ancien éditeur, observa Nadia. Ils sont emballés par vos stratégies marketing, en particulier celles qui leur garantissent une plus grande couverture médiatique ici, aux Etats-Unis.

— Notre réseau est vaste et nous l'utilisons au

mieux, expliqua Blume. Aucun groupe ne peut rivaliser avec notre puissance médiatique.

Il croisa ses mains blanches devant lui et se composa une attitude grave.

— En rachetant Platt & Powers, WorldView a acquis une maison d'édition saine. Mais le marché britannique est bien plus restreint que le marché américain. Nous voulons détenir une maison de ce côté-ci de l'Atlantique. Nous voulons Matherly Press.

» Vous publiez des livres qui s'adressent au grand public. En bref, des livres qui rapportent. Vous êtes sans conteste un éditeur lucratif, mais vous soutenez également des œuvres littéraires, ce qui fait de Matherly Press une maison prestigieuse et respectable, exactement ce dont notre petite entreprise a besoin.

Cette dernière remarque provoqua une vague de jacasseries autour de la table, mais Noah ne décocha même pas un sourire. Blume sembla y voir un signe et décida qu'il était temps de laisser parler l'autre partie.

— J'ai bien étudié votre proposition, commença Noah. Du bon boulot. Vous avez accompli un impressionnant travail de recherche. Les prévisions sont enthousiasmantes tout en restant dans le domaine du réalisable.

— Heureux de vous l'entendre dire, commenta Blume en lançant des sourires à la ronde.

Noah leva la main comme pour modérer son propos.

— Toutefois, avant d'aller plus loin, j'aimerais éclaircir quelques points.

— C'est le but de cette réunion.

— Premièrement, avez-vous pensé aux lois antitrust ? Y a-t-il une contradiction ? Je ne souhaite pas me retrouver impliqué dans un interminable conflit juridique avec le gouvernement fédéral.

— Je vous assure que nous ne le souhaitons pas non plus. Soyez tranquille, nous avons pris toutes les précautions nécessaires.

L'un des avocats prit la parole afin d'expliquer en quoi les risques de telles complications étaient minimes.

Noah posa plusieurs autres questions et veilla à ce qu'ils y répondent sans noyer le poisson avec leur jargon incompréhensible. Il les harcela jusqu'à ce que tous les problèmes aient été abordés en détail.

— Bien, reprit Blume lorsque toutes les inquiétudes de Noah furent dissipées. Quel est le second point que vous vouliez évoquer ?

D'un revers de la main, Noah fit mine de chasser une poussière sur la manche de sa veste. Il observa Blume.

— Matherly Press n'est pas à vendre, lança-t-il d'une voix mielleuse.

— Ce à quoi il a répondu ? demanda Daniel Matherly.

— Je n'ose même pas le répéter, répondit son gendre.

— Quelque chose à propos d'un vieillard borné qui refuse d'entendre raison, je suppose.

— Il ne l'a pas dit de façon aussi claire, mais c'était l'idée.

La réunion se tenait dans le bureau de Daniel.

— Pas plus d'un verre, avait dit Maxine à Noah avant de quitter la pièce.

— J'y veillerai, avait-il assuré.

Mais un clin d'œil à Daniel avait aussitôt annulé cette promesse.

Une demi-heure plus tard, ils en étaient déjà à leur deuxième tournée.

— Va me chercher ma pipe et mon tabac, tu veux bien ?

Installé dans une large bergère en cuir, les pieds posés sur une ottomane, Daniel prit la pipe que Noah lui tendait accompagnée d'une blague à tabac, et entreprit de la bourrer méthodiquement. Il amena une allumette au-dessus du foyer.

— Si jamais Maxine sent...

— Je dirai que c'était toi, l'interrompit Daniel en exhalant sa fumée vers le plafond.

Pensivement, il garda les yeux fixés sur les moulures qui encadraient la pièce.

— Ça y est, Noah, les loups passent à l'attaque. Et ils ont les dents longues.

Noah sirotait son whisky.

— WorldView ? s'étonna-t-il avec un geste nonchalant. Je leur ai expliqué clairement que Matherly Press n'était pas à vendre.

— Ils ne lâcheront pas le morceau aussi facilement. Surtout cet enfoiré de Blume.

— Il paraît que ce gars-là pisse des glaçons.

Daniel poussa un petit rire.

— Ça ne m'étonne pas.

Il tira longuement sur sa pipe.

— En imaginant que Blume se fasse éjecter de WorldView, ou qu'il décide de tout abandonner et de quitter son poste, je suis certain qu'un autre chacal de la même espèce prendrait aussitôt le relais.

— Qu'ils viennent. On les attend de pied ferme, répliqua Noah.

Daniel sourit devant l'assurance de son gendre. Tous les acteurs de l'édition connaissaient Noah Reed. Publié dix ans plus tôt, son roman, *The Vanquished*, dont l'histoire se déroulait pendant la Reconstruction, avait connu dans le pays un succès foudroyant. Toutes les maisons de New York auraient voulu avoir la chance de le publier, y compris Daniel Matherly.

Mais à la surprise générale, et au grand désarroi de ses admirateurs, l'ambition de Noah était de publier des livres et non de les écrire. Il avait suivi chaque étape du processus éditorial de son roman, et en avait retiré plus de plaisir qu'il n'en avait éprouvé à l'élaborer.

C'était un jeune homme attirant, doué d'une intelligence supérieure et d'un instinct infaillible. Certaines de ses idées sur la manière de commercialiser son livre avaient été appliquées par son éditeur, et s'étaient avérées payantes. Sa maison d'édition en avait déduit qu'il saurait les mettre en pratique avec la même réussite pour d'autres romans et l'avait engagé.

Il n'avait pas tardé pas à montrer ce dont il était

capable. Durant la première année, il fit l'acquisition d'un obscur manuscrit, écrit par un auteur tout aussi obscur mais qui connut un succès immédiat.

Après une brève carrière d'éditeur, Noah se distingua en tant qu'homme d'affaires. Ses stratégies marketing novatrices connaissaient une telle réussite que les autres se mirent à le copier de façon éhontée.

Négociateur intrépide, il était à la fois admiré et craint par les agents littéraires, qui le savaient féroce en affaires. C'était un leader né. L'an passé, à l'annonce d'un mouvement de grève, il n'avait pas hésité à se rendre en Pennsylvanie pour rencontrer en personne les employés d'une imprimerie. Jouant le rôle de médiateur entre les salariés et les dirigeants de l'entreprise, il avait aidé à résoudre le conflit, étouffé la grève et ainsi empêché une crise industrielle.

Noah Reed se montrait brillant, ambitieux et même plutôt rusé. Mais Daniel Matherly, qu'on avait en son temps et à juste titre accusé d'être une personne rusée, ne voyait pas ce trait de caractère d'un mauvais œil. Trois ans plus tôt, Noah était venu le trouver. Il avait clairement laissé entendre son mécontentement quant aux limites imposées par son employeur, et exprimé son désir de changement. Daniel l'avait écouté avec intérêt. Les idées de Noah s'avéraient audacieuses, sans pour autant s'opposer aux idéaux sur lesquels les aïeuls de Daniel avaient fondé Matherly Press.

En outre, Noah avait titillé l'orgueil de Daniel, même si ce dernier ne le reconnaîtrait jamais. Le jeune homme lui rappelait cette époque où, comme lui, il était agressif, déterminé, sûr de lui et arrogant, ce que Daniel considérait plus comme une qualité que comme un vice.

Il avait demandé à Noah quelques jours pour réfléchir, rechignant à incorporer quelqu'un d'étranger à la famille et à lui attribuer des pouvoirs. D'un autre côté, les affaires s'étaient développées à tel point que sa fille et lui avaient besoin d'une autre personne pour diriger l'entreprise.

Quant à Maris, elle se montrait positivement excitée à l'idée de travailler quotidiennement avec l'auteur de son roman préféré. Même si elle n'avait rencontré Noah qu'une seule fois, pour des raisons professionnelles, elle le tenait en haute estime, et nourrissait depuis des années de secrets sentiments amoureux à son égard.

A sa demande pressante, Daniel avait alors créé un poste de vice-président pour Noah. Une décision qu'il n'avait jamais regrettée.

— Tu y adhères encore, n'est-ce pas ? demanda Daniel.

— A quoi ?

— A la philosophie de Matherly Press.

Noah observa son beau-père d'un air réservé.

— Depuis le début de notre association, je connais votre opinion, Daniel. Bien sûr, il y aurait des avantages à fusionner avec WorldView. Nous disposerions d'un budget et d'une couverture médiatique bien plus conséquents.

— Mais nous perdrions notre indépendance.

— C'est le point que je m'apprêtais à évoquer. L'indépendance constitue la base sur laquelle Matherly Press a été fondée. Je connaissais le mantra de la famille avant d'épouser Maris.

Lorsqu'elle et Noah avaient commencé à se fréquenter, Daniel avait exprimé certaines réserves. Plusieurs choses l'inquiétaient. Tout d'abord, la différence d'âge – dix ans – le tracassait, mais ce n'était pas le point le plus important. Deuxièmement, la réputation de Noah ne s'était pas construite sur son seul sens des affaires. Les rumeurs prétendaient que c'était un coureur de jupons invétéré. Daniel l'avait entendu dire tant de fois qu'il y avait forcément une once de vérité. Enfin, le problème majeur tenait au plan de carrière de Noah. En épousant la dernière Matherly, il obtenait du même coup un sacré avancement.

Mais la décision n'appartenait pas à Daniel. C'était à sa fille de décider, et Maris voulait Noah pour mari. La mort prématurée de sa mère l'avait fait mûrir avant l'âge. Très tôt, elle avait commencé à se forger ses propres opinions et à prendre seule ses décisions. Daniel l'avait élevée dans l'optique de toujours se fier à son instinct. Il estimait ne pas avoir à s'en mêler dès lors qu'il s'agissait pour elle de choisir l'homme de sa vie.

A l'insu de Maris, Noah était allé rencontrer son futur beau-père, affirmant que si ce dernier voyait une quelconque opposition au mariage, celui-ci n'aurait pas lieu. Il avait déclaré aimer éperdument Maris, mais qu'il s'éclipserait, quitterait son poste chez Matherly Press et disparaîtrait de la vie de Maris si Daniel ne consentait pas pleinement à leur union.

Ce dernier leur avait donné sa bénédiction mais, dès lors qu'il était question du bonheur de sa fille, il devenait un vrai chien de garde. La veille, il l'avait trouvée un peu triste, abattue, même si la surprise concoctée par Noah fournissait une explication logique à son récent manque d'attention.

Et même si Maris n'y faisait jamais allusion, Daniel la sentait prête à avoir des enfants et déçue de n'être toujours pas tombée enceinte. Il était un peu tôt pour s'en préoccuper : elle était encore jeune et Noah avait plusieurs fois exprimé son désir de paternité. Ils avaient bien le temps de fonder une famille.

Egoïstement, Daniel souhaitait avoir des petits-enfants le plus tôt possible. Il aurait aimé connaître le plaisir de les avoir sur ses genoux avant de quitter ce monde.

Repensant à sa fille, il demanda :

— As-tu des nouvelles de Maris ?

— Pas depuis son départ, répondit Noah en consultant sa montre. Elle doit être arrivée à l'heure qu'il est. C'est un sacré voyage et j'ai bien peur qu'elle ne rentre bredouille.

— Espérons que non. Elle semble vraiment intéressée par cet écrivain. A propos, elle m'a parlé de ton cadeau.

— Mon cadeau ?

— Celui d'hier soir.

— Oh, se rappela Noah d'un air contrarié. Elle n'est pas difficile à contenter.

— Détrompe-toi. Elle m'a appelé de l'aéroport juste avant l'embarquement. Si tu lui avais offert un diamant, elle n'aurait pas été plus heureuse. Elle a toujours voulu que tu te remettes à écrire.

Noah se rembrunit.

— J'espère qu'elle n'attend pas trop de moi. Je risque de la décevoir.

— Tes efforts suffiront à lui faire plaisir.

— En parlant de ça, j'aimerais travailler quelques heures, ce soir, s'excusa Noah en reposant son verre vide sur la table.

— Reste pour la soirée. On jouera aux échecs après dîner.

— C'est tentant, Daniel. Mais je vais profiter de l'absence de Maris pour essayer de pondre quelques pages. Le seul moyen d'écrire, c'est d'écrire. Je vous ressers avant de partir ?

— Non, merci. Maxine risque de contrôler le niveau des bouteilles.

— Alors je préfère m'éclipser avant l'incendie.

Il enfila sa veste et reprit sa mallette.

— Y a-t-il autre chose que je puisse faire ? demanda-t-il ensuite.

— En fait, oui. Si quelqu'un vient te proposer de racheter ma maison d'édition, dis-lui d'aller se faire foutre.

— Dois-je vous citer ? plaisanta Noah en riant.

— Absolument. En fait, je préférerais.

Deux vodka-martini n'avaient pas suffi à calmer Nadia. Elle semblait sur le qui-vive depuis que Noah lui avait relaté sa conversation avec Daniel.

Cela faisait maintenant une demi-heure qu'elle arpentait le salon de son appartement de Chelsea. Elle habitait officiellement la Trump Tower, et n'utilisait cet appartement que pour ses rendez-vous galants. Même son comptable ignorait sa deuxième adresse.

— Peu importent ses airs blasés, je ne lui fais pas confiance, au vieux, s'inquiéta-t-elle. Comment peux-tu être sûr qu'il ne voit pas clair dans ton jeu ?

— Parce qu'il ne se méfie pas, répliqua Noah d'une voix qui trahissait son irritation.

— Je ne remets pas en question ta perspicacité, Noah.

— Vraiment ?

— Non. J'ai seulement peur que ça se passe mal. J'ai tellement envie que tu conclues cette affaire.

— Ce n'est pas que pour moi que je le fais, c'est pour *nous*.

Son anxiété se dissipant, elle cessa de tourner en rond pour venir s'asseoir à ses côtés. Elle se serra contre lui et l'enlaça.

— Toi alors, murmura-t-elle, tu sais trouver les mots.

Ils échangèrent un baiser fiévreux. Elle déboutonna sa chemise et glissa ses mains à l'intérieur. Lorsque leurs lèvres se séparèrent, elle continua à caresser les poils de son torse.

— C'est juste que Daniel Matherly contrôle cette maison d'édition depuis... combien de temps maintenant ?

— Il a soixante-dix-huit ans. Son père est mort quand il en avait vingt-neuf et il a pris la succession.

— Ça fait donc presque cinquante ans.

— Je sais faire une soustraction, Nadia.

— Tout ce que je dis, c'est qu'il n'est pas devenu une légende vivante pour rien. Il n'aurait pas connu un tel succès s'il n'avait su percer les gens à jour. C'est quelqu'un d'intelligent, il a de la jugeote, il...

— Il n'est plus aussi vif d'esprit qu'avant.

— Peut-être bien. Ou peut-être tient-il simplement à te le faire croire.

Noah, qui ne supportait pas la moindre critique, repoussa brusquement Nadia et se dirigea vers le comptoir pour se servir un scotch.

— Je pense connaître mon beau-père au moins aussi bien que toi.

— Je suis sûre que...

— Si tu me faisais confiance, tu ne serais pas là à pousser des jérémiades.

Il vida son verre d'un trait et attendit d'avoir retrouvé son calme avant de reprendre :

— Ton boulot, c'est de calmer les ardeurs de Blume et de sa clique, de les rassurer.

— Justement, je dîne avec Morris demain soir au Rainbow Room.

— Parfait. Tâche d'être brillante. Mange, bois, danse. Flirte avec lui. Fais en sorte qu'il soit content. Moi, je me charge des Matherly. Ça fait trois ans que je tiens mon rôle et je me débrouille plutôt bien. Je connais leur manière de penser. Je sais comment ils peuvent réagir. Il vaut mieux être prudent et ne pas précipiter les choses si on ne veut pas que tout ça ne nous pète à la gueule.

Son plan était fixé depuis trois ans. La ligne d'arrivée se profilait à l'horizon et il était hors de question qu'il sacrifie son projet à l'imprudence. Pour l'instant, il avait suivi son instinct, il s'en était tenu au programme établi, et tout avait fonctionné comme prévu.

La première étape avait consisté à se faire embaucher par Daniel Matherly. En s'alignant sur la ligne de conduite de la maison d'édition, il avait gagné la confiance du vieil homme. Puis il avait franchi un obstacle majeur en épousant Maris, consolidant ainsi sa position. Enfin, au moment opportun, par l'intermédiaire de Nadia, il avait subtilement laissé entendre à Blume son souhait de voir Matherly Press fusionner avec WorldView. Blume continuait de penser, à tort, qu'il était à l'origine de l'idée, mais en réalité, WorldView faisait partie de la stratégie de Noah depuis le départ.

Jusque-là, il avait suivi sa propre méthode, la seule envisageable selon lui. Il n'allait certainement pas se compromettre en précipitant les choses.

— Je ne comprends pas pourquoi tu t'énerves contre moi, grogna Nadia. C'est Morris qui a fixé ce délai, pas moi.

Pour la première fois, une entrave était survenue, et Noah n'avait rien vu venir. C'était la cause de sa soudaine irritabilité. Durant toute l'heure qu'il avait passée avec Daniel, il n'avait qu'à moitié écouté le discours du vieux radoteur. Il était obsédé par l'image de Blume et son sourire de lézard. Le patron de WorldView lui avait imposé un délai de deux semaines pour donner une réponse définitive.

Il avait rappelé à Noah qu'il avait eu largement le temps d'examiner leur proposition. Soit il se montrait assez intéressé pour aller plus loin, soit il ne l'était pas. Noah, à son tour, lui avait rappelé que son beau-père représentait un obstacle, et non des moindres.

— Daniel a déclaré sans équivoque que Matherly Press n'était pas à vendre.

— Alors débrouillez-vous par tous les moyens pour qu'il change d'avis.

Blume avait conclu la réunion en rappelant à Noah que d'autres maisons d'édition, au moins aussi prestigieuses que Matherly Press, n'hésiteraient pas à sauter sur l'occasion de rejoindre un groupe tel que WorldView.

Et Noah savait pertinemment que la menace de Blume était crédible. D'autres éditeurs, plus modestes, se trouvaient dans une situation précaire. Ils n'étaient pas de taille à affronter les géants des médias, leurs capacités de distribution et leurs faramineux budgets publicitaires. Ils accueilleraient avec soulagement la stabilité financière que WorldView pouvait leur apporter. Contrairement à Daniel, leur souci premier était de survivre, et au diable la morale.

Il n'y avait pas la moindre goutte de sentimentalisme dans les veines de Noah, mais il savait l'attachement fanatique de Daniel à la tradition et à l'histoire de sa famille. Le vieil homme n'allait pas renoncer facilement. Et cela, Blume semblait incapable de le comprendre.

— Je suis tout à fait conscient de cet ultimatum, assura Noah. Et je ferai en sorte de le respecter.

— Et pour Maris ? s'enquit Nadia.

— Elle est occupée en Floride.

— En Géorgie.

— Pardon ?

— Tu m'as dit qu'elle était partie en Géorgie.

— Peu importe. Je vais profiter de son absence pour faire du forcing auprès de Daniel. J'ai déjà commencé ce soir en mettant en avant les avantages de l'offre de Blume.

— Et que se passera-t-il à son retour ?

— Elle se rangera à l'avis de Daniel.

— Je ne parlais pas de ça...

Mon Dieu, je ne suis pas sorti de l'auberge, pensa Noah. Il poussa un profond soupir, ferma les yeux et se pinça le haut du nez. Il n'avait vraiment pas besoin de ce genre de conversations. Il y avait déjà suffisamment de choses à régler.

— Je sais très bien de quoi tu parlais, Nadia. Mais réfléchis. Tu me vois demander le divorce maintenant ? Non. Impossible tant que ce contrat avec WorldView n'est pas signé en bonne et due forme.

Il laissa échapper un râle d'exaspération.

— Tu crois que ça m'amuse d'être marié avec elle ? Tu crois que ça me plaît de lécher le cul de Daniel depuis des années ?

— Beurk ! Rien que d'y penser, ça m'écœure.

— Alors mets-toi un peu à ma place, continua-t-il en espérant que la remarque lui arracherait un sourire – en vain.

— Et Maris ? demanda Nadia. Tu regretteras de ne plus lui lécher le cul ?

Noah eut un petit rire caustique.

— Je la regretterai comme éditrice. D'un autre côté, avec le budget que Blume m'a promis, je pourrais en engager cinq comme elle. Et même s'ils sont moins bons, j'aurai toujours mes dix millions pour me consoler.

Nadia soutint le regard de Noah. Une moue boudeuse s'afficha sur son visage.

— Tu t'en fous complètement que je drague Morris Blume ?

— C'était une façon de parler.

— Et ce que tu as dit juste avant...

— Qu'est-ce que j'ai dit ?

— Que tu faisais tout ça pour *nous*. Tu le pensais ?

En réponse, il l'attira vers lui pour l'embrasser.

Elle finit de déboutonner sa chemise, l'ouvrit en grand et passa doucement la langue sur ses tétons.

— Alors ? Tu étais sincère ?

— Tout de suite, je serais prêt à te jurer n'importe quoi.

Elle eut un petit rire et le caressa à travers son pantalon.

— Je déteste l'idée de te partager avec Maris. J'ai hâte que tout ça soit à moi... et rien qu'à moi.

— Moi aussi, j'ai hâte.

Il défit sa braguette et baissa son caleçon. Nadia se mit à genoux devant lui. Du bout de la langue, elle remonta le long de son sexe avant de le prendre tout entier dans sa bouche. Noah grogna de plaisir.

— Cantonne-toi à ce que tu sais faire de mieux, Nadia, et laisse-moi m'occuper des Matherly.

9.

Depuis déjà plusieurs heures, Parker était installé devant son clavier. Son esprit sautillait tel un galet ricochant à la surface de l'eau.

Mike lui apporta sa troisième tasse de café.

— Ton invitée vient de quitter sa chambre. Elle se promène en admirant la mer, mais elle ne devrait pas tarder à arriver.

Parker, qui avait chargé Mike de la guetter, enregistra l'information avec un hochement de tête.

En posant la tasse pleine, Mike se montra inhabituellement peu précautionneux. Des gouttes giclèrent un peu partout sur la table, imbibant au passage plusieurs feuilles sur lesquelles figuraient les notes de Parker. Ce dernier contempla le désastre, leva la tête et observa le vieil homme.

— Désolé, murmura Mike.

— Je n'en doute pas.

Mike poussa un petit grognement.

— Ecoute, si quelque chose ne va pas, pourquoi ne pas te comporter en adulte et dire ce que tu as sur le cœur ?

— Je pense que tu sais ce que j'ai à dire, Parker.

— Tu veux me féliciter, c'est ça ?

— Arrête ton délire. Tu t'attends vraiment à ce que je te félicite ?

— Elle est venue, oui ou non ?

— Oui, en effet, elle est là, fit Mike.

Ce constat ne semblait pas spécialement le réjouir.

Parker haussa les épaules et demanda d'une voix impatiente :

— Alors quoi ? La psychologie inversée, ça a marché. Elle a mordu à l'hameçon, et c'est ce qu'on espérait. Si tu avais des scrupules, alors il fallait jeter les numéros de téléphone que le shérif t'a donnés. Au lieu de ça, tu me les as transmis. Je l'ai appelée et elle a accouru. Où est le problème ?

Mike pivota sur ses talons et regagna la cuisine.

— Mes scones sont en train de cramer, lâcha-t-il avec colère.

Parker retourna à son écran, mais cette interruption avait tari le flot de son inspiration. Impossible de se focaliser sur ce qu'il venait d'écrire. Les phrases lui faisaient à présent l'effet d'un incompréhensible embrouillamini. Dans un effort pour leur attribuer un sens, il se força à relire chaque mot. Mais il avait beau se concentrer, rien n'y faisait. Ç'aurait aussi bien pu être du sanskrit.

Puis il comprit pourquoi la lecture de ses propres lignes représentait soudain une telle épreuve : il se sentait nerveux. Ce qui était plutôt étrange, étant donné que tout s'était déroulé selon son plan. Il avait dû procéder à quelques ajustements en tenant compte de la personnalité de Maris Matherly-Reed, mais elle réagissait encore mieux qu'il ne l'avait espéré.

Maintenant qu'il y songeait, la faire venir jusqu'à lui avait été presque trop facile. Il avait tiré les ficelles, et, comme une marionnette, elle avait fait ce qu'il attendait d'elle. Voilà ce qui devait déranger Mike. Sa coopération innocente lui avait conféré une certaine vulnérabilité, la faisant presque passer pour une victime.

Mais elle n'en est pas une, se dit-il.

Au bout du compte, c'était elle qui avait le contrôle. Tout dépendait de son jugement. Qu'allait-elle penser de *Jaloux* ?

Et c'était bien ce qui le dérangeait, lui. Pas seulement par rapport à son plan, mais en tant qu'écrivain, il était anxieux de savoir ce qu'elle pensait des quelques pages qu'elle avait emportées la veille au soir. Que se passerait-il si elle les trouvait nulles ? Elle allait peut-être le remercier de lui en avoir autorisé la lecture, puis déclarer que le livre ne l'intéressait plus.

Son projet tomberait à l'eau et il se sentirait minable.

En proie à une certaine agitation, il fit pivoter son fauteuil et aperçut Maris qui s'avançait lentement dans l'allée située entre la maison et le cottage. A l'origine, ce bâtiment accueillait les cuisines, mais Parker l'avait converti en maison d'hôtes. Non qu'il comptât y recevoir beaucoup d'invités, ni même qu'il eût projeté de le faire dans l'avenir. Il n'en avait pas moins entièrement rénové la structure intérieure puis aménagé l'endroit confortablement sans regarder à la dépense.

Tous ces travaux, il les avait entrepris en prévision d'une seule et unique invitée – celle qui occupait actuellement les lieux.

Maris leva les yeux et le vit en train de l'observer derrière les panneaux vitrés du solarium. Elle sourit et le salua d'un geste de la main. Depuis combien de temps ne l'avait-on pas salué ainsi ? Il était incapable de le dire. Se sentant un peu stupide, il leva la main et lui fit signe à son tour.

— Bonjour, fit-elle en ouvrant la porte coulissante.

— Salut.

Sa peau semblait couverte de rosée. Elle exhalait une odeur de savon parfumé. Le magnolia peut-être. Dans sa main, elle tenait les pages du manuscrit.

— Quel endroit magnifique, Parker, s'exclama-t-elle presque dans un souffle. Hier, il faisait trop sombre pour que j'apprécie pleinement le décor, mais vu comme ça en plein jour, je comprends pourquoi vous êtes tombé amoureux de cette maison.

Elle dirigea son regard par-delà l'étendue verte de la pelouse, vers la douce plage et l'océan scintillant.

— C'est merveilleux. Et ce calme...

— J'ai oublié le sèche-cheveux.

Timidement, elle ramena une mèche de cheveux derrière son oreille.

— Oui, j'ai cherché, mais je n'en ai pas trouvé. D'un

autre côté, il fait tellement chaud que ça ne me dérange pas de les laisser mouillés. Et puis c'est bien la seule chose qui manque à votre cottage. Vous avez fait de l'excellent travail.

— Merci.

Il continua à l'examiner, ce qui, comme il l'avait escompté, accentua un peu plus la timidité de Maris.

— Les meubles sont charmants. J'ai beaucoup aimé le lit en fer forgé et la baignoire-sabot, reprit-elle.

— Ce sont des idées de Mike.

— Il a de bonnes idées.

— Oui, il est passionné par tout ça. Les lits en fer forgé, les baignoires, les cheminées... c'est son truc.

— Il a le sens du détail.

— On peut le dire.

La discussion se poursuivit quelques instants, puis ils prirent la parole en même temps.

— Votre chemisier est mouillé, observa-t-il.

— J'ai lu les nouvelles pages, commença-t-elle.

— Qu'en pensez-vous ?

— De mon chemisier ?

— Il est trempé, non ?

Elle baissa la tête et comprit ce qui avait attiré l'attention de Parker depuis qu'elle était entrée dans la pièce. Elle portait les mêmes vêtements que la veille au soir. Après le dîner, Mike, à force de supplications, avait fini par la convaincre de passer la nuit dans la maison d'hôtes. Mais en raison de l'heure tardive, elle n'avait pu aller récupérer ses bagages, restés dans son hôtel de Savannah.

Elle avait donc été contrainte de remettre la même tenue, à part la veste, décidément trop chaude. Une trace humide s'était formée sur le devant de son chemisier, soulignant les contours de son soutien-gorge.

Elle roula les feuilles qu'elle tenait serrées contre sa poitrine.

— J'ai fait un peu de lessive hier soir.

Un peu de lessive ? songea-t-il. Mais alors avec quoi avait-elle dormi ? A cette pensée, le front de Parker sembla lui aussi se couvrir de rosée.

— Je suppose que ça n'a pas eu le temps de bien sécher, expliqua-t-elle maladroitement.

— L'humidité...

— Oui, j'imagine.

Leurs regards se croisèrent une fraction de seconde puis elle détourna les yeux. Elle se sentait visiblement embarrassée, et c'était tant mieux. C'était même parfait. Il voulait la désarçonner, la troubler. Et peu importait si Mike désapprouvait sa stratégie.

Se penchant vers elle, il s'empara des feuilles.

— Vous les avez lues ?

— Trois fois.

Parker haussa les sourcils d'un air interrogateur.

— J'aimerais faire quelques commentaires, ajouta-t-elle.

Sur la défensive, il s'apprêta à l'écouter.

— Vous êtes prêts pour le petit déjeuner ? demanda Mike en faisant irruption sur le pas de la porte.

Il poussait devant lui une desserte où étaient disposées diverses assiettes contenant des œufs brouillés, du bacon et des tranches de melon d'eau. Tout chauds sortis du four, les scones étaient enveloppés dans une serviette placée dans une petite corbeille. Une saucière pleine côtoyait un plat rempli de petits pains de gruau fumants au milieu desquels un morceau de beurre fondait doucement.

L'estomac de Parker se mit à gronder et l'eau lui monta à la bouche, mais Mike ne pouvait pas plus mal tomber, et Parker était persuadé qu'il l'avait fait exprès. Le vieil homme évita le regard de Parker jusqu'à ce que ce dernier lance :

— Je te revaudrai ça, mon vieux.

— Pardon ? s'étonna Mike d'une voix innocente.

Parker l'observa d'un œil sombre, mais Mike décida de l'ignorer et, d'un geste, invita Maris à passer à table. C'était là que Parker prenait parfois ses repas lorsqu'il travaillait.

— Doux Jésus, s'exclama Maris en observant avec consternation Mike remplir son assiette. D'habitude, je me contente d'un bagel et d'une tasse de café.

Mike lui rappela que le petit déjeuner était le repas le plus important de la journée.

— Vous aimez le pain de gruau ? demanda-t-il.

— Je ne sais pas. Qu'est-ce que c'est ?

Parker et Mike éclatèrent de rire tandis qu'elle avalait courageusement la première bouchée.

— Ça doit être un goût qu'on acquiert avec le temps, supposa-t-elle poliment.

— Prenez un scone, je vais vous servir de la sauce au bacon.

Celle-ci était également un élément nouveau pour Maris, mais elle la trouva délicieuse.

— Vous mangez comme ça tous les matins ?

— C'est une occasion un peu particulière, répondit Mike.

— Il essaie de vous impressionner, railla Parker.

— Et ça marche, répliqua Maris en adressant à Mike un sourire charmeur, provoquant chez Parker une jalousie irrationnelle.

— Tu aurais pu l'impressionner en pensant à mettre un sèche-cheveux, grommela-t-il le nez dans son assiette.

Maris et Mike mangèrent sans se presser tout en discutant de choses et d'autres. Parker, lui, vida son assiette en un temps record. Incapable de tenir en place, il se rendit à la cuisine – « Non, ne te dérange pas, dit-il à Mike en voyant celui-ci sur le point de se lever, je peux me débrouiller » – et revint avec une cafetière posée sur un plateau en équilibre sur ses genoux.

Il resservit tout le monde, puis but sa tasse d'un air impatient tandis qu'ils éclusaient divers sujets de conversation : l'art de cultiver les rhododendrons – comme si les fleurs avaient une quelconque importance –, les mérites de *Cats* par rapport à *Sunset Boulevard* ; il y eut aussi un débat passionné pour savoir si les femmes devaient être autorisées à disputer le championnat de la NBA. Il les interrompit brutalement.

— On pourrait parler un peu de mon livre ?

— Qu'est-ce qui te prend ? demanda Mike.

— C'est pas un *Bed and Breakfast*, ici.

— Dommage, commenta Mike en rassemblant les couverts. Ça me donnerait l'occasion de parler avec des gens agréables de temps en temps.

— Je suis quelqu'un d'agréable.

— Autant qu'un bouton de fièvre.

Parker éclata de rire. Il mit sa serviette en boule et la jeta sur la desserte à la manière d'un lancer franc.

— Dépêche-toi de ranger la vaisselle et reviens nous voir. Je sais que tu meurs d'envie de savoir ce que Maris pense de mon livre.

Mike quitta la pièce en marmonnant dans sa barbe.

— Etes-vous parents, tous les deux ? demanda Maris.

— Nous n'avons pas de lien de sang.

— Il vous aime beaucoup.

Parker la dévisagea attentivement. Voyant qu'elle ne plaisantait pas, il se retint de lâcher une réplique acerbe. Au lieu de ça il feignit de méditer un instant ce qu'elle venait de dire.

— Oui, vous devez avoir raison.

— Vous n'y aviez jamais songé ?

— Pas en ces termes.

— Il s'est toujours occupé de vous comme ça ?

— Non...

— Je veux dire... depuis votre accident.

— Mon accident ?

Elle indiqua le fauteuil roulant.

— J'ai supposé...

— Qu'est-ce qui vous fait croire que j'ai eu un accident ?

— Ce n'est pas le cas ?

Mike réapparut soudain mais, sentant qu'il tombait en plein milieu d'une conversation, resta indécis sur le pas de la porte. Parker lui fit signe d'entrer, heureux cette fois de le voir arriver. De nouveau, il ne put s'empêcher de penser que le vieil homme avait volontairement surgi à cet instant précis. Rien n'échappait à Mike Strother.

Parker prit une profonde inspiration et se tourna

vers Maris, qui venait de prendre place sur le canapé en rotin.

— OK, autant en finir tout de suite.

Maris laissa échapper un petit rire.

— Il ne s'agit pas d'une exécution, Parker.

— Ah non ?

— Non, pas du tout. J'aime beaucoup ce que vous avez écrit.

Elle marqua une pause et promena son regard entre Mike et Parker.

— Je sens qu'il va y avoir un « mais ».

Elle sourit.

— C'est un excellent canevas, Parker.

Mike toussota et fit mine d'examiner ses chaussures.

— Un canevas ?

— Oui, et c'est très bien écrit, seulement…

Elle s'humecta les lèvres.

— … ça manque un peu de profondeur. Vous restez trop à la surface.

— Je vois…

— Ne prenez pas ça au tragique.

— Pourtant ça l'est.

Il s'approcha de la baie vitrée pour contempler les vagues se briser au loin sur le rivage. La mer était rarement agitée à St. Anne Island, et ce jour-là, elle semblait encore plus calme qu'à l'accoutumée.

— Je ne suis pas du tout déçue par ce que je viens de lire, reprit Maris. Au contraire.

Sa voix se faisait de plus en plus faible et résonnait timidement dans le silence gêné qui venait de s'abattre. Seuls parvenaient les gargouillements du lave-vaisselle.

Les épaules de Parker se mirent à trembler. Il plaça son poing devant sa bouche pour étouffer le son qui montait de sa poitrine.

— Oh, Parker, il ne faut pas, s'alarma Maris.

Soudain il fit pivoter son fauteuil et se tourna vers Mike. Les deux hommes éclatèrent de rire en même temps.

— Tu as gagné, espèce d'enfoiré. Cinquante putains de billets.

— Je te l'avais dit, fit Mike. J'ai une sorte de sixième sens.

— Et tu es doué pour les allitérations.

Mike exécuta une petite courbette.

Maris s'était levée et les observait à tour de rôle d'un air furieux, les mains posées sur les hanches – geste mal avisé, car cette posture avait pour effet de plaquer son chemisier contre sa poitrine, révélant les motifs en dentelle de son soutien-gorge.

— Je suis visiblement l'objet d'une plaisanterie. Auriez-vous l'amabilité de m'expliquer ?

— Il ne s'agit pas vraiment d'une blague, Maris, expliqua Mike en cessant de rire et en prenant même un air confus. On pourrait plutôt parler d'une expérience. Un test.

— Un test ?

— Il y a quelques mois, nous sommes tombés sur un article de presse vous concernant. A mon sens, vous étiez une éditrice brillante et reconnue comme telle, mais Parker pensait que votre papa avait probablement payé quelqu'un pour l'article…

— J'avais employé le verbe « soudoyer ».

— … puis chargé votre département communication d'écrire eux-mêmes le sujet.

— Ce qui expliquait cette pluie d'éloges.

— Il a également dit que vous profitiez allègrement de la notoriété de votre père, que vous faisiez gamine et…

— Superficielle.

— … et que vous deviez être incapable de reconnaître un écrivain talentueux. Que vos lectures devaient se borner aux articles de magazines féminins.

— « Comment décupler vos orgasmes. »

— Et que vous ne feriez jamais la différence entre un bon livre et une vraie… euh…

— A vous de remplir les blancs, conclut Parker avec un sourire radieux.

Elle avait écouté sans les interrompre ni laisser

transparaître la moindre émotion. D'un pas lent elle s'approcha de Parker, et ce dernier put apprécier pleinement toutes les métaphores qu'il avait entendues concernant les regards-mitraillette.

Maris avait les yeux gris-bleu, comme les nuages de pluie qui gagnaient par l'ouest les après-midi d'été et venaient masquer le soleil. La plupart du temps, ils étaient inoffensifs et se dissipaient rapidement. Mais les tourmentes, même brèves, se montraient parfois féroces. Ses yeux avaient pris la teinte des nuages orageux sur le point d'éclater.

— Vous devez être en rogne, supposa-t-il en haussant les épaules – geste qui n'avait rien d'un signe de repentir – mais admettez que j'ai tout fait pour vous décourager de venir ici. Vous êtes venue malgré tout. Hier soir, quand...

Il s'interrompit pour observer Mike et décida d'occulter l'épisode du baiser.

— ... quand j'ai essayé de vous convaincre de partir, vous avez choisi de rester.

Son explication ne suffit pas à acheter le pardon de Maris.

— Vous êtes un vrai salopard.

— Oui, c'est vrai, reconnut-il avec un petit sourire.

— Vous avez voulu me piéger.

— J'avoue.

— Si je vous avais complimenté, vous auriez pensé que j'étais hypocrite.

— Ou une éditrice sans talent.

— Je savais bien que non, coupa Mike. J'ai lu plusieurs romans que vous aviez édités, Maris. C'est pourquoi j'ai parié cinquante dollars avec Parker que son opinion ne reposait sur aucun fondement et qu'il se trompait sur votre compte.

Maris eut beau entendre ce que disait Mike, elle ne jeta même pas un regard dans sa direction. Toute sa colère était concentrée sur Parker. Il affichait le sourire railleur d'un alligator qui viendrait de dévorer une famille de canetons, un sourire qui, il le savait, ne ferait qu'accroître l'exaspération de Maris.

— Alors ? Vous regrettez d'être venue ? Vous voulez appeler le bateau ?

Elle rejeta ses cheveux en arrière.

— De quoi le père de Todd est-il mort ? demanda-t-elle.

Parker sentit son cœur bondir de joie et de soulagement. Son sourire vicieux n'avait servi qu'à masquer son anxiété.

— Cette mort est-elle survenue brutalement, ou bien à la suite d'une longue maladie ?

— Ça veut dire que vous êtes toujours intéressée ?

— Todd en a-t-il éprouvé un choc, ou, au contraire, s'est-il réjoui de le voir mourir ? Admirait-il son père, ou bien sa mort l'a-t-elle délivré de nombreuses années de souffrances morales ?

Elle plaça un fauteuil à ses côtés, lui prit les feuilles des mains et s'assit.

— Vous voyez où je veux en venir ?

— Je dois étoffer mes personnages.

— Exactement. D'où viennent-ils ? De quel genre de familles ? Riches, pauvres, classe moyenne ? Ont-ils eu le même type d'environnement, ou bien leurs enfances ont-elles été très différentes ? On sait qu'ils veulent devenir écrivains, mais vous ne nous dites pas pourquoi. Simplement par amour des livres ? L'écriture représente-t-elle une catharsis pour Roark, une manière d'évacuer sa colère ? Et pour Todd, est-ce une panacée contre son malheur ?

— Une panacée ?

— Vous m'écoutez ou quoi ?

— Je chercherai le mot dans le dictionnaire.

— Vous savez très bien ce que ça veut dire, lâcha-t-elle d'un ton cassant.

— Oui, peut-être bien, admit-il sans se départir de son sourire.

Du coin de l'œil, il aperçut Mike quitter la pièce et refermer la porte derrière lui.

Maris, elle, était lancée.

— Quant à la vie au sein de la confrérie…

— J'en reparle dans le chapitre suivant.

— Il y a un autre chapitre ?

— Je l'ai commencé ce matin.

— Bien. J'ai beaucoup aimé ce passage. C'est très vivant. En lisant, je sentais presque les odeurs de chaussettes. Et cette histoire de brosse à dents... se rappela-t-elle avec un léger frisson.

— Eh bien quoi ?

— C'est presque trop horrible pour avoir été inventé. Une expérience personnelle ?

— A part ça, qu'est-ce qui demanderait à être retravaillé ?

— Ah, je vois. On évite les questions trop intimes ?

— Si vous avez lavé vos sous-vêtements hier soir, avec quoi avez-vous dormi ?

Maris eut un petit sursaut, ouvrit la bouche pour répondre puis se ravisa.

Inclinant la tête, il plissa les yeux comme pour mieux l'examiner.

— Vous ne portiez rien, c'est ça ?

Elle baissa les yeux et se mit à fixer ses genoux. Ou bien peut-être ceux de Parker. L'espace d'une seconde, il fut tenté de dire : « Non, pas de problèmes de ce côté-là, mais si tu es curieuse, tu n'as qu'à toucher pour voir. » Mais il se retint, par crainte qu'elle ne se décide réellement à appeler un bateau pour repartir.

— Vous avez répondu à ma question, lâcha-t-elle brusquement. Pas de sujets intimes.

Elle lui reprit le manuscrit et le feuilleta pour retrouver ses notes.

— J'aimerais que vous développiez un peu tous ces points.

Elle l'observa pour jauger sa réaction, et, voyant qu'il ne disait rien, se rassit en poussant un soupir.

— Vous vous y attendiez, n'est-ce pas ? Vous saviez à l'avance ce que j'allais dire.

Il confirma d'un signe de tête.

— Je me suis contenté de rester à la surface, selon vos propres termes.

— Dans le but de me tester.

— Hum.

— En quelque sorte, vous m'avez fait passer une audition.

— Oui, c'est un peu ça.

Maris afficha un air piteux. Elle était beau joueur et il s'en tirait plutôt bien par rapport à ce qu'il méritait. En fait, il aurait préféré qu'elle se mette en rage, qu'elle l'insulte ou qu'elle lui mette une bonne baffe. Ce qu'il avait à faire serait bien plus aisé si elle se montrait aussi chienne que lui. Ils ne jouaient pas dans la même ligue, tous les deux, et elle ne semblait pas s'en apercevoir.

— Vous auriez été parfaitement en droit de nous envoyer chier, Mike et moi.

— Mon père ne tolère pas que j'utilise ce genre de langage.

— Alors vous êtes vraiment une fille à papa ?

— Parfaitement. C'est un père génial. Un gentleman et quelqu'un de très érudit. Il s'entendrait bien avec vous.

— Pas si c'est un gentleman.

— Détrompez-vous. Je suis certaine qu'il admirerait votre audace. Il appellerait ça « avoir des couilles ».

— Voilà un homme comme je les aime, se réjouit Parker en souriant.

— Il a lu votre prologue et il l'a aimé. Il m'a même encouragée à poursuivre le projet.

— Alors allez-y, poursuivez, l'invita Parker en indiquant le manuscrit.

Consultant à nouveau ses notes, elle reprit :

— Je veux que vous preniez votre temps, Parker. Je ne vous fixe aucune limite de pages. Laissez-moi me charger du travail éditorial, c'est mon job. J'ajoute que vous n'avez pas besoin de révéler tous les éléments de la toile de fond dès les premiers chapitres. Vous pouvez très bien les distiller tout au long du récit, mais tâchez de déterminer ce qu'était la vie des deux protagonistes avant leur rencontre.

— J'y ai déjà pensé, précisa-t-il en tapant du doigt contre sa tempe. Tout est là.

— Excellent. Seulement le lecteur n'a pas accès à vos pensées.

— Je comprends.

— C'est tout pour le moment.

Elle égalisa le tas de feuilles et le reposa sur ses genoux.

— Je suis contente d'avoir réussi votre stupide petit test, dit-elle avec chaleur. Ça me manquait de ne plus être impliquée dans l'écriture d'un roman. Je m'en suis rendu compte hier en prenant mes notes. J'adore participer à la construction d'un récit, faire du brainstorming avec un écrivain. Surtout s'il est talentueux.

— Vous parlez de moi, là ?

— Absolument.

Son regard, si candide et profond à la fois, le rendait mal à l'aise. Il se plongea dans la contemplation de l'océan, juste pour ne pas voir sa sincérité, pour ne pas ressentir cette... Pour ne rien ressentir, point barre.

Peut-être était-ce lui, après tout, qui cherchait à jouer dans la cour des grands.

Elle approcha son visage du sien, posa la main sur son genou et, presque dans un murmure, demanda :

— J'imagine que vous n'avez toujours pas changé d'avis pour me révéler le nom du personnage qui...

— Vous ne saurez rien, c'est clair ?

Il se dirigea vers son bureau.

— Maintenant laissez-moi. J'ai mon éditrice sur le dos et elle m'a donné des tonnes de travail.

Jaloux

Chapitre 4
1985

Ce mardi-là, deux jours avant Thanksgiving, le jour se leva nuageux et froid. Comme si la dinde rôtie et la tarte au potiron étaient incompatibles avec une météo clémente, un front froid avait fait chuter la température juste avant les vacances.

Le réveille-matin de Roark était programmé pour sept heures et demie. A huit heures moins le quart il était rasé, douché et habillé. A moins dix, il se trouvait dans le réfectoire de la résidence à boire du café tout en relisant son manuscrit et en se demandant quel châtiment Hadley allait infliger à ce travail de création dans lequel il avait mis son cœur et son âme.

Le bon déroulement des vacances dépendait de l'issue de cette rencontre. Soit il passerait ces quelques jours dans une ambiance détendue et sereine, avec la certitude que son prof avait apprécié son travail, soit il sombrerait dans cet océan de malheur qu'est le doute.

Dans un cas comme dans l'autre, le verdict n'allait pas tarder à tomber. Que les critiques d'Hadley soient bonnes ou mauvaises, il serait soulagé de les entendre. Cette attente était une véritable torture.

— Tu veux un beignet, Roark ?

Il leva les yeux et vit l'intendante qui se tenait debout à côté de lui.

— Oui, avec plaisir, M'man.

Peu de temps après avoir intégré la confrérie, Roark

avait décidé de lui décerner le titre de femme la plus patiente au monde. Brenda Thompson avait abandonné une paisible existence de veuve pour s'installer dans la résidence et s'occuper bénévolement de quatre-vingt-deux étudiants qui se comportaient comme des vauriens en colonie de vacances.

Ils ne respectaient rien, ni les biens, ni les personnes. Rien ne leur était sacré – ni Dieu, ni l'Amérique, ni la ville natale, ni le chien, la sœur ou la mère de leurs semblables. C'était chasse ouverte pour se moquer de tout ce que les gens avaient de plus cher, et la moindre chose était prétexte à des plaisanteries graveleuses.

Leur sens des convenances s'apparentait à celui des porcs. Comme on le constate fréquemment chez l'*Homo sapiens* mâle dès lors qu'il se trouve en groupe d'au moins deux personnes, ces quatre-vingt-deux étudiants avaient régressé au niveau d'hommes des cavernes à peu près aussi raffinés que des hommes de Neandertal. Tout ce que leurs mères leur avaient interdit chez eux, ils le faisaient ici. Avec zèle et délectation, ils laissaient libre cours à leur comportement grossier.

Mme Thompson, dame d'une grande dignité à la voix douce, tolérait leur langage, pourtant aussi vulgaire que leurs manières. Son tempérament maternel invitait à la confidence et lui avait permis de gagner l'affection de ses étudiants. Mais contrairement à une mère, elle n'exerçait sur eux aucune forme de discipline.

Elle fermait les yeux sur leurs beuveries et leurs parties de jambes en l'air, auxquelles ils se livraient pourtant avec un abandon sauvage. Ils pouvaient écouter de la musique aussi fort qu'ils le souhaitaient, dormir pendant six mois, voire plus, dans les mêmes draps. Le jour où ils avaient tagué le nom de la confrérie sur le chat d'une fille qui avait eu le malheur de plaquer l'un des leurs, elle s'était contentée de les complimenter sur la calligraphie.

En sa présence, et en particulier les mercredis soir, lors du traditionnel repas pour lequel veste et cravate, ainsi qu'un semblant de bonnes manières, étaient exigés, ils s'excusaient pour leurs jurons, leurs rots ou leurs pets en lui adressant un « Pardon, M'man » de rigueur, mais dont on pouvait remettre en cause la sincérité. Avec son sourire empreint d'une infinie patience, elle les pardonnait toujours, même s'ils recommençaient la seconde d'après.

Ils voyaient en elle la mère idéale.

Roark avait l'impression d'être l'un de ses chouchous, bien qu'il ne sût dire pourquoi. Il se montrait aussi vulgaire et mal élevé que les autres. Après la cérémonie de remise des diplômes, lors de sa seconde année universitaire, il s'était évanoui sous le piano demi-queue du parloir, pour se réveiller un peu plus tard en s'étranglant dans son vomi aromatisé au Jack Daniel's.

Mme Thompson, en robe de chambre et pantoufles, était venue lui secouer l'épaule et lui demander si tout allait bien. « Ça va », avait-il marmonné bien que ce ne fût manifestement pas le cas.

Sans le blâmer, et avec la dignité d'une religieuse, elle s'était emparée de la couverture qu'un étudiant avait jetée sur une poupée gonflable, la mascotte officieuse et anatomiquement obscène de la confrérie. Elle l'en avait couvert, là où il était allongé tremblant de froid, malade comme un chien et dégageant une odeur pestilentielle.

Depuis cette nuit-là, M'man semblait avoir pour lui une tendresse particulière. Peut-être parce qu'après avoir dessoûlé, il était venu la remercier pour sa gentillesse et s'excuser d'avoir perturbé son sommeil. Peut-être aussi parce qu'il avait fait laver le tapis du piano à ses frais. Personne dans la résidence n'avait rien remarqué – ni qu'il avait sali le tapis, ni qu'il l'avait fait nettoyer. En revanche, cela n'avait pas échappé à Mme Thompson. Il présumait que ces petits gestes lui avaient démontré qu'il possédait au moins quelques notions de savoir-vivre.

— Tu t'es levé plus tôt que d'habitude, non ? observa-t-elle en lui apportant son beignet.

En temps normal, elle ne les servait pas à table. Ils devaient faire la queue devant un comptoir où un cuisinier maussade déposait devant eux différents plats, à la manière d'un fermier emplissant la mangeoire d'un troupeau.

— J'ai rendez-vous avec mon directeur de mémoire, expliqua-t-il.

Par respect pour elle, il prit soin d'utiliser sa serviette au lieu de lécher le sucre glace sur ses doigts.

Elle désigna le manuscrit.

— C'est le livre que tu vas présenter ?

— Oui. Enfin... ce que j'ai écrit pour l'instant.

— Je suis certaine qu'il sera excellent.

— Merci, M'man. Espérons-le.

Elle lui souhaita bonne chance pour son entretien, puis alla saluer un autre étudiant qui venait d'arriver. C'était le garçon le plus séduisant de la confrérie : il attirait les filles comme la lumière les papillons de nuit. Les autres gars auraient voulu le détester pour ce don de la nature, mais il était tellement sympathique qu'il était impossible de lui en vouloir. Plutôt que d'exploiter son physique de jeune premier, il le minimisait et semblait même embarrassé. Apercevant Roark, il le salua d'un geste de la tête.

— Quoi de neuf, Shakespeare ?

— Eh, quoi de neuf, R.B. ?

Chaque étudiant possédait un surnom, et le salut officiel consistait en un « Quoi de neuf ? » auquel il était d'usage de ne pas répondre.

Le surnom de Roark – sauf pour Todd – était Shakespeare. Les autres garçons connaissaient son goût pour l'écriture, et William Shakespeare représentait le seul écrivain que la plupart auraient pu citer s'ils s'étaient retrouvés avec un pistolet braqué sur la tempe. Roark n'avait jamais tenté de leur expliquer qu'à la différence de l'illustre Anglais, qui écrivait des pièces de théâtre en vers, lui écrivait des romans en prose. Certains concepts s'avéraient bien trop complexes, surtout pour des étudiants comme celui qui, interrogé un jour par son professeur de littérature anglaise, avait dû identifier le célèbre poète sur un portrait et répondu :

— Comment voulez-vous que je connaisse tous les présidents des Etats-Unis ?

Roark était flatté par ce surnom mais, ce matin-là, il lui semblait particulièrement présomptueux. Consultant sa montre, il se rendit compte qu'il lui restait quinze minutes pour rejoindre le bureau d'Hadley. Plus que le temps nécessaire. Il n'en vida pas moins son café d'un trait, fourra le manuscrit dans son sac à dos et quitta le réfectoire.

Ce ne fut qu'en mettant le nez dehors qu'il constata le changement de temps drastique survenu au cours de la nuit. Un vent froid avait fait chuter la température, pas assez pour geler l'étang qui ornait le parc du campus, mais suffisamment pour qu'il regrette de n'avoir pas mis un manteau plus chaud.

Le bâtiment du département Littérature, comme la plupart des édifices du campus, était de style géorgien. Plus ancien et plus imposant que les constructions récentes, il était agrémenté d'un portique soutenu par six grandes colonnes blanches. La brique rouge de la façade nord était entièrement recouverte de lierre de Boston dont les feuilles avaient pris une teinte orangée en l'espace de seulement quelques jours.

Il accéléra le pas, plus pour se réchauffer que par peur d'arriver en retard. En dépit de son éducation traditionaliste, qui l'avait fait aller à l'église tous les dimanches, il restait sceptique quant à l'existence, la nature et les dispositions d'un Etre suprême. Il n'était pas certain qu'une entité douée de l'omniscience qu'on prêtait à Dieu en ait quoi que ce soit à fiche du mémoire de fin d'études de Roark Slade. Mais ce n'était pas le moment de rejeter un éventuel soutien et, tandis qu'il traversait le portique, il récita une obscure petite prière.

En pénétrant dans le bâtiment, il fut aussitôt assailli par une odeur de poussière brûlée caractéristique des vieilles chaudières. Elles avaient apparemment été poussées à fond, car les couloirs étaient inconfortablement surchauffés. Il ôta son sac à dos et sa veste, et grimpa jusqu'au deuxième étage.

Dans l'escalier, il fut salué par plusieurs étudiants qu'il côtoyait en cours. L'un d'eux, un hippy tout maigre aux cheveux filasse affublé de lunettes roses à la John Lennon, s'approcha de lui d'un pas rapide.

— Yo, Slade.

Seules les filles l'appelaient Roark. Todd était probablement l'unique garçon du campus à connaître son prénom.

— Ça te dit de boire un café tout à l'heure ? On se réunit pour bosser les exams vers dix heures.

— Je ne sais pas si je serai libre. J'ai rendez-vous avec Hadley.

— Tu veux dire, maintenant ?

— Exactement.

— Oh merde, pas de bol, mec. Bon courage.

— Merci. A plus.

— A plus.

Roark poursuivit son chemin le long du couloir. Il regrettait d'avoir mangé le beignet. Il lui faisait l'impression d'une boule de bowling dans son estomac, et le café lui avait laissé un goût aigre. Il se reprocha de n'avoir pas pris de pastille à la menthe. Parvenu devant le bureau 207, il marqua une pause et prit une profonde inspiration. La porte était légèrement entrebâillée. Il essuya ses paumes moites contre son jean et toqua doucement.

— Entrez.

Le professeur Hadley était installé derrière son bureau, les pieds posés sur le tiroir du haut, entrouvert – il était chaussé d'une paire de Hush Puppies en suède marron. Une pile de feuilles reposait sur ses genoux, ce qui ne représentait qu'une infime proportion de la myriade de livres et autres liasses dont la pièce était remplie. Un nombre incalculable d'arbres avaient sacrifié leur vie pour fabriquer les pages qui accaparaient l'espace entier. Par centimètre carré, il s'agissait probablement de la plus importante concentration de papier au monde.

— Bonjour, monsieur.

— Monsieur Slade.

Cela provenait-il de son imagination ou bien Hadley l'avait-il salué de façon péremptoire ?

Contrairement à d'autres, le professeur ne copinait jamais avec ses élèves. Pour tout dire, il avait coutume de les traiter avec un mépris à peine dissimulé. Même l'obtention d'un résultat honorable ne vaccinait pas les étudiants contre son dédain.

Sa méthode consistait à les faire passer pour des ignares. Une fois l'élève chassé du piédestal où son amour-propre l'avait hissé, et ce piédestal lui-même réduit à l'état de gravats, Hadley considérait qu'il pouvait commencer à lui enseigner quelque chose. Il semblait croire que seule une humilité servile permettait de développer les facultés d'apprentissage.

Tandis qu'il s'avançait dans le bureau exigu, Roark se rassura en se disant que la brusquerie faisait partie des habitudes d'Hadley et qu'il ne devait pas le prendre à son compte.

— Non, laissez ouvert, le pria Hadley.

— Oh, désolé.

Roark rouvrit la porte qu'il s'apprêtait à fermer.

— J'attends...

— Je vous demande pardon ?

— Auriez-vous des problèmes d'audition, monsieur Slade ?

— D'audition ? Non, monsieur.

— Alors vous m'avez parfaitement entendu. J'attends vos excuses. Vous avez très exactement... cinquante-six minutes et trente secondes de retard.

Roark se retourna et aperçut une pendule. Blanche. Chiffres noirs. Un trait pour chacune des soixante minutes. La petite aiguille déjà sur le neuf. La grande aiguille à trois traits du douze.

Il est tombé sur la tête se dit Roark. Quelque chose lui a attaqué le cerveau. Des vapeurs de papier, peut-être. C'est quoi, au juste, ce bordel ?

Il se racla la gorge.

— Excusez-moi, monsieur, mais notre rendez-vous était fixé à neuf heures.

— Huit.

— A l'origine, oui. Mais vous avez laissé un message

à mon colocataire pour repousser d'une heure. Vous ne vous rappelez pas ?

— Je vous assure que ma mémoire fonctionne parfaitement, monsieur Slade. Je n'ai jamais rien fait de tel, affirma Hadley en le dévisageant derrière ses sourcils épais. Notre rendez-vous était bien prévu pour huit heures.

10.

Il était devenu un vieil homme.

Il n'en avait conscience que depuis peu, ayant jusque-là refusé d'admettre son statut de personne âgée alors qu'il aurait raisonnablement dû en faire le constat depuis longtemps. Il n'ouvrait pas les documentations que lui envoyait l'AARP, et ne cherchait pas à profiter des réductions accordées aux « seniors ».

Mais depuis quelques temps, son reflet dans le miroir ne laissait plus de place au doute, et les douleurs dans ses articulations le confortaient dans la pensée qu'il appartenait bel et bien à la catégorie... du troisième âge.

Assis derrière son bureau, Daniel souriait à de telles pensées. Si faire le bilan de sa vie n'était pas un signe de vieillissement, alors qu'était-ce ? Ses préoccupations quant à son corps en pleine dégénérescence l'indiquaient clairement. Qui d'autre que les vieux pour s'inquiéter de ces choses-là ?

Les jeunes n'avaient pas le temps de penser à la mort. Ils étaient trop occupés à vivre. A étudier. A gérer leur carrière. Se marier, divorcer. Elever leurs enfants. Ils n'avaient que faire du terme de tout cela. C'était un concept qu'ils gardaient en réserve pour un avenir lointain. De temps à autre, il pouvait leur arriver d'y songer et d'en ressentir un certain malaise, mais leur attention se tournait bien vite vers d'autres problèmes liés à la vie, et non à la mort.

Pourtant, cet avenir lointain finissait inexorablement par se rapprocher, jusqu'au jour où il devenait impossible d'occulter le sujet et de ne pas l'examiner de près. Daniel ne faisait pas une fixation morbide sur l'inéluctabilité de sa propre fin, mais il savait qu'il était temps de s'adresser à la mort en face et d'envisager toutes ses implications.

La nuit, la fidèle Maxine le croyait, à tort, plongé dans un profond sommeil. Quant à Maris, il lui avait assuré qu'il dormait comme un bébé, et elle n'avait aucune raison d'en douter. Jeune homme, il se contentait de quatre à cinq heures de sommeil par nuit. Avec l'âge, ce nombre d'heures avait progressivement diminué. Maintenant, il pouvait s'estimer heureux de dormir deux ou trois heures.

Alors, le reste du temps, il le passait dans son lit à lire ses livres bien-aimés – des classiques qu'il avait dévorés étant jeune, des best-sellers que d'autres éditeurs avaient eu la chance de sortir, et d'autres qu'il avait lui-même publiés.

Lorsqu'il ne lisait pas, il méditait sur sa vie – les moments dont il était fier et, pour être honnête, ceux dont il ne l'était pas. Il repensait souvent à l'un de ses amis de lycée, mort de leucémie. Quelques décennies plus tard, la médecine l'aurait probablement guéri. Il aurait vécu une longue et belle existence. Aujourd'hui encore, Daniel pensait avec amertume aux années d'amitié que la maladie leur avait volées.

Il se rappelait également la douleur d'avoir perdu son premier amour. Avec le recul, il se rendait compte que la jeune femme, qui l'avait quitté pour un autre homme, avait fait le bon choix, mais, à l'époque, il avait cru mourir de chagrin. Il assista à son mariage, mais ne la revit jamais par la suite. Apparemment, elle s'était installée en Californie. Il aurait voulu savoir si elle était heureuse. Il se demandait si elle était toujours de ce monde.

Puis il avait perdu sa première épouse, une femme adorable dont la mort l'avait laissé anéanti. Mais par la suite, il rencontra Rosemary, la mère de Maris, sans conteste la femme de sa vie. Belle, charmante, douce, intelligente, douée d'un tempérament artistique, elle s'était révélée une compagne idéale et une amante passionnée. Elle avait toujours été d'un grand soutien pour Daniel, qui passait de longues heures au bureau et se laissait trop souvent distraire par ses obligations professionnelles. Il avait apprécié sa patience, sa dévotion envers lui et leur couple, mais avait conscience de ne lui avoir pas assez témoigné sa reconnaissance.

A présent, il regrettait les moments que ses responsabilités à Matherly Press l'avaient empêché de partager avec Rosemary. Il aurait voulu pouvoir revenir en arrière. Il ne referait pas les mêmes choix. Il consacrerait plus de temps et d'énergie à sa famille.

Ou bien peut-être commettrait-il les mêmes erreurs...

Il gardait peu de regrets, mais certains lui pesaient plus que d'autres. Il avait par exemple licencié l'un de ses éditeurs à cause d'une simple divergence d'opinion. Il commença par révéler l'homosexualité de cet homme, à une époque où la chose n'était ni acceptée, ni même tolérée. Puis il insinua que sa vie privée affectait son travail – ce qui était parfaitement faux. C'était un excellent éditeur, qui vouait à son métier une véritable passion.

En dépit de ses qualifications, personne ne voulut l'engager par la suite à cause de la rumeur que Daniel avait fait courir. Il était peu à peu devenu un paria dans le milieu de l'édition, et avait fini par quitter la ville. Daniel avait purement et simplement détruit sa carrière, privant ainsi le monde de l'édition d'un homme de talent. Cette culpabilité le suivrait jusqu'à la tombe.

Plusieurs années après la mort de Rosemary, il avait vécu une liaison dont il n'était pas fier. Agé à l'époque d'une cinquantaine d'années, il avait eu bien du mal à mener cette histoire d'amour tout en vivant avec Maris, alors en pleine adolescence. Cela nécessitait beaucoup de finesse et l'obligeait à jongler sans cesse avec les emplois du temps des uns et des autres. La femme avait fini par devenir jalouse de la relation qu'entretenaient le père et sa fille. Elle s'était montrée de plus en plus exigeante, obligeant Daniel à choisir entre elle et Maris. Finalement, Daniel avait laissé la raison prendre le pas sur son désir. Il avait compris qu'il ne pourrait jamais aimer une femme qui n'acceptait pas complètement sa fille, et mis fin à la liaison.

Durant plusieurs dizaines d'années, il était parvenu à maintenir sa réputation d'éditeur talentueux. La nature semblait l'avoir doté d'un sixième sens lui permettant de savoir quels manuscrits retenir et quels autres refuser. Sous sa direction, la valeur de Matherly Press avait été multipliée par cent. Il avait gagné plus d'argent qu'il ne pouvait en dépenser, et plus que Maris, et après elle ses enfants, ne pourraient en dépenser au cours de leur vie.

L'argent était venu avec le succès, et il ne s'en plaignait pas, mais cela n'avait pas été sa motivation première. Son énergie provenait du désir de préserver ce que ses aïeuls avaient construit au prix de tant d'efforts. Il n'avait pas trente ans lorsqu'on lui avait confié la gestion de l'affaire familiale. Dès lors, ce fut à lui de la protéger et de la faire prospérer pour la génération suivante.

En l'occurrence Maris, indéniablement la plus belle réussite de sa vie. A ses yeux, elle était mille fois plus précieuse que Matherly Press, et il était plus attentif à protéger sa fille qu'à défendre sa maison d'édition contre les loups qui la menaçaient, chaque année plus nombreux et affamés.

Bien sûr, il ne pouvait pas la protéger de tout. Aucun parent n'est en mesure d'éviter à ses enfants les blessures de la vie, et même s'ils le pouvaient, ce ne serait pas un service à leur rendre. Maris devait mener sa propre vie, avec ses accidents et ses erreurs.

Il espérait simplement que ses déceptions ne seraient pas trop rudes, que ses triomphes et ses joies seraient plus nombreux, et que lorsqu'elle atteindrait le même âge que lui, si elle avait la chance de vivre aussi longtemps, elle se retournerait sur son passé avec la même satisfaction.

Daniel ne craignait pas la mort. A l'insu de ses proches, exceptée Maxine, il s'était récemment entretenu avec un prêtre à plusieurs reprises. Rosemary était une fervente catholique, pratiquante, et si lui ne s'était jamais converti, il n'en avait pas moins, au contact de sa femme, adopté certaines convictions religieuses. Il croyait fermement à la vie après la mort et ne doutait pas qu'ils se retrouveraient dans l'au-delà.

Mourir ne lui faisait pas peur.

Mais il redoutait de mourir idiot.

La veille, cette crainte l'avait tenu éveillé toute la nuit. En proie à un trouble profond, il avait été incapable de lire la moindre ligne, et la lumière du jour n'était pas parvenue à dissiper ce malaise diffus.

Il avait le sentiment que quelque chose lui échappait : un mot, un acte, un comportement qu'il aurait aisément détecté plus jeune, lorsque son esprit était plus vif – cinq ans plus tôt, ou même l'an passé.

Cette paranoïa était-elle fondée ? Ou bien représentait-elle le symptôme d'une démence naissante ?

Daniel se rappelait son grand-père qui, avant de mourir, se plaignait sans relâche de sa gouvernante, l'accusant d'être une voleuse. Un jour, il avait même prétendu qu'elle était une espionne allemande envoyée pour éliminer tous les vétérans de la Seconde Guerre mondiale. Avec la conviction des personnes mentalement déséquilibrées, il avait ensuite affirmé que la gouvernante était enceinte de lui. Personne n'avait réussi à le persuader que la vieille Anglaise, âgée de soixante-sept ans, ne pouvait pas, en toute logique, attendre un enfant.

En était-il lui aussi rendu à ces extrémités ? Ne fallait-il pas voir dans ces craintes obscures les prémices de la sénilité ?

Ou bien alors – et ce fut ce qu'il choisit de croire – était-ce le signe qu'il n'avait perdu aucune de ses facultés, qu'il était aussi perspicace qu'avant, et qu'il pouvait toujours se fier à son intuition, elle qui l'avait guidé avec tant de succès tout au long de ses cinquante années de carrière professionnelle ?

Tant que son instinct s'avérerait digne de confiance, il continuerait à le suivre. Et cet instinct lui soufflait que quelque chose ne tournait pas rond. Il le sentait comme le cerf sent la présence d'un chasseur à plus d'un kilomètre.

Peut-être était-il simplement trop inquiet du chagrin de Maris ? Elle n'était pas si douée qu'elle le pensait pour dissimuler ses sentiments. Depuis quelque temps, il avait détecté des signes de disharmonie au sein de leur couple. Il ne connaissait pas encore les causes ni la gravité de la situation, mais si ces problèmes perturbaient Maris, alors ils le perturbaient lui aussi.

Et puis il y avait Noah. Daniel était enclin à lui accorder sa confiance, à la fois en tant que gendre et protégé, mais seulement s'il le méritait.

Avec un grognement dû à l'effort, le vieil homme se pencha pour ouvrir un tiroir. Il en retira un agenda, d'où il sortit une carte de visite.

« William Sutherland », pouvait-on lire. Aucune référence à une entreprise, aucune adresse. Seulement ce nom et un numéro de téléphone inscrit en chiffres bleus.

Daniel observa pensivement la carte, comme il l'avait souvent fait ces dernières semaines. Il n'avait encore jamais appelé le numéro. Il ne s'était jamais entretenu personnellement avec M. Sutherland, mais après cette matinée passée à ruminer, il sentait que l'heure était venue.

Bien sûr, c'était une méthode un peu sournoise. Mais personne n'en saurait jamais rien. A moins – Dieu l'en préserve – qu'il ne découvre quelque chose. Ce ne serait probablement pas le cas. Il réagissait sûrement de façon excessive, mais l'insouciance ne faisait pas partie de son tempérament. Il y avait trop en jeu pour laisser les scrupules prendre le pas sur la prudence. Comme dit le proverbe, deux précautions valent mieux qu'une.

Tout en décrochant le combiné, il prit la résolution de se montrer plus attentif à ce qui se passait autour de lui, plus vigilant quant aux nuances qu'il pouvait déceler dans le langage, les gestes. Si quelque chose se tramait, il ne voulait pas être le dernier à l'apprendre.

Il n'avait pas peur de mourir. Il avait peur de mourir idiot.

— Vous feriez mieux de ne pas y aller. C'est sur le point de s'écrouler, la prévint Mike qui était occupé à poncer le manteau de la cheminée.

— Si le bâtiment est si délabré, est-ce bien raisonnable de laisser Parker y aller seul ?

— Bien sûr que non. Mais essayez un peu de l'en empêcher.

— Mike...

A sa voix hésitante, il se tourna vers elle.

— Non, rien. Ce ne serait pas très honnête de ma part de vous poser cette question.

— A quel propos ?

— Au sujet de son handicap.

— Non, ce ne serait pas très honnête.

Elle hocha la tête et chassa l'air grave qui s'était affiché sur son visage.

— Pouvez-vous m'indiquer le chemin ? demanda-t-elle.

— Ça risque d'être dangereux.

— Je vous promets de m'enfuir si le bâtiment s'effondre.

— Je parlais plutôt de Parker. Il n'aime pas trop qu'on le dérange.

— On verra bien. Est-ce trop loin pour y aller à pied ?

— Vous marchez souvent à New York ?

— Tous les jours, si le temps le permet.

— Alors oui, vous pouvez y aller à pied.

Après lui avoir indiqué le chemin, il réitéra sa mise en garde.

— Il sera furieux en vous voyant débarquer.

— Ça m'étonnerait, répliqua-t-elle avec un petit rire.

Elle avait passé la journée enfermée, à lire jusqu'à ce que ses yeux lui brûlent. C'était agréable à présent de se retrouver dehors, même si l'expression « prendre un bol d'air frais » s'appliquait difficilement. La touffeur était insoutenable. Le soleil s'avérait impitoyablement aveuglant, et même l'ombre ne préservait pas de sa chaleur oppressante.

Malgré ces désagréments, l'île dégageait une beauté exotique, et il fallait reconnaître que le climat y contribuait largement. Les chênes verts possédaient une dignité antique, presque mystique, accentuée par la mousse espagnole dont les branches étaient couvertes. L'air, d'une incroyable densité, renvoyait une odeur d'eau salée et de poisson, pas si désagréable lorsque venaient s'y ajouter les parfums enivrants des fleurs, omniprésentes le long des chemins.

Maris passa devant une maison installée en retrait de la route. Un garçon et une fille jouaient dans la cour. Ils s'étaient lancés dans une danse joyeuse autour de l'arroseur automatique, avec cet abandon propre aux jeunes enfants. Ils hurlaient de rire en sautant à tour de rôle par-dessus le jet d'eau.

Devant une autre maison, elle repéra un grand chien alangui sous un pick-up. Elle passa de l'autre côté de la route tout en le surveillant du coin de l'œil, mais elle n'avait pas à s'inquiéter. Le chien leva la tête, observa Maris d'un air désintéressé, se leva, s'étira, tourna trois fois sur lui-même dans la poussière, puis reprit sa position initiale et ferma les yeux.

Elle ne croisa aucune voiture. Elle eut pour seule compagnie les cigales, dont le bruit perçant résonnait paresseusement sous les feuillages épais.

La fabrique de coton abandonnée était située exactement à l'endroit que Mike lui avait indiqué. Si ses explications n'avaient pas été aussi précises, elle aurait très bien pu la manquer. La forêt avait envahi la structure de l'édifice. Sous certains angles, il était entièrement camouflé par une végétation touffue.

Pour y accéder, il fallait suivre un chemin jonché de débris de coquillages. Enfin... il ne s'agissait pas exactement d'un chemin. D'un air dubitatif, Maris examina le sentier, large d'à peine un mètre et bordé de grandes herbes sauvages. Jetant un regard sur ses chevilles nues, elle songea sérieusement à passer son chemin pour aller visiter d'autres endroits de l'île que Mike lui avait recommandés.

— Espèce de froussarde, marmonna-t-elle.

Elle chercha des yeux un bâton, et lorsqu'elle en eut trouvé un qui faisait l'affaire, elle s'engagea dans le passage en rabattant les herbes devant elle. Elle voulait alerter de sa présence tous les reptiles et autres bestioles, et leur laisser le temps de se cacher avant qu'elle ne les aperçoive.

Heureusement, elle parvint au bout du sentier sans avoir rencontré la faune locale. Elle jeta son bâton, s'épousseta les mains et contempla l'imposante construction. Comme l'avait décrit Mike, elle semblait sur le point de s'écrouler.

Les poutres apparaissaient grises et usées par le temps. La rouille avait envahi le toit de tôle. Un inextricable fouillis de plantes grimpantes recouvrait une partie de la façade et de la toiture. L'une de ces variétés arborait des fleurs violettes qui tranchaient avec l'état global de délabrement et d'abandon dans lequel se trouvait la bâtisse.

Avec appréhension, Maris s'approcha de la porte grand ouverte. L'intérieur était encore plus vaste que l'extérieur ne le laissait supposer. Il y régnait une obscurité caverneuse ; seule une occasionnelle bande de lumière filtrait entre les planches verticales des murs, ou bien c'était une minuscule tache lumineuse qui venait éclairer le sol poussiéreux en passant par un trou du toit.

Un grenier supporté par d'énormes poutres était aménagé dans le fond de la salle. Sous le plancher, une roue d'environ trois mètres de diamètre était suspendue et reliée au sol par une colonne de bois de la largeur d'un tonneau. Maris n'avait jamais rien vu de semblable.

Elle cligna des yeux pour s'habituer à la pénombre.

— Vous êtes là ?

Pas de réponse. Elle s'avança timidement de quelques pas.

— Parker ?

Elle laissa passer un petit instant avant d'appeler à nouveau.

— Parker, c'est moi !

— Je suis là.

Elle eut un sursaut et porta la main à son cœur. Parker se tenait dans un coin derrière elle, invisible à part un rayon de lumière venu du toit qui reflétait le chrome de son fauteuil.

Recouvrant ses esprits, elle demanda avec colère :

— Vous ne m'aviez pas entendue ?

— Avec tout votre vacarme ? Vous plaisantez ! Vous ne feriez pas un bon guerrier indien.

— Alors pourquoi n'avoir pas répondu ?

— Comment êtes-vous venue jusqu'ici ?

— A pied. Et vous ?

— A votre avis ?

— Vous pouvez emprunter le sentier avec votre fauteuil ?

— La preuve.

Il ne bougeait pas, mais Maris sentait son regard posé sur elle. Elle songea soudain qu'il ne devait distinguer d'elle que sa silhouette en contre-jour. Elle s'avança à nouveau, de quelques mètres.

— Où avez-vous trouvé ces vêtements ? demanda-t-il.

Elle observa sa jupe, son chemisier et ses sandales comme si elle les voyait pour la première fois. C'était une tenue qu'elle emmenait souvent à la campagne en été, lors de ces week-ends passés à faire des barbecues et à chiner chez les antiquaires. Elle avait elle-même mis ces vêtements dans sa valise, à New York, deux jours plus tôt, mais ce souvenir lui semblait remonter à des siècles.

— Mike s'est arrangé pour faire venir mes bagages. Il est allé les récupérer à l'embarcadère.

— Il est devenu complètement fou.

— Pardon ?

— Je crois qu'il en pince pour vous.

— Il essaie seulement d'être aimable.

— On a déjà eu cette conversation, je crois.

Effectivement. Et elle ne tenait pas à la reprendre. La dernière fois, cela s'était terminé par... Mais elle ne désirait pas non plus se remémorer cet épisode.

Un silence pesant s'instaura. Maris était maintenant

habituée à l'obscurité, mais elle apercevait à peine Parker dans son recoin sombre. Elle décida de mettre fin à cette interruption.

— Quel endroit pittoresque !

— Vous êtes tombée dessus par hasard ?

— Mike m'a indiqué le chemin.

— Mike est décidément trop bavard.

— Pas tant que ça. Il ne m'a révélé aucun de vos secrets.

— Il y a dix minutes, cet endroit était mon secret. Je viens ici pour me retrouver seul.

Elle ignora le sous-entendu contenu dans cette phrase et promena son regard autour d'elle. Le sol était jonché de déjections animales et de détritus. Quelqu'un avait fait du feu, comme en témoignaient les cendres et les morceaux de bois calcinés éparpillés dans un coin. Appuyé contre un mur, un escalier menait à l'étage supérieur, mais il manquait la plupart des marches, et celles restantes semblaient incapables de supporter une charge plus lourde que le poids d'une mouche. En somme, c'était un endroit plutôt étrange, surtout la partie du grenier avec cette antique machine qui, selon Maris, faisait penser à un engin de torture dont se servirait un géant pour combattre un autre géant. Elle se demandait ce qui pouvait bien attirer Parker dans un lieu pareil.

— Racontez-moi l'histoire de cet endroit.

— Que savez-vous du coton ?

— « C'est le tissu de nos envies », répondit-elle en citant le slogan d'une célèbre publicité télévisée.

A sa surprise, Parker partit d'un grand éclat de rire, très différent du grognement méprisant qui lui servait d'habitude de sarcasme. Décidant de tirer parti de cet événement rarissime, elle ajouta :

— C'est également très pratique pour se démaquiller.

Le rire de Parker s'éteignit aussitôt, et le silence qui suivit n'en fut que plus gênant.

— Venez par là, lança-t-il d'un ton bourru.

11.

Parker attendit qu'elle se décide. Il ne renouvela pas sa requête, pensant qu'elle allait le défier un moment pour son audace, ce qu'elle fit. Après quelques instants de réflexion, elle s'avança prudemment jusqu'à lui.

Elle avait tiré ses cheveux en queue de cheval, une coiffure qui la rajeunissait d'au moins cinq ans. Son chemisier blanc était noué au-dessus du nombril. Sa jupe kaki révélait une partie de ses cuisses. Des jambes magnifiques, qui invitaient à des pensées libidineuses.

— Au début, le bâtiment était ouvert sur trois côtés, expliqua Parker. Cette machine que vous voyez fonctionnait grâce à l'énergie animale.

— L'énergie animale ?

— Suivez-moi.

Il dirigea son fauteuil vers le fond de la salle. Elle le suivit, et baissa instinctivement la tête en arrivant sous le grenier suspendu. Au passage, elle avait récolté une partie des toiles d'araignées qui infestaient le plafond.

— Personnellement, je n'ai jamais eu ce problème, plaisanta-t-il en souriant.

Il indiqua une trace circulaire imprimée sur le sol en terre battue.

— Si vous observez attentivement, vous verrez un cercle inscrit dans la terre. C'est le chemin tracé par les mules qui actionnaient la roue de l'égreneuse.

— Cette roue qui est là-haut ?

— Exactement. A la grande époque, des wagons entiers arrivaient chargés de coton. Du coton de qualité supérieure. Soyeux au toucher, beaucoup plus facile à séparer de ses graines que d'autres variétés.

— Et donc très recherché.

Il acquiesça d'un signe de tête.

— Le sol sableux de l'île se prêtait parfaitement à la culture. Le coton était déchargé sur une sorte de plateforme située à l'extérieur, puis hissé jusqu'à l'étage, où l'égreneuse séparait la fibre des graines.

» Il était ensuite séché, ramassé et transporté jusqu'à une presse, également actionnée par des mules. Une fois mis en balles, le coton était conditionné puis acheminé à travers l'île jusqu'au dock pour y être chargé sur des bateaux en partance pour le continent.

— Le travail devait être intensif.

— Vous avez raison. Du début du printemps, lorsqu'ils semaient les premières graines, jusqu'au moment où la dernière balle de coton quittait St. Anne, le processus durait une année entière.

— Etait-ce la seule fabrique de l'île ?

— Oui. Un seul planteur, une seule fabrique, une seule famille. Celle qui a construit ma maison. Ce monopole a assuré leur fortune jusqu'à l'effondrement des cours. Ils ont ensuite essayé de se lancer dans l'ostréiculture, que les îles alentour pratiquaient déjà, mais ils n'y connaissaient rien ; ils ont fait faillite en moins d'un an, avant de prendre la fuite.

— En quelque sorte, ce bâtiment retrace l'histoire de l'île.

— Tout au moins celle du XIXe siècle. Par exemple, il s'est passé en 1878 une drôle d'histoire. Une petite fille, dont le père était ouvrier, est passée un jour derrière une mule acariâtre qui lui a décoché un coup de sabot en pleine tête. Elle est morte deux jours après. Son père a exécuté l'animal, et je vous passe les détails de ce qu'il a fait à la carcasse, car ils sont particulièrement horribles. Il y a eu aussi une vendetta entre deux frères qui se sont tués au cours d'un duel. Ça s'est passé en 1855.

» Et enfin il y a cette histoire d'amour mythique entre un contremaître blanc et une belle esclave. Leur idylle était tellement mal vue qu'ils ont été jetés à la mer à bord d'un petit bateau. Ils devaient faire route vers Charleston, mais certaines personnes, qui observaient leur départ à la longue-vue, ont raconté les avoir vus chavirer et se noyer, ce que beaucoup considérèrent comme une juste punition.

» Des années plus tard, on découvrit une colonie de mulâtres sur une île que tout le monde croyait inhabitée. Ces gens, qui menaient une existence paisible, furent considérés comme les descendants du couple mixte et d'autres esclaves, survivants du naufrage d'un navire négrier. Ils étaient d'une beauté incroyable. Certains avaient la peau café au lait, et des yeux verts comme le jade.

» On raconte qu'un noble français de passage, qui pêchait au large, trouva refuge sur leur île un jour de tempête. Une jeune fille attira son attention et captura son cœur. Ils se marièrent et il l'emmena en France avec toute sa famille, où ils coulèrent des jours heureux...

Maris prit une lente et profonde inspiration.

— Vous êtes un conteur hors pair, Parker.

— C'est une légende, vous savez. Tout ça n'a probablement jamais existé.

— C'est quand même une belle histoire.

— Alors comme ça, vous êtes une romantique ?

— Je l'avoue sans honte, répondit-elle en souriant. Vous semblez en savoir long sur l'histoire de cette fabrique. Votre famille travaillait dans le coton ?

— Je crois savoir que mon arrière-grand-père faisait la cueillette pendant la Dépression. Comme la plupart des habitants du Sud à l'époque. Femmes, enfants, Noirs, Blancs, tous luttaient pour survivre. La faim ne fait pas de discrimination.

— Et votre père, que faisait-il dans la vie ?

— Il était médecin de famille. Il s'occupait un peu de tout, depuis l'accouchement jusqu'à l'incision des furoncles.

— Il est à la retraite ?

— Non. Il n'a jamais pu se défaire d'une vieille habitude de quarante ans, et a été incapable de se guérir lui-même lorsque le cancer du poumon s'est déclaré. Il est mort bien avant l'âge.

— Et votre mère ?

— Elle lui a survécu douze ans. Elle est morte il y a quelques années. Et avant que vous ne posiez la question, je suis fils unique.

— Moi aussi, je suis fille unique.

— Je sais.

Elle eut un bref instant de surprise, puis comprit.

— L'article...

— Oui.

Plusieurs mèches de cheveux s'étaient défaites de sa queue de cheval et lui tombaient sur la nuque. Blondes comme les blés, elles apparaissaient légèrement ondulées à cause de l'air humide. Il se surprit à les contempler et détourna aussitôt les yeux.

— Oui, cet article était bourré d'informations sur vous, votre père et votre mari. Quel genre d'homme est-il ?

— C'est quelqu'un de très robuste. Surtout pour ses soixante-dix-huit ans.

— Je voulais parler de votre mari.

— On avait convenu de ne pas évoquer ce genre de choses.

— C'est une question trop intime ? Qu'est-ce que vous ne voulez pas que j'apprenne à son sujet ?

— Rien. Ce n'est pas le problème.

— Alors ?

— Je suis venue parler de votre livre.

— Vous voulez vous asseoir ?

Apparemment troublée par ce brusque changement de sujet, elle fit un signe de tête négatif.

— Il n'y a nulle part où s'asseoir. Et puis cet endroit me donne la chair de poule.

Il indiqua alors l'entrée du bâtiment ; elle s'y dirigea la première. En chemin, son attention fut attirée par un cercle de briques d'environ un mètre cinquante de diamètre.

— Qu'est-ce que c'est ? demanda-t-elle.

— Attention, l'avertit Parker en se rapprochant d'elle. C'est un puits abandonné.

— Pourquoi l'avoir construit ici ?

— L'un des patriarches de la dynastie, un novateur, avait décidé d'installer la vapeur. Il a commencé à creuser ce puits, indispensable pour alimenter les machines en eau, mais il est mort de diphtérie avant d'avoir pu achever son projet. Son héritier a abandonné l'idée : il la jugeait irréaliste. A raison, selon moi. Ça n'aurait pas été rentable par rapport à leur production.

Elle se pencha au-dessus du bord pour tenter de percer l'obscurité.

— C'est profond ?

— Suffisamment.

— Qu'entendez-vous par suffisamment ?

Il soutint son regard un moment, puis recula son fauteuil avant de s'éloigner d'elle. D'un geste du menton, il désigna une caisse en bois.

— Ça peut faire office de siège si vous n'êtes pas trop difficile.

Après avoir testé la solidité de la boîte, elle s'assit précautionneusement.

— Faites attention aux araignées, la prévint-il. Même si je me ferais un plaisir de les retirer au cas où elles viendraient grimper le long de vos jambes.

Elle lui décocha un regard peu amène.

— Alors je ferai en sorte de ne pas trop gigoter.

— Je ne suis pas sûr que votre robuste mari apprécierait.

— C'est un coup de tonnerre, qu'on vient d'entendre ?

— Vous cherchez à éviter le sujet ?

— En effet.

Avec un petit sourire, il jeta un œil en direction de la porte. La lumière avait considérablement baissé, aussi bien dehors qu'à l'intérieur du bâtiment.

— Il y a souvent des orages l'après-midi. En général, ça ne dure qu'une heure ou deux, mais il arrive qu'ils persistent toute la nuit. On ne peut jamais prévoir.

Au-dessus d'eux, les premières gouttes de pluie frappèrent le toit avec un bruit sourd.

Maris prit une profonde inspiration.

— Vous sentez, la pluie ?

— C'est une odeur agréable.

— Le son aussi est agréable.

— Hum.

Si l'eau parvenait à peine à rafraîchir l'air ambiant, elle agissait indéniablement sur l'atmosphère, la rendant comme plus compacte, plus enveloppante. Parker y était sensible. Maris aussi. Ni lui ni elle n'auraient su définir ce brusque changement, mais il était palpable.

Elle s'arracha à la contemplation de la pluie et son regard croisa celui de Parker. Ils s'observèrent dans les ténèbres naissantes. Bizarrement, ce contact visuel n'avait rien d'embarrassant. S'il avait dû choisir une formule pour décrire la façon qu'ils avaient de se regarder, il aurait dit « dans l'expectative », une manière d'exprimer une curiosité mêlée de circonspection et une attirance méfiante.

Son regard lui faisait l'effet d'un coup dans la poitrine, comme une attraction irrésistible, et il la fixait avec la même intensité. Il se demandait ce qu'elle allait dire à présent.

Elle joua la carte de la sécurité en décidant de commenter sa récente lecture de *Jaloux*.

— C'est vraiment un sale tour que Todd a joué à Roark.

— Il s'est débrouillé pour lui faire rater son rendez-vous avec Hadley.

— Vous avez bien amené la chose. Je n'avais rien vu venir.

— Tant mieux.

— Que compte faire Roark ?

— Que pensez-vous qu'il doive faire ?

— Lui casser la gueule.

Il poussa un petit sifflement devant tant de véhémence.

— Je suppose que c'est le genre de réaction qu'aurait un homme, ajouta-t-elle.

— Probablement. La colère l'amènerait à chercher un exutoire, une confrontation physique. Mais souvenez-vous que Todd voulait se venger pour le coup de la brosse à dents.

— Mais c'était juste une blague, s'exclama Maris. Une mauvaise blague, d'accord, mais les étudiants font souvent ce genre de choses, non ?

— Vous avez connu des étudiants qui faisaient ce genre de choses ?

— J'étais dans une école pour filles.

— Ah oui, c'est vrai, j'ai lu ça dans l'article, remarqua-t-il comme s'il venait juste de se remémorer ce détail de sa biographie, qu'il connaissait pourtant aussi bien que s'il l'avait écrite lui-même. On peut donc affirmer sans risque que vous n'avez aucune expérience de ce type d'ambiance masculine.

— Non, je dirais plutôt que mon expérience se limite à la façon dont ils se comportent lorsqu'ils sortent avec une fille, ce qui n'a effectivement rien à voir avec l'attitude qu'ils ont entre eux.

— C'est à cette époque que vous avez rencontré votre mari ?

— Je l'ai connu bien après l'université.

— Combien de temps après ?

— A l'époque où il est venu travailler chez Matherly Press.

— Bien vu. Il a épousé la fille du patron.

Cette réflexion ne manqua pas d'irriter Maris. A tel point que Parker comprit qu'il ne devait pas être le premier à faire le rapprochement. Maris aussi y avait déjà songé, et peut-être un peu trop souvent. Elle adopta un ton sec et professionnel :

— Pourrait-on revenir à votre livre ?

— Bien sûr. Désolé pour cette digression.

Tandis qu'elle rassemblait ses esprits, elle se mordilla la lèvre inférieure tout en tripotant un bouton de son chemisier. Parker se demanda pourquoi ces deux petits gestes inconscients, typiquement féminins, étaient si diablement sexy.

— Faire une blague, c'est une chose, observa-t-elle,

mais le tour que Todd a joué à Roark est vraiment vicieux. Et les conséquences ne sont pas les mêmes. Todd n'avait qu'à racheter une brosse à dents, tandis que Roark voit son avenir compromis. La petite farce de Todd pourrait affecter ses ambitions littéraires, voire les anéantir. Il ne peut pas laisser passer ça sans réagir.

— Exact. Roark ne pardonnera pas facilement mais, d'un autre côté, ça va le motiver.

— Oui, appuya-t-elle d'un ton enthousiaste, cet épisode va alimenter sa détermination.

— Il va atteindre un degré de réussite qui va provoquer chez Todd une certaine...

— Jalousie, termina-t-elle à sa place.

— Mais je vais tenir compte de votre suggestion. Roark va lui flanquer quelques coups de poing et Todd reconnaîtra les avoir mérités.

— Donc ils restent amis ?

— Il n'y aurait plus d'histoire si leur amitié se brisait là.

— Pas forcément. Le récit pourrait avoir autant de force s'ils devenaient ennemis.

— Vous verrez bien.

— Pardon ?

— Laissez-moi le temps.

Maris ouvrit de grands yeux.

— Vous avez déjà pensé à l'intrigue, n'est-ce pas ?

— En effet, avoua-t-il en haussant les épaules d'un air désinvolte. Il me reste quelques détails à mettre au point.

Elle essaya de se composer un air vexé sans y parvenir.

— Vous m'avez fait marcher.

— Pour provoquer votre enthousiasme.

— On peut dire que vous avez réussi. Puis-je vous faire une autre suggestion ?

— Je ne vous promets pas de la retenir.

— D'accord.

— Allez-y.

— Pourrait-on voir Roark tomber amoureux ?

— Vous voulez parler de la fille qui le quitte pour retourner avec son ancien petit ami ?

— Oui. Vous évoquez l'histoire d'amour, mais vous ne nous faites pas partager l'expérience de Roark. Vous ne nommez même pas la fille. Ce serait vraiment poignant et ça permettrait d'étoffer un peu plus le personnage de Roark. Dites-nous comment il gère la déception, ce genre de choses. Et je me disais...

— Je vous écoute...

— Et si Todd était impliqué dans leur rupture ?

Il fronça les sourcils et se gratta pensivement le menton, se rappelant au passage qu'il ne s'était pas rasé.

— J'ai peur que ça n'introduise un climat d'hostilité un peu précoce. Dans les premiers chapitres, j'essaie d'établir une amitié sincère entre les deux garçons. Par la suite, cette amitié s'étiole progressivement à cause de la compétitivité qui s'exerce entre eux. Mais si Todd commence à s'immiscer dans la vie amoureuse de Roark, puis qu'il lui fait une crasse avec Hadley, automatiquement, il devient le salaud, et Roark le héros.

— C'est un peu comme ça que je les vois.

— Vraiment ?

— Ça vous étonne ?

— L'histoire n'est pas encore achevée. Vous pourriez changer d'avis avant la fin.

Elle chercha à lire son regard, comme pour y voir le dénouement.

— Je n'ai pas le choix ? demanda-t-elle. Vous ne me direz rien ?

— Rien.

— Bon. En attendant, que pensez-vous de ma suggestion concernant la vie amoureuse de Roark ?

— Je vous le répète, Maris, laissez-moi le temps.

Elle se pencha vers lui avec impatience.

— Vous y aviez déjà pensé, je me trompe ?

— Vous n'avez pas de piercing au nombril ?

— Pardon ?

— Non, je demande ça parce que vous portez des jupes assez courtes, et avec votre chemisier, là, qui laisse voir votre...

— Merci, j'avais compris.

— Alors, pourquoi n'en portez-vous pas ?

— Je n'en ai pas envie.

— Dommage.

— Ça me fait mal rien que d'y penser.

— Un petit anneau. Ou un diamant. Ce serait vraiment sexy. Enfin... ce serait *encore plus* sexy, renchérit Parker en dirigeant son regard vers le visage de Maris. Rien que le fait d'apercevoir votre nombril est excitant.

— Ecoutez, Parker, si nous sommes amenés à nous fréquenter dans le cadre de relations professionnelles, il faudra que vous me parliez autrement.

— Je vous parle comme j'en ai envie.

— Pas si vous voulez qu'on travaille ensemble.

— Vous êtes libre de partir, rétorqua-t-il.

Mais Maris resta assise sur la caisse, comme il s'y était attendu. Comme il l'avait espéré.

Le tonnerre se mit à gronder, la pluie à marteler le toit, mais ce vacarme n'eut pour effet que de souligner le silence tendu qui s'était abattu entre eux. Parker rapprocha lentement son fauteuil jusqu'à avoir les genoux presque collés aux siens.

— Qu'avez-vous dit à votre mari ?

— A propos de quoi ?

— A propos de votre venue ici. Je suppose que vous lui avez téléphoné.

— Oui. J'ai laissé un message pour dire que tout allait bien.

— Un message ?

— A sa secrétaire.

— Il n'a pas de portable ? Je l'imaginais avec un de ces maudits objets collé à l'oreille en permanence.

— Il était en train de déjeuner avec le responsable de notre département édition électronique. J'ai préféré ne pas les interrompre. Je rappellerai plus tard.

— Avant d'aller vous coucher ?

— Possible. Qu'est-ce que ça peut bien vous faire ?

— Je me demandais juste si vous alliez porter une chemise de nuit, cette fois-ci.

— Parker...

— De quoi allez-vous parler ?
— Ça ne vous regarde pas.
— Ah bon ? Ça va être si terrible que ça ?
Elle prit une profonde inspiration avant de lâcher d'un ton sec :
— Je lui dirai que j'ai fait la connaissance d'un écrivain extrêmement talentueux...
— Arrêtez, vous allez me faire rougir !
— ... qui est en même temps l'homme le plus grossier, le plus insolent et le plus odieux que j'aie jamais rencontré.
— Et vous aurez raison, ajouta-t-il en souriant.
Son sourire s'estompa graduellement. Il se rapprocha un peu plus.
— M'est avis que vous n'allez pas lui dire que je vous ai embrassée, dit-il à voix basse. Je parie que vous allez passer ça sous silence.
Elle se leva brusquement et la caisse se renversa. Elle tenta de le contourner mais il anticipa son mouvement et lui bloqua le passage avec son fauteuil.
— Poussez-vous, Parker. Je rentre.
— Avec cette pluie ?
— Je ne vais pas fondre.
— En larmes, peut-être. Vous semblez furieuse. Ou effrayée, je ne sais pas.
— Je n'ai pas peur de vous, vous savez.
— Alors rasseyez-vous.
Voyant qu'elle ne bougeait pas, il désigna la porte.
— Parfait. Allez-y. Faites-vous tremper. Vous expliquerez à Mike ce qui s'est passé. Ça risque d'être compliqué, mais si vous y tenez, après tout...
Elle considéra la pluie un instant, puis se résigna à réintégrer sa place sur la caisse. Elle se rassit avec un air un peu pincé.
— Racontez-moi comment vous avez rencontré votre mari.
— Pourquoi le ferais-je ?
— J'ai envie de savoir.
— Pour quoi faire ?
— Appelez-ça de la curiosité créative.

— De la curiosité tout court, oui !

— Vous avez raison. Au diable les euphémismes. Je ne suis qu'un vilain curieux.

A en juger par son expression, il s'attendait à ce qu'elle refuse de répondre, mais au lieu de ça, elle croisa les bras – probablement pour cacher son nombril – et commença calmement :

— Je connaissais la réputation de Noah bien avant qu'il ne vienne travailler chez Matherly Press. C'était le principal cerveau d'une maison d'édition concurrente. J'ai été ravie d'apprendre que nous allions travailler ensemble, mais au bout d'un moment, j'ai compris que mes sentiments dépassaient largement la simple admiration qu'on pouvait avoir pour un collègue. J'étais tombée amoureuse.

» Au début, mon père s'est inquiété de me voir m'engager dans une histoire d'amour au travail. Il s'inquiétait aussi de notre différence d'âge : Noah a dix ans de plus que moi. Alors il m'a encouragée à rencontrer d'autres hommes. Il est même allé jusqu'à jouer les entremetteurs en me présentant les fils et les neveux de ses amis et associés. Mais c'était Noah que je voulais. Par chance, il éprouvait la même chose. On s'est mariés, et voilà. Satisfait ?

— Depuis quand êtes-vous mariés ?

— Presque deux ans.

— Des enfants ?

— Non.

— Pourquoi ça ?

Elle lui décocha un regard furieux. Il leva les mains dans un geste de capitulation.

— J'avais oublié, pas de questions intimes. Et puis si vous êtes stérile...

— Je ne suis pas stérile.

— Alors c'est lui ?

Elle était sur le point de se lever à nouveau, mais il la retint.

— D'accord, d'accord, le sujet des enfants est tabou. Laissons tomber.

Il s'interrompit le temps de remettre de l'ordre dans ses pensées.

— Donc, vous avez commencé à fréquenter Noah et vous êtes tombée raide dingue de lui en moins de temps qu'il n'en faut pour le dire.

— En fait, j'avais déjà le béguin avant de faire sa connaissance.

— Comment ça ?

— J'avais lu son livre.

— *The Vanquished.*

— Vous le connaissez ? Oh... Evidemment, l'article...

— Oui, mais je le connaissais avant ça. Je l'ai lu à l'époque où il est sorti.

— Moi aussi. Au moins cinquante fois.

— Vous plaisantez ?

— Non. J'adore ce roman. Le personnage principal, Sawyer Bennington, est devenu mon fantasme.

— Vous avez des fantasmes ?

— Comme tout le monde. Il n'y a pas à en avoir honte.

— Peut-être pour vous, mais personnellement, j'ai des fantasmes plutôt honteux. Vous voulez les entendre ?

— Vous êtes incorrigible.

— C'est exactement ce qu'a dit mon institutrice de maternelle à ma mère.

— Ah oui ?

— Oui. Elle m'avait surpris dans les toilettes en train de m'amuser avec mon nouveau jouet favori.

— Je ne vous demanderai pas de précisions.

— Et vous faites bien. De quoi parlait-on, déjà ?

— Sawyer Bennington.

— Exact. Votre héros et l'objet de vos fantasmes romantiques. Ce qui ne manque pas de me surprendre.

— Pourquoi ?

— C'est un criminel, non ?

— Un voleur et un assassin.

— Oui, c'est ce qu'on appelle généralement un criminel.

— Mais ses méfaits se justifient au regard de ce qu'ont subi sa femme et son enfant. En lisant le passage où il découvre leurs corps, je me suis mise à pleurer comme une madeleine. Je sanglote d'ailleurs à chaque fois que je le relis, ajouta-t-elle en prenant une expression rêveuse et mélancolique.

» Et pour en revenir à Sawyer, si c'est effectivement un vrai dur, avec Charlotte, en revanche, il se comporte différemment. Ils s'aiment passionnément, d'un amour que même la mort ne peut détruire. Lorsqu'ils le conduisent à la potence, il repense à...

Sa voix se mit à trembler. Gênée, elle haussa les épaules.

— Excusez-moi, Parker. Vous comprenez maintenant à quel point j'aime ce roman.

— Vous évoquez les personnages comme s'ils étaient réels.

— Noah les a si bien dépeints que parfois j'oublie qu'ils sont fictifs. Lorsqu'ils me manquent, j'ouvre le livre à n'importe quelle page, je lis quelques paragraphes et j'ai l'impression de leur rendre visite.

— Il n'y a pas eu d'adaptation au cinéma ?

— Si, un navet qui n'a vraiment pas rendu justice au roman. Mais à la décharge du réalisateur, je dois dire qu'aucun film n'aurait pu en restituer l'atmosphère. Certains critiques ont salué *The Vanquished* comme le meilleur roman historique depuis *Autant en emporte le vent*.

— Que d'éloges !

— Selon moi, c'est parfaitement mérité.

— Qu'a-t-il écrit par la suite ?

— Rien...

Son exaltation retomba d'un coup.

— A l'époque, Noah s'est beaucoup impliqué dans le processus éditorial de son roman. Il a décidé que c'était là sa vocation. Et j'imagine que lorsque votre premier livre est acclamé à ce point par les critiques et le public, cela doit être intimidant, et même terrifiant de se dire que le second devra être aussi bon. Il n'a plus rien écrit depuis. Enfin... Il s'y est remis récemment.

Le regard de Parker s'illumina.

— Il s'est remis à écrire ?

— Il s'est même installé un bureau exprès. Je suis vraiment contente.

A la vérité, elle ne semblait ni contente, ni même modérément enthousiaste. Un pli vertical s'était dessiné entre ses sourcils, discret mais néanmoins distinct. Elle ne devait pas avoir conscience que les expressions de son visage la trahissaient aussi facilement, ou sinon elle aurait pris garde de les dissimuler.

Quelques secondes s'écoulèrent en silence.

— Quels sont les autres personnages de roman qui ont joué un rôle clé dans vos fantasmes ?

— Plusieurs à vrai dire, admit-elle avec un petit rire. Mais aucun n'a eu l'impact de Sawyer Bennington.

Parker se pencha vers elle et, juste assez fort pour que sa voix couvre le bruit de la pluie, murmura :

— Maris ? Vous ne seriez pas tombée amoureuse du personnage, et non de l'écrivain ?

Une lueur de colère passa sur le visage de Maris, mais disparut aussi vite qu'elle était apparue. Elle sourit avec dépit.

— Etant donné la relation très spéciale que j'entretiens avec Sawyer Bennington, je suppose que votre question est pertinente. Certains auteurs m'ont expliqué que bien souvent, lors des séances de dédicace, les lecteurs étaient déçus de constater que les écrivains étaient en réalité des gens ordinaires, qui ne correspondaient pas à l'image héroïque qu'ils s'étaient forgée.

— Vous n'avez pas répondu à ma question.

— Ne soyez pas ridicule, s'irrita-t-elle. Je suis tombée amoureuse de mon mari. De son talent en premier, et de sa personnalité ensuite. Je l'aime encore, d'ailleurs.

— A quoi pensait-il ?

— Qui ça, Noah ?

— Non, le héros du livre, Sawyer. Juste avant d'être pendu...

— Oh. Il repensait à la première fois qu'il avait vu Charlotte.

Elle s'interrompit, hésitante, mais il lui fit signe de poursuivre.

— Noah a écrit ce passage de manière si vivante, avec un tel foisonnement de détails. Le verger, l'odeur des fruits mûrs, la chaleur écrasante, tout cela est tellement réel... Sawyer vient d'effectuer un long voyage. Il arrive à la ferme avec l'espoir d'y trouver de l'eau pour lui et son cheval.

» L'endroit semble désert, mais tandis qu'il s'avance vers le puits, il aperçoit Charlotte et un bébé endormis sur une couverture à l'ombre d'un pêcher. Sawyer se dit qu'elle doit être la mère de l'enfant.

Elle esquissa un sourire avant d'ajouter :

— Il est heureux d'apprendre plus tard qu'il s'agit en réalité de son petit frère.

Parker était hypnotisé par la voix de Maris. Il se sentait lui-même projeté dans la scène.

— Charlotte est la plus belle femme que Sawyer ait jamais vue. Ses longs cheveux dénoués, sa peau, ses lèvres... Les descriptions abondent pendant plusieurs paragraphes. A cause de la chaleur, elle a relevé sa jupe jusqu'aux genoux. Elle a les pieds nus. Sawyer est un jeune homme plein de vigueur, et cette vision enflamme ses sens. Elle pourrait aussi bien être nue. Il est fasciné par le mouvement de respiration qui soulève sa poitrine. Et déjà, on sent qu'il éprouve pour elle une admiration respectueuse, comme si elle représentait l'image de la Madone.

» A ce moment-là, il aurait pu se conduire en gentleman et se retirer poliment en la voyant, mais il choisit de rester. Il la contemple ainsi jusqu'à ce qu'un bruit se fasse entendre. C'est la famille de Charlotte qui revient de la ville, où ils étaient partis se ravitailler.

» Charlotte n'a jamais su que Sawyer l'avait regardée en train de dormir ce jour-là. Il ne lui en a jamais parlé. Ce souvenir était si précieux qu'il ne pouvait le partager avec quiconque, même avec elle. Si intense qu'il le revit en s'avançant vers la potence. Cet épisode représentait le moment le plus crucial de son existence et il est mort avec ce souvenir.

Parker l'avait écoutée jusqu'au bout. Sans un geste. Attentif au moindre mot. Ils restèrent un instant à s'observer en silence. Il régnait une atmosphère particulière que ni l'un ni l'autre ne voulaient dissiper.

Lorsqu'il prit la parole, sa voix sonna anormalement rauque.

— C'est vous qui auriez dû écrire ce livre, Maris.

— Moi ? Non, répondit-elle en poussant un petit rire. J'envie ce don. Je sais le reconnaître chez ceux qui en sont dotés, mais je ne suis pas écrivain.

Il réfléchit un instant aux propos de la jeune femme.

— Vous savez ce qui rend cette scène si érotique ? reprit-il ensuite.

Elle se pencha vers lui, curieuse de voir ce qu'il allait dire.

— C'est cette proximité, ce rapport cérébral si intime qu'il établit avec elle à son insu.

— Oui.

— Ses yeux et son esprit ont caressé ce que ses mains et ses lèvres auraient voulu effleurer. Il n'y a pourtant pas grand-chose à voir, mais il se sent coupable de la regarder.

— C'est l'interdit.

Il acquiesça d'un signe de tête et, d'une voix encore plus douce, ajouta :

— Le plus puissant des stimulants sexuels. Ce qui nous est défendu, ce qu'on désire si fort qu'on peut presque le sentir, mais pas le toucher.

Maris eut un léger sursaut. Consciente pour la première fois des mèches de cheveux qui lui tombaient dans le cou, elle voulut les remettre en ordre, mais abandonna aussitôt l'idée. Elle abaissa sa main, non sans avoir au passage tripoté son bouton de chemisier comme pour s'assurer qu'il était bien en place. Malgré ça, le regard de Parker se fixa dessus pour n'en plus bouger.

Elle se leva soudainement.

— Je vais y aller. Il ne pleut plus.

Ce n'était pas tout à fait vrai. La grosse averse était

passée mais il pleuvinait encore un peu. Parker ne chercha pas à la retenir.

Enfin... presque pas.

Avant qu'elle ait eu le temps de faire un pas, il avança la main et la saisit juste sous la hanche. Il avait les yeux à hauteur de cette bande de peau dénudée si appétissante, entre sa jupe et le bas de son chemisier. Lentement, il leva le regard jusqu'à son visage.

Elle avait la tête baissée vers lui, étonnée et inquiète, les bras ballants comme si elle ne savait quelle posture adopter.

— Tous les deux, nous savons très bien pourquoi je vous ai embrassée hier soir.

— Pour me faire peur.

Il se renfrogna.

— Je n'essaierai même pas de discuter. Non, je vous ai embrassée parce que vous aviez osé défier Terry et tous les autres, y compris moi. Je vous ai embrassée parce que le simple fait de vous regarder me donnait envie. Je vous ai embrassée parce que je ne suis qu'un sale type et que votre bouche m'excitait. Je vous ai embrassée tout simplement parce que j'en avais envie. Je l'avoue, et de toute manière, vous le savez déjà. Mais il y a une question qui m'obsède.

Il la fixa encore plus intensément et finit par percer son regard.

— Pourquoi est-ce que *vous* m'avez embrassé ?

12.

Le coup de fil de Maris n'aurait pas pu plus mal tomber, mais Noah préféra répondre pour ne pas risquer d'éveiller ses soupçons. Il avait un rendez-vous dans une dizaine de minutes, mais il demanda à son assistante de lui transmettre l'appel.

— Chérie ! Je suis tellement content de t'entendre.

— Ça fait du bien de t'avoir enfin au téléphone, soupira-t-elle. J'ai l'impression d'être partie depuis une éternité, ta voix est bizarre.

— Bizarre ?

— Je me suis habituée à l'accent du Sud.

— Pauvre de toi !

— Le pire, c'est que je me suis mise à dire « vous autres » au lieu de « vous ». J'ai même développé un goût pour le pain au gruau. Le secret, c'est de mettre beaucoup de sel et de poivre et de bien le beurrer.

— Continue comme ça et tu vas revenir énorme.

— Ça ne me surprendrait pas. Ce qu'ils ne cuisinent pas au beurre, ils le font revenir dans la graisse de bacon, et dans les deux cas c'est délicieux. Tu as déjà mangé des beignets de tomates vertes ?

— Comme le film ?

— Comme le livre, aussi. Tu les passes dans la farine de maïs et tu les fais frire dans la graisse de bacon. C'est délicieux. Mike m'a appris à les faire.

— Ton fabuleux écrivain est également cuisinier ?

— Non, ce n'est pas lui l'écrivain. En fait... pour résumer, disons que Mike fait à peu près tout ici, à part écrire.

Noah consulta la pendule Tiffany posée sur son bureau en se demandant comment il allait pouvoir mettre fin à la conversation avec élégance.

— Et ce livre, ça avance ? Comment ça se passe avec l'auteur ?

— C'est quelqu'un de très talentueux, mais il est parfois borné, voire carrément insupportable. D'un autre côté, il représente un vrai défi pour moi.

— Bien... C'est plutôt productif, alors ?

— Oui. Et à moins qu'il n'y ait un impératif, je vais rester là ce week-end et m'efforcer de l'aider dans son travail. Il a besoin d'encouragement. Il n'y a aucune raison pour que je me dépêche de rentrer ?

— A part le fait que tu me manques, non.

— Toi aussi tu me manques.

— Je ne voudrais pas jouer les égoïstes et te demander de revenir rien que pour moi. Je sens bien que tu es enthousiaste de collaborer à nouveau à l'écriture d'un livre.

— Tu ne peux pas imaginer. Et toi, tu écris ?

— Dès que je peux. J'ai été pas mal occupé avec les rapports du second trimestre, mais j'ai réussi à me libérer quelques heures tous les matins.

Il s'interrompit un instant avant de demander :

— Tu ne vas pas commencer à me harceler avec ça, j'espère ?

— Je n'irais pas jusqu'à parler de harcèlement.

— Souviens-toi que ça n'est qu'une activité annexe, Maris. Je ne peux pas mettre de côté mes obligations professionnelles.

— Je comprends, Noah, mais j'ai hâte de lire mon auteur favori.

— Ne t'excite pas trop vite. Ça risque de prendre du temps et je ne veux surtout pas précipiter les choses.

— Ça prend quand même tournure ?

— Oui, ça se met en place, répondit-il d'un ton évasif.

— Quoi que tu écrives, je suis sûre que ça vaudra la peine d'avoir attendu.

— Si tu as le temps de lire pour tes loisirs, c'est qu'on ne te donne pas assez de travail.

— Ne t'inquiète pas pour ça, fit-elle en riant. J'ai déjà beaucoup à faire avec ce projet, et j'ai d'autres manuscrits en attente pour les prochains mois. Il faudra que je bosse en dormant !

Il était ravi de l'entendre parler comme ça. Si elle était distraite par son travail, il pourrait consacrer plus de temps à conclure son marché avec WorldView. Cet ultimatum imprévu lui mettait les nerfs à vif et il était impatient de voir la ligne d'arrivée se profiler à l'horizon.

Il avait beau essayer de garder la tête froide, un flot d'adrénaline l'envahissait chaque fois qu'il y repensait. Mais il était persuadé que, de toute manière, Blume lui laisserait un sursis en cas de problème. Ce dernier convoitait tellement Matherly Press qu'il n'allait pas lâcher le morceau pour une histoire de quelques jours.

En attendant, l'absence de Maris ne pouvait pas mieux tomber. Il avait le champ libre pour manipuler Daniel. Mieux valait la jouer fine et surtout ne pas présenter les choses trop brutalement, sous peine de voir le vieil homme camper sur ses positions et combattre jusqu'au dernier souffle. En revanche, par une approche subtile, il pouvait le faire changer d'optique. Peut-être pas aussi facilement qu'avec d'autres personnes, mais Noah ne doutait pas de sa capacité à lui faire abandonner ses réticences quant à une éventuelle fusion.

Cela lui permettait aussi de passer plus de temps avec Nadia. Elle pouvait se révéler une vraie harpie lorsqu'elle se sentait délaissée, privée du temps et de l'attention qu'elle s'estimait en droit d'exiger.

— J'ai vraiment hâte que tu lises ce livre, Noah, poursuivit Maris, le ramenant brutalement à leur conversation.

De quoi avait-elle parlé pendant les deux dernières minutes ? Perdu dans ses pensées, il n'avait pas retenu le moindre mot. Visiblement, son manque d'attention était passé inaperçu.

— Il ne m'a pas encore révélé tous les détails de l'intrigue, mais je pense que le texte final sera excellent.

— Je me fie entièrement à ton jugement. Ecoute chérie, il va falloir que je raccroche. Je suis attendu dans cinq minutes.

— Quoi de neuf au bureau ?

Elle avait posé la question sans rancune. Leurs discussions pendant les heures de travail étaient généralement très brèves.

— J'ai rendez-vous avec Howard, et tu sais à quel point il est à cheval sur la ponctualité.

Howard Bancroft dirigeait le service juridique de Matherly Press.

— Si j'ai ne serait-ce qu'une nanoseconde de retard, il risque de se braquer pour la journée.

— De quoi allez-vous parler ?

— Je crois que ça concerne un problème de droits étrangers.

— Je ne voudrais pas que tu t'attires les foudres d'Howard, mais il y a autre chose dont je voulais te parler.

Il s'efforça de maîtriser son impatience.

— Alors vas-y, je vais prendre le temps de t'écouter.

— Comment va mon père ?

— Bien. Je l'ai vu hier soir et on s'est croisés dans la matinée.

— Il est venu au bureau ?

— Non, il a appelé pour me demander si je pouvais me débrouiller seul aujourd'hui. Je lui ai dit de prendre sa journée et même le reste de la semaine. Vu que tu n'es pas là, il n'y a aucune réunion prévue. C'est le moment idéal pour qu'il souffle un peu.

— Il va s'ennuyer.

— Ne t'inquiète pas pour ça. Il m'a expliqué qu'il allait passer la matinée chez lui pour régler quelques problèmes personnels, et je crois qu'il a prévu de déjeuner avec un vieil ami, au Four Seasons.

— Déjeuner avec un vieil ami... J'espère qu'il ne boit pas trop.

— Il a quand même le droit de s'offrir quelques verres à table s'il en a envie.

— Je sais, mais j'ai toujours peur qu'il tombe dans les escaliers. Avec son arthrite...

— Il a besoin d'être en parfaite possession de son équilibre, je vois ce que tu veux dire.

— A son âge, s'il se cassait le col du fémur, ce serait terrible. Et il ne supporterait pas de rester cloué au lit.

— Je vais demander à Maxine de le surveiller.

— Surtout pas ! s'exclama-t-elle. Ça le mettrait en rogne et il m'en voudrait d'être derrière tout ça.

— Dans ce cas...

— Oui ?

— Je pourrais lui en toucher deux mots. D'homme à homme.

— C'est une très bonne idée, acquiesça-t-elle l'air soulagé. Je préfère ça.

— Je passerai le voir dans la soirée pour en discuter avec lui. Je lui conseillerai d'être prudent.

— Merci Noah.

— Je t'en prie. Autre chose ?

— Non, pourquoi ?

— Howard m'attend.

— Oh, désolée, j'avais oublié. Je n'aurais pas dû te retenir aussi longtemps.

— Ne dis pas de bêtises. C'était important.

Il aurait voulu raccrocher tout de suite, mais il ne voulait pas qu'elle se fasse du souci pour Daniel. Ç'aurait pu la pousser à rentrer plus vite.

— Ne t'inquiète pas pour lui, Maris, la rassura-t-il tendrement. Il est beaucoup plus costaud qu'on ne l'imagine. Il n'y a vraiment aucune raison de s'alarmer. Surtout que depuis quelques jours, je trouve qu'il a repris du poil de la bête.

— Je suis sûre que tu as raison, mais quand je ne suis pas là, je ne peux pas m'empêcher de gamberger et je me fais du mauvais sang.

— Ne t'en fais pas. Et maintenant, si tu veux bien, je vais te laisser.

— Excuse-moi auprès d'Howard. Explique-lui que c'est de ma faute si tu es en retard.

— D'accord, affirma-t-il avec un petit rire. Allez, bisous.

— Noah, ajouta-t-elle juste avant qu'il raccroche, je t'aime.

L'espace d'un instant, il resta déconcerté, puis, du ton absent qu'emploie un mari dévoué mais préoccupé par son travail, il répondit :

— Moi aussi je t'aime, trésor.

Les déclarations d'amour ne signifiaient rien à ses yeux. Elles ne représentaient qu'une suite de mots sans pertinence. Il ne comptait plus les femmes à qui il avait dit la même chose pour les attirer dans son lit. Il avait ainsi verbalement exprimé son amour pour Maris quelques années plus tôt, à l'époque où il lui faisait la cour. Il fallait en passer par là pour obtenir la bénédiction de Daniel et, après le mariage, il avait tenu son rôle de jeune marié à la perfection. Pourtant, depuis quelques mois, ses déclarations s'étaient faites de plus en plus rares.

Maris, au contraire, était d'une nature passionnée. Elle était très bisous-câlins, à tel point que c'en était irritant. Elle lui disait « je t'aime » au moins une fois par jour et, bien qu'habitué à l'entendre, il ne ressentait pour elle aucun sentiment du même ordre.

Cette dernière déclaration le laissait méditatif. Ce n'étaient pas tant les mots en eux-mêmes, mais la manière qu'elle avait eue de les prononcer qui lui avait semblé curieuse. Comme si elle cherchait à s'en persuader ou à le rassurer sur ce qu'elle éprouvait. La surprise d'anniversaire n'avait-elle pas suffi ? Le suspectait-elle encore d'infidélité ?

Il passa en trombe devant l'assistante de Bancroft, esquissa à peine un geste à son attention et entra dans le bureau de l'avocat. Sa conversation avec Maris continuait à le hanter et soulevait des questions qui demandaient réflexion. Il avait senti dans son « je t'aime » un désespoir sous-jacent. Restait à déterminer ce que cela signifiait.

Une chose était certaine : elle aurait remballé sa déclaration d'amour si elle avait eu connaissance du dossier que Noah tenait à la main.

— Bonjour Howard. Désolé pour le retard. J'étais au téléphone avec Maris pour la prévenir qu'elle recevrait ce document demain ou après-demain au plus tard. Elle est à Perpète-les-Oies, à l'autre bout du monde, mais elle m'a assuré que le courrier arrivait sans problème.

Sans y avoir été invité, il s'assit nonchalamment dans une causeuse et dirigea son regard vers la fenêtre.

— Je me demande vraiment ce que tu as fait pour mériter ce bureau, Howard. La vue est splendide.

Son comportement cavalier n'avait d'autre but que de détourner l'attention d'Howard. Mais il savait par expérience que le petit juif n'était pas du genre à se laisser impressionner. Son aspect ratatiné le vieillissait de dix ans et il culminait à un mètre soixante-cinq après avoir enfilé ses chaussures à semelles compensées. Tête chauve et pointue surmontée d'une bosse, il portait des bretelles et des pantalons de tweed en toutes saisons. Avec ses petites lunettes rondes, Howard Bancroft ressemblait à un gnome. Ou bien à ce qu'il était – un homme de loi rusé.

— Le document est prêt ? demanda Noah alors que les feuilles en question étaient posées en évidence sur le bureau.

— Il est prêt, répondit Bancroft.

— Merci d'avoir été si rapide.

Noah se pencha pour saisir le dossier, mais la main veineuse et tachetée de Bancroft vint se poser dessus.

— Pas si vite, Noah. Je ne sais pas encore si je vais te le remettre aujourd'hui.

— Pourquoi ça ?

— J'ai bien suivi tes directives, mais... Je peux me permettre d'être franc ?

— On gagnerait du temps.

— Eh bien j'ai longtemps hésité avant de le rédiger. Le contenu est plutôt troublant.

L'avocat ôta ses lunettes et entreprit de les nettoyer

à l'aide d'un grand mouchoir blanc qu'il avait tiré de la poche de son pantalon. Pour Noah, cela revenait à le voir agiter le drapeau de la reddition, car cette bataille, Howard Bancroft allait la perdre.

— Oh ! Vraiment ? Et en quoi est-il si troublant ? s'enquit Noah d'une voix assez tranchante pour que l'avocat comprenne qu'il n'y avait pas à discuter.

Bancroft ne parut pas s'en émouvoir.

— Es-tu certain que Maris approuve cette démarche ?

— J'ai fait cette requête en son nom, Howard.

— Pourquoi estime-t-elle ce document nécessaire ?

— Tu sais comme moi, et comme Maris, que le monde de l'édition n'est plus ce paisible club de gentlemen qu'il était au siècle dernier. Il est devenu aussi féroce que les autres secteurs : rester immobile sur le marché équivaut à faire marche arrière. Tu te fais dépasser par tes concurrents et avant d'avoir eu le temps de réagir, tu te retrouves en queue de peloton. On ne va quand même pas laisser Matherly Press respirer la poussière de ses adversaires ?

— Très beau discours, Noah. Garde-le en réserve pour le prochain congrès, ça motivera les troupes. D'un autre côté, je ne vois pas bien le rapport avec ma question, ni avec ce document.

— Ce document, répliqua Noah en pointant du doigt le dossier, représente notre bouée de sauvetage. Matherly Press doit être prêt à affronter les bouleversements que connaît le milieu de l'édition. Il faut pouvoir agir avec un maximum de souplesse pour saisir la moindre occasion qui viendrait à se présenter.

— Même sans l'accord de Daniel.

Noah prit un air attristé.

— Ah, Howard, c'est bien ça le problème. Ça nous brise le cœur, Maris et moi, de voir Daniel vieillir. C'est une cruelle réalité, mais nous devons l'accepter. S'il devait lui arriver quelque chose, disons un sale coup qui le rendrait subitement incapable de prendre des décisions importantes, cette procuration garantirait une transition en douceur et empêcherait la compagnie de sombrer dans le chaos.

— Je te rappelle que c'est moi qui ai rédigé les clauses. Je les connais par cœur. Je sais aussi que de tels documents existent déjà depuis plusieurs années. M. Stern, l'avocat personnel de Daniel, les a rédigés quand Maris a atteint la majorité. J'en ai moi-même une copie et je sais qu'ils contiennent un testament de vie. Si un événement imprévu venait à se produire, Maris aurait procuration pour décider à la place de Daniel, aussi bien sur un plan personnel que professionnel.

— Je connais ces documents, mais celui-ci est différent.

— En effet. Il rend les autres caducs. Et c'est à *toi* qu'il donne procuration.

— Es-tu en train de suggérer que je chercherais à m'insinuer...

— Loin de moi cette idée, assura Bancroft en levant les mains. Daniel et Maris ont déjà évoqué la nécessité d'amender leur procuration pour y inclure ton nom, mais cette responsabilité incombe à M. Stern.

— C'est beaucoup plus simple de passer par toi.

— Pour qui est-ce plus simple ?

Noah le fixa droit dans les yeux.

— Y a-t-il autre chose de *troublant*, Howard ?

L'avocat hésita, comme s'il savait qu'il avait tort de continuer, mais ses convictions semblèrent l'emporter sur la prudence.

— Ça ressemble un peu à un tour de passe-passe. J'ai l'impression que tout ça se fait dans le dos de Daniel.

— Il a donné son accord. Tu viens toi-même de le dire.

Visiblement frustré, Bancroft passa la main sur son crâne bossu.

— Ça me gêne de délivrer un document aussi important s'il n'est pas signé en ma présence.

— J'ai dit à Maris que je refuserais de signer tant qu'elle-même ne l'aurait pas fait, expliqua Noah. Je serai inflexible sur ce point. Elle fera certifier sa signature en

Géorgie et quand elle m'aura retourné le document, je le signerai. Dès son retour, nous organiserons un rendez-vous avec Daniel. Franchement, je pense qu'il sera soulagé de voir que toutes les dispositions ont été prises. Personne n'aime se savoir vulnérable. Il sera heureux que nous l'ayons débarrassé de cette responsabilité.

— Je n'ai jamais vu Daniel effrayé par ce qui pouvait lui arriver, rétorqua Bancroft. Mais sans parler de ça, pourquoi ne pas attendre le retour de Maris ? Explique-moi l'urgence.

Noah laissa échapper un profond soupir, comme s'il cherchait à se maîtriser.

— C'est justement parce qu'elle est en déplacement qu'elle tient à régler ça au plus vite. Elle travaille avec un auteur qui vit reclus sur une île, et tant que le manuscrit ne sera pas terminé, elle va devoir effectuer pas mal d'allers-retours. Elle sera souvent absente, et ce pour des périodes indéterminées. Tu sais ce que c'est, Howard. Il peut toujours y avoir une merde. Crash d'avion, accident de voiture, maladie. Si le pire devait arriver, elle veut que Matherly Press soit protégé.

— Et c'est la raison pour laquelle le document devient valide avec ta seule signature ?

— Je l'ai dit à Maris, et je te le répète, je ne signerai pas tant qu'elle-même n'aura pas signé.

Ils s'observèrent un long moment, puis Bancroft hocha la tête.

— Je suis désolé, Noah, mais je dois avoir confirmation auprès de Maris que le texte est bien conforme à ce qu'elle attendait. Et même alors, je lui conseillerai de revoir certaines clauses. Il y a quelque chose de pas très orthodoxe là-dessous. Je travaille pour les Matherly depuis des années et ils savent que j'ai toujours agi dans leur intérêt. Je suis sûr que tu comprends mes précautions.

— Je les juge parfaitement inutiles, à moins que tu ne cherches à m'insulter.

— Je ne transigerai pas, Noah.

— Très bien. Appelle Maris, proposa Noah en désignant le téléphone.

C'était un coup de bluff, mais il était persuadé que Bancroft allait se dégonfler.

— Ou mieux, reprit-il. Daniel est chez lui. Demande-lui de venir relire le dossier.

— J'aimerais d'abord revoir en personne les précédents documents avant de les convoquer. D'ici là, inutile de leur faire perdre du temps.

Bancroft posa ses deux mains sur le document d'un geste péremptoire.

— A moins que Daniel ou Maris ne m'appellent pour m'en donner l'autorisation, je ne peux pas te le remettre.

Noah lui jeta un regard noir. Puis il sourit. Un sourire qui s'élargit de plus en plus. En fait, il avait espéré que la réunion prendrait cette tournure. Il avait espéré que le nain ne lui gâcherait pas son plaisir en capitulant trop vite. Toute cette conversation n'avait été qu'un préambule en vue du grand final. Et Noah comptait bien en profiter au maximum.

— Bien, Howard, repartit-il d'un ton menaçant, visiblement, tu me soupçonnes de vouloir employer un subterfuge.

— Je ne soupçonne rien du tout, répondit l'avocat avec affabilité.

— Tant mieux. Je ne voudrais surtout pas que tu me suspectes de duplicité. Personnellement, je trouve ça méprisable. La duplicité. La trahison. La déloyauté envers sa famille. Envers sa race.

Il soutint le regard de l'avocat et déposa doucement sur le bureau le dossier qu'il avait apporté. Il le glissa vers Bancroft, qui fixait la chemise en carton avec l'appréhension d'une personne sur le point d'ouvrir un panier rempli de serpents. Après une minute de mutisme mêlé de crainte, l'avocat se mit à lire.

— Qui aurait pu s'en douter ? lança Noah. Ta mère s'envoyait en l'air avec des nazis.

Les frêles épaules de Bancroft s'affaissèrent d'un seul coup.

— Tu vois, Howard, je mets un point d'honneur à me renseigner sur les gens qui m'entourent, surtout ceux qui risquent de se mettre en travers de ma route. Ça m'a coûté pas mal de temps et d'argent, mais je dois avouer que ça en valait largement la peine.

» J'ai rendu une petite visite à ta mère dans la maison de retraite où tu l'avais envoyée croupir. Je lui ai mis un peu la pression et elle a fini par me révéler son petit secret, et, contre une somme modique, un gardien a tout écrit noir sur blanc. Ta mère a signé. Tu reconnais son écriture, là, sur la dernière page ? A ce moment-là, elle était si faible qu'elle pouvait à peine tenir le stylo. Franchement, ça ne m'a pas surpris qu'elle décède quelques jours plus tard.

» Tu connais déjà toute l'histoire, Howard, mais pour ma part, le récit m'a fasciné. Ta mère a été arrêtée chez elle en Pologne à l'âge de vingt-trois ans. Le reste de la famille, ses frères, sa sœur et ses parents ont été fusillés. Ta mère, elle, a eu la chance d'être déportée vers un camp de concentration.

» A l'époque, sur le Vieux Continent, vingt-trois ans était un âge limite pour convoler. Ta mère avait empêché le mariage de sa sœur cadette parce qu'elle devait se marier la première. Cette incapacité à attirer les hommes avait même fini par créer une sorte de conflit au sein de la famille.

» Mais en arrivant au camp, elle a reçu beaucoup d'attention de la part de la gent masculine. Les gardiens en particulier. Tu vois Howard, ta mère a vendu sa chatte pour rester en vie. Et ce pendant cinq ans. Elle a fini par apprécier les petites faveurs qu'on lui accordait et ne s'en est pas cachée. Elle aurait pu se retrouver à trimer avec les autres femmes du camp, avoir le crâne rasé, être au pain sec et à l'eau et craindre tous les jours pour sa vie. Mais non, elle se faisait sauter dans des salons confortables. Elle ripaillait avec les nazis. C'était la pute de service. Et à cause de ça, les autres la méprisaient.

» On ne se demande plus pourquoi elle a changé d'identité et s'est inventé un passé en émigrant aux Etats-Unis.

» Cette belle histoire du juif qui s'était battu pour la

liberté, qui avait sacrifié sa vie pour elle et l'enfant qu'elle portait... Elle était complètement fausse, comme tu l'as toi-même découvert à l'âge de... quoi ? Sept ? Huit ans ? En tout cas, tu étais assez vieux pour comprendre. Un soir, tu es rentré de l'école et tu as demandé à ta mère pourquoi tout le monde t'insultait et te crachait dessus. C'est à ce moment-là que vous avez décidé de déménager.

Les mains d'Howard Bancroft tremblaient si fort que cette fois-ci, en ôtant ses lunettes, il les fit tomber sur le bureau. Un faible gémissement monta de sa poitrine.

— Elle ne savait pas exactement quel gardien l'avait mise enceinte. Il y en a eu tellement... Mais selon elle, il s'agissait peut-être d'un officier qui s'était tiré une balle dans la tête quelques heures avant l'arrivée des troupes alliées dans le camp. Tu es né quatre mois plus tard. J'imagine qu'elle n'avait pas pu avorter. Ou bien alors elle avait un faible pour cet homme. J'ai entendu dire que même les putes éprouvaient des sentiments.

» Howard, Howard, quel drôle de secret tu as gardé. Je ne sais pas si la communauté juive te verrait d'un très bon œil s'ils savaient que ta mère fricotait avec ceux qui ont envoyé les leurs vers les chambres à gaz, et que ton père a fait torturer et exterminer des milliers d'entre eux. Qu'est-ce que tu en penses ?

» Etant donné la ferveur avec laquelle tu t'es battu pour les survivants de l'Holocauste, ils pourraient considérer ta croisade comme hypocrite. Tes amis israéliens – et je suppose qu'ils sont nombreux – se répandraient en insultes contre toi. Ton sang est mêlé à celui d'une pute et d'un aryen. Tu es le fils d'une traîtresse et d'un assassin.

» Maintenant, tu vas me dire que je ne peux rien prouver. Mais ta réaction est une preuve suffisante, non ? De toute manière, il n'y a pas à prouver quoi que ce soit. La rumeur seule suffirait à détruire ta réputation de bon juif, et les dommages seraient irréparables.

» Ta famille serait brisée, parce que même ta femme et tes enfants ignorent la vérité. Je frémis en pensant à l'impact que de telles révélations auraient sur eux. Imagine-les en train d'expliquer à tes petits-enfants que leur grand-père est né de l'éjaculation d'un nazi. Tu perdras l'estime et la confiance de tous. Tu vivras dans l'infamie, tu seras considéré comme un menteur et un traître envers ta race et ta religion, comme ta mère.

La tête enfouie dans les mains, Howard Bancroft s'était mis à sangloter, le corps tout entier pris de convulsions.

— Rassure-toi, personne ne l'apprendra, reprit Noah d'un ton soudain plus joyeux.

Il se leva et s'empara de son dossier ainsi que du document qu'il était venu chercher.

— Je sais garder un secret, tu sais. Croix de bois, croix de fer, ajouta-t-il en dessinant un X invisible sur sa poitrine. Mais je suis sûr que tu comprends mes précautions, continua-t-il en singeant l'avocat. J'ai conservé une copie de la déclaration de ta mère. J'en ai confié une autre à un avocat que j'ai engagé spécialement pour cette affaire. C'est un sale type sans scrupules, un procédurier avec de forts penchants antisémites.

» Si un événement fâcheux venait à m'arriver, il a pour instructions de distribuer le dossier dans toutes les synagogues de New York. Je suis sûr que ça aura un gros succès. Surtout les passages concernant les fellations que ta mère faisait aux nazis. Certains étaient trop rigides pour accepter de coucher avec une juive, mais apparemment, les pipes ne comptaient pas.

Noah se dirigea vers la porte. Bien que l'avocat n'eût fait aucun effort pour se lever et continuât à pleurer, il ajouta :

— Non, non, Howard, inutile de me raccompagner. Je te souhaite une bonne journée.

13.

— Vous partez demain ?

— Dans la matinée, répondit Maris.

Son regard balayait nerveusement l'espace du solarium, évitant de se poser directement sur Parker.

— Mike s'est arrangé pour qu'un bateau vienne me chercher. Mon avion décolle de Savannah à neuf heures et demie et j'ai une correspondance à Atlanta.

— Alors bon voyage.

Son visage hargneux suggérait plutôt qu'il aurait aimé lui souhaiter bonne route pour l'enfer.

Elle le voyait pour la première fois depuis le début de la journée. Passée en coup de vent le matin le temps d'avaler un bol de céréales, elle avait carrément sauté le déjeuner, puis demandé à Mike de lui apporter un sandwich pour le dîner, prétextant le travail pour s'isoler. Elle voulait relire le manuscrit avec la plus grande concentration et sans crainte d'être distraite. Mike avait accepté son excuse. Ou du moins avait-il fait semblant.

A voir la mine renfrognée de Parker, elle se dit qu'elle avait été bien inspirée de garder ses distances. Il semblait d'humeur mauvaise, comme impatient de se quereller. Plus tôt elle aurait dit ce qu'elle avait à dire, mieux ce serait.

— J'aimerais qu'on ait une dernière discussion avant mon départ, à propos du manuscrit. J'ai passé une grande partie de la journée à le réévaluer.

— Réévaluation, c'est le terme ?

— Comment ça, le terme ?

— Pour expliquer le fait que vous m'ayez soigneusement évité tout au long de la journée.

OK. Il voulait la guerre, il allait l'avoir.

— Oui, je vous ai évité. Ça vous surprend ? Après ce qui s'est passé...

Elle s'interrompit en voyant Mike arriver avec la desserte.

— Tarte aux pêches, annonça ce dernier.

Parker se renfrogna.

— Et la glace, c'est en option ? demanda-t-il d'un ton sec.

— Tu voulais quoi, Parker ? Qu'elle fonde avant que j'aie eu le temps de la servir ? Mon Dieu, soupira Mike.

Il déposa le plat sur la table et retourna furieux dans la cuisine en marmonnant que, décidément, tout le monde était d'humeur acariâtre aujourd'hui. Il revint avec un carton de glace à la vanille et confectionna des boules qu'il servit par-dessus les parts de tarte fumantes.

— Je vais aller manger dans ma chambre, indiqua-t-il ensuite. Il y a un festival Bette Davis à la télé. Si tu as besoin de quelque chose, tu te sers, ajouta-t-il à l'intention de Parker. Maris, s'il vous faut quoi que ce soit, venez toquer. Ma chambre est à l'étage, première porte sur la droite.

— Merci, Mike. Mais à mon avis, je n'aurai pas à vous déranger. La tarte a l'air délicieuse.

— Régalez-vous.

Il quitta la pièce. Parker, lui, s'attaqua furieusement à sa part. Lorsqu'il eut fini, il laissa retomber sa cuillère qui atterrit dans l'assiette avec fracas, reposa le tout sur la desserte et se dirigea vers son ordinateur.

— Vous voulez lire ce que j'ai écrit ou pas ?

— Bien sûr que je veux lire.

Pendant que les pages s'imprimaient, Maris termina tranquillement son dessert. Son assiette à la main, elle s'approcha lentement de la bibliothèque et entreprit de passer en revue les innombrables romans que possédait Parker.

— Vous aimez les intrigues policières, à ce que je vois.

— Quand elles sont bien écrites.

— Alors vous devez aimer le style de Mackensie Roone.

— Oui, il est assez bon.

— Juste bon ? Vous avez toute la série des Deck Cayton.

— Vous en avez lu ?

— Quelques-uns. Pas tous.

Elle sortit l'un des livres et se mit à le feuilleter.

— Je regrette que nous ne les ayons pas publiés. Ça se vend comme des petits pains.

— A cause de quoi, selon vous ?

— Et vous, qu'est-ce qui vous plaît dans ces histoires ?

Il réfléchit un instant avant de répondre.

— Elles sont un peu nulles, mais toujours marrantes.

Maris acquiesça d'un signe de tête.

— C'est aussi l'avis de millions de lecteurs à travers le monde. Le personnage de Deck Cayton plaît autant aux femmes qu'aux hommes. Normal, il mène une existence de rêve. Il vit de sa fortune, et son métier de détective n'est pour lui qu'un hobby. Il habite un fabuleux house-boat, conduit des voitures de luxe, pilote son propre jet. Il est aussi à l'aise en smoking qu'en jeans.

— Et encore plus à l'aise lorsqu'il les enlève.

— Vous avez dû lire celui qui se déroule dans un camp de nudistes.

— Mon préféré, confirma Parker avec un sourire lubrique.

— Comment se fait-il que ça ne me surprenne pas ?

— Pour en revenir au personnage...

Elle lécha distraitement une goutte de glace fondue qui coulait le long de sa cuillère.

— Deck Cayton est un personnage charmant, plein d'esprit, élégant. C'est...

— Aussi un con.

— Oui, par moments. Et même avec un grand C. Mais l'auteur le décrit de façon si engageante qu'on lui pardonne ses défauts. Il est tout simplement humain, et c'est ce que les lecteurs apprécient. Ils s'identifient plus facilement. Bien que Cayton soit armé, dangereux et vulgaire, il reste un homme sensible et vulnérable.

— Depuis la mort de sa femme.

— Exactement. L'auteur y fait souvent référence, mais je n'ai pas lu ce livre en particulier.

— C'est le premier de la série, expliqua Parker. Elle meurt à la suite d'un accident de ski. Deck lui lance un défi en lui proposant de faire la course et elle percute un arbre. L'autopsie révèle après coup qu'elle était enceinte. Ni elle ni Deck n'étaient au courant. Je vous conseille de le lire.

— Je n'y manquerai pas, promit-elle en tapotant sa cuillère contre ses dents. Vous voyez comment l'auteur introduit la vulnérabilité de son héros ? Les lecteurs peuvent s'identifier à lui à cause de cet accident tragique.

— Vous parlez comme une éditrice.

— Déformation professionnelle, indiqua-t-elle en riant.

— En tout cas, vous semblez y avoir réfléchi.

— J'analyse tous les best-sellers. Surtout ceux que publient nos concurrents. J'ai besoin de savoir pourquoi Deck Cayton fait vibrer la corde sensible des lecteurs. Une partie de mon travail consiste à prédire ce que le public aura envie de lire.

Elle avala sa dernière bouchée de tarte.

— Mais je n'en reste pas moins une fan. Deck Cayton, c'est le héros qui ne manque jamais d'élucider les mystères, il finit toujours par coincer le méchant et par attirer la fille dans son lit.

— Et il la fait jouir à tous les coups.

Maris referma le livre d'un geste sec et le replaça sur l'étagère. Il avait dit ça dans le seul but de la provoquer, et même si ça avait marché, elle n'allait pas le laisser paraître.

— Comme je l'ai dit, il plaît autant aux hommes qu'aux femmes.

Parker esquissa un sourire mais s'abstint de commentaire.

— Lequel avez-vous préféré ? demanda-t-il.

— *Par ici la monnaie.*

Il grimaça.

— Vraiment ? Celui où Deck se transforme presque en mauviette ?

— Vous dites ça parce qu'il fait preuve de sensibilité envers le personnage féminin ?

Parker plaça la main sur son cœur et déclara avec dédain :

— Il exprime son côté féminin.

— Mais sa nature de goujat ne tarde pas à reprendre le dessus. Avant la fin du livre, il redevient ce petit flambeur que tous les hommes rêvent d'incarner.

— Est-ce qu'il s'est montré à la hauteur de vos fantasmes ?

— Deck Cayton ?

— Non, votre mari. Le moins qu'on puisse dire, c'est que son livre vous a fait de l'effet. Est-ce que ses performances au lit se sont montrées à la hauteur de vos espérances ?

— Cette question est tout à fait déplacée, Parker, rétorqua-t-elle en le fixant droit dans les yeux.

— Alors la réponse est non ?

— La réponse est : ça ne vous regarde pas. Votre curiosité à l'égard de ma vie intime est inacceptable. C'est d'ailleurs la raison pour laquelle j'ai évité de me retrouver seule avec vous depuis hier soir. Ce qui s'est passé dans la fabrique m'a rendue très mal à l'aise. Je vous rappelle que je suis mariée.

— Que s'est-il passé de si spécial ? Je ne vois pas ce qui aurait pu compromettre votre statut de femme mariée.

Son innocence feinte la rendit furieuse, mais elle ne voulait pas lui donner la satisfaction de laisser transparaître sa colère. Elle décida de changer de tactique et, adoptant un air indifférent, elle alla reposer son assiette sur la desserte.

— Vous attachez beaucoup trop d'importance à ce baiser, Parker. Vous m'avez demandé pourquoi je vous avais laissé faire, et puisque la question semble vous préoccuper, laissez-moi clarifier les choses. Je vous ai laissé faire parce que vous repousser aurait été inélégant et embarrassant, aussi bien pour vous que pour moi. Une voiturette de golf n'est pas un endroit très pratique pour chercher à protéger sa vertu. Et n'allez surtout pas croire que vous m'avez fait peur, ajouta-t-elle avec un sourire narquois. Si je m'étais enfuie, vous auriez eu du mal à me rattraper.

— Aïe ! Bien envoyé. Ça y est, Maris, on joue enfin à armes égales.

— C'est la seule chose que vous semblez comprendre.

— A mes yeux, c'est la seule façon de communiquer.

— En d'autres termes, à quoi bon combattre si ce n'est pas pour gagner ?

— Exactement. Vaincre à tout prix et par tous les moyens. Voilà ce que j'ai appris dans la vie – ou plutôt ce qu'on m'a fait comprendre : si tu veux finir la course en tête, il faut savoir tenir la distance.

Sa prolixité sur le sujet l'intriguait, mais une lueur inquiétante s'était allumée dans le regard de Parker. Maris préféra ne pas explorer davantage ce domaine.

— Ecoutez, j'avais très envie de travailler avec vous, alors si un petit baiser sans importance m'en donnait l'opportunité, j'estime que c'était un prix plutôt modique à payer. Ne pourrait-on pas laisser de côté cet épisode puéril et se concentrer sur ce qui m'a amenée ici ? A savoir votre livre et mon intention de vous l'acheter.

— Combien êtes-vous prête à payer ?

La question de l'argent n'avait encore jamais été abordée et elle fut prise au dépourvu.

— Je n'y ai pas encore réfléchi.

— Eh bien tâchez d'y penser.

— C'est un peu prématuré, non ?

— Pour vous peut-être, mais pas pour moi.

— Je ne m'engagerai pas tant que vous n'aurez pas achevé le manuscrit.

— Et moi, je ne vais pas me faire chier à écrire un livre que vous êtes susceptible de refuser.

— Désolée, mais c'est comme ça que le système fonctionne.

— Peut-être, mais ce n'est pas comme ça que *moi* je fonctionne.

Les feuilles fraîchement imprimées étaient maintenant soigneusement empilées sur ses genoux.

Elle mourait d'envie de les lire mais, connaissant son obstination, elle savait qu'il ne reviendrait pas sur sa position.

— Alors ? Je vous écoute.

— Je serais prête à vous faire une avance si vous me montrez un synopsis détaillé.

— Je refuse d'écrire un synopsis.

— Pourquoi ça ?

— Je préfère la spontanéité.

— Vous ne serez pas obligé de le suivre à la lettre. Si une nouvelle idée vous vient en cours de route, vous serez toujours libre de l'exploiter. Tout ce que je veux, c'est un aperçu général. Un plan.

— Ça gâcherait l'effet de surprise.

— Je suis votre éditrice. Je n'ai pas besoin d'être surprise.

— Bien sûr que si. Vous êtes une lectrice avant tout. En quelque sorte, vous êtes un peu mon premier baromètre. C'est vous qui allez me dire si le livre est bon ou pas. Et vous le savez, les rebondissements sont essentiels pour aimer un roman. Sans compter que je préfère consacrer mon énergie à écrire le bouquin plutôt qu'un stupide synopsis.

— Je vous le répète, Parker, prenez votre temps. C'est dans notre intérêt à tous les deux.

— Que dalle.

— C'est drôle, on croirait entendre Todd.

— Todd ?

Elle se dirigea vers la table où elle avait laissé sa copie du manuscrit.

— Voyons voir... Je pense que c'est au chapitre six. Non, sept. Il s'agit d'une scène entre Roark et Todd. Ce dernier explique qu'Hadley lui a suggéré de revoir la façon dont le personnage de son livre se comporte envers son père, et Roark est plutôt d'accord avec le prof.

Elle chercha l'extrait concerné.

— Ici. Page vingt-deux. Voilà ce que dit Todd : *Notre cher professeur n'a qu'à écrire un livre si ça lui chante. Il fera ce qu'il veut de ses personnages. Toi c'est pareil, tu fais ce que tu veux avec les tiens. Mais là, ce sont les miens. C'est* moi *qui les ai créés. Je sais ce qui les motive et il est hors de question que je les change pour faire plaisir à Hadley. Non, non, monsieur Hadley, que dalle !*

Il se contenta de hausser les épaules.

— OK. Je vais laisser Todd répondre à ma place.

— Mon Dieu, que vous êtes borné.

Ils s'observèrent un instant.

— Voulez-vous entendre ce que j'ai écrit aujourd'hui, pendant que vous vous acharniez à m'éviter ? demanda-t-il enfin.

Ignorant son sarcasme, elle répondit :

— Bien sûr. Vous avez dit : voulez-vous *entendre* ?

— Je pensais vous le lire parce que c'est un peu confus. J'ai écrit vite et je n'ai pas trop fait attention aux majuscules, à la ponctuation, ce genre de choses. Prenez un siège.

Elle s'installa dans l'une des chaises en osier, garnie d'épais coussins, ôta ses sandales et replia ses jambes sous elle. Parker rapprocha son fauteuil, enclencha le frein et ajusta la lumière du lampadaire pour qu'elle éclaire directement les feuilles qu'il s'apprêtait à lire. Le reste de la pièce était plongé dans l'obscurité.

— J'ai suivi votre conseil, Maris, et j'ai étoffé le personnage de la fille. Elle apparaît dans plusieurs scènes. Celle-ci intervient le soir juste après l'entretien entre Roark et Hadley.

» Le prof a fixé à Roark un nouveau rendez-vous après le congé de Thanksgiving. En sortant du bureau, Roark retourne directement dans sa chambre, il tire son ami du lit et, comme vous l'avez suggéré, il lui fout une bonne raclée. D'autres étudiants finissent par les séparer. Todd s'en tire avec le nez en sang et une lèvre enflée. Il présente ses excuses.

— Vraiment ?

— Vraiment. Il explique à Roark qu'il a simplement voulu faire une blague et qu'il n'a pas réfléchi aux conséquences. Il n'avait pas imaginé qu'Hadley se montrerait aussi sévère pour un simple retard.

— Est-il sincère en disant ça ?

— Nous n'avons aucune raison de croire le contraire.

— Non. Je suppose que non.

— Roark accepte les excuses de Todd, mais il ne décolère pas. Il se sent d'humeur massacrante et décide d'appeler sa petite amie pour lui proposer un rencard le soir-même. Il lui dit qu'il a très envie de la voir, qu'il a passé une journée de merde, etc.

— Il a besoin d'être dorloté.

— Exactement, fit Parker en feuilletant une à une les pages du manuscrit avant de les laisser tomber au pied de son fauteuil. Vous lirez ce passage par vous-même. Ah, au fait, je l'ai prénommée Leslie.

— Ça me plaît.

— Pour résumer, il l'emmène au Sonic Drive-in. Ils commandent des chili Tater Tots et des limonades à la cerise.

— La grande classe !

— Ne vous moquez pas de lui, d'accord ? Il a un budget serré et il se trouve qu'il aime les chili Tater Tots et la limonade à la cerise.

— Désolée. Poursuivez.

— Après le fast-food, il la conduit au bord du lac. Il gare la voiture et éteint la musique. Le silence, d'une certaine manière, est le bienvenu. Attendez voir… ah ! voilà le passage : *Le silence qui l'enveloppait était aussi apaisant et rassurant que le sein d'une mère. Sa journée n'avait été qu'une succession d'événements chaotiques, une musique discordante sans queue ni tête. Entre ses accès de colère, il s'était senti profondément déçu par son ami et par lui-même.*

— Bien.

— Merci, répondit-il distraitement en continuant à feuilleter le manuscrit. Tout au long de la soirée, Leslie se montre inhabituellement silencieuse. Roark se dit que sa mauvaise humeur a déteint sur elle. Leur conversation est décousue, sans suite, bref, vous lirez le passage.

Il parcourut la page jusqu'à avoir localisé l'extrait qu'il cherchait.

— Vous m'écoutez ?

— Je suis tout ouïe.

— *La pleine lune flottait au-dessus de l'horizon, si basse que son reflet vacillant couvrait toute la largeur du lac, répandant une lueur glaciale. Sur l'autre rive, des pins immenses et des arbres dénudés se dressaient immobiles dans la nuit sans vent, leurs silhouettes austères se découpant telles des gravures à l'encre de Chine contre le ciel devenu ce jour-là brusquement hivernal.*

— J'aime beaucoup.

— *Depuis le drive-in, Leslie n'a pas prononcé le moindre regard...* Merde, j'ai quand même pas écrit ça !

Il sortit un stylo rouge de sa poche et raya la phrase.

— Son silence commence à lui taper sur les nerfs. Il veut savoir ce qu'elle a dans le crâne. Je reprends la lecture : *Jusque-là, Roark s'était abstenu de lui poser la question, mais, sentant que sa poitrine allait éclater, n'y tenant plus, il finit par demander : « On peut savoir pourquoi tu es muette ? » Le ton de sa voix aurait dû la rendre furieuse. Personnellement, Roark n'aurait pas supporté de passer la soirée en compagnie d'une personne aussi lugubre qu'un croque-mort et qui, de surcroît, l'accuserait implicitement d'être à l'origine de l'ambiance plombée.*

» Pourtant, lorsque Leslie se tourna vers lui, il ne vit que de la gentillesse dans son regard. Au lieu de reproches, il vit de la compréhension. Et il fut soudain frappé par sa beauté.

» Bien sûr, lors de leur première rencontre, il l'avait trouvée jolie. Lui et ses potes l'avaient repérée parmi tout un groupe d'étudiantes. Ils lui avaient fait passer l'examen traditionnel, détaillant ses attributs physiques avec cette

obscénité si caractéristique de la gent masculine. Elle avait obtenu une excellente note.

» *Mais là, devant lui, ce n'était pas la disposition plaisante des traits de son visage qui la rendait belle, ni sa silhouette parfaite. Non, elle exsudait une beauté bien plus profonde que la pureté de son teint, bien plus rare que ses yeux bleus extraordinaires, une beauté qui ne correspondait pas aux critères de la société contemporaine, qui n'en possédait pas la froide sophistication. Au contraire, elle dégageait une chaleur et une simplicité qui vous faisaient sentir que vous étiez aimé et accepté malgré vos défauts. Cette nuit-là, Leslie était belle comme vous pouviez espérer que le soit la femme de votre vie.*

Parker interrompit sa lecture et leva les yeux vers Maris, qui l'invita à poursuivre.

— Il y a ensuite un passage où Leslie lui demande ce qui l'a mis dans un état pareil. Je reprends un peu plus loin : *Roark parla sans interruption pendant dix minutes. Les mots jaillissaient en un flot ininterrompu comme si, tout au long de la journée, son subconscient les avait choisis et arrangés entre eux de manière à ce qu'ils expriment avec le plus d'éloquence possible l'intensité de son désespoir.*

» *Finalement, son abattement laissa place à une forme d'indignation. Il raconta la violente dispute interne qui l'avait ébranlé, ce débat avec lui-même d'où il ressortait que sa colère était parfaitement justifiée. « Que Todd aille se faire foutre avec ses excuses ! lança-t-il en serrant les poings. C'est trop facile. »*

» *Il s'en prit ensuite à son professeur, le traitant de sale con obstiné et reconnaissant en même temps sa crainte de ne jamais pouvoir rétablir un bon contact avec lui. Il était persuadé d'obtenir un résultat lamentable à son mémoire.*

» *Les mots finirent par se raréfier. Roark redevint silencieux et se recroquevilla dans sa veste, non pour la chaleur qu'elle lui procurait, mais parce qu'il avait honte de s'être lamenté ainsi.*

Une nouvelle fois, Parker leva la tête et observa Maris.

— Alors ? Je le fous à la poubelle ou je continue à lire ?

— Allez-y, poursuivez.

— Je vais vous lire la réponse de Leslie : *Elle attendit que son courroux se dissipe, que l'air froid de l'extérieur se fasse à nouveau sentir dans la voiture. Son souffle formait entre eux des volutes de vapeur. Elle s'exprima d'une voix douce, comme on le ferait avec un animal au comportement imprévisible : « Ce qui s'est passé aujourd'hui est une bonne chose, Roark. »*

» *Il poussa un grognement et la dévisagea : « Une bonne chose ? Comment, au nom du ciel, peux-tu dire que c'était une bonne chose ? Non pas que je sois croyant, mais... »*

» *Il savait qu'elle n'apprécierait pas cette remarque. C'était une fervente catholique et, en temps ordinaire, elle lui aurait demandé de garder ses réflexions pour lui. Mais cette fois-ci, elle choisit de ne pas lui en tenir rigueur : « Si tu accordes tant d'importance à cette histoire, c'est parce que la littérature joue un rôle essentiel dans ta vie. C'est pour ça que tu iras loin. Si tu avais pris l'affaire pardessus la jambe, je t'aurais conseillé de changer ton plan de carrière. Cela aurait signifié que tu n'avais pas la passion de l'écriture. Ton abattement face à cet épisode relativement anodin illustre bien l'intensité de cette passion. Ça t'a fait mal, parce que ça touchait à ce qui t'est le plus cher, ce pour quoi tu es né. »*

» *Elle sourit : « Personnellement, j'avais déjà conscience de tout ça, mais peut-être pas toi. Et si ça t'a permis de le découvrir, alors cette désagréable expérience valait largement la détresse qu'elle t'a procurée. »*

» *Elle prit sa main et la serra très fort. « Réfléchis, Roark. Tu verras que j'ai raison. »*

Parker s'interrompit.

— C'est une jeune femme très intuitive, observa Maris.

— Vous trouvez ?

Elle répondit par un signe de tête affirmatif. Remarquant les feuilles qui restaient sur ses genoux, elle demanda :

— Comment Roark va-t-il réagir ?

— Comme tous les hommes face à une situation chargée en émotion.

— C'est-à-dire ?

— Eh bien, suivant le contexte, nous avons soit envie de cogner, soit envie de baiser.

14.

Maris s'éclaircit la gorge.

— Je suppose qu'il n'est pas d'humeur à cogner.

— Ce n'est pas vous qui m'aviez suggéré de développer leur relation ?

— En effet.

— Eh bien voilà. Ils s'embrassent et, de fil en aiguille, Roark en vient à lui caresser les seins. Elle se laisse faire, elle l'autorise à toucher sa peau. *Une peau de femme, veloutée, chaude et parfumée.* Je vais retravailler ça, ajouta-t-il en prenant une note.

» Pour la première fois depuis leur rencontre, il se laisse aller à lui mordiller les tétons. Il lui montre la voie du plaisir, les possibilités offertes à deux êtres qui éprouvent du désir l'un pour l'autre.

Maris sentait son cœur battre à tout rompre.

— Son odeur, son souffle. La texture de sa peau contre sa langue. Le tout combiné à la frustration emmagasinée au cours de la journée... Les préliminaires ne suffisent pas à le calmer. Il n'en peut plus. Il prend la main de Leslie, la dirige vers son caleçon, et, pour dire les choses avec délicatesse, elle le branle.

— Vous trouvez ça délicat, comme manière de dire ?

— Comparé à d'autres expressions, oui.

— Admettons.

— Roark finit par lui déclarer sa flamme.

— Il est sincère ?

— A cet instant précis ? Oui, du plus profond de son cœur.

A voir le visage sombre de Parker, elle ne put s'empêcher de rire.

— Je n'en doute pas un instant. Quelle est la réaction de Leslie ?

Parker se rembrunit encore davantage.

— Eh bien disons que cette petite branlette est son cadeau d'adieu. Elle le plaque.

— Comme ça, d'un seul coup ?

— C'est écrit là, noir sur blanc.

— Hum. Elle le quitte pour les mêmes raisons que celles invoquées dans la première version que j'ai lue ?

— Oui.

— Alors on peut considérer qu'elle œuvre pour son bien. Même si ça lui pèse, elle agit selon ce qu'elle considère être le mieux pour eux, et surtout pour Roark. Elle pense d'abord à lui et à sa carrière.

— Peut-être. Mais je dois vous dire, Maris, une femme qui vous quitte juste après vous avoir fait jouir, c'est un supplice.

— J'imagine.

— Oh oui, confirma-t-il en hochant la tête avec sagesse. Demandez à n'importe quel homme.

— Inutile. Je vous crois sur parole.

— Dans l'esprit de Roark, elle n'est qu'une salope sans cœur. Il n'a pas besoin de sa charité. Pour qui se prend-elle après tout ? Il est carrément furax.

Maris était sur le point de protester, mais Parker l'arrêta d'un geste de la main.

— Du moins dans un premier temps.

Il s'empara des dernières pages.

— Je peux ?

— Allez-y.

— *La journée avait mal commencé, mais elle s'était carrément terminée en bérézina.*

» *Pendant un moment il voulut se soûler, mais n'en vit finalement pas l'intérêt. Les problèmes seraient les mêmes le lendemain, et il aurait en plus une gueule de bois à gérer.*

» *En outre, il ne se trouvait aucune excuse valable pour picoler. Ce droit n'appartenait qu'à ceux qui avaient un événement à célébrer… ou à déplorer. On pouvait se lamenter d'un désastre survenu par hasard, au gré d'un acte divin ou d'un coup du sort. Mais lorsqu'on était soi-même responsable, on ne méritait pas ce privilège. Ç'eût été trop facile.*

» Il aurait voulu rejeter le blâme sur Leslie, sur Hadley ou sur Todd pour les misères qu'il avait subies au cours de la journée, mais Roark reconnaissait qu'une large partie de la faute, voire la totalité lui incombait.

» Malgré son jeune âge et son manque d'expérience, Leslie s'était montrée d'une grande sagesse. Elle avait fait preuve d'une douloureuse honnêteté. Leurs aspirations respectives étaient par trop incompatibles, leurs rêves trop disparates pour qu'ils puissent construire un avenir ensemble. Le conflit était d'ores et déjà évident. Dans le futur, il n'aurait pu en résulter qu'un clash retentissant. Et la rupture les aurait laissés marqués et aigris.

» Son choix de retourner vivre dans sa ville natale avec son ancien petit ami était une sage décision, mais n'en facilitait pas la séparation pour autant. Au moins, le fait de mettre un terme à cette relation avant même qu'elle n'ait vraiment démarré leur épargnait un chagrin futur. Ils se quittaient sur de beaux souvenirs.

» Quant à Hadley, il avait été troublé à juste titre. Il ne souhaitait pas s'encombrer d'étudiants stupides, et avait été probablement aussi contrarié de voir Roark dupé par son camarade que par le retard en lui-même. Son temps était trop précieux pour qu'il le gâche à dispenser son savoir à des crétins. Et avoir cru Todd sur parole alors qu'il s'agissait d'un rendez-vous aussi crucial n'était, de la part de Roark, rien moins que crétin.

» L'épreuve, désormais, consistait à prouver à Hadley qu'il n'était pas un imbécile. Il pouvait, et devait tirer des leçons de cette expérience, sans quoi il ne serait effectivement qu'un pauvre idiot, comme le pensait son professeur.

» Ç'avait été la première journée vraiment froide de la saison. Ce fut également le jour où Roark Slade entra dans l'âge adulte. Sans cérémonie, sans sacrement, il venait de passer le rite d'initiation. S'il lui restait quelque

fragment d'innocence au réveil, il s'était envolé. La confiance n'était désormais plus qu'un simple mot, un idéal lointain sans application possible dans son existence. Toutes ses convictions futures s'en trouveraient dorénavant entachées de scepticisme.

» *Roark ne prit conscience de cette transition que des années plus tard, en feuilletant les pages de son histoire personnelle à la recherche de cet instant où sa vie avait cessé d'être bénie pour devenir maudite. Il en revenait toujours à cette journée.*

» *Durant les mois qui suivirent ce mardi fatidique, Roark pensa à Hadley et aux leçons qu'il pouvait tirer de cet épisode embarrassant. Il repensa à ce que Leslie lui avait appris sur lui-même, en tant qu'homme et en tant qu'écrivain.*

» *Mais ce qu'il avait appris à propos de Todd, son meilleur ami, il évita tout à fait d'y penser.*

Parker resta longtemps à fixer cette dernière phrase, puis lâcha la feuille qui vint rejoindre les autres pages éparpillées tout autour de lui.

— C'est tout pour l'instant, dit-il d'une voix douce, sans regarder Maris.

Elle déplia lentement les jambes et posa les pieds au sol. Elle s'étira, puis ses épaules se soulevèrent dans une longue inspiration qu'elle expira progressivement.

— Ecoutez, Parker. Ça va à l'encontre de notre politique, mais j'accepte de vous faire une avance de dix mille dollars pour que vous acheviez le manuscrit. Après ça, nous négocierons les termes du contrat. Si nous ne parvenons pas à un accord et que vous publiez votre livre ailleurs, vous devrez nous rendre l'argent perçu dès que vous aurez été payé par l'autre éditeur. En revanche, si vous acceptez le contrat, les dix mille dollars seront inclus dans l'avance dont nous aurons au préalable fixé le montant. En attendant, je vous conseille de prendre un agent.

— Et moi je vous suggère de revenir sur Terre.

— Dois-je prendre ça pour un « non » ?

— Vingt-cinq mille. Et ça suffira à peine à couvrir mes frais. Entre les cartouches d'encre et le papier...

— Du papier de luxe, alors, ironisa-t-elle. Allez, quinze mille. Et c'est acte de bonne foi étant donné que vous n'avez même pas écrit de synopsis.

Il cogita un instant, puis déclara :

— Quinze mille, et cette somme ne sera pas inclue dans le montant de l'avance. Autrement dit, cet argent est à moi quoi qu'il advienne. Si vous n'êtes pas prête à miser quinze mille billets, alors je vous conseille de changer de métier.

Il avait bien sûr raison et, à part pour sauver la face, elle ne voyait pas l'utilité de pousser plus loin les négociations.

— Marché conclu. Dès mon retour à New York, je demanderai à ce qu'on prépare une lettre officielle. Pour le moment, ça reste un accord entre gentlemen.

Elle lui tendit la main. Parker la saisit et en profita pour l'attirer à lui.

— J'ai du mal à vous imaginer en gentleman.

Elle se pencha un peu plus en avant, son visage à quelques centimètres du sien, et murmura :

— J'en ai autant en ce qui vous concerne.

Parker éclata de rire et lui lâcha la main.

— Vous voulez emmener tout ça avec vous ? demanda-t-il en indiquant les feuilles disséminées sur le sol.

— Si c'est possible... J'aimerais que mon père les lise.

— Et votre mari ?

— En général, Noah s'occupe de la partie financière et me laisse le travail éditorial, mais puisque je suis maintenant impliquée personnellement dans ce roman, je suis certaine qu'il voudra y jeter un coup d'œil.

Parker recula son fauteuil pour lui permettre de s'agenouiller et de ramasser les feuillets.

— Je vous aurais bien aidée, mais...

— Ne vous en faites pas pour ça.

— ... je préfère vous regarder. En fait, je fantasme souvent en vous imaginant à genoux devant moi.

— Pourquoi pas en train de ramper, tant que vous y êtes ?

— Oui, pourquoi pas.

Elle leva les yeux et le regretta aussitôt. Parker ne plaisantait pas. Rien à voir avec ses habituels sous-entendus.

— Des fantasmes érotiques, ajouta-t-il. Dans certains Etats, je pourrais me faire emprisonner.

— Arrêtez ça tout de suite.

— OK.

— Merci.

— J'arrêterai quand vous arrêterez.

— Quand j'arrêterai quoi ?

— D'être aussi appétissante.

— Je devrais vous poursuivre pour harcèlement sexuel.

— Je nierais en bloc.

— C'est bien pour ça que je ne le fais pas.

Elle continua à rassembler les feuilles avec de petits mouvements furieux. C'est à cet instant qu'elle remarqua la cicatrice.

Il ne portait pas de chaussettes. Ses pieds étaient nus dans ses chaussures hélas tristement neuves, sans la moindre éraflure. La balafre partait de son pied droit pour remonter vers la cheville, où elle disparaissait sous le pantalon. La chair avait un aspect boursouflé.

— Plus haut, c'est encore pire. On peut même dire que celle-là est jolie comparée aux autres.

— Je suis désolée, Parker.

— Ce n'est rien. C'est humain d'être curieux de choses aussi grotesques. J'ai l'habitude qu'on me regarde.

— Non, je voulais dire, je suis désolée de ce qui a pu vous arriver. Ç'a dû être incroyablement douloureux.

— Oui, au début, répondit-il en feignant l'indifférence. Mais j'ai appris à vivre avec. La souffrance s'est peu à peu réduite à une douleur familière. A part quand il fait froid. Là, ça peut faire un mal de chien.

— C'est pour ça que vous êtes venu vous installer à St. Anne ?

— Entre autres. Dites, je vais reprendre une part de tarte. Ça vous dit de m'accompagner ?

Elle avait fini de ramasser les feuilles et se redressa.

— Non, merci. Il faut vraiment que j'aille dormir. Mike me réveille de bonne heure, demain matin.

— Comme vous voudrez.

En l'espace de quelques secondes, son attitude était devenue glaciale. Elle avait eu un aperçu de ses blessures, aussi bien intérieures que physiques, et cela, il ne pouvait le tolérer. Ces cicatrices, il les assimilait à une faiblesse, une limitation de sa virilité. Ce qui était ridicule.

Car à l'exception de son handicap, Parker était l'incarnation même de la masculinité. Il possédait un torse et des épaules impressionnants. Comme elle l'avait constaté le soir de leur rencontre, ses bras étaient extrêmement puissants. Même ses jambes, de ce qu'elle pouvait en deviner, semblaient musclées. Lors d'une conversation avec Mike, elle avait demandé pourquoi Parker n'utilisait pas un fauteuil motorisé. Il avait répondu que Parker tenait à rester le plus en forme possible et que le fait d'utiliser une chaise classique l'aidait à conserver son tonus musculaire.

Il n'était pas d'une beauté régulière comme Noah. L'asymétrie de son visage le rendait intriguant. Sa mâchoire bien dessinée, son air austère et sa coiffure négligée lui conféraient un charme très masculin.

Une virilité dont une femme mariée avait bien raison de se méfier.

— Je vous contacterai bientôt, Parker.

— Vous savez où me joindre, répondit-il avec désinvolture.

— Mettez-vous à l'ouvrage.

— Oui. Au revoir Maris.

Il disparut dans la cuisine sans se retourner, comme s'il la fuyait. La porte se referma doucement derrière lui.

Maris se retrouva seule dans la pièce vide et sombre. Elle resta perplexe et un peu embarrassée par cette désertion soudaine. Elle avait obtenu ce pour quoi elle était venue, mais il aurait tout de même pu se fendre d'une poignée de main, histoire de sceller leur accord. Il n'avait pas non plus exprimé son intention de venir la saluer avant son départ. Bien sûr, elle ne s'était pas attendue à des embrassades larmoyantes, mais tout de même, elle se sentait déçue.

En réalité, elle était triste de s'en aller. Alors qu'elle aurait dû être impatiente de rentrer chez elle, où les accents, la cuisine et les bruits de la nuit lui étaient familiers, elle se rendit compte qu'elle redoutait le lendemain.

L'île l'avait envoûtée par ses paysages somptueux et ses insectes mélomanes, qui la berçaient le soir jusqu'à ce qu'elle s'endorme. Au début, elle avait eu toutes les peines du monde à supporter la chaleur humide, puis elle avait fini par s'habituer à cette sensation. Avec ses arbres couverts de mousse presque aussi anciens que l'océan, St. Anne l'avait charmée par son côté mystique et enchanteur.

Parker aussi l'avait séduite. Mais elle préféra tenir cette pensée à l'écart.

Les feuilles étaient devenues moites dans sa main. Il n'y avait pas à se demander comment lui étaient venues ces pensées sensuelles. Elles avaient pris racine lorsque Parker avait lu ce maudit passage où il était question de baisers humides et des possibilités offertes à deux êtres désireux d'explorer ensemble les voies du plaisir.

Elle avait projeté de retourner dans sa chambre pour relire le manuscrit, mais elle changea d'avis. Elle pourrait le faire à son retour à New York, à la lumière des néons, dans un décor familier, derrière la barrière protectrice de son bureau. Elle les lirait en sachant que l'auteur ne se trouvait pas dans la pièce d'à côté, à nourrir des fantasmes érotiques à son sujet.

Avant de quitter le solarium, elle emprunta un roman de Mackensie Roone. Elle sentait qu'elle allait avoir du mal à trouver le sommeil et l'intrigue serait une agréable distraction. Deck Cayton lui tiendrait compagnie.

En entrant dans l'usine désaffectée le lendemain matin, Parker fit sursauter un raton laveur.

— Déjà l'aube, mon pote. Tu ferais bien de te magner.

Le petit animal se faufila entre deux planches du mur.

Parker appréciait de venir avant le lever du soleil, à l'heure où la température était encore supportable et où une légère brise soufflait de l'océan. Il aimait observer les premiers rayons de lumière percer à travers les fissures. Il s'imaginait que le bâtiment possédait une âme et qu'elle s'éveillait avec la clarté en espérant vainement que le jour lui rendrait la vie.

S'il se figurait ce genre de choses, c'est que lui-même se reconnaissait dans ce bâtiment.

Il arrive que des gens viennent vous enfermer et s'éloignent en secouant la tête d'un air triste après avoir statué que vous ne valiez plus rien.

Des matins comme ça, il en avait connu un nombre incalculable. A l'époque, cloîtré dans sa chambre d'hôpital, la douleur était souvent si forte qu'elle l'arrachait à son sommeil, et alors venait la cruelle prise de conscience. Il savait que la journée n'apporterait rien d'autre que le même désespoir, la même désolation que la veille et le jour qui l'avait précédée.

Grâce à Dieu, il s'était libéré de cette spirale.

A force de volonté, il avait réussi à donner un but à son existence. Cela lui avait coûté d'atroces souffrances, et bien des fois il avait failli tout abandonner. Mais il avait tenu bon, il s'était cramponné de toutes ses forces et n'était maintenant plus qu'à quelques semaines du dénouement.

Il fut tiré de ses rêveries par un oiseau qui venait de faire irruption dans le bâtiment. La petite chose brune et tachetée – Mike, ornithologue passionné, aurait sûrement été capable de l'identifier à trente mètres – vint se poser sur une poutre. Inclinant sa tête plumeuse, il observa Parker avec curiosité.

— Tu dois te demander ce que je fous là, l'interpella ce dernier.

Lui aussi se demandait un peu ce qu'il faisait là, à faire la causette à des animaux. Il s'était déjà surpris à insulter un escadron de rats imaginaires qu'il voyait parcourir sa jambe immobile, remonter le long de son ventre avant de s'attaquer à son cou et son visage avec leurs dents longues et acérées. Alors, après ça, il n'y avait rien d'alarmant à s'adresser à quelque chose d'aussi inoffensif qu'un oiseau – réel, de surcroît.

Il venait souvent dans ces ruines désertes pour repenser son plan et en repérer les éventuelles failles, vérifiant inlassablement chaque détail en se demandant ce qu'il avait pu omettre. Il lui arrivait d'anticiper le plaisir qu'il aurait à voir sa vengeance s'accomplir enfin, après quatorze années.

Mais, de temps en temps, il venait simplement pour échapper à Mike. Deux célibataires dans une même maison, c'était parfois un de trop, même si c'était toujours Parker qui déclenchait les disputes. En comparaison, Mike avait une patience d'ange.

L'écrivain ne pouvait se passer de lui et pensait avec terreur au jour où il allait devoir se débrouiller seul. Mike n'avouait jamais son âge, mais selon Parker, il avait franchi la barre des soixante-dix ans. Heureusement, il semblait en parfaite santé et possédait la vigueur d'un homme de quarante ans.

Parker éprouvait de l'affection, et même de l'amour pour le vieil homme.

Mais malgré toute la tolérance dont Mike faisait preuve, Parker avait parfois du mal à le supporter. Il recherchait alors la solitude la plus complète. Dans ces moments, l'espace d'une pièce ne lui suffisait pas à combattre ses démons.

Ce matin-là, il était venu dans le seul but de penser à Maris. Entre ces murs érodés par le temps, il avait manigancé son plan pour la faire venir à St. Anne, sous son toit, sous son influence.

En revanche, il n'avait pas prévu qu'elle lui ferait un tel effet.

D'un autre côté, il n'allait pas se mettre à pleurer pour elle. S'il voulait faire vivre l'enfer à Noah Reed, il avait besoin de Maris. Elle se retrouverait fatalement prise entre deux feux, mais tant pis. Elle n'aurait que ce qu'elle méritait pour avoir épousé ce fils de pute. Elle avait beau sembler intelligente, elle ne devait pas être si futée que ça.

— Quand même, se marier à un homme parce qu'on tombe amoureuse d'un personnage de roman ? Il faut être stupide, tu ne crois pas ? demanda-t-il au moineau.

Non, il ne pouvait pas se laisser aller au sentimentalisme. Elle le faisait rire, et alors ? Elle éprouvait de la compassion pour ses cicatrices, et après ? Il ne voulait pas de sa pitié. Il n'en avait pas besoin. Elle se montrerait sûrement moins gentille si elle savait...

— Espèce d'enfoiré !

Parker eut juste le temps d'esquiver l'objet qu'on venait de lui jeter à la figure.

15.

Il leva la main une nanoseconde avant que le livre ne percute sa tempe. Il atterrit au sol dans un nuage de poussière et Parker reconnut aussitôt la couverture. Le premier volume des aventures de Deck Cayton.

Maris se tenait sur le pas de la porte. La première fois qu'elle était entrée dans la fabrique, elle s'était montrée hésitante et craintive, mais en ce jour, elle dégageait une aura aussi lumineuse qu'une nouvelle étoile. Si elle s'était trouvée à la porte de l'enfer, elle n'en aurait pas été plus intimidée que ça.

Mais étant donné qu'il discernait le contour de ses jambes à travers sa jupe, sa colère s'avérait plutôt inefficiente. Du moins l'effet en était-il fortement compromis. Le regard de Parker fut attiré vers ce vague delta en transparence, mais il se força à garder les yeux sur une zone neutre, au-dessus de la taille. Inutile de la provoquer davantage, elle semblait déjà pas mal remontée.

— Le livre ne vous a pas plu ? demanda Parker, imperturbable.

— Allez vous faire foutre.

— J'ai l'impression que non.

— « Ils se quittaient sur de beaux souvenirs », lança-t-elle en s'approchant de lui les mains sur les hanches, les poings serrés. Vous êtes soit un plagiaire éhonté, soit un menteur, mais dans les deux cas, vous êtes une espèce d'enfoiré.

Elle s'arrêta à un mètre de lui et il remarqua qu'elle portait des lunettes.

— Je sais, vous venez de me le dire.

— Alors ? Juste pour que je sache, plagiaire ou menteur ?

— Je crois que vous avez trouvé cette citation à la page deux cent quarante-trois, chapitre sept, le passage où Deck se recueille devant la tombe de sa femme.

Il prit un air perplexe.

— Je me demande s'il est possible de se plagier soi-même. Qu'en pensez-vous ?

Elle était trop en colère pour répondre.

— Deck, accablé par la mort de sa femme, remercie le ciel de l'avoir connue ne serait-ce que pour une courte période, reprit Parker. J'aimais bien cette phrase.

— Tellement que vous avez décidé de la reprendre dans *Jaloux*.

A quel moment de la journée est-elle tombée sur ce passage ? se demanda-t-il. Hier soir, dans son lit, ou bien ce matin en buvant son café ? Les circonstances importaient peu. Elle avait découvert son secret et elle était furieuse.

— Pourquoi m'avoir menti ?

— Je ne vous ai pas menti, répliqua-t-il calmement. Vous ne m'avez pas demandé si j'étais Mackensie Roone. Vous ne m'avez pas non plus demandé si c'était moi qui avais écrit la série des Deck Cayton.

— Ne soyez pas si obtus, Parker ! Vous avez menti par omission. Sinon vous m'auriez communiqué spontanément cette information capitale.

— Capitale ? N'exagérons rien. Ce n'était pas si essentiel. Et si vous m'aviez posé la question, j'aurais...

— Inventé n'importe quelle connerie. Comme d'habitude. C'est ce que vous faites depuis le début.

— Si je n'avais pas tenu à être démasqué, je n'aurais pas délibérément utilisé cette phrase dans *Jaloux* et je ne vous aurais pas ensuite recommandé de lire le premier volet des aventures de Deck Cayton.

— Encore un de vos petits jeux pour me tester, s'écria-t-elle.

Elle avait les cheveux ébouriffés et les joues rouges comme si elle venait de courir. A dire vrai, cette apparence débraillée lui allait à merveille. Elle dégageait un parfum de vanille, comme ces petites brioches tout juste sorties du four. Mais il doutait qu'elle appréciât le compliment.

— Je ne vous avais jamais vue avec des lunettes. Vous portez des lentilles d'habitude ?

Elle ramena ses cheveux en arrière d'un geste impatient.

— Je veux savoir pourquoi vous m'avez menti.

Elle avait baissé la voix dans un effort visible pour maîtriser son exaspération. Sa poitrine était prise de petits mouvements rapides, comme si la force des vitupérations qu'elle contenait provoquait des turbulences internes.

— Pourquoi ce petit jeu ridicule, Parker ? Ou Mackensie, ou quel que soit votre véritable nom.

— Parker Mackensie Evans. Le choix s'est imposé logiquement quand j'ai décidé de prendre un pseudonyme. Mackensie était le nom de jeune fille de ma mère. Ça l'a beaucoup fait rire. Ça sonnait bien, il y avait ce côté un peu androgyne. Et puis c'était...

— Répondez à ma question.

— ... plus sûr.

— Plus sûr par rapport à quoi ?

— Pour l'anonymat, lâcha-t-il d'un air de défi.

Pendant un long moment, le mot sembla flotter entre eux.

— Lorsque j'ai commencé la série des Deck Cayton, j'ai tenu à rester dans l'ombre, expliqua-t-il. Et j'y tiens encore.

— Vos livres ont connu un succès énorme. Pourquoi vous cacher derrière un pseudonyme ?

— A votre avis ?

Elle s'apprêtait à répondre, mais comprenant tout à coup ses raisons, elle s'arrêta net et détourna les yeux d'un air gêné.

— Eh oui. Deck Cayton fait fantasmer les hommes. Les femmes aussi, selon vous. Il est agile, vif, il traque les méchants et séduit les femmes. Pourquoi détruirais-je son image de héros en apparaissant en public dans mon fauteuil ?

— Aucune photo dans la presse, pensa-t-elle à voix haute, pas de séances de dédicace. Je me suis souvent posé des questions sur la stratégie marketing de votre éditeur. Ils cherchaient à vous protéger.

— Faux. C'est moi qui désirais me protéger. Même mon éditeur ne sait pas qui se cache derrière ce pseudo. Ils ne connaissent pas mon vrai nom, et ne savent pas si Mackensie Roone est un homme ou une femme. Personne ne sait. D'après mon agent, les spéculations vont bon train et...

— Bien sûr, s'écria Maris. Mackensie Roone a un agent. Je la connais. Pourquoi n'êtes-vous pas passé par elle pour *Jaloux* ?

— Elle ignore que je travaille sur un nouveau livre.

— Pourquoi ?

— Je ne lui en ai pas parlé. Je le ferai au moment de négocier le contrat et elle touchera sa part sur les ventes. Mais d'ici là, j'agis seul.

— Pourquoi ?

— Il y a de l'écho ici ?

— Avant de vous massacrer, je voudrais comprendre.

Elle paraissait plus déconcertée que furieuse, mais Parker sentait que le répit ne serait que de courte durée. Il commençait à la connaître et il savait que dès qu'elle aurait un peu de temps pour réfléchir plus longuement à tout ça, sa colère ne manquerait pas de ressurgir.

— Expliquez-vous, Parker. Pourquoi tant de mystères ?

— Je voulais écrire un livre différent. Rien à voir avec les dialogues musclés et les scènes d'action à la Deck Cayton. Ne vous méprenez pas sur ce que je viens de dire : c'est un genre à part entière, qui demande de la finesse.

Il eut un petit sourire triste.

— Franchement, je me demande comment ces romans ont pu connaître un tel succès. Pour certains fans, Deck fait presque partie de la famille. La popularité de ce personnage est considérable et les lecteurs attendent beaucoup de moi. Chaque épisode doit entraîner Deck dans de nouvelles aventures, toujours plus excitantes, mais ils seraient furieux si je m'éloignais trop de la formule habituelle.

» Et puis étant donné que chaque nouveau livre surpasse les ventes du précédent – ce dont je ne me plains pas – je suis obligé d'élever sans arrêt le niveau.

— C'est un refrain que j'ai déjà entendu chez les écrivains à succès, observa Maris. Ils parlent tous de cette difficulté à se surpasser sans cesse. Noah s'est retrouvé confronté à cette situation avec *The Vanquished*.

— Voilà, je vous ai tout dit, l'interrompit Parker, qui ne tenait pas à s'appesantir sur la fabuleuse réussite de Noah. Maintenant, c'est à vous d'être honnête. Si mon agent vous avait appelée en disant : « Devine quoi ? A l'heure où je te parle, j'ai sur mon bureau le nouveau roman de Mackensie Roone. Rien à voir avec ce qu'il écrit d'habitude. Tout ça est ultraconfidentiel, et il veut que ce soit *toi* qui le lises en premier. » Vous auriez mouillé votre culotte, non ?

Elle cilla mais n'en continua pas moins à soutenir son regard.

— Je voulais vous faire mouiller avec *Jaloux*, Maris. Mais sans que vous sachiez quoi que ce soit de moi et de mes succès passés.

Elle détourna les yeux, réajusta ses lunettes et chassa un moustique d'un geste absent.

— Je vois, concéda-t-elle. Je n'aurais peut-être pas employé les mêmes termes mais je dois avouer qu'un tel coup de fil m'aurait enthousiasmée. Qu'y aurait-il eu de si terrible à ça ?

— Je souhaitais un jugement intègre.

— Ce qui vous autorisait à me prendre pour une idiote.

— Non ! Rien à voir…

Il sentit à son tour la moutarde lui monter au nez. Peut-être parce qu'elle avait raison.

— C'était le seul moyen de garantir une lecture impartiale, sans idées préconçues. Je ne voulais pas que ma réputation vous influence.

— J'aurais tout autant apprécié votre travail sans vos manigances. Ma réaction serait restée la même.

— Mais j'aurais eu des doutes quant à votre sincérité, vous ne croyez pas ?

Il lui laissa le temps de répondre, mais elle resta muette.

— Soit, je vous ai trompée. Mais je voulais me prouver que j'étais capable de composer des personnages autres que le genre buveur de whisky, coureur de jupons avec un gros flingue et une bite tout aussi imposante.

— Deck Cayton n'est pas que ça.

— Merci. C'est aussi mon avis. Je craignais que ce ne soit pas le vôtre.

Elle se baissa pour ramasser le livre.

— Vous allez me frapper avec ?

— Je pourrais.

Sa colère n'avait pas disparu, elle la maîtrisait simplement.

— Mais je ne le ferai pas. J'ai trop de respect pour les livres. Même corner les pages, c'est contre ma nature.

— Je suis pareil.

Elle lui rendit son sourire tout en le considérant d'un œil mauvais.

— N'essayez pas de me charmer, Parker.

Elle lui tendit le livre et s'épousseta les mains.

— Ce que vous avez fait était…

— Terrifiant.

— Ce n'est pas le mot que j'aurais choisi.

— Et pourtant, je vous assure que j'étais terrifié au moment de poster ce prologue.

— De quoi aviez-vous peur ? Que je le refuse ?

— Tout à fait. Vous auriez très bien pu m'envoyer une lettre négative, me dire que mon prologue était nul à chier, que je ferais mieux de changer de métier et de me mettre à la poterie. Je n'aurais plus eu qu'à m'enfermer dans la salle de bains avec une lame de rasoir.

— Ce n'est pas drôle.

— Vous avez raison, ça n'a rien d'amusant.

— Vous êtes trop égocentrique pour penser au suicide.

Si seulement elle avait su... Il était passé par des périodes si troubles, à l'époque où son âme était aussi abîmée que ses jambes, aussi écorchée que sa peau qui refusait de cicatriser que, s'il en avait été capable, il aurait choisi la facilité et abandonné la partie.

Mais, alors qu'il se trouvait au plus profond du gouffre, un sursaut l'avait maintenu en vie. Une énergie cosmique, une autorité omnipotente bien plus grande que son misérable petit esprit d'humain lui avait insufflé la détermination nécessaire.

Il ne s'agissait pas d'un ange. Jamais aucune créature n'eût été à l'origine de cette idée. Car ce que Parker mijotait pour Noah Reed n'avait rien, mais alors rien, de bienveillant.

Il tendit le bras et attrapa la main de Maris.

— Vous ne semblez pas saisir à quel point c'est important pour moi.

— Pourquoi m'avoir envoyé le prologue, Parker ? demanda-t-elle en cherchant à capter son regard. Pourquoi à moi ? Je connais votre éditeur, c'est quelqu'un de brillant.

— Absolument, acquiesça-t-il d'un air solennel.

— Il y a des milliers d'éditeurs dans ce pays. Pourquoi moi ?

— A cause de l'article, mentit-il en espérant qu'elle goberait le mensonge.

La réponse lui semblait plausible. Pourtant, Maris le fixait avec une intensité déconcertante.

— Cette interview m'a convaincu que vous étiez l'éditrice que je recherchais, insista-t-il. J'ai particulièrement aimé ce que vous avez dit à propos du dilemme entre profit et recherche de qualité. De l'argent, j'en ai déjà à ne plus savoir quoi en faire. Si j'écris ce livre, c'est pour moi. Tant mieux s'il se vend bien, mais dans le cas contraire, j'aurai au moins la certitude qu'il possédait une valeur littéraire, puisque vous m'avez déjà dit des choses qui allaient dans ce sens – ce qui, pour moi, représente la meilleure confirmation de mon talent.

— Je suis sûre qu'il plaira au public, assura-t-elle en retirant sa main. J'ai trop investi dans ce roman pour ne pas y veiller.

— Vous parlez de vos misérables quinze mille dollars ?

— Pas du tout.

Son sourire idiot disparut et il prit lui aussi un air grave.

— Je sais.

— Je faisais référence à...

Il crut voir des larmes naître dans ses yeux, mais ç'aurait aussi bien pu être un reflet sur ses lunettes.

— Je sais de quoi vous parliez, Maris.

Ils échangèrent un long regard éloquent. Il brûlait de la toucher.

— Je ne veux pas que vous partiez.

Il ne savait pas qu'il allait dire ça jusqu'au moment où il entendit sa propre voix rompre le silence. Ces mots, il ne les avait pas prononcés consciemment, mais il les pensait. Et pour des raisons qui n'avaient rien à voir avec sa revanche sur Noah Reed.

— Ecrivez votre livre, Parker.

— Ne partez pas.

— Je resterai en contact.

Elle recula de quelques pas, fit demi-tour et commença à s'éloigner.

— Maris !

Mais elle ne s'arrêta pas, ne ralentit pas et ne se retourna pas, même quand il l'appela à nouveau.

16.

— Je suis heureuse que tu aies pu te libérer, dit Nadia Schuller en adressant un sourire à son hôte.

Pour cette petite entrevue intime, elle avait choisi un restaurant cosy sur Park Avenue. Menu sans chichis, décor campagnard à la française. Nadia trouvait les rideaux en dentelle un rien trop précieux pour Manhattan, mais ils contribuaient à l'ambiance amicale de la salle.

Et c'était exactement la note qu'elle souhaitait donner à ce déjeuner : chaleureuse.

Un vrai challenge lorsque vous baisez régulièrement avec le mari de votre invitée.

— Merci pour l'invitation, répondit Maris avec un sourire forcé.

Elle déplia aussitôt le menu, manière assez peu subtile de faire comprendre à Nadia qu'elle souhaitait déjeuner sans tarder et aussi vite que les règles de bienséance le permettaient.

Un serveur en tablier blanc s'approcha de leur table.

— Que veux-tu boire ? demanda Nadia.

— Un thé glacé.

— J'ai envie de prendre du vin blanc. Ça te dit de m'accompagner ?

Elle avait prononcé cette phrase avec l'air de lui accorder la permission de boire de l'alcool.

— Un thé glacé, s'il vous plaît, répéta Maris en s'adressant cette fois-ci au serveur. Beaucoup de glaçons et une rondelle de citron.

Elle se tourna vers Nadia.

— J'ai pris cette habitude pendant mon séjour dans le Sud.

— Ils en boivent toute l'année là-bas, non ? Ça et de l'alcool de contrebande.

Nadia commanda un verre de vin et le serveur s'éclipsa.

— J'ai entendu parler de ton voyage, reprit-elle.

— Ah oui ?

— Par ta secrétaire, lorsque j'ai appelé pour t'inviter à déjeuner.

— Noah ne t'avait rien raconté ?

— Non. En fait, je ne l'ai pas revu depuis... Je crois que c'était le soir de la remise de prix.

Elles discutèrent de tout et de rien jusqu'à ce que le serveur revienne avec les boissons. Il leur récita la liste des spécialités maison, mais Nadia demanda à ce qu'on leur laisse quelques minutes pour choisir. Même si Maris parut s'en agacer, la journaliste n'avait pas l'intention de se laisser balayer comme une vulgaire miette.

Elle n'aimait pas Maris, et cette aversion était réciproque. Toutes deux étaient de brillantes femmes d'affaires, mais leurs manières d'aborder le travail, les hommes et la vie en général divergeaient totalement.

Maris Matherly-Reed avait bénéficié de tout ce dont Nadia avait été privée. Elle était née dans une famille riche et respectée, et s'était fait les dents – qu'elle avait parfaites – sur une cuillère en argent.

Elle avait suivi sa scolarité dans des écoles privées et fréquenté les soirées chics qui se tenaient dans les propriétés huppées des Hamptons. Sa photo apparaissait souvent dans les chroniques mondaines. Elle avait voyagé dans le monde entier.

En somme, elle avait eu le cul bordé de nouilles – un cul qui n'avait pas nécessité de douloureuses et onéreuses séances de liposuccion. Pourtant, il avait beau être parfait, on n'aurait pu y faire fondre un glaçon.

Nadia – Nadine de son vrai prénom – était issue d'un milieu démuni. La pauvreté était une chose excusable, mais elle n'avait jamais pu tolérer l'ignorance et la grossièreté de sa famille. Dès le plus jeune âge, elle s'était montrée déterminée à quitter Brooklyn. Hors de question qu'elle épouse un rustre, un raté avec lequel elle se serait querellée pour savoir comment subvenir aux besoins d'une marmaille toujours plus nombreuse.

Elle était destinée à un avenir bien plus prometteur.

Elle perdit sa virginité à l'âge de treize ans avec son premier employeur, le gérant d'une boutique de gadgets où elle travaillait après les cours. Ce dernier l'avait surprise dans la réserve en train de voler des produits de beauté, et lui avait laissé le choix entre un accouplement moite et la perspective du tribunal pour enfants.

Hormis l'inconvénient de se faire baiser sur des caisses en bois dans une arrière-boutique froide et humide par un type balourd qui sentait l'ail, ç'avait été plutôt un bon compromis.

Par la suite, Nadia utilisa souvent cette monnaie d'échange pour obtenir ce qu'elle voulait. Elle considéra l'université comme un mal nécessaire et en profita pour multiplier les conquêtes.

Elle se foutait pas mal de leur briser le cœur, et se moquait de ne pas avoir d'amies. Tant qu'il y avait des hommes pour la convoiter, se disputer ses faveurs, lui offrir des cadeaux et l'emmener au restaurant en échange de ce que, de toute manière, elle aimait faire, pourquoi s'inquiéter ?

Lorsqu'elle se rendit compte que ses résultats ne lui permettraient pas d'obtenir son diplôme, elle alla voir son prof de maths, qui accepta de modifier sa note en échange d'une fellation. Quant à sa prof d'histoire, une pauvre femme pathétique, elle eut les larmes aux yeux quand Nadia révéla être secrètement éprise d'elle. Au cours d'une soirée pluvieuse, dans un appartement qui sentait la litière pour chats, sa note passa de D à B+.

Son diplôme en poche, elle quitta l'université. N'envisageant pas l'enseignement, elle entra de plain-pied dans le monde du travail, changeant de job tous les six mois jusqu'à trouver un emploi de secrétaire de rédaction pour un hebdomadaire local.

Ce fut le premier poste qui l'enthousiasma réellement et qu'elle jugea digne de sa personne. Au bout de quelques semaines, elle décida que ce serait dans ce secteur qu'elle allait s'accomplir et devenir célèbre. Elle commença par changer de nom.

Nadia persuada ensuite le rédacteur en chef de la laisser écrire un article de temps en temps. Les négociations se déroulèrent à l'arrière d'une voiture, à l'ombre de la petite maison que le rédacteur occupait avec sa femme et ses quatre enfants. Nadia le fit parvenir à un état proche du délire absolu et obtint sa promesse haletante de lui accorder une colonne dans le journal.

Les articles de Nadia Schuller consistaient en une rubrique bavarde et cancanière sur les histoires d'amour et la vie des habitants du quartier. Le succès fut immédiat. Elle était en route vers la gloire.

A présent, douze ans et un nombre incalculable d'amants plus tard, elle se tenait assise face à Maris Matherly-Reed, se comportant avec elle en personne civilisée tout en nourrissant une profonde antipathie pour cette femme qui la surpassait sans même le vouloir. Ce qu'elle ne pouvait tolérer, c'était l'indifférence de Maris à son égard. Elle se comportait avec Nadia comme si celle-ci ne méritait aucune considération.

Par exemple, lorsqu'elles s'étaient retrouvées à l'entrée du restaurant, Nadia, remarquant le léger hâle de Maris, lui avait rappelé de façon plutôt désagréable que le soleil était mauvais pour la peau.

— Oui... Je penserai à mettre un chapeau la prochaine fois, avait rétorqué Maris d'un ton absent.

Elles commandèrent les entrées.

— J'ai appris pour Howard Bancroft, déclara Nadia. C'est une tragédie.

Maris refusa la corbeille de pain qu'elle lui tendait, et une lueur de tristesse passa dans son regard.

— Oui, c'est affreux. Je ne l'ai su qu'en rentrant de voyage.

— Depuis combien de temps dirigeait-il votre département juridique ?

— Il était déjà là avant ma naissance.

— Quelqu'un a-t-il une idée de la raison pour laquelle il s'est suicidé ?

— Nadia, je...

— Oh, ce n'est pas pour ma rubrique. J'ai eu la version expurgée fournie par votre service de presse. Le communiqué donnait peu de détails sur les circonstances de la mort et insistait surtout sur sa contribution à Matherly Press.

Howard Bancroft avait été retrouvé dans sa voiture, près de chez lui à Long Island, un pistolet à la main et le cerveau en miettes.

— Matherly Press est une grande famille. Personne n'avait rien vu venir ?

— Non, répondit Maris. Noah l'avait vu le jour même et n'avait rien remarqué de spécial.

Elle secoua la tête avec chagrin.

— C'était quelqu'un de très aimé, ajouta-t-elle, surtout au sein de la communauté juive. Je ne comprends pas ce qui a pu le pousser à commettre un tel acte.

Les plats arrivèrent. La conversation dévia vers des sujets plus agréables – les livres que Matherly Press s'apprêtait à sortir pour la rentrée.

— Je sens que nous allons avoir beaucoup de succès avec ces nouveaux romans, dit Maris.

— Je peux écrire ça dans ma rubrique ?

— Tu peux.

Nadia sortit son fidèle carnet et demanda à Maris de lui énumérer les titres et les auteurs pour lesquels elle était particulièrement enthousiaste. Elle nota ces informations, reposa son stylo et avala une petite bouchée de son bar grillé.

— Parle-moi de ce nouveau projet sur lequel tu travailles en Géorgie.

— Impossible.

— Pourquoi ça ?

— Je ne peux pas.

— Génial. J'adore les mystères.

— Ce projet doit rester secret. Et même cette information est strictement confidentielle.

Nadia but une gorgée de vin et observa Maris pardessus son verre.

— Tu ne fais qu'attiser ma curiosité.

— Tu n'en sauras pas plus, Nadia.

— Et l'auteur ?

— Il tient à rester anonyme. Ça aussi, c'est confidentiel. Même mes collaborateurs ignorent son identité, alors inutile de chercher à leur soutirer la moindre information.

— Donc, personne ne le connaît ?

— Je n'ai pas précisé qu'il s'agissait d'un homme.

— Exact. C'est donc une femme ?

— Je ne te dirai rien.

— Donne-moi au moins un petit indice, supplia Nadia d'une voix enjôleuse. Entre amies.

— Je ne te considère pas comme une amie.

Nadia fut déconcertée par le ton de Maris. Tout à coup, avec cette déclaration laconique, la conversation avait pris une nouvelle tournure.

— C'est vrai, concéda Nadia sans se départir de son sourire, nous n'avons jamais été amies. Nos emplois du temps respectifs ne nous ont pas laissé l'occasion ni le temps d'apprendre à mieux nous connaître, mais j'aimerais…

— Nous ne serons jamais amies, Nadia.

De nouveau, elle fut prise au dépourvu par sa franchise.

— Pourquoi dis-tu ça ?

— Parce que tu veux coucher avec mon mari.

Pour le coup, Nadia était carrément impressionnée. Après tout, Maris la Sainte n'était peut-être pas si cruche qu'elle en avait l'air. Laissant de côté ses simulacres, elle soutint le regard de Maris.

— Normal, répliqua-t-elle. Noah est un homme très séduisant.

— Séduisant et marié.

— Ce n'est pas le genre de choses qui m'arrêtent.

— Je vois ça.

Nadia se mit à rire.

— Bien. J'adore être considérée comme quelqu'un de scandaleux.

Elle but une nouvelle gorgée de vin puis laissa courir son doigt sur le bord du verre. Elle découvrait Maris sous un nouveau jour. Elle appréciait les gens directs mais ne l'aurait jamais crue capable d'une telle franchise.

D'un autre côté, elle se demandait comment Maris réagirait si elle découvrait sa liaison avec Noah. Et si elle lui racontait en détail leur dernière partie de jambes en l'air, la veille au soir ? Maris se ratatinerait illico dans ses Manolo Blahniks.

Ç'aurait pu être marrant, mais dangereux également. Il y avait trop en jeu. Réfrénant son envie de tout lui révéler, elle demanda :

— Tu en as parlé à Noah ?

— Oui.

— Et qu'a-t-il répondu ?

— Que vos relations étaient strictement professionnelles et que ta rubrique était trop influente pour qu'il prenne le risque de se brouiller avec toi. C'est pour ça qu'il fait semblant de marcher dans tes combines.

Nadia haussa les épaules.

— Les gens savent très bien que je les utilise pour grappiller des informations. En retour, ces mêmes personnes se servent de moi car je leur fais de la publicité gratuite. Noah a parfaitement compris le système.

Elle avait réussi à contourner le sujet sans mentir, mais sans dire toute la vérité, et elle espérait que Maris en resterait là. Le marché avec WorldView s'avérait déjà assez compliqué comme ça.

Voyant que Maris ne répondait rien, elle ajouta :

— Je suis contente d'avoir clarifié la situation. Tu veux goûter mon poisson ?

— Non, merci.

— C'est délicieux mais je n'en peux vraiment plus.

En vérité, elle avait encore faim, mais elle repoussa son assiette. Ses cuisses avaient tendance à absorber la graisse comme une éponge, et elle surveillait chaque calorie avec un soin obsessionnel. L'exercice physique était la seule religion en laquelle elle croyait, et elle la pratiquait tous les jours avec dévotion.

Noah la chambrait souvent avec son régime et ses séances de fitness. Même au lit, elle ne pensait qu'à ça. Elle considérait le coït comme un exercice d'aérobic et connaissait la dépense calorique engendrée par chaque pratique sexuelle.

Noah la connaissait bien. Il était le seul homme sur terre à qui elle aurait pu être fidèle. Elle ne l'aimait pas et lui non plus. Ni l'un ni l'autre ne croyait au mythe de l'amour romantique. Il avait volontiers admis que son mariage n'avait pas été inspiré par une passion de cet ordre, mais par le désir ardent d'entrer dans la dynastie des Matherly.

Il avait développé avec Daniel une relation de type mentor-protégé, mais cela n'était pas suffisant par rapport à ses projets. Devenir le gendre du vieil homme allait permettre de renforcer les liens et de cimenter son avenir.

Il fallait du cran pour mener à bien un plan aussi audacieux, et Nadia admirait en lui le conspirateur acharné. Les gens impitoyables étaient ceux qui l'excitaient le plus. Elle avait repéré ce trait de personnalité chez Noah dès leur première rencontre. Reconnaissant en lui un être ambitieux et arriviste comme elle, elle l'avait aussitôt désiré et n'y était pas allée par quatre chemins.

Leur premier déjeuner d'affaires s'était soldé par un après-midi au lit. A sa grande satisfaction, Noah s'était révélé le partenaire sexuel idéal : même animalité, même désir de jouissance. Il l'avait laissée épuisée, exaltée et tremblante dans les draps humides.

Mais leur entente dépassait le simple cadre du plaisir. Ils se comprenaient l'un l'autre. Leurs aspirations individuelles étaient semblables, mais leur esprit de compétition assez développé pour ajouter du piquant à leur relation. Ils se complétaient. Ensemble, ils devenaient invincibles. C'est la raison pour laquelle Nadia souhaitait épouser Noah.

Enfin... c'était *l'une* des raisons.

Même si elle avait du mal à l'admettre, il restait chez elle une part de l'ancienne Nadine qui la poussait à vouloir se marier avant de mourir. Elle ne voulait pas vieillir seule. Entre les déjeuners d'affaires et les cinq à sept, une célibataire redevenait une vieille fille.

Nadia avait toujours méprisé l'idée même du mariage. Elle clamait à qui voulait l'entendre son refus de la monogamie. Un seul et unique partenaire ? Quel ennui.

Mais, en vérité, sur la totalité des hommes qui avaient partagé son lit, qui avaient poussé des soupirs et des gémissements entre ses cuisses, pas un ne l'avait demandée en mariage.

Et, pour être honnête, Noah non plus ne le lui avait pas proposé. Il n'était pas du genre à offrir des fleurs et à se mettre à genoux. Quant à Nadia, elle avait déjà plus de diamants que de doigts et d'orteils pour les porter. Leur projet de mariage avait vu le jour car c'était elle qui lui en avait fait la demande. Et Nadia Schuller ne se contentait jamais d'un « non ».

Pour le moment, la femme de son futur mari terminait une tasse de cappuccino dont elle n'avait pas voulu. D'habitude, Nadia avait le chic pour faire parler les gens. Elle leur tirait les vers du nez et finissait toujours par obtenir une anecdote croustillante pour sa colonne, mais Maris était restée obstinément muette sur ce mystérieux roman. Pas un mot de l'auteur ni de la nature de ce projet.

Non que Nadia s'y intéressât particulièrement. L'objet de ce déjeuner était de tenir Maris dans l'ignorance la plus totale de ce qui se tramait dans son dos.

Mais son comportement avait alerté la journaliste. Il fallait absolument en avertir Noah et lui expliquer qu'elle risquait de se montrer moins malléable et naïve que prévu. Nadia espérait en tout cas que ses soupçons d'adultère s'étaient dissipés, car la dernière chose dont ils avaient besoin pendant ces semaines décisives, c'était d'une femme jalouse constamment sur leur dos.

— Désires-tu autre chose, Maris ? proposa-t-elle gracieusement. Un deuxième cappuccino ?

— Non, je te remercie. J'ai du pain sur la planche depuis mon retour de Géorgie et je préfère retourner travailler.

— Alors pourquoi es-tu venue ?

La question avait fusé sans qu'elle s'en rende compte. Mais, d'une certaine manière, elle exprimait une réelle curiosité. Pourquoi Maris avait-elle accepté son invitation ?

— Ça fait longtemps qu'on se déteste, toi et moi. Mais nous sommes toujours restées polies. Et vois-tu, Nadia, ce que je hais par-dessus tout, c'est l'hypocrisie.

Elle s'interrompit un bref instant, avant d'ajouter :

— Ou peut-être suis-je simplement écœurée par les menteurs. En tout cas, je pensais qu'il était temps de te dire en face que je t'avais percée à jour.

Nadia encaissa et lui adressa un sourire ironique.

— Très bien, répondit-elle.

Comme elles se dirigeaient vers la porte, elle demanda :

— Tu continueras quand même à me tenir informée de votre actualité, j'espère.

— Oui, mais ne compte pas sur moi pour les ragots.

— Lorsque tu seras prête à révéler le nom de ce mystérieux écrivain, est-ce que tu me donneras le scoop ?

— Connaissant sa personnalité, je ne suis pas certaine que…

— Nadia, quelle bonne surprise !

La journaliste se retrouva nez à nez avec Morris Blume, la dernière personne au monde qu'elle aurait souhaité rencontrer en présence de Maris. Contrairement à lui, elle n'appréciait pas du tout la surprise.

— Comment allez-vous, Morris ? s'enquit-elle d'un ton distant en lui tendant la main. Laissez-moi vous recommander le bar grillé, il est excellent.

— Et moi, je vous recommande les martinis, répondit-il en levant son verre. Pour tout vous dire, c'est moi qui ai expliqué à leur barman comment les préparer.

— Vous les buvez frappés ?

— Exactement.

Entre-temps, Maris était partie chercher son manteau et Nadia en profita pour le draguer un peu. Il valait mieux ne pas se montrer trop froide. Le dîner au Rainbow Room s'était déroulé de façon agréable et Blume aurait pu se demander pourquoi elle l'envoyait soudain sur les roses.

— Gin ou vodka ?

— Vodka. Histoire de se mettre en forme...

Elle haussa l'un de ses sourcils artistiquement maquillés.

— Ça semble intéressant.

— Tenez, dit-il en prenant l'olive dans son verre et en la tendant vers sa bouche.

Sans le quitter des yeux, Nadia titilla l'olive du bout de la langue, la prit entre ses lèvres et l'aspira d'un seul coup.

— Hmm. J'adore.

— Voulez-vous vous joindre à moi ?

— Je n'ai malheureusement pas le temps, Morris. On remet ça à une prochaine fois ?

— Je vous appelle.

Elle lui adressa un sourire des plus prometteurs, un sourire que des années d'expérience avaient presque rendu habituel, lui souhaita bon appétit et s'éloigna pour rejoindre Maris. Mais le charme avait trop bien fonctionné et, à sa plus grande consternation, Blume lui emboîta le pas. La confrontation avec Maris était inévitable. Nadia les présenta l'un à l'autre en feignant la plus grande nonchalance.

— Il y a longtemps que j'admire votre maison d'édition, affirma Blume comme ils se serraient la main.

— Et que vous la convoitez, fit observer Maris.

— Alors vous avez lu les innombrables lettres que j'ai envoyées à votre estimé papa ?

— Ainsi que ses réponses.

— Et vous partagez sa position ?

— De tout cœur. Nous sommes évidemment flattés qu'une institution telle que WorldView souhaite fusionner avec Matherly Press, mais nous tenons à notre indépendance.

— Oui, c'est aussi ce que m'a dit votre mari lors de notre dernière entrevue.

17.

Noah était plongé dans l'examen des derniers bilans comptables lorsque sa femme fit irruption dans le bureau en claquant violemment la porte derrière elle, provoquant même un sursaut de la secrétaire.

Elle jeta son sac à main et son imperméable trempé sur la première chaise venue et se dirigea vers lui à grands pas. Maris était irritable depuis son retour de Géorgie, en revanche elle n'avait jamais été aussi belle. Ce jour-là, elle portait un tailleur classique dont la coupe moulante avait toujours plu à Noah. Les heures passées sur la plage avaient coloré ses joues et éclairci ses cheveux, lui donnant un teint frais et resplendissant.

Son expression, elle, n'avait rien de radieuse.

— Tiens, Maris ! Alors, ce déjeuner ?

— Figure-toi que j'ai été présentée à Morris Blume, le jeune prodige de chez WorldView. Il m'a demandé de te transmettre ses amitiés.

Cette maudite Nadia ! Pourquoi n'avait-elle pas téléphoné pour le prévenir ? pensa-t-il. Puis il se souvint qu'il avait donné pour consigne à Cindy de ne lui transmettre aucun appel tant qu'il n'aurait pas fini d'éplucher les comptes rendus financiers qui s'entassaient sur son bureau – ironie du sort, il effectuait ce travail à cause de WorldView. Il avait passé des heures à étudier chaque diagramme, chaque tableau à la recherche de la moindre zone d'ombre qui aurait pu susciter l'inquiétude de Blume et de ses associés. Noah voulait être paré à répondre à toutes leurs questions.

— Comme c'est gentil à M. Blume de se souvenir de moi.

— Il n'a pas eu beaucoup d'effort de mémoire à faire, puisque vous vous êtes vus récemment.

Elle se pencha vers lui et le fusilla du regard.

— C'est quoi, cette histoire ? Pourquoi je n'étais pas au courant ?

Noah se leva et contourna le bureau.

— Maris, je t'en prie, calme-toi.

— Ne me dis pas de me calmer.

— Très bien. Alors je te *demande* de te calmer. S'il te plaît.

Il voulut la prendre par les épaules, mais elle se recula et il resta les bras ballants.

— Tu veux un verre d'eau ?

— J'attends surtout une explication. Tu sais très bien ce que mon père et moi pensons des groupes comme WorldView.

— Et je partage votre point de vue, Maris.

Il s'assit au coin du bureau et croisa les mains d'un air placide alors que, s'il avait pu, il l'aurait volontiers étranglée.

— C'est pourquoi j'ai accepté cet entretien avec WorldView, ajouta-t-il.

Elle secoua la tête avec dépit comme si, jusqu'à cet instant, elle s'était raccrochée à l'espoir que Blume avait menti.

— Tu as accepté un rendez-vous avec ces chacals ? Et dans mon dos, en plus ?

Noah poussa un soupir et l'observa d'un air affligé.

— Oui, je les ai rencontrés. Mais avant que tu montes sur tes grands chevaux, pourrais-tu me laisser expliquer ?

Il prit son silence pour une invitation à poursuivre.

— Ça fait des mois que Blume et ses sbires me harcèlent. J'ai fini par ne plus répondre à leurs coups de fil, mais ça ne les a pas arrêtés. Ils se sont mis à m'envoyer des fax et ils m'ont empoisonné la vie jusqu'à ce que je me décide à rencontrer Blume pour lui dire en face que nous n'étions pas intéressés par leur offre.

Point à la ligne. Fin de la discussion. Je pense avoir été on ne peut plus clair. Je ne t'en ai pas informée parce que tu semblais très occupée et que je n'ai pas jugé utile de te stresser davantage.

— Je suis toujours très occupée.

— Cette réunion était sans importance.

— Ce n'est pas mon avis.

— Et pour être honnête avec toi, je savais que tu réagirais comme ça et que tu t'emporterais. Je voulais éviter ce genre de scène.

— Il ne s'agit pas d'une *scène*, Noah. C'est une conversation privée entre mari et femme, entre associés. Deux relations qui impliquent normalement une confiance absolue l'un envers l'autre.

— Tout à fait d'accord, rétorqua-t-il en élevant la voix à son tour. Et c'est pourquoi je suis surpris, à la fois en tant que mari et associé, de voir à quel point tu ne me fais pas confiance.

— Mets ça sur le compte de l'énervement. Tu l'as dit toi-même, je m'emporte, je monte sur mes grands chevaux.

— Comprends-moi, Maris. Tu débarques ici et tu m'accuses presque de trahison envers Matherly Press.

— Tu as tout de même frayé avec l'ennemi !

Un coup frappé à la porte les fit sursauter. Daniel se tenait sur le seuil, appuyé sur sa canne.

— C'est l'un des privilèges du grand âge que de s'imposer sans y avoir été invité.

— Ne dites pas de bêtises. Nous avions une discussion à propos de...

— Je sais. J'ai tout entendu depuis le hall, raconta Daniel en fermant la porte derrière lui. Maris est furieuse à cause de ton rendez-vous avec Morris Blume.

— Tu étais au courant ? s'écria Maris.

— Noah m'en avait parlé. J'ai pensé que c'était une bonne idée et j'étais soulagé qu'il y aille à ma place. Je crois que j'aurais eu du mal à le supporter.

— Pourquoi n'ai-je pas été informée ?

La question s'adressait aux deux hommes, mais ce fut Noah qui répondit.

— Tu étais sur le point d'aller en Géorgie. Tu avais l'air si enthousiaste que nous avons préféré ne rien te dire. Nous avions peur que tu ne veuilles plus partir après ça. Il n'y avait aucune raison de t'ennuyer avec cette histoire.

— Je ne suis plus une gamine, protesta-t-elle en les regardant d'un air furieux.

— Nous avons eu tort, avoua Daniel. Nous n'avions pas l'intention de te blesser.

— Je ne me sens pas blessée, je me sens infantilisée. Ce n'est pas la peine de me couver comme une gosse, papa. Quand il s'agit du travail, je ne suis plus une fille ou une épouse, je suis un membre de la direction à part entière. Vous avez eu tort de m'exclure du débat. En plus, vous m'avez fait passer pour une idiote devant Morris Blume et Nadia Schuller.

— Je suis désolé, répondit Daniel.

— Moi aussi, compléta Noah. Et si tu t'es sentie embarrassée, j'en prends l'entière responsabilité.

Daniel interpréta son silence comme un pardon tacite.

— C'est toujours d'accord pour le dîner de ce soir ? demanda-t-il. Maxine a préparé un rôti.

— Nous viendrons pour sept heures, confirma Noah.

Daniel promena sur eux un regard gêné et quitta la pièce.

Maris se planta devant la fenêtre et Noah resta assis sur le bureau. Plusieurs minutes s'écoulèrent en silence.

— Je m'excuse de m'être emportée, finit-elle par lâcher.

— Je t'ai déjà dit à quel point tu étais belle quand tu te mettais en colère ?

— Ne prends pas ce ton condescendant, Noah, répliqua-t-elle aussitôt.

— Et toi, arrête d'être aussi susceptible.

— Je déteste ce genre de remarques sexistes.

— Sexistes ? Je ne peux plus te faire de compliment sans que tu y voies le mal ?

— Pas quand on vient de se disputer.

Noah constata avec inquiétude que son charme avait perdu de son efficacité.

— Qu'est-ce qui ne va pas, Maris ? Depuis ton retour, tu es d'une sensibilité à fleur de peau. Si le fait de travailler avec cet auteur te plonge dans un état chronique de syndrome prémenstruel...

— Ça n'est pas sexiste, ça, peut-être ? s'écria-t-elle.

— ... alors je te suggère de...

— Ça n'a rien à voir !

— Alors quoi ?

— Nadia.

— Quoi, Nadia ?

— Etait-elle au courant de cette réunion ?

Il tenta de dissimuler sa gêne par un petit rire.

— Tu penses que j'ai appelé cette commère pour lui raconter toute l'histoire ?

Maris croisa les bras et se tourna à nouveau vers la fenêtre.

— Tu mens, Noah.

— Je te demande pardon ?

— Elle savait. Nadia est la personne la plus sournoise que je connaisse et d'ailleurs elle ne s'en cache pas. On peut même dire qu'elle s'en vante. Mais, tout à l'heure, quand Blume a mentionné votre rendez-vous, elle est devenue livide, comme si elle voulait dissimuler quelque chose. Et elle a eu l'air pressée de s'en aller.

Elle se tourna lentement avant de répéter :

— Elle savait.

Elle lança à Noah un regard empreint de supériorité qui le fit enrager. Le sang lui monta à la tête. Il imagina ses capillaires exploser derrière ses yeux. Ce n'est qu'au prix d'un immense effort qu'il parvint à maîtriser sa voix.

— Pourquoi en aurais-je parlé à Nadia, Maris ? Si elle l'a appris, c'est que Blume lui a dévoilé l'affaire. Je les ai souvent vus ensemble, ces deux-là, et ça ne m'étonnerait pas qu'ils se refilent des informations.

— Oui, c'est comme ça que ça marche, murmura-t-elle à part soi. Mais si Blume lui en a parlé, alors pourquoi ne s'en est-elle pas servie pour sa rubrique ?

— Tout simplement parce que le journal pour lequel elle écrit appartient à WorldView. Elle ne pouvait pas prendre le risque de les discréditer en révélant que David avait fait un pied de nez à Goliath. Si j'avais su que ça ferait un tel ramdam, j'aurais continué à les ignorer. Je te jure que je pensais que c'était le seul moyen de leur clouer le bec.

— Elle m'a tout avoué.

Noah sentit son cœur cogner dans sa poitrine. Il avait toutes les peines du monde à rester impassible.

— De quoi ? Qui ? Qu'est-ce qu'elle a avoué ?

— Ce midi, j'ai expliqué à Nadia que je l'avais percée à jour. Je sais qu'elle a des vues sur toi.

— Des vues ? répéta-t-il d'un air amusé. Quelle drôle de phraséologie.

— Je ne dis pas ça pour être drôle, Noah. Elle m'a carrément jeté à la figure qu'elle voulait coucher avec toi.

Il leva les yeux au ciel.

— Maris, je t'en supplie. Nadia saute sur tous les hommes qu'elle rencontre. Ce n'est pas une femme, c'est une hormone géante. Elle va jusqu'à draguer les serveurs et les portiers, et je ne serais pas étonné qu'elle fasse du gringue au type qui sort les poubelles dans son immeuble.

— Beaucoup la trouvent séduisante.

— Elle l'est. Mais je n'ai jamais eu envie de coucher avec elle et ce n'est sûrement pas maintenant que je vais mettre mon mariage en péril pour une partie de jambes en l'air.

Il poussa un profond soupir et secoua tristement la tête.

— Tout ça pour ça ? A cause de ce que t'a dit Nadia ?

— Non. J'étais surtout en colère pour le coup de WorldView. Après tout, tu fais ce que tu veux avec Nadia...

Noah se força à sourire.

— Je suis heureux que nous ayons pu éclaircir ces

malentendus. C'est bien de crever l'abcès de temps en temps.

Il la laissa réfléchir un instant et adopta son air de chien battu.

— Si l'interrogatoire est fini, j'aimerais te prendre dans mes bras.

Voyant qu'elle ne disait rien, il s'approcha d'elle et lui passa les bras autour du cou. Il pressa son visage contre le sien.

— Je me suis un peu emporté, mais reconnais que depuis ton retour, tu es d'humeur grincheuse, non ? Tu n'es plus toi-même, ajouta-t-il en lui caressant le dos. Cette petite île était donc si horrible ?

— Tu t'intéresses enfin à mon voyage.

— Tu n'es pas juste, Maris. Depuis hier, on ne peut pas dire que tu te sois montrée très avenante. Tu es distante et on croirait que tu fais la gueule. Je me suis même demandé s'il ne valait pas mieux t'approcher avec un fouet et une tenue de dompteur.

Sans se laisser décourager par le silence glacial avec lequel elle accueillit sa tentative d'humour, il déposa un baiser sur sa tempe.

— Alors ? Raconte-moi. Elle était comment, cette île ?

— Pas si horrible que ça. Je dirais plutôt... différente.

— Par rapport à quoi ?

— C'est dur à expliquer. Juste différente.

— Et l'auteur ? Etait-il aussi revêche que tu le craignais ?

— Encore pire.

— On a déjà des tonnes de bouquins à publier l'année prochaine. Pourquoi te tracasser avec cet ermite ?

— Parce que c'est quelqu'un de talentueux.

— Est-ce qu'il en vaut vraiment la peine ?

— Je te préviens tout de suite, je n'ai pas l'intention de renoncer.

— Je disais ça pour toi. Si le fait de travailler avec lui te rend hargneuse et...

— Ça n'a rien à voir.

Heureusement, Maris ne pouvait pas voir l'expression de Noah, sans quoi elle aurait pu constater qu'il était à deux doigts de lui mettre une énorme baffe. Il attendit de s'être calmé pour demander, d'une voix faussement enjouée :

— Et comment s'appelle-t-il, ce génie de la littérature ?

— Je suis tenue au secret.

— Tu ne trouves pas ça un peu absurde, cette volonté farouche de rester anonyme ?

— Il y a une raison à ça. Il est handicapé.

— Comment ça ?

— Je ne peux rien te dire, Noah. Je ne voudrais pas trahir sa confiance.

— Es-tu certaine que ton opinion n'a pas été influencée par le fait qu'il soit handicapé ?

— Je ne l'ai su qu'après avoir lu son prologue. Il a du talent, et même si ce n'est pas facile de travailler avec lui, j'apprécie énormément cette collaboration. Ça va me faire un bien fou. J'ai besoin de me remuscler le cerveau. Je suis devenue grosse et feignante.

— Feignante peut-être, grosse sûrement pas.

Il glissa ses mains jusqu'à ses fesses, une caresse qui en général ne manquait pas de l'exciter. Cette fois, pourtant, l'effet fut moindre.

— C'était une image, Noah.

— J'avais compris...

Il se pencha et l'embrassa sur la joue, puis sur la bouche. Il voulait être sûr que sa colère n'avait rien à voir avec quelque chose de plus sérieux. Surtout, il ne voulait pas qu'elle doute de sa loyauté envers Matherly Press.

Elle lui rendit son baiser. Pas avec la ferveur escomptée, mais elle souriait lorsqu'il desserra son étreinte, et ses craintes s'évanouirent.

— Si je n'avais pas toute cette paperasse, je serais tenté de fermer la porte et de te faire l'amour, là, tout de suite.

— Alors pourquoi ne pas envoyer tout ça au diable et mettre ce projet à exécution ?

Il l'embrassa à nouveau avant de la repousser d'un geste décidé.

— C'est très tentant, ma chérie, mais le devoir m'appelle.

— Je comprends.

— Pourquoi pas ce soir ? Après le dîner ?

— Je prends note, répondit-elle en l'embrassant rapidement.

Elle reprit son sac et son manteau et ajouta :

— Je vais sûrement rester tard, j'ai encore pas mal de choses à faire.

— Très bien. On partira directement. Je me débrouillerai pour qu'une voiture passe nous prendre vers sept heures moins le quart.

— A tout à l'heure.

Il lui envoya un baiser et se remit au travail, convaincu d'avoir désamorcé la situation. Comme toujours, il avait suffi d'un peu d'attention et d'affection pour apaiser Maris. Mais ses soupçons concernant le rendez-vous avec Blume n'étaient pas à prendre à la légère.

En repensant à la façon dont il avait failli être démasqué, il eut envie de voir Morris Blume agoniser lentement. Si ce dernier avait informé Maris de la réunion, c'était évidemment dans le seul but de rappeler à Noah que le délai expirait bientôt et que c'était bel et bien lui qui comptait mener la danse.

Cette fois, il l'avait échappé belle. Cet épisode lui avait fait perdre un temps précieux, mais n'avait pas causé de dommages irréparables. Dieu merci, il avait eu la présence d'esprit de mettre Daniel au courant, précisément pour parer à ce genre d'imprévus. Les bruits de couloir étaient nombreux dans le monde éditorial, et il avait jugé utile de prendre cette précaution.

Les Matherly étaient loin d'être idiots, mais loin aussi de surpasser sa subtilité. Noah ne laissait absolument rien au hasard. Il planifiait tout méticuleusement, car tous ses projets s'inscrivaient dans la durée et nécessitaient une patience et une persévérance à toute épreuve, deux qualités dont les individus de moindre envergure semblaient dénués.

Noah se fiait avant tout à son instinct et son intelligence, mais il comptait aussi sur une composante essentielle et inépuisable : la nature humaine. Contrôler l'esprit des autres s'avérait un jeu d'enfants si vous connaissiez leurs goûts et leurs répulsions, leurs secrets, leurs faiblesses et leurs peurs.

Il avait le don de manipuler les gens pour les emmener dans la direction souhaitée. Il pouvait les persuader de prendre des décisions qu'ils considéraient ensuite, à tort, comme les leurs, ainsi qu'il l'avait fait récemment avec Howard Bancroft. Mais son habileté en la matière remontait à bien plus longtemps.

La sonnerie de son téléphone retentit. Cindy s'excusa de l'interrompre et lui expliqua que Nadia Schuller avait déjà appelé cinq fois et insistait pour lui parler.

— Passez-la-moi, commanda Noah en enclenchant le bouton. Salut Nadia, lança-t-il d'une voix joyeuse. Alors, ce déjeuner ?

Chapitre 12
Key West, Floride, 1986

Lorsque Todd Grayson découvrit Key West, sa déception fut cuisante.

Depuis plusieurs mois, il ne parlait que de ce voyage, ne pensait à rien d'autre, et était allé jusqu'à rayer les jours sur le calendrier, comme font les gosses avant Noël. Il avait détesté tout ce qui avait pu entraver ses rêveries et ses projets, y compris la fin du semestre. Son cœur, son âme et son esprit étaient entièrement tournés vers son eldorado, là-bas en Floride.

Mais maintenant qu'il y était, maintenant qu'il avait enfin accompli son rêve, son enthousiasme était retombé.

La ville lui faisait l'impression d'une vieille pute. Usée, miteuse, pas très propre sur elle, et surtout extrêmement fatiguée. Poursuivant la métaphore, il se dit que Key West ressemblait davantage à une fille de joie qui vendrait ses charmes au coin de la rue qu'à une belle courtisane au charme exotique vous susurrant d'exquises promesses. Hormis de vulgaires et pitoyables tentatives de séduction, elle semblait ne rien avoir à offrir. C'était une ville banale, et sa seule promesse était celle d'une existence de débauche.

Roark et Todd avaient décidé de quitter le campus aussitôt après la cérémonie de remise des diplômes. Ils avaient empaqueté toutes leurs affaires et il ne leur restait plus qu'à ramener les traditionnelles tenues d'apparat.

Au début, ils avaient projeté de faire la route dans leur voiture respective et s'étaient mis d'accord pour faire halte avant d'entrer en ville afin de tirer au sort celui qui aurait le privilège d'ouvrir le cortège jusqu'à Duval Street.

Mais le destin s'en mêla et vint bouleverser leurs plans. Une obligation familiale empêcha Todd de partir le jour prévu. Roark proposa de différer lui aussi son départ, mais après de rapides délibérations, ils convinrent que Roark partirait devant et se mettrait en quête d'un appartement.

— Je vais jouer les scouts, plaisanta Roark comme ils se disaient au revoir. Le temps que tu arrives, j'aurai déjà dressé le camp.

Sa Toyota était remplie à craquer. Chaque centimètre carré de l'habitacle avait été réquisitionné pour transporter ce qu'il possédait. Il avait vidé la chambre où il avait vécu durant trois années et s'apprêtait à entrer dans une nouvelle phase de sa vie.

— Ça fait vraiment chier, marmonna Todd.

— Eh, mec, c'est juste un léger contretemps.

— Facile à dire. C'est pas à toi que ça arrive. Pendant que je me languirai, toi tu seras tranquillement là-bas en train d'écrire.

— Pas si sûr, mec. Il va d'abord falloir que je repère les lieux, que je trouve un appart, que je fasse installer le téléphone et toutes ces conneries.

Todd savait bien que c'était faux. Roark écrivait quoi qu'il advienne – qu'il fût ivre, sobre, fatigué et à cran, malade comme un chien ou en pleine forme, heureux ou triste, il écrivait. Parfois les phrases coulaient comme de l'eau, parfois elles se refusaient à lui, mais dans tous les cas, il écrivait, encore et toujours. Et cet état de fait lui conférait une supériorité qui emplissait Todd d'amertume.

Tandis qu'il prenait place au volant de sa voiture, Roark essaya une dernière fois de remonter le moral de son ami.

— Je sais que ça peut paraître chiant sur le coup, mais tu verras, bientôt ce sera de l'histoire ancienne.

Comme convenu, il appela Todd dès son arrivée à Key West. Quelques jours plus tard, il appela à nouveau pour dire qu'il avait trouvé un appartement. Todd le pressa de questions, mais les réponses de Roark restèrent évasives, ses descriptions vagues. Après avoir raccroché, Todd se rendit compte qu'il ne savait rien de leur nouveau logement, excepté que le prix du loyer rentrait dans leur budget.

Six semaines s'écoulèrent avant que Todd puisse enfin se rendre sur les lieux de sa nouvelle vie, à l'autre bout du pays. Il partit un matin et quitta la maison de son enfance sans se retourner. Il avait l'impression de sortir de prison.

Le premier jour, il roula près de vingt heures et attendit d'être entré en Floride avant de se garer sur une aire de repos pour dormir un peu. Il arriva à Key West le lendemain après-midi et, même si tout n'était pas conforme à ses attentes, il fut malgré tout séduit par certains aspects.

L'air, par exemple, chaud et parfumé. Fini les matins glaciaux et venteux à courir pour ne pas rater le premier cours. Le soleil resplendissait, palmiers et bananiers poussaient en abondance. La musique de Jimmy Buffet, omniprésente, semblait suinter par tous les pores de la ville.

Comme il naviguait à travers les rues bondées de touristes, sa déception initiale laissa place peu à peu à l'excitation. Le décor, les bruits et les odeurs finirent par lui rendre le sourire.

Mais ce sursaut ne fut que de courte durée : sa joie s'envola dès qu'il aperçut son nouveau domicile. Consterné, il vérifia deux fois l'adresse en espérant s'être trompé.

C'était sûrement l'une de ces blagues dont Roark avait le secret.

Des lauriers-roses mal taillés formaient une haie hirsute entre la rue et la pelouse envahie de mauvaises herbes qui faisait office de jardin. Il s'attendit à voir Roark émerger des buissons avec un grand sourire niais et se mettre à brailler :

— Tu devrais voir ta tronche. On dirait que tu viens de te prendre une merde de buse dans la gueule.

Ils rigoleraient un bon coup et Roark les conduirait à leur véritable adresse. Puis ils iraient boire une bière en se remémorant la scène, et par la suite, ils en reparleraient comme on reparle d'une de ces anecdotes comiques qui ne manquent jamais leur effet.

Excepté le coup du rendez-vous avec Hadley. Cette histoire-là, ni l'un ni l'autre ne tenait à en reparler.

Todd gara sa voiture le long du trottoir défoncé. Il n'avait même pas envie de s'avancer entre les buissons – tellement énormes qu'ils semblaient gavés de stéroïdes – pour suivre l'allée de ciment craquelée qui menait à la porte de l'immeuble. Les murs en parpaing étaient recouverts d'une peinture rose vif, comme si cette teinte criarde avait pu éclipser la piètre qualité des matériaux. Au contraire, la couleur ne faisait qu'accentuer l'aspect misérable du bâtiment.

Une fissure aussi large que l'index courait le long du mur. Une sorte de fougère y avait pris racine. En piteux état, les jalousies couleur soupe aux pois ne semblaient tenir que pour éviter de tomber dans les flaques d'eau stagnante qui entouraient l'immeuble : aussi grandes que des douves, elles abritaient une grouillante colonie de moustiques.

Le montant de la porte d'entrée, jadis probablement rectangulaire, était complètement déformé. Quant à la moustiquaire, percée en maints endroits, elle s'avérait totalement inefficace contre les insectes volants – ou même contre les caméléons, comme Todd put le constater en s'avançant dans le couloir humide et sombre au sol nu. Deux lézards verts se prélassaient sur les murs. Un troisième détala à l'approche de Todd. Un autre déploya sa gorge rouge comme pour protester contre cette intrusion dans son territoire.

Lorsque ses yeux se furent accoutumés à l'obscurité, Todd découvrit avec angoisse son nom et celui de Roark sur l'une des boîtes aux lettres alignées contre le mur.

Il y avait en tout six appartements, deux par palier. Le leur était situé au dernier étage. En s'engageant dans l'escalier, il mit le pied dans une flaque d'un liquide impossible à identifier. Au deuxième étage, il entendit « Le Juste Prix » dans l'un des appartements. A part ça, l'immeuble était calme.

En arrivant au troisième, il dégoulinait de sueur. Il se prit à maudire cette même chaleur qui l'avait enthousiasmé quelques minutes plus tôt, tandis qu'il arpentait les rues toutes vitres baissées en lorgnant les filles légèrement vêtues.

Il doit y avoir une clim' individuelle pour chaque appartement, pensa-t-il en actionnant la poignée du 3A. La porte était fermée. Il frappa plusieurs fois avant que Roark vienne ouvrir. Son visage bronzé se fendit d'un large sourire.

— Hé, Todd ! Te voilà. Et avec une heure d'avance !

— Pas de clim' ? Tu te fous de ma gueule ou quoi ?

La chaleur s'avérait encore plus étouffante que dans la cage d'escalier. S'il n'y avait eu que ça... Mais en inspectant l'appartement, Todd se rendit compte que ses craintes étaient fondées.

C'était un véritable trou à rat. Et encore... Pour mériter cette classification, l'endroit aurait dû subir une rénovation majeure. Dans son état actuel, aucun rat digne de ce nom n'aurait accepté d'y mourir.

Quelques chaises en sacco composaient le mobilier du salon. Un ventilateur brassait l'air chaud, propageant dans la pièce la puanteur d'une vieille pizza figée dans sa boîte sur la table de la cuisine, cuisine équipée par ailleurs de deux plaques chauffantes et d'un évier.

— J'étais sous la douche, expliqua Roark.

Il était en effet vêtu d'une simple serviette de bain.

— Ah ? Je pensais que tu étais devenu pédé, répliqua Todd d'un ton acerbe.

— Arrête ça, il faut absolument que je te montre un truc, fit Roark en se dirigeant vers une pièce située dans le fond de l'appartement.

Todd était dans une rage telle qu'il avait du mal à inspirer le rare oxygène présent dans le salon. L'argent de son compte épargne avait été gaspillé. Si Roark avait signé un bail, eh bien c'était son problème. Il refusait catégoriquement d'endosser la moindre responsabilité. Son ami avait dû être victime d'un moment d'égarement, ou bien il avait perdu leur fric en cours de route, se l'était fait voler ou quelque chose dans le genre.

Aucune personne sensée n'aurait voulu habiter un endroit pareil. Il fallait être soit fauché, soit complètement désespéré. Même les sans-abris, à part si le ciel leur tombait sur la tête, n'avaient pas à craindre de mourir écrasé sous un morceau de plafond.

— Roark, espèce d'enfoiré, hurla Todd en se précipitant derrière lui. C'est quoi, ce bordel ?

La pièce du fond était une sorte de petite alcôve meublée de deux lits jumeaux, dont l'un croulait sous le poids des affaires de Roark, pour la plupart encore emballées. Quelques vêtements dépassaient des caisses comme des entrailles.

Roark s'était servi de l'autre lit pour dormir. Et apparemment pour travailler, car un ordinateur était posé à côté, ainsi qu'une imprimante et un clavier.

— Un ordinateur ? s'exclama Todd. Tu as un PC maintenant ? Depuis quand ?

Cela faisait des années qu'ils en rêvaient. Comme la plupart des étudiants, ils avaient toujours voulu posséder une machine de traitement de texte.

— C'est comme ça que tu dépenses notre argent ?

— Mon oncle me l'a offert pour mon diplôme, chuchota Roark. Maintenant tais-toi et approche.

Todd se tourna vers une ouverture située sur le côté. Elle avait dû autrefois correspondre à l'emplacement de la porte, mais celle-ci avait été démontée et appuyée contre le mur. Sûrement pour éviter qu'il s'écroule, pensa Todd.

L'ouverture donnait sur une salle de bains crasseuse. En comparaison, même celle de la confrérie était plus propre – et ce malgré les innombrables mégots, moisissures et autres crachoirs remplis de salive marron.

Mais, encore plus écœurant que la saleté du lavabo et des toilettes, il y avait la vision de son ami qui avait laissé tomber la serviette et se tenait nu sous le jet, rivé à la fenêtre.

— Quel oncle ? Pourquoi tu ne m'as pas dit que ton oncle t'avait offert un PC ?

— Alors ? Tu viens oui ou merde ? s'impatienta Roark.

— Hors de question que je vienne te rejoindre dans cette douche dégueulasse. Et j'aimerais bien que tu répondes à ma...

— Ferme-la et viens voir.

L'enthousiasme de Roark finit par le convaincre. En dépit de tout, Todd se sentait intrigué. Il ôta ses chaussures et entra dans la cabine tout habillé. Il poussa Roark et jeta un œil au dehors.

Sur le toit de l'immeuble voisin, trois filles nues prenaient un bain de soleil. Elles ne portaient en tout et pour tout qu'une fine couche de crème solaire. Sous les yeux ébahis de Todd, l'une d'elles s'en enduisait langoureusement la poitrine.

— Elle, c'est Ambre, murmura Roark.

Ambre se frottait à présent les seins de manière à répartir la crème sur ses tétons, aussi gros et rouges qu'une fraise bien mûre.

— Tu les connais ? demanda Todd la gorge serrée.

— Ouais. On discute de temps en temps. Leur parking est commun à celui de notre immeuble. Elles sont danseuses dans un club de strip-tease.

Cela expliquait leurs formes plus que généreuses. Il ne s'agissait pas de filles ordinaires. Ces trois-là étaient absolument spectaculaires. Leurs poitrines n'étaient probablement pas d'origine, mais qui s'en souciait ?

— Celle qui a la chatte rasée, c'est Starlight, expliqua Roark. Pour son grand finale, elle se met un truc pour la faire briller.

— Tu veux dire qu'elle a la chatte qui brille ?

— Puisque je te le dis. Ils dirigent les projecteurs droit dessus.

— La vache !

— La petite brune, c'est Mary Catherine.

— Ça ne ressemble pas trop à un nom de stripteaseuse.

— C'est parce qu'au début du show, elle est déguisée en nonne, et avec son chapelet, elle...

— Non, ne dis rien. Laisse-moi la surprise.

La petite brune en question était allongée sur le ventre.

— Mate-moi ce cul, s'étouffa Todd.

— Je le connais, t'inquiète, répondit Roark avec un petit rire. Franchement, j'ai un faible pour elle. C'est la plus sympa des trois.

— Elles font ça tous les jours ?

— Sauf le dimanche. Elles assurent trois représentations le samedi soir, et en général, le lendemain, elles dorment toute la journée.

Ambre referma le tube de crème solaire, puis elle s'allongea et écarta grand les cuisses pour être sûre que le soleil pénètre bien partout.

— Tu as vu ça ? grogna Todd.

Roark éclata de rire. Il quitta la douche et récupéra sa serviette.

— Je te laisse. Je pense que tu as besoin d'un peu d'intimité.

— T'en fais pas, ça ne sera pas long.

Roark était assis en tailleur sur le lit, le clavier posé sur ses genoux lorsque Todd apparut dans l'encadrement de la porte. Il s'effondra contre le montant, l'air épuisé.

— Alors, Todd ? Que penses-tu de l'appart' ?

— Fantastique. Je n'irais vivre ailleurs pour rien au monde.

18.

Mike Strother reposa le manuscrit et but une gorgée de limonade, élaborée par ses propres soins à partir de citrons fraîchement pressés. Il avait décidé de prendre son après-midi. La veille, il avait appliqué une couche de vernis sur le manteau de la cheminée et préférait laisser sécher une journée de plus à cause de l'humidité. C'est du moins l'explication qu'il avait fournie à Parker.

Mike avait passé toute la matinée à jardiner. Parker l'avait vu à quatre pattes en train de biner les parterres de fleurs. Un peu plus tard, il avait balayé la véranda et nettoyé les vitres. Mais la chaleur l'avait ramené dans la maison juste à temps pour préparer le déjeuner de Parker. Ce dernier venait seulement de trouver le temps de manger.

Il avait écrit – ou plus exactement réécrit – depuis l'aube et avait maintenant hâte d'entendre ce que Mike pensait de son dernier jet.

Parker attachait une grande importance à ses critiques, même négatives. Il avait parfois envie de l'envoyer balader, lui et ses opinions à deux sous, mais il ne manquait pas de relire les passages contestés avec une perspective nouvelle et s'apercevait que les remarques du vieil homme étaient pertinentes. Même s'il ne partageait pas son avis, il en tenait compte lors de ses réécritures.

Que ses critiques fussent bonnes ou mauvaises, Mike ne se pressait jamais pour commenter le travail de Parker. Et lorsqu'il était remonté contre lui, il se taisait exprès jusqu'à ce que Parker vienne le solliciter. Ce jour-là, il prenait encore plus de temps qu'à l'accoutumée, et Parker savait que cette attitude n'avait d'autre but que de le mettre en rogne.

Ayant lui aussi décidé de se montrer têtu, il attendit pendant que Mike feuilletait le manuscrit, relisait certains passages, se tripotait la lèvre inférieure d'un air pensif en émettant des grognements évasifs à la façon d'un médecin qui écouterait un hypocondriaque lui dresser l'interminable liste de ses symptômes.

Ce petit manège dura une bonne dizaine de minutes. Parker fut le premier à craquer.

— Pourrais-tu, s'il te plaît, traduire ces bruits en un semblant de verbiage ?

Mike leva les yeux vers lui comme s'il avait oublié sa présence, ce que Parker savait être une ruse.

— Certains dialogues sont un peu vulgaires.

— Dix minutes de réflexion pour en arriver là ? C'est ça, la substance de ta critique ?

— Je n'ai pas pu faire autrement que de le remarquer.

— Les garçons de leur âge emploient souvent ce genre de vocabulaire. Surtout lorsqu'ils sont en groupe. C'est à qui surpassera l'autre en vulgarité.

— Ce n'était pas mon cas.

— Normal. Tu es une aberration.

Mike se renfrogna mais décida de laisser passer l'insulte.

— Et puis tu utilises le mot « pédé ». C'est plutôt insultant.

— Je te l'accorde. Mais en 88, on n'avait pas encore inventé le « politiquement correct ». Et encore une fois, je veux rester fidèle à l'esprit de mes personnages. Deux jeunes hétéros mâles qui discutent entre eux ne vont sûrement pas prendre des gants pour parler des homos.

— Ni pour parler de l'anatomie féminine, visiblement.

— Encore moins pour parler des femmes, répliqua Parker en ignorant le reproche contenu dans sa phrase. Ils n'emploieraient pas des mots choisis ou des termes cliniques pour évoquer ce genre de choses, surtout dans une discussion où la surenchère les pousse à faire preuve de mauvais goût. Maintenant que tu as fini d'ergoter sur la vulgarité, pourrais-tu enfin...

— Tu n'es pas allé à la fabrique aujourd'hui ?

— Quel rapport avec le manuscrit ? demanda Parker d'un ton impatient.

— Justement, est-ce que ça n'aurait pas un rapport ?

— Tu es particulièrement contrariant cet après-midi. Qu'est-ce qui se passe ? Tu as oublié de prendre ton laxatif ?

— N'essaye pas de changer de conversation.

— Ou alors tu as mis du Jack Daniel's dans ta limonade.

— Je vois, tu refuses carrément d'évoquer le sujet.

— Moi ? Je croyais que le sujet, c'était mon manuscrit. Tu parlais de...

— Maris.

— La fabrique.

— Les deux sont liés, répliqua Mike. Ça fait des mois que tu penses sans cesse à cet endroit, et depuis que Maris est partie, tu n'y es pas retourné une seule fois.

— Et alors ?

— Ça n'aurait pas quelque chose à voir avec le départ de Maris ?

— Non. Enfin... si. Je veux dire... Oh et puis merde ! De toute manière, il ne s'est rien passé.

— En y allant, ne risquerais-tu pas de te remémorer certains événements agréables, ou au contraire particulièrement déplaisants ? Ça ne te rappellerait pas Maris, ou quelque chose qu'elle t'a dit et que tu préférerais oublier ?

— Tu sais quoi ? fit Parker en observant Mike attentivement. Tu aurais dû être une femme.

— Récapitulons. Au cours de cette conversation, tu as réussi à me traiter de bête de foire et d'alcoolique, et maintenant tu insultes ma masculinité.

— Tu es pire qu'une vieille commère.

— Je suis autant concerné que toi par Maris, cher Parker.

Son ton acerbe sonnait la fin des badinages. Parker se détourna et s'absorba dans la contemplation de l'océan. Il était plutôt calme aujourd'hui, un miroir renvoyant le reflet cuivré du soleil.

Comme tous les jours à cette heure-là, un vol de pélicans apparut au-dessus de la cime des arbres ; ils se perchaient là pour passer la nuit. Parker se demanda si l'appartenance à un groupe aussi uni était quelque chose de contraignant ou de rassurant. Il vivait seul depuis tant d'années qu'il avait oublié ce que ça faisait d'avoir une famille, des amis, de faire partie d'une communauté.

Mackensie Roone était adulé par des milliers de lecteurs à travers le monde. Il avait sa place sur leurs tables de nuit ou dans leurs sacs, les accompagnait à la plage, aux toilettes et dans les transports en commun. Il les suivait dans leur bain et jusque dans leurs lits, partageant avec eux des moments de rare intimité.

En revanche, peu de gens connaissaient Parker Evans, et il n'était aimé de personne. Ç'avait été son choix, bien sûr, et même une nécessité, mais il se rendait compte depuis peu du prix exorbitant qu'il avait payé pour ses années de réclusion. Avec le temps, il s'était habitué à vivre seul, mais il commençait à *se sentir* seul, ce qui n'avait rien à voir. La différence devenait perceptible à partir du moment où vous compreniez que la compagnie des autres vous était plus agréable que la solitude.

Il chassa ces pensées empreintes d'un désespoir menaçant et s'excusa auprès de Mike de l'avoir embarqué dans son projet.

— Je sais que tu te sens en partie responsable.

— J'ai joué le jeu parce que tu me l'avais demandé, mais était-ce bien nécessaire de lui faire passer ce petit test ridicule ?

— Probablement pas, admit Parker d'une voix faible.

— J'aurais très bien pu lui dire que tu étais

Mackensie Roone. Tu aurais sûrement été furieux, mais ça n'aurait duré qu'un temps. Au lieu de ça, j'ai marché dans ta combine et je n'en suis pas très fier.

— Tu n'es pas à blâmer, Mike. Tout est de ma faute. Quoi qu'il advienne à la fin de cette histoire, ce sera moi le responsable.

— Et moi ton complice.

— Oui, mais c'est tout ce que je peux faire.

Un silence pesant s'instaura. Mike chaussa ses lunettes. Sans le savoir, il venait de rappeler à Parker la dernière fois qu'il avait vu Maris. Il songea qu'il ne la reverrait peut-être plus jamais.

— Ces deux jeunes gens semblent complètement réconciliés, observa Mike en feuilletant le manuscrit. On ne ressent plus la moindre trace d'hostilité.

— Après l'incident, Roark a fait comme si rien ne s'était passé, expliqua Parker. Il a décidé que cette histoire ne devait pas affecter leur amitié.

— C'est très noble de sa part. Malgré tout...

— Ils y pensent encore, termina Parker en lui ôtant les mots de la bouche. Cet épisode continue à marquer leur amitié, comme une tache de naissance sur le visage d'un nouveau-né. Alors ils détournent les yeux en espérant qu'elle s'effacera peu à peu, comme cela arrive parfois, si bien qu'au bout du compte, on ne se souvient même plus que le bébé la portait.

— Bonne analogie.

— Oui. Je m'en resservirai peut-être, acquiesça Parker en prenant une note.

— Tu n'as pas spécifié ce qui avait empêché Todd de partir en même temps que Roark.

— J'en parle dans la scène suivante, lorsque Roark lui présente ses condoléances pour la mort de sa mère. Pour ne pas inquiéter Todd, elle lui avait caché qu'elle était atteinte d'un cancer généralisé. Elle a participé à la cérémonie de remise des diplômes, mais c'était pour elle un terrible effort. La thérapie l'avait affaiblie sans parvenir à la guérir, et plutôt que de partir en Floride, Todd a préféré la raccompagner chez elle. Il est resté avec elle jusqu'à sa mort.

— Un vrai sacrifice quand on sait ce que Key West représente pour lui.

— Attends un peu, poursuivit Parker avec un sourire sardonique, je vais te lire un passage qui risque de te faire changer d'avis.

Il fouilla parmi les notes dispersées sur son bureau.

— Ah, voilà... Pour résumer, Todd remercie Roark de sa compassion, puis il dit ceci : « *En fait, je dois avouer que sa mort me soulage.* » Roark est évidemment choqué par cette déclaration.

» « *Tu ne trouves pas que tu y vas un peu fort ?* »

» Todd hausse les épaules : « *Au moins je ne suis pas hypocrite. Est-ce que sa mort me rend triste ? Non. Je n'ai plus d'attaches, plus personne pour m'encombrer. Je suis libre. Je vais enfin pouvoir me consacrer uniquement à l'écriture.* »

— Le masque tombe, si je comprends bien, commenta Mike.

— Si tu entends par là que Todd révèle sa vraie personnalité, alors non. Pas complètement. Mais la façade commence à se fendiller.

— De la même manière que le vrai visage de Noah Reed t'est apparu à Key West.

Parker sentit son visage se crisper comme à chaque fois que ce nom était évoqué.

— Dans le livre, Roark comprend qui est vraiment son soi-disant ami au bout de quelques chapitres. Moi, il m'a fallu des années. Et il était trop tard.

Il fixa longtemps ses jambes, puis, se forçant à évacuer ces souvenirs horribles, il fouilla à nouveau dans ses notes.

— Je reparle aussi du prof. Todd relance le sujet en faisant remarquer à Roark que c'est merveilleux d'avoir réussi à retourner la situation avec Hadley. Il lui dit que s'il n'avait pas joué ce mauvais tour, leur relation avec Hadley ne serait pas aussi solide que maintenant. Selon lui, Roark devrait même le remercier.

» Roark doit effectivement admettre qu'il y a une part de vérité, mais de là à le remercier...

Il s'interrompit pour prendre une inspiration.

— Hadley, qui a décelé chez eux un vrai potentiel, accepte de continuer à lire leurs écrits bien qu'ils ne soient plus étudiants.

— C'est très généreux de sa part.

— Il n'est pas complètement désintéressé. Je prépare un chapitre écrit de son point de vue, dans lequel le lecteur apprend que s'il consent à les coacher, c'est aussi dans l'espoir de voir leurs écrits publiés et lus par un large public.

— Je sens qu'il va y avoir un « mais ».

— *Mais* il le fait aussi en pensant que s'il découvre les talents de demain, ce serait l'occasion d'ajouter une victoire à son palmarès.

— En d'autres termes, c'est un sale opportuniste.

Parker se mit à rire.

— Tout le monde est opportuniste, Mike. Absolument tout le monde. Après, ce n'est qu'une question de degré. Jusqu'où sommes-nous prêts à aller pour obtenir ce qu'on veut ?

» Certains trébuchent en cours de route, abandonnent la partie ou décident simplement que le jeu n'en vaut pas la chandelle. Mais d'autres…

Il s'interrompit et son regard se perdit dans le vague.

— Pour parvenir à leurs fins, d'autres sont prêts à tout. Prêts à s'affranchir de la loi, de la morale. Ils ne reculent devant rien.

Mike semblait sur le point de commenter ce soudain accès de philosophie, mais il changea d'idée et souleva une question que Parker n'aurait pas cru si incendiaire.

— Es-tu certain de vouloir accorder autant d'importance à un personnage secondaire ?

— Hadley, tu veux dire ? Il est important pour l'intrigue.

— Tu trouves ?

— Bien sûr que oui. Il faut juste que je mette tout ça en place.

Mike hocha la tête, comme distrait par d'autres pensées. Plusieurs secondes s'écoulèrent.

— Quel est le problème ? demanda Parker. La progression ? Les dialogues ? Trop de descriptions de l'appartement ? Pas assez ?

— Cette stripteaseuse...

— Mary Catherine.

— C'est la fille qui...

— ... les accompagne sur le bateau dans le prologue. Souviens-toi que tout de suite après l'embarquement, l'un des garçons lui enlève son haut de bikini et l'agite en l'air. Il est important que j'établisse sa nature amicale. Je vais lui consacrer un passage dans un prochain chapitre.

— C'est une fille bien, tu sais.

— Qui ça ? Mary Catherine ?

Mike lui décocha un regard hargneux.

Parker étouffa un juron. Le vieil homme se montrait déterminé à parler de Maris coûte que coûte, et lorsqu'il avait une idée en tête, il ne lâchait pas facilement prise.

Parker abandonna ses notes, sachant très bien qu'il fallait évacuer la question s'il voulait être tranquille pour le reste de la journée.

— Qui a dit que ce n'était pas une fille bien ? Pas moi en tout cas. Elle dit « merci », « s'il vous plaît », elle ne pose pas les coudes sur la table et elle met sa main devant sa bouche quand elle bâille.

Mike l'observa d'un air réprobateur.

— Admets-le. Elle ne ressemble pas à ce que tu avais imaginé.

— C'est vrai. Elle est un peu plus grande.

De nouveau, le vieil homme le fusilla du regard.

— Que veux-tu que je te dise, Mike ? Qu'elle n'est pas aussi snob que je le pensais ? Eh bien tu as raison.

— Tu t'attendais à une fille à papa pourrie gâtée.

— Une petite garce.

— Une hystérique...

— Une casse-couilles.

— Qui aurait tenté de nous impressionner avec ses grands airs et sa sophistication new-yorkaise. Au lieu de ça... Enfin, tu vois très bien où je veux en venir.

Il s'interrompit.

— Elle t'a fait forte impression, n'est-ce pas ?

Effectivement. Sa douceur, sa féminité avaient eu sur lui un impact indéniable. Il observa le vase posé sur la table basse. Maris avait cueilli du chèvrefeuille un matin, et demandé si elle pouvait mettre le bouquet dans son bureau. « Juste pour apporter un peu de luminosité », avait-elle dit.

Mike, qui s'était entiché d'elle jusqu'à devenir gâteux, avait retourné la cuisine de fond en comble pour dénicher un récipient adéquat. Plusieurs jours durant, le bouquet avait diffusé dans la pièce son parfum enivrant. Il ne ressemblait maintenant plus à rien. Les fleurs s'étaient desséchées et l'eau commençait à croupir, mais ni l'un ni l'autre n'avait pris l'initiative de l'enlever. C'était un souvenir.

Les coquillages qu'elle avait ramassés sur la plage étaient encore éparpillés à l'autre bout de la table, où elle les avait fièrement exposés.

Elle était parvenue à sauver l'unique plante verte de la maison, simplement en la plaçant dans un coin mieux exposé et en l'arrosant comme il fallait.

Les magazines de mode qu'elle avait parcourus un jour traînaient encore sur le canapé.

Et puis il y avait ce coussin, celui avec les franges, qu'elle avait tenu serré contre sa poitrine tandis qu'il lisait des passages de son manuscrit.

Partout où son regard se posait, quelque chose lui rappelait Maris.

— C'est une femme brillante, Parker. Intelligente et sensible.

Mike s'exprimait d'une voix étouffée, comme s'il sentait la présence de la jeune femme dans la pièce et craignait de l'effrayer. Ce qui irrita Parker encore plus que s'il avait fait crisser ses ongles contre un tableau noir. Ils se comportaient tous deux comme des mauviettes. Deux crétins qui se laissaient aller à la sensiblerie.

Et après tout, pourquoi cette pièce aurait-elle eu

besoin de luminosité ? Il s'y était toujours senti bien avant l'arrivée de Maris Matherly-Reed.

— Ne te laisse pas avoir, Mike, lâcha-t-il d'un ton plus rude qu'il ne l'aurait voulu. Elle nous fait son petit cinéma parce qu'elle veut que je finisse le livre.

— Oui, elle veut que tu le finisses. Et elle se moque pas mal de l'argent que ça peut rapporter. Elle aime ta façon d'écrire.

Parker haussa les épaules avec indifférence, mais il approuvait secrètement les paroles du vieil homme. Même si elle avait un peu marchandé, Maris semblait bien plus intéressée par le livre en lui-même que par son potentiel de rentabilité.

— C'est aussi quelqu'un qui a de le sens de l'autodérision, une qualité que je trouve très appréciable. Je suppose qu'il n'est pas utile de mentionner sa beauté ? ajouta Mike en jetant à Parker un regard en coin.

— Alors pourquoi en parler ?

— Tu avais remarqué ?

— Tu crois que je suis aveugle ? Bien sûr que j'avais remarqué. Mais ça ne m'a pas surpris. On avait vu sa photo dans l'article.

— Elle n'était pas très flatteuse.

— De toute manière, je m'attendais à ce qu'elle soit belle. Noah n'est jamais sorti avec des filles moches, marmonna Parker comme à part soi. Enfin pas à ma connaissance.

Il s'interrompit. Voyant que Mike ne disait rien, il ajouta :

— Tu sais quoi ? Tant mieux qu'elle soit aussi séduisante. Ça n'en rendra mon plan que plus agréable.

— Pourquoi ? Que comptes-tu faire ?

— Tu sais bien que je ne dévoile jamais mes intrigues. Il va falloir faire marcher ton imagination.

— Tu vas te servir d'elle.

— Exactement. Et si tu désapprouves mon langage, tu n'as qu'à te boucher les oreilles.

Il essuya une goutte de sueur sur son front. La climatisation fonctionnait pourtant normalement, alors pourquoi avait-il si chaud ?

— Bien. Pourrait-on clore la discussion, Mike ? J'ai du travail.

Mike vida tranquillement son verre de limonade, rassembla les pages du manuscrit puis finit par se lever.

— Doucement avec les compliments, grinça Parker, j'ai la tête qui tourne.

— Tu devrais revoir tes motivations, répliqua Mike en quittant la pièce.

— Les motivations de mes personnages sont très claires.

— Ce n'est pas de ça que je parlais, répondit Mike sans même daigner se retourner.

19.

— C'est vraiment l'endroit que je préfère.

Maris se prélassait dans le confort familier du bureau de son père, où ils étaient réunis autour d'un verre.

A la dernière minute, Noah avait été contraint de consulter le responsable des contrats à propos d'une clause litigieuse. Il avait enjoint à Maris de ne pas l'attendre et d'aller directement chez Daniel. Cette dernière n'avait pas protesté. Depuis son retour, elle n'avait pas encore eu l'occasion de passer un moment en tête à tête avec son père.

— Moi aussi, j'ai un faible pour cette pièce, fit Daniel. J'y passe beaucoup de temps, mais je préfère quand tu y es avec moi.

Elle se mit à rire.

— Tu n'as pas toujours dit ça. Je me rappelle des fois où je venais ici dans l'espoir que tu abandonnerais ton travail pour venir jouer avec moi. J'étais une vraie peste.

Ils sourirent en se remémorant ces instants, mais le visage de Daniel ne tarda pas à s'assombrir.

— J'aimerais parfois revenir en arrière, tu sais. Je passerais plus de temps avec toi à faire du patin à glace et à jouer au Monopoly. Je regrette d'avoir laissé passer ces occasions.

— Je ne me sens pas lésée, papa. Je n'ai jamais manqué de rien et tu as toujours été là pour moi.

— Tu es trop gentille, Maris, mais je te remercie de me dire ça.

Elle le sentait d'humeur mélancolique. Il l'avait accueillie à la porte avec un grand sourire, mais cette jovialité sonnait faux. Ses chamailleries avec Maxine semblaient forcées. Il parvenait assez bien à donner le change, mais l'on devinait que ce n'était qu'une façade.

— Tu es sûr que ça va, papa ?

Il évoqua l'enterrement d'Howard Bancroft.

— La cérémonie aura lieu demain matin.

Elle hocha la tête en signe de compassion.

— Howard n'était pas seulement ton avocat, c'était aussi un ami fidèle.

— Il va me manquer. Beaucoup de gens vont le regretter. Je n'arrive pas à comprendre ce qui a pu le pousser à commettre un tel acte.

Bien sûr, sa perte l'attristait, mais Maris n'était pas entièrement convaincue que le suicide de Bancroft fût la seule cause de son humeur chagrine. Elle se prit à penser que sa morosité déteignait sur lui. Elle non plus n'était pas très marrante ce soir-là. Une maussaderie qu'elle attribuait à deux choses. Ou plutôt à deux personnes. Noah et Parker.

L'explication fournie par Noah à propos de ce rendez-vous avec WorldView s'avérait plausible. Même Daniel l'avait confirmée. Néanmoins, ils l'avaient tenue à l'écart d'une affaire cruciale pour Matherly Press, et cela lui restait en travers de la gorge. Elle n'était tout de même pas si occupée qu'ils le prétendaient.

Si elle avait été quelqu'un d'autre, son rang au sein de la compagnie aurait nécessité qu'elle soit mise au courant. Leurs relations personnelles n'auraient pas dû entrer en ligne de compte. En tant que vice-présidente, elle aurait dû être avertie des manigances de Blume. Et en tant qu'épouse, elle méritait le respect de son mari.

Voilà ce qui l'avait rendue furieuse : Noah ne l'avait pas prise au sérieux.

Il l'avait traitée comme une gamine qu'on pouvait faire taire avec un bonbon, comme un clebs dont on pouvait gagner la confiance avec une caresse. Il lui avait sorti des lieux communs dignes du manuel du parfait mari. Leçon numéro trois : La dispute constructive.

Il l'avait rabaissée. La connaissait-il si peu pour croire qu'elle se laissait aussi facilement amadouer ?

— Maris ?

Elle leva la tête et adressa un petit sourire triste à Daniel.

— J'étais partie ?

— Tu étais carrément dans le cosmos.

— Excuse-moi. J'ai pas mal de choses en tête.

— Tu me ressers un verre ?

Voyant qu'elle hésitait, il se fâcha.

— Je sais, tu vas encore dire que je bois trop. A propos, j'ai deviné sans peine que c'était toi qui avais envoyé Noah l'autre jour.

— Je m'inquiète, c'est normal. Tu sais que tu dois faire attention quand tu bois.

— Pour ce soir, pas de problèmes. Tu me porteras sur ton dos.

Elle lui adressa un regard désapprobateur et se leva pour aller le resservir.

— Tant que tu y es, sers-toi un autre verre. Ça te fera le plus grand bien.

Elle lui versa un Scotch et se servit un verre de Chardonnay.

— Pourquoi dis-tu ça ?

— Parce qu'à ta tête, on croirait que tu viens de perdre ton petit chien.

Il n'avait pas tort. Elle ressentait comme un vide. Elle avait beau se voiler la face et éviter d'y penser, en son for intérieur, elle savait que ce vide avait pour nom Parker Evans.

Elle se rassit, et tandis que Daniel entreprenait de bourrer sa pipe, elle promena son regard autour de la pièce. Elle observa la collection de livres reliés cuir – des éditions originales – méticuleusement alignés sur les étagères d'une bibliothèque aux vitres rutilantes.

Elle ne put s'empêcher de la comparer à l'inextricable fouillis de livres qui composait celle de Parker. Ces meubles de prix contrastaient de façon saisissante avec les fauteuils en osier et les coussins en chintz du solarium. Le bureau de son père était doté d'une cheminée en marbre importée d'un palais italien. Le manteau de la cheminée de Parker avait été sculpté par un esclave du nom de Phineas.

Et elle se rendit compte que, malgré son attachement pour ce bureau et cette maison où elle avait passé de si bons moments, elle avait la nostalgie de St. Anne Island, de la vieille demeure aux planchers craquants et du cottage avec son authentique baignoire-sabot.

Elle regrettait le fracas de Mike dans la cuisine et le cliquetis rapide de Parker pianotant à deux doigts sur son clavier d'ordinateur. L'étrange harmonie qui se dégageait du chant des cigales, le lointain chuintement du ressac et le parfum du chèvrefeuille, l'air de l'océan si dense qu'il semblait vous envelopper. Et Parker...

Parker lui manquait.

— Tu penses à lui ? demanda Daniel d'une voix douce en la tirant de sa rêverie. C'est lui qui te rend si triste ?

— Triste ? Non, je dirais plutôt furieuse. Il m'exaspère plus que tout, à commencer par la manière dont il appréhende son métier. Il est incapable de recevoir une suggestion ou une critique sans argumenter et chercher querelle.

» Il vit en reclus sur son île perdue. Il se terre dans son refuge alors qu'un écrivain devrait vivre dans le monde, saisir la moindre opportunité de promouvoir son travail. Lui, non. Il prend son air hautain et prétend être au-dessus de tout ça, mais je sais très bien pourquoi il se cache. C'est à cause de son handicap.

» Oh, je ne t'ai pas dit ? Il est en fauteuil. Je ne l'ai su qu'en arrivant là-bas. Au début, ça m'a surprise, parce qu'au téléphone rien ne laissait supposer qu'il avait un handicap. A part son manque de politesse... Mais au bout d'un moment... Je ne sais pas comment expliquer, papa, c'est bizarre. Quand je repense à lui, je ne vois même plus son fauteuil.

Elle s'interrompit, comprenant toute la portée de cette déclaration. Elle ne voyait plus le handicap de Parker et se demandait à quel moment cet état de fait s'était imposé.

— Je suppose que la force de sa personnalité occulte sa paralysie. C'est un orfèvre du langage, il en a une telle maîtrise. Même son argot est impressionnant.

» Il a un humour et un sens de la repartie incroyables. Il en devient parfois méchant, mais étant donné sa situation, je pense qu'il a des excuses. N'importe qui à sa place aurait de l'amertume. Je veux dire... Il est jeune, dans la fleur de l'âge et on comprend facilement qu'il ait du mal à supporter d'être confiné dans ce fauteuil.

» Et puis il a honte de ses cicatrices, mais il ne devrait pas. Ce n'est pas qu'il soit... beau, mais il dégage... comment dire ? Une sorte de magnétisme animal. Disons qu'on sent chez lui une énergie même quand il est immobile.

» Quand il parle, on est fasciné par son regard. L'intensité avec laquelle il capte ton attention compense largement son handicap. Mais ne crois pas qu'il soit faible, au contraire. Ses mains...

Ses mains. Lorsqu'elles avaient capturé son visage ou qu'elles l'avaient retenue près de lui, elles lui avaient semblé prodigieusement fortes. D'autres fois, comme lorsqu'il avait ôté une feuille prise dans ses cheveux, elles lui avaient paru légères et même joueuses.

Une fois, elle lui avait montré un coquillage dans sa paume pour qu'il puisse l'admirer et il avait suivi du doigt les fins sillons, très délicatement, comme s'il avait peur de le casser. Jamais une femme n'aurait à tressaillir de son contact.

— C'est la personne la plus complexe qu'il m'ait été donné de rencontrer. Il a un talent fou. On ressent également une grande colère. On la devine en filigrane dans sa manière d'écrire et on la détecte même lorsqu'il plaisante avec Mike.

» Il y a dans son sourire quelque chose de perturbant, de cruel. C'est malheureux car je sais qu'il a bon fond. Mais il y a cette rage qui affleure, constamment...

» Dans un passage de son roman, il décrit la colère qu'éprouve Roark à l'encontre de Todd et la compare à un serpent tapi sous l'eau, silencieux et invisible, prêt à cracher son venin mortel.

» Peut-être est-il simplement furieux d'être prisonnier de son fauteuil, mais j'ai l'impression qu'il y a quelque chose d'autre. Un élément que j'ignore, un secret enfoui.

Elle se mit à rire doucement.

— Je me demande ce que ça peut bien être. Il m'a déjà réservé tellement de surprises. Et pas que des bonnes...

Elle but une gorgée de vin et haussa les épaules d'un air impuissant.

— Voilà, j'espère que ça répond à ta question.

Daniel l'étudia pensivement tout en continuant à remplir sa pipe de tabac. Il l'allumait rarement. C'était un geste rituel qui l'aidait à rassembler ses esprits.

— En fait, Maris, ma question concernait Noah, précisa-t-il au bout d'un moment.

Elle rougit d'embarras. Elle avait passé au moins cinq minutes à parler de Parker.

— Ah, d'accord, je..., balbutia-t-elle. Oui, Noah... Eh bien je ne dirais pas qu'il m'ait rendue triste, mais j'étais en colère à cause de cette histoire avec World-View. Je ne peux pas supporter l'idée qu'il m'ait caché ce rendez-vous.

Daniel reposa sa pipe, prit son verre et en observa les reflets ambrés.

— Est-ce que Noah t'a dit qu'il avait eu un rendez-vous avec Howard l'après-midi où il s'est suicidé ? demanda-t-il.

A la façon qu'il avait eue de poser la question, la gorge de Maris se serra. Il ne s'agissait pas d'une simple curiosité.

— Ils se sont rencontrés quelques heures seulement avant qu'il se donne la mort.

Maris avait subitement perdu toute envie de boire. Elle reposa le verre en cristal sur la table et essuya ses paumes moites.

— De quoi ont-ils parlé ?

— Selon Noah, Howard avait besoin de lui pour

peaufiner le texte d'un contrat concernant les droits étrangers. Noah a apporté les modifications nécessaires puis ils se sont quittés.

C'était aussi ce qu'il avait dit à Maris.

— Tu crois que...

Elle se racla la gorge et reprit :

— Tu as des doutes ?

— Je n'ai aucune raison de remettre sa parole en cause, pourtant...

Maris était suspendue à ses lèvres.

— La secrétaire d'Howard m'a expliqué que ç'avait été son dernier rendez-vous de la journée et qu'en quittant le bureau, il n'avait pas l'air dans son assiette.

— Comment ça ?

— Il semblait tourmenté. Je crois que ses mots exacts étaient : « extrêmement troublé. »

Daniel but une gorgée de whisky avant de poursuivre :

— Bien sûr, il n'y a pas lieu de penser que les deux événements soient liés. Howard pouvait être inquiet pour de multiples raisons : un problème familial, sans aucun rapport avec Matherly Press ou Noah.

Mais Daniel n'en était pas convaincu, sans quoi il n'aurait pas engagé cette conversation.

— Papa, tu crois que...

— Je vois que vous avez commencé sans moi, tant mieux, s'exclama Noah en faisant irruption dans la pièce. Chérie, je suis désolé de n'avoir pas pu me libérer plus tôt.

Il se pencha pour l'embrasser et fit semblant de goûter ses lèvres.

— Excellent vin.

— Oui, il est très bon.

Elle se dirigea vers le minibar en essayant de dissimuler sa démarche chancelante.

— Je te sers un verre ? demanda-t-elle.

— Merci, mais je prendrai plutôt un whisky. Avec des glaçons. J'ai passé une de ces journées, si vous saviez !

Noah traversa la pièce pour venir serrer la main de

son beau-père puis rejoignit Maris sur la causeuse. Il lui passa le bras autour des épaules et prit le verre qu'elle lui tendait.

— Santé !

Il but une gorgée avant d'ajouter :

— Maxine m'a chargé de vous dire que le repas serait prêt dans une dizaine de minutes.

— J'espère que le rôti ne sera pas aussi sec que la dernière fois, grommela Daniel.

— Tu exagères, papa. Maxine ne rate jamais ses rôtis, affirma Maris qui se demandait comment ils pouvaient discuter d'un sujet aussi trivial alors que quelques secondes plus tôt, ils évoquaient l'inexplicable suicide d'un homme.

— Sec ou pas, je vais lui faire un sort, prévint Noah. Je meurs de faim.

Bien sûr, il n'y a pas lieu de penser que les deux événements soient liés, songea-t-elle.

Elle se raccrocha de toutes ses forces à cette phrase.

Il s'agissait quand même de Noah, son mari. L'homme dont elle était tombée amoureuse et qu'elle aimait encore. Noah. L'homme qui partageait son lit. L'homme avec lequel elle souhaitait fonder une famille.

Elle se rapprocha de lui et, sans interrompre sa conversation avec Daniel, il lui pressa affectueusement la main. Un geste inconscient, le geste rassurant d'un mari attentionné.

Le dîner fut délicieux et le rôti se montra à la hauteur de la réputation de Maxine. Excellent. Lorsqu'elle servit les tartelettes au citron, Daniel commençait à bâiller. Sitôt les couverts débarrassés, il demanda à ce qu'on l'excuse :

— Restez boire une tasse de café si vous voulez. Pour ma part, je vais aller me coucher. Je dois me lever tôt pour assister aux funérailles d'Howard.

— Moi aussi je vais te dire au revoir, papa. La journée a été longue et épuisante.

Comme ils quittaient la pièce, Maris retint Noah.

Elle attrapa les revers de sa veste et se mit sur la pointe des pieds pour l'embrasser tendrement.

— Je pense que je vais rentrer avant toi.

Il la prit par les hanches et l'attira contre lui.

— On n'avait pas des projets, tous les deux ?

— Si, mais je voudrais te demander une faveur. Pourrais-tu rester avec papa et l'aider à monter dans sa chambre ? Je sais que ce n'est pas ton rôle...

— Ça ne me dérange pas.

— Il est très susceptible sur le sujet. Mais si tu trouves une excuse pour monter avec lui, il ne se doutera pas que tu l'escortes.

— Pas de problème, mon cœur.

En arrivant à la porte, elle feignit de vouloir récupérer un vieux carnet d'adresses dans sa chambre.

— Il faudrait que je le cherche, hasarda-t-elle. Je ne sais plus où je l'ai laissé.

Noah proposa de s'en charger.

— Pars devant, Maris. Je te rejoindrai dès que je l'aurai trouvé.

Elle n'était pas sûre que Daniel fût dupe, mais en tout cas, il ne fit aucun commentaire.

Il l'étreignit et la fixa attentivement, comme pour déchiffrer le trouble qu'il devinait dans ses yeux.

— Il faudra qu'on parle plus longuement de ce nouveau livre et de son auteur si intriguant.

Maris s'empourpra en repensant à leur conversation.

— Tu sais que ton avis a beaucoup d'importance pour moi, dit-elle. Je dois bientôt recevoir une copie du manuscrit. On prendra un moment dans la semaine pour en discuter.

Il prit sa main dans la sienne et elle eut envie de se blottir contre lui à la recherche d'un peu de réconfort, comme lorsqu'elle était petite. Elle voulait qu'il la rassure, qu'il lui dise que ses inquiétudes n'étaient pas fondées, que tout irait bien.

Mais elle ne pouvait pas se livrer à lui. Ses confidences n'étaient plus celles d'une enfant, mais d'une femme.

Daniel s'éloigna et ce fut au tour de Noah de la prendre dans ses bras.

— Ton père m'a l'air plutôt abattu, murmura-t-il. Je vais lui proposer de rester boire un dernier verre dès qu'il sera installé dans son lit.

— D'accord, mais dépêche-toi. Tu sais que je t'attends.

Maris ne se rendit pas directement à son appartement. Elle n'en avait d'ailleurs jamais eu l'intention. Bien sûr, elle n'était pas très fière d'avoir utilisé son père comme excuse pour éloigner Noah, mais elle voulait à tout prix se débarrasser des doutes qui la tenaillaient.

Elle prit un taxi jusqu'à Chelsea. Le temps qu'elle atteigne la porte de l'appartement, son cœur cognait à tout rompre. Elle redoutait une terrible découverte.

Elle ouvrit la porte avec la clé que le faux plombier lui avait remise lors de la soirée d'anniversaire et, se rappelant la position de l'interrupteur, elle enclencha le bouton. Le climatiseur ronronnait doucement, mais à part ça, l'endroit était silencieux. Elle remarqua les coussins froissés.

Dans la cuisine, l'évier était immaculé. Le lave-vaisselle ne contenait pas le moindre verre sale et la poubelle semblait n'avoir jamais servi.

Noah avait-il engagé une femme de ménage ? Il n'y avait jamais fait allusion, mais cela ne voulait rien dire.

Elle se dirigea vers la pièce où il avait installé son bureau. La main sur la poignée, elle marqua une pause et récita une prière, même si elle ne savait pas exactement pourquoi. Elle ouvrit la porte et entra.

Elle embrassa toute la pièce d'un seul regard et s'effondra, abattue, contre le montant de la porte. Rien n'avait bougé depuis l'autre fois. Aucun papier dans la corbeille, pas un seul livre sur le bureau, pas une note collée sur l'écran de l'ordinateur.

Maris savait bien à quoi ressemblait un bureau d'écrivain. Celui de Parker aurait pu faire l'objet d'une longue psychanalyse. Il était jonché de feuilles maculées de taches de café, de vieux stylos, de bloc-notes couverts de griffonnages et de classeurs écornés. Des piles de documents en tous genres s'entassaient pêle-mêle en équilibre instable. Des trombones déformés témoignaient de longues et pénibles heures de concentration.

Et si quelqu'un avait le malheur de toucher ou de déplacer un seul de ces éléments, Parker entrait dans une rage folle. Il connaissait l'emplacement de chaque objet et tenait à conserver ce désordre tel quel. Mike avait interdiction formelle de faire le ménage dans la pièce, comme si ce capharnaüm contribuait à la créativité de Parker.

Le bureau de Noah, en revanche, était d'une propreté impeccable, même si en y regardant de plus près, Maris s'aperçut qu'une fine couche de poussière recouvrait les touches du clavier. Visiblement, il n'avait jamais servi.

Son cœur avait cessé de battre la chamade et lui faisait maintenant l'effet d'une pierre dans sa poitrine. Elle éteignit les lumières, quitta l'appartement et referma consciencieusement la porte, bien qu'elle ne sût pas exactement pourquoi elle prenait cette précaution. Il n'y avait là rien qui eût pour elle une quelconque valeur.

Perdue dans ses pensées, elle sortit de l'immeuble et descendit les marches du perron. Elle avançait comme une somnambule, pleine d'effroi à l'idée de l'inévitable confrontation avec Noah. Il allait revenir de chez Daniel en s'attendant à retrouver sa gentille petite femme à la maison, impatiente de le retrouver et prête à lui faire l'amour.

C'est en tout cas ce qu'elle lui avait fait miroiter.

Elle lui avait laissé croire qu'elle était naïve, aveugle et aussi malléable que de l'argile, ce qui, dix minutes plus tôt, était effectivement le cas.

Il allait rentrer en s'imaginant qu'elle avait oublié la dispute au sujet de WorldView, qu'elle ne se posait aucune question quant à la nature de son entretien avec Howard Bancroft, qu'elle n'avait aucune raison de douter de lui lorsqu'il affirmait s'être remis à écrire.

La gentille Maris, douce comme un agneau. La stupide Maris. Voilà ce qu'il pensait d'elle.

Mais il se trompait.

En débouchant dans la rue, elle aperçut au loin un homme sortir d'un taxi. Profitant de l'opportunité, elle fit signe au chauffeur.

Celui-ci s'avança vers Maris, mais elle ne faisait déjà plus attention à lui. Au lieu de ça, elle observait l'homme qui venait de sortir du véhicule et montait à présent les marches d'un immeuble. Il s'y engouffra d'un pas rapide, en habitué des lieux.

Maris, qui avait gardé le bras levé sans s'en apercevoir, l'abaissa peu à peu. D'un geste de la main, elle congédia le taxi et se précipita vers l'immeuble.

Il était aussi pittoresque que celui qu'elle venait de quitter. Il n'y avait ni gardien ni porte à code et elle put entrer sans problèmes. Elle consulta les boîtes aux lettres. Seule l'une d'entre elles ne portait pas de nom. Soit l'appartement était vide... soit le locataire du 2A recevait son courrier à une autre adresse.

Elle grimpa l'escalier. Cette fois, c'est avec un calme étonnant qu'elle s'approcha de la porte de l'appartement 2A. Elle toqua sèchement et approcha son visage du judas. Elle se doutait que, de l'autre côté, on l'observait.

Nadia Schuller ouvrit la porte et toutes deux se firent face. Nadia portait une tenue appropriée à une soirée romantique : un simple peignoir en soie qu'elle semblait avoir noué à la hâte. Elle n'avait même pas la décence de paraître inquiète ou honteuse. Non, c'est avec un air suffisant et amusé qu'elle recula d'un pas et ouvrit grand la porte.

Le regard de Maris tomba sur Noah qui sortait d'une pièce voisine – probablement la cuisine – un verre dans chaque main. Il était en bras de chemise. Visiblement, il n'avait pas perdu de temps pour tomber la veste et la cravate.

En l'apercevant, il se figea sur place.

— Maris.

— J'espère qu'on ne va pas tomber dans l'une de ces affreuses scènes comme on en voit dans les films avec Ronald Reagan, fit Nadia.

Maris ignora la remarque. Nadia était insignifiante. Elle ne représentait que le mauvais goût de Noah en matière de maîtresses. Maris préféra réserver son mépris à Noah, cet homme qu'elle avait épousé à peine deux ans auparavant.

— Inutile de chercher à te justifier, Noah. Je ne veux pas non plus de tes excuses. Tu es un menteur, et je ne souhaite qu'une chose : que tu disparaisses de ma vie. Immédiatement. Je vais demander à Maxine de venir rassembler tes affaires car je ne supporte même pas l'idée de les toucher. Tu t'arrangeras avec le concierge pour venir les récupérer à un moment où je ne serai pas là. Je ne veux plus jamais te revoir, Noah. Jamais.

Sur ces mots, elle se détourna et s'enfuit dans l'escalier. Elle traversa le hall, descendit les marches du perron et se retrouva sur le trottoir. Elle ne pleurait pas. Elle n'éprouvait ni colère, ni tristesse. Etrangement, elle se sentait libérée, presque gaie. Elle n'avait pas le sentiment de quitter quelque chose, mais de se diriger vers une vie nouvelle.

Elle n'eut pas le temps d'aller bien loin.

Noah l'agrippa par le bras, la força à se retourner et lui adressa un sourire glacial, effrayant.

— Eh bien, Maris… Tu as fini par me démasquer.

— Lâche-moi !

Elle tenta de se dégager, mais Noah accentua la pression autour de son bras.

— Je t'ai demandé de me laisser…

— Ferme-la, lâcha-t-il les mâchoires serrées.

Il la secoua si fort qu'elle se mordit la langue et poussa un cri de douleur.

— J'ai été très impressionné par ton petit discours, Maris, mais maintenant, laisse-moi te dire ce qui va se passer. C'est *moi* qui fixe les règles du jeu. Tu n'as pas d'ordres à me donner, c'est clair ? Je partirai quand je l'aurai décidé et pas avant. J'espère qu'on s'est bien compris. Ce sera bien plus facile si tu fais ce que je te dis.

— Tu me fais mal, Noah.

Il éclata de rire.

— Tu te trompes. Je n'ai pas encore commencé à te faire mal.

Pour illustrer son propos, il lui broya cruellement le bras, ses doigts compressant le muscle contre l'os. Des larmes de douleur apparurent sur le visage de Maris, mais elle ne recula pas.

— En attendant, je vais baiser Nadia, je vais baiser qui je veux et je me fous de ton opinion. Tu resteras la femme obéissante que tu as toujours été, sinon je transformerai ta vie et celle de tes proches en un véritable enfer. J'en suis capable, Maris, et je n'hésiterai pas.

Une lueur mauvaise passa dans son regard lorsqu'il se pencha vers elle pour murmurer :

— Je te jure que je n'hésiterai pas.

Il la relâcha si brutalement qu'elle chancela et s'effondra contre la grille en fer qui entourait les poubelles. Une vive douleur se propagea dans son épaule.

— Ne m'attends pas pour dormir, lança-t-il en s'éloignant.

Sous le choc, incapable du moindre mouvement, Maris l'observa s'éloigner et continua à fixer le hall désert longtemps après qu'il eut disparu. Elle était plus stupéfaite qu'effrayée. L'incrédulité la laissait clouée au bitume. Malgré son bras endolori et le goût de sang qui avait envahi sa bouche, elle avait du mal à croire ce qui venait de se passer. Noah ? Etait-ce bien Noah qui l'avait menacée physiquement, avec un aplomb et un sang-froid qui laissaient augurer de sa détermination ?

Elle fut prise d'un violent tremblement. Son sang se figea dans ses veines en même temps qu'elle comprenait que son mari était en réalité un parfait étranger. L'homme qu'elle croyait connaître n'existait pas. Tout ce temps, Noah avait joué un rôle. Il avait endossé la personnalité d'un héros de roman dont il savait qu'elle s'était entichée, et il n'avait pas commis le moindre faux-pas. Jusqu'à ce soir.

Elle venait pour la première fois de rencontrer le véritable Noah Reed, et cette découverte la laissait ébranlée.

Chapitre 15
Key West, Floride, 1987

— Roark ?

Roark se frotta les yeux et jongla avec le combiné pour l'approcher au plus près de son oreille.

— Oui ?

— Tu dormais ?

Quatre heures et demie du matin. Il venait à peine de s'endormir. La boîte de nuit où ils travaillaient ne fermait jamais avant deux heures et l'une des tâches de Roark consistait à compter la caisse, ce qu'il ne pouvait faire qu'une fois le dernier client parti. Il avait écrit toute la journée et enchaîné directement avec son service sans avoir pu dormir, si bien qu'il s'était senti comateux toute la soirée.

— Qui est à l'appareil ?

— C'est moi, Mary Catherine. Je sais que je te dérange, mais...

Il s'assit au bord du lit et son pied heurta une canette vide qui roula bruyamment sur le plancher en direction du lit où Todd était endormi. Ce dernier poussa un râle de protestation.

— Qu'est-ce qui se passe ? demanda Roark en chuchotant.

— Tu peux venir ?

— Euh... maintenant ?

Le club de strip-tease se trouvait à quelques mètres de la boîte de nuit où Roark et Todd officiaient respectivement en tant que barman et voiturier. Durant leurs pauses, il leur arrivait parfois d'aller assister au spectacle de leurs voisines. Ils connaissaient suffisamment les trois filles pour qu'on les laisse entrer gratis. Le videur les faisait passer par derrière et ils suivaient le show depuis les coulisses. Ils y allaient parfois ensemble, parfois séparément, et ne restaient en général pas plus de vingt minutes, mais ces quelques instants avaient sur eux un effet apaisant.

Leur maigre budget limitait les rencards au strict minimum. Heureusement, ils entretenaient d'excellents rapports de voisinage avec le trio de danseuses exotiques, qui leur offraient bien plus que des peep-shows à l'œil.

Un jour, Roark s'était proposé pour amener la voiture de Starlight au garage. Ce que le mécanicien avait fait au moteur de la voiture n'était rien en comparaison de ce que Starlight avait fait à Roark. Pour le remercier, elle l'avait vidangé à sa manière.

Mais ce coup de fil nocturne n'avait rien d'une manœuvre de séduction, et à son grand regret, Mary Catherine n'éprouvait pour lui aucune attirance. Elle le traitait en ami tandis qu'elle flirtait ouvertement avec Todd, à qui elle avait même plusieurs fois accordé ses faveurs.

— S'il te plaît, Roark. Je suis toute seule et... comment dire ? J'aimerais te demander quelque chose.

Roark sentit son cœur s'emballer.

— D'accord. J'arrive tout de suite.

— N'en parle pas à Todd, OK ?

Son enthousiasme retomba d'un cran. Il aurait adoré narguer Todd en lui racontant comment l'une de ses conquêtes l'avait appelé en pleine nuit. Dès qu'il était question de filles, Todd ne ratait pas une occasion de jouer les vantards.

Il enfila un short, un t-shirt et une paire de sandales, puis se faufila hors de l'appartement en prenant soin de ne pas réveiller Todd. Il franchit le fossé puant qui entourait leur immeuble et s'engagea dans le chemin désormais familier qui menait chez les filles. Il grimpa l'escalier en trombe et parvint à la porte légèrement essoufflé. Mary Catherine lui ouvrit avant même qu'il n'ait eu le temps de toquer.

— Je te guettais par la fenêtre.

Il entra, tâchant de dissimuler sa déception. Elle n'avait plus rien de la fille superbe ôtant les derniers vestiges de sa tenue de nonne pour se tenir glorieusement nue sous les projecteurs. Rien à voir avec la créature pulpeuse qui se faisait bronzer bras et jambes écartés sur le toit de son immeuble.

Son visage ne portait plus aucune trace de maquillage. Elle avait les yeux et le nez rougis, comme si elle venait de pleurer. Ses longs cheveux bouclés étaient négligemment noués en queue de cheval. Et pire que tout, elle avait revêtu un vieux pull informe et un boxer-short à motif écossais.

— Je t'ai réveillé ?

— Non, j'étais en train d'écrire, mentit-il.

— Les lumières étaient éteintes.

— Je réfléchissais à mon intrigue.

— Oh.

Elle tritura nerveusement l'ourlet de son pull.

— Ça me gêne de te demander ça, Roark, mais...

— Quelque chose ne va pas ?

— Je viens de faire une fausse couche.

Il la regarda bouche bée.

— J'ai perdu mon bébé. Enfin... je suppose qu'il ne s'agissait pas encore d'un vrai bébé, mais... tu vois, quoi... Bref, j'ai besoin de deux trois petites choses et comme je ne me sens pas très bien, je me demandais si tu accepterais d'aller pour moi au supermarché qui reste ouvert toute la nuit.

Roark déglutit péniblement, comme s'il avalait une boule de bowling, puis il s'humecta les lèvres d'un air pensif.

— Euh... Oui, bien sûr...

— Ce serait vraiment gentil.

— Mais... Tu es sûre que ça va ? Tu ne veux pas appeler un médecin ? Je peux t'emmener à l'hôpital. Il faut peut-être que tu te fasses examiner.

— Non, je t'assure que ça va.

Elle prit une profonde inspiration.

— C'est pas la première fois.

Il se passa la main sur le menton.

— Tu n'as pas fait de conneries au moins... Je veux dire, tu ne l'as pas provoquée, cette fausse couche ?

Elle eut un petit sourire faible.

— Non. Rassure-toi. C'est un accident de la nature. La première fois, j'étais allée à la clinique pour me faire avorter, mais là c'est venu tout seul. Ça a commencé par des crampes.

Il hocha la tête d'un air compatissant mais, étant donné ses connaissances en la matière, elle aurait aussi bien pu lui parler de sculpture sur glace. D'ailleurs, il en savait probablement plus long à propos des sculptures sur glace.

— J'étais invitée avec les filles à une soirée privée, mais j'ai vu que ça risquait de durer toute la nuit et j'ai préféré rentrer. Je me suis mise directement au lit et je me suis réveillée il y a une heure dans un... dans un bordel pas possible.

Elle haussa les épaules.

— Et voilà, plus de bébé.

Il vit des larmes briller dans ses yeux, mais elle détourna aussitôt la tête et lui tendit un bout de papier accompagné de quelques billets.

— J'ai tout noté sur la liste. Les marques, les tailles. J'ai pensé que tu ne saurais pas quoi prendre.

— Et tu as bien fait, commenta-t-il dans une tentative d'humour ratée.

— Normalement, il y a assez.

Il prit la liste et l'argent.

— Tu as besoin d'autre chose ?

— Non, c'est tout. Je laisserai la porte ouverte, comme ça tu n'auras pas à sonner.

Il acquiesça d'un signe de tête et s'apprêtait à quitter la pièce lorsqu'elle posa la main sur son bras.

— Merci, Roark. Du fond du cœur.

Il lui tapota affectueusement la main.

— Va te recoucher. Je vais faire aussi vite que possible.

A son retour, il la trouva étendue sur le canapé, un bras replié sur les yeux, l'autre posé sur le ventre. Elle l'observa approcher sur la pointe des pieds.

— Tu as tout trouvé ?

— Je crois que oui.

— Je t'avais donné assez ?

— Ne t'inquiète pas pour ça. Pourquoi tu n'es pas au lit ?

— Eh ben, comme je te l'ai dit, c'est le bordel.

Il déposa ses achats au pied du canapé et se dirigea vers la chambre, dont la porte était restée entrouverte.

— Roark, non, protesta-t-elle faiblement en se redressant.

— Ne bouge pas, je me charge de tout.

La corvée n'avait rien de plaisant.

Il ne pouvait pas oublier que ce « bordel » représentait une vie humaine, une vie qui avait commencé comme toutes les autres mais qui, pour des raisons mystérieuses, avait abandonné la partie en cours de route. Une fausse couche, disait-on, était finalement une bonne chose, une façon naturelle pour l'utérus de rejeter une imperfection. Malgré tout, à la pensée de cette vie qui venait de s'achever, Roark se sentit déprimé.

La grossesse devait être déjà assez avancée, car il y avait beaucoup plus de sang qu'il ne l'avait imaginé. Aussi efficacement que possible, il retira les draps, y compris l'alaise, et les fourra dans un sac poubelle qu'il trouva dans la cuisine. Il le referma soigneusement et le porta jusqu'à la benne à ordures située à l'arrière de l'immeuble.

De retour dans l'appartement, il perçut le bruit de la douche. Il refit le lit avec des draps propres et était sur le point de terminer lorsqu'elle entra dans la chambre habillée d'un nouvel ensemble caleçon-t-shirt distendu, la peau rougie comme si elle l'avait frottée à la brosse.

D'un geste, il l'invita à se mettre au lit. Elle s'allongea en poussant un soupir de soulagement.

— Tout va bien ?

— Ça va.

— Tu as pris du Tylenol ?

— Trois. J'ai pensé que ça ne pouvait pas me faire de mal.

— Que dirais-tu d'une tasse de thé ?

— Tu en as déjà fait beaucoup.

— Ça te dirait ?

— Vraiment ? Ça ne te dérange pas ?

— Tu as une bouilloire ?

— Je ne crois pas.

— Un micro-ondes ?

— Ça, oui.

Cinq minutes plus tard, il revenait avec une tasse de thé fumant, une cuillère et une boîte de sucrettes.

— Je ne savais pas si tu en prenais.

— Deux, s'il te plaît.

Tandis qu'il remuait le sucre, Roark se tourna vers la télé. Le son était coupé, mais les images défilaient sur l'écran.

— J'adore ce film, expliqua-t-elle. Depuis que j'ai acheté la cassette, j'ai dû le voir au moins cent fois. C'est avec Audrey Hepburn et Cary Grant.

— Un duo magnifique. Attention, c'est chaud, prévint-il en lui tendant la tasse.

Elle lui fit de la place sur le lit et il s'installa à côté d'elle, dos appuyé contre le mur.

— Ça parle de quoi ?

— C'est une histoire d'amour. Elle est belle. Il est séduisant. Elle est dans le pétrin et il vient à sa rescousse. Ils tombent amoureux à la fin.

Ils regardèrent la fin du film en silence, puis elle éteignit la télé et Roark reprit la tasse vide.

— Merci, Roark. On ne m'avait jamais préparé de thé avant.

— Ma mère m'en faisait toujours quand j'étais malade.

— Elle était gentille avec toi ?

— Oui, j'ai eu de la chance.

— Tu peux le dire. Moi, ma vieille m'a virée quand j'avais quinze ans.

— Qu'est-ce qui s'est passé ?

— Elle avait surpris son fiancé en train de me montrer son engin.

— Et c'est toi qu'elle a virée ?

Elle rit comme s'il venait de dire quelque chose de vraiment drôle, ce qui n'était pourtant pas son intention.

— Tu es gentil, Roark.

Voyant qu'il grimaçait, elle s'empressa d'ajouter :

— Je disais ça comme un compliment.

— Bon, alors merci. Mais j'avoue que je préférerais avoir l'image d'un play-boy, d'un type dangereux.

Le sourire de Mary Catherine s'estompa soudainement. Ses yeux perdirent leur éclat et son regard sembla se fixer sur ses pensées, comme pour observer la cause de son chagrin.

— Un peu comme Todd...

Roark ne sut que répondre et pensa qu'il valait mieux ne rien dire.

— Je vais y aller...

— Attends, Roark. Tu as été tellement adorable. Je déteste jouer les filles en manque d'affection, mais je n'ai vraiment pas envie de me retrouver seule. Ça ne t'embête pas de rester un peu ? Jusqu'à ce que je m'endorme ?

— Non, pas de problèmes.

— Allonge-toi.

Roark s'étendit gauchement sur le lit et elle se blottit contre lui. Il lui passa le bras autour des épaules.

— Tu devrais peut-être appeler un médecin, demain, suggéra-t-il.

— Pour qu'il me fasse un curetage. Beurk.

Roark partageait son avis. Il n'avait qu'une vague idée de la procédure qu'impliquait cet acte médical, mais il aimait mieux ne pas connaître les détails.

— Tu ne prenais pas la pilule ?

— Non. Ça me fait grossir. Et le gars avait oublié de

prendre des capotes. Au moins, il me l'a dit. J'ai été stupide, j'aurais dû insister.

— C'est clair. Il aurait pu t'arriver bien pire que de tomber enceinte.

— Je sais, mais c'est le genre de mec qui fait attention à tout ce qui est maladies et compagnie.

— Alors c'était pas un type de passage ? Je veux dire, tu le connaissais bien ?

— Ne pose pas de questions, Roark, d'accord ?

— OK.

— Parlons d'autre chose.

Mais ils demeurèrent longtemps silencieux et immobiles.

— Mary Catherine n'est pas mon vrai prénom, avoua-t-elle dans un murmure.

— Ah bon ?

— Je m'appelle Sheila.

— C'est joli.

— L'autre, c'est mon nom de scène.

— J'avais compris.

— Ça ne m'étonne pas. Tu es quelqu'un d'intelligent. Moi, j'ai quitté le lycée avant le bac. Je ne suis qu'une débile.

— Ne dis pas n'importe quoi.

— Si, je ne suis qu'une idiote. De toute manière, quand les clients en auront marre de la nonne, je trouverai autre chose. J'ai déjà un nouveau projet. Tu veux que je te raconte ?

— Vas-y.

— Je pensais à une sirène. Tu sais, j'aurais une grande nageoire incrustée de brillants, une perruque longue jusqu'aux fesses, peut-être même jusqu'aux genoux.

— Terrible. Tu pourrais t'appeler Lorelei.

— Lorelei ?

— Comme la sirène dans la mythologie.

Elle l'observa d'un air perplexe.

— Son chant attirait les marins, expliqua-t-il, et leurs bateaux venaient s'échouer contre les rochers.

— Tu déconnes ? Il faut absolument que je le note.

— Je peux te l'écrire, si tu veux.

Elle se redressa sur un coude et le dévisagea avec admiration.

— Tu vois ? Tu es vraiment super intelligent.

Ils éclatèrent de rire, puis se regardèrent avec sérieux un long moment.

— Tu peux les toucher si tu veux, fit-elle en relevant son t-shirt.

Roark en eut le souffle coupé. Il n'en croyait pas ses yeux. L'objet de ses fantasmes, ces seins magnifiques qu'il avait l'habitude de contempler de loin se trouvaient à quelques centimètres de ses yeux, de ses doigts et de ses lèvres. Elle les lui offrait en cadeau.

Mais lorsqu'il tendit la main, ce fut pour remettre son t-shirt en place.

— Qu'est-ce qui t'arrive ? demanda-t-elle. On ne peut pas baiser, mais je peux te sucer si tu veux.

— Non. Pas la peine.

— Ça me ferait plaisir aussi, tu sais. Réfléchis...

Elle glissa la main entre ses cuisses et prit doucement son pénis.

— Il y a longtemps que je me demande ce qui se cache sous ton jean. D'habitude, Starlight est une vraie petite menteuse, mais pour ça elle disait vrai.

Elle l'empoigna un peu plus fort. Roark sentit le sang affluer à chaque point de pression créé par ses doigts.

Pourtant, il la força à retirer sa main.

— Ce serait profiter de la situation, fit-il.

— Et alors ?

— Ça ne me plaît pas, Sheila.

— Tu es quoi, au juste ? Un martien ? La plupart des mecs seraient prêts à tuer pour ce genre de propositions.

— Rassure-toi, je ne suis pas un extra-terrestre. Demain matin, je serai sûrement en train de me maudire.

— Tu pourras toujours te branler sous la douche en nous matant.

Elle explosa de rire en voyant sa mine stupéfaite.

— On n'est pas complètement stupides, Roark. Pourquoi vous prenez des douches aussi souvent ? Et toujours quand on est sur le toit ?

Elle sourit et se pelotonna à nouveau contre lui.

— A vrai dire, je crois que je n'aurais pas été très performante, ce soir. Je me sens vraiment patraque.

— Endors-toi. Tu verras, demain, tout ça ne sera plus qu'un mauvais rêve.

— Tu es mignon.

— Toi aussi, tu es mignonne.

Il lui caressa le dos, les cheveux. Il la serra dans ses bras même après qu'elle se fut endormie.

En revenant chez lui, le lendemain matin, il trouva Todd assis devant le clavier de sa machine.

— T'étais où ?

— Je suis allé faire un tour sur la plage.

Todd lui jeta un regard suspicieux.

— Et j'étais seul.

— Allez ! Elle s'appelle comment ?

— Je te le répète, j'étais seul, fit Roark d'une voix irritée.

— Hum !

Todd se replongea dans son travail.

— Il y a du café, mais j'ai fini la bouteille de lait, ajouta-t-il simplement.

20.

Noah décida d'accorder à Maris une semaine pour se calmer.

Selon lui, une femme qui surprenait son mari en flagrant délit d'adultère méritait une période de répit de sept jours pour lécher ses plaies. Si le Dieu de la Genèse avait créé le monde dans ce laps de temps, alors c'était amplement suffisant pour qu'une épouse se résigne à l'infidélité de son mari et se refasse un ego.

Il s'arrangea également pour que cet ultimatum coïncide avec celui fixé par Morris Blume. Lors de leur prochaine entrevue, Noah devait lui annoncer que tout marchait comme sur des roulettes et qu'ils parviendraient à un accord en temps voulu. Tout serait bien plus propre et net s'il se réconciliait avec Maris d'ici là.

Noah était utile à Blume tant qu'il faisait partie de la famille Matherly ; la fusion imminente avec World-View se trouverait fortement compromise s'il venait à se brouiller avec Maris et Daniel. Même une simple prise de bec risquait d'effaroucher Blume.

Si Maris n'avait pas tenté un rapprochement avant une semaine, Noah avait prévu d'aller la supplier à genoux de lui pardonner. Bien sûr, il aimait mieux mourir étouffé que de se repentir, mais la récompense qui l'attendait à la clé valait bien quelques minutes de contrition. En attendant, il avait pris une suite au Plaza. Il voulait la laisser mijoter. Il voulait que Maris ait tout le loisir de réfléchir aux conséquences de sa décision.

Je te ferai vivre un véritable enfer, Maris, se

remémorait-il. Il espérait s'être montré assez clair sur ce point.

Malheureusement, il fut contraint de la voir le lendemain matin qui suivit cette scène désagréable : Noah se devait de participer aux funérailles d'Howard Bancroft. A son arrivée, il aperçut Daniel seul sur les marches de la synagogue, et sut immédiatement qu'il n'était au courant de rien.

Ils se serrèrent la main d'un air sombre.

— Tu n'es pas avec Maris ? demanda Daniel.

— Non, je suis parti avant elle pour faire un saut au bureau.

Le mensonge passa comme une lettre à la poste. Daniel laissa Noah le conduire à l'intérieur car il s'était mis à bruiner.

Maris arriva quelques minutes plus tard. Elle portait une robe noire peu flatteuse qui lui donnait l'air triste et le teint blafard. Vraiment, le noir n'était pas sa couleur. Noah ne l'avait jamais aimée en noir. Elle les repéra à travers la foule. Tous deux coiffés d'une kippa en papier, ils l'attendaient dans le vestibule.

Après une légère hésitation, elle se dirigea vers eux. Noah savait qu'elle n'oserait pas faire une scène en de telles circonstances. Il avait compté sur sa discrétion, persuadé qu'elle n'évoquerait pas son aventure extra-conjugale avec Nadia. En plus de sa fierté exacerbée, Maris s'avérait désespérément prévisible.

Elle serra tendrement Daniel dans ses bras.

— Comment vas-tu, ce matin, papa ?

— Je me sens triste pour nous tous, et particulièrement pour la famille d'Howard. Entrons, voulez-vous ?

Ils longèrent le bas-côté. Avant de s'asseoir, Maris s'arrangea pour que Daniel soit placé entre eux. Elle avait beau se comporter avec la plus grande bienséance, Noah savait qu'elle devait grincer des dents à se retrouver ainsi en sa présence. En imaginant le calvaire que cette situation représentait pour elle, il eut du mal à contenir son amusement.

A la fin de la cérémonie, Maris consola Daniel puis,

afin de ne pas l'alarmer, inventa une excuse pour repartir seule en taxi. Noah ne la revit pas de la journée.

Il ne chercha pas non plus à la rencontrer les jours suivants. Durant les réunions, elle se comporta comme si rien ne s'était passé. Ils n'avaient jamais été très démonstratifs au travail, hormis lorsqu'ils se retrouvaient seuls dans le bureau de l'un ou de l'autre. En présence de leurs collègues, ils adoptaient toujours une attitude professionnelle et personne chez Matherly Press ne remarqua le froid qui s'était instauré entre eux.

Profitant d'un moment où il savait qu'elle serait absente, il se rendit à leur appartement et rassembla quelques vêtements. Il ne fut pas surpris de constater que rien n'avait changé. Maris n'avait donc pas envoyé Maxine pour emballer ses affaires. Elle n'aurait jamais confié un tel secret à la vieille gouvernante. Maxine se montrait si loyale envers Daniel que ce dernier aurait aussitôt eu vent de la séparation, ce que Maris tenait sûrement à éviter. Elle ne voulait pas qu'il s'inquiète au sujet de ses problèmes maritaux et du conflit qu'ils risquaient de créer au sein de la maison d'édition.

Daniel, qui n'était au courant de rien, continua à recevoir Noah lorsque ce dernier lui rendait visite dans la soirée pour discuter des événements de la journée. La relation avec son beau-père restait solide. Maris souffrait seule et en silence et ne pouvait s'en prendre qu'à elle-même. Elle n'aurait jamais dû adopter cette attitude hautaine. Elle aurait mieux fait d'y réfléchir à deux fois avant de décréter ce stupide ultimatum qui n'avait servi qu'à la ridiculiser.

Noah se plaisait à penser que Maris regrettait amèrement son accès de colère irréfléchi. Pauvre Maris, qui n'avait maintenant plus personne à qui se confier. A chaque fois qu'il l'imaginait vautrée dans ce tourment solitaire qu'elle s'était elle-même infligé, il ne pouvait retenir un sourire.

Au bout de quelques jours, pourtant, il finit par se lasser. Il réfléchit à un moyen d'aborder Maris et de mettre un terme à cette situation, mais décida finalement de s'en tenir à sa première résolution et d'attendre que les sept jours soient écoulés avant de tenter un rapprochement.

Elle se mettrait sûrement à pleurer, à l'insulter, lui demanderait comment il avait pu la tromper, elle qui n'avait rien fait pour mériter ça. Il la laisserait décharger toute sa colère. Après ça, aucun doute, elle lui accorderait son pardon.

Elle lui pardonnerait par égard pour Daniel. On pouvait compter sur elle pour épargner au vieil homme toute forme de chagrin. Elle lui pardonnerait aussi parce que les femmes aiment pardonner et que, par-dessus tout, elles aiment ensuite mener la vie dure à celui qu'elles viennent de pardonner, et ce chaque jour de son existence. Maris lui avait probablement réservé ce genre de traitement, mais Noah ne l'entendait bien sûr pas de cette oreille. Etant donné l'accord imminent avec WorldView, il la mettrait au parfum plus tard. Chaque chose en son temps.

En attendant, cette séparation avait ses bons côtés. Au moins n'avait-il pas à supporter l'incessant babillage de Maris.

Nadia, quant à elle, représentait un autre problème. Elle ne cessait de le harceler pour qu'il divorce. Son insistance avait fini par exaspérer Noah et créé une tension qui, comble de l'ironie, atteignit son paroxysme lors du dernier jour du délai qu'il s'était imposé.

Ils s'étaient retrouvés pour déjeuner dans un restaurant branché et outrageusement onéreux de Manhattan. L'un des auteurs à succès de Matherly Press devait les rejoindre pour être interviewé par Nadia dans le cadre de sa rubrique « Causerie Littéraire ». Ils commandèrent des cocktails en attendant son arrivée.

Aux yeux des autres clients – parmi lesquels de nombreux acteurs du monde de l'édition – ils semblaient mener une conversation banale, discutant des courants du marché ou encore de cet auteur de science-fiction dont le dernier roman faisait un véritable carton, alors qu'en réalité, ils se disputaient à propos de leur avenir proche.

— Elle est au courant de notre liaison, alors à quoi

bon attendre ? Demande le divorce, tu seras débarrassé une bonne fois pour toutes.

— Je ne peux pas quitter la famille avant d'être parvenu à un accord avec WorldView.

— Quel est le rapport ?

— Ta question est incroyablement stupide, Nadia.

A cette remarque insultante, le sourire de la jeune femme se figea. S'ils n'avaient pas été en public, sa colère se serait changée en une véritable irruption volcanique. En l'occurrence, elle but une gorgée de Martini d'un air langoureux, lissa d'une main la nappe en lin amidonnée et, de l'autre, réajusta la triple rangée de perles autour de son cou – constellé de taches rouges, comme Noah put le constater.

— Prends garde, Noah, fit-elle doucement. Tu as tort de me parler comme ça.

— Des menaces ? demanda-t-il d'une voix tranchante.

Tous deux continuaient de sourire.

— Vu le genre de salopard que tu es, tu dois savoir reconnaître une menace, non ?

— N'est-ce pas ce qui te plaît chez moi ?

Ils aperçurent l'auteur qui s'approchait escorté par le maître d'hôtel. Nadia adressa son plus grand sourire à Noah et murmura :

— Pour ce qui est de jouer les salauds, j'ai encore pas mal de leçons à te donner, mon cher Noah.

A l'issue de ce déjeuner fastidieux, il la raccompagna à l'entrée du restaurant. Une voiture avec chauffeur les attendait, mais lorsqu'il proposa de la déposer à son bureau, Nadia déclina poliment l'invitation.

Il lui serra la main en espérant que ce geste avait l'air d'un salut amical et professionnel, mais s'adressa à elle sur un ton confidentiel :

— Si j'ai l'air de traîner les pieds pour cette histoire de divorce, c'est que je ne veux commettre aucune erreur. Cette fusion, je la veux pour nous, Nadia. Mais pour ça, il faut consentir à quelques sacrifices. Je ne peux pas briser mon mariage maintenant. C'est absolument exclu, je pense que tu le comprends, non ?

A son plus grand soulagement, elle le regarda en souriant d'un air confus.

— Bien sûr que je comprends. J'ai simplement hâte qu'on vive ensemble.

— Moi aussi, fit-il en se rapprochant d'un demi-pas. Tu sais quoi ? J'aimerais te prendre là, tout de suite.

Elle ferma les yeux et oscilla légèrement vers lui, tournant ensuite la tête pour s'assurer que personne ne les avait vus ou entendus.

— Ma culotte est toute trempée, vilain.

— Vivement six heures, alors...

Ils échangèrent une dernière et brève poignée de main, puis Noah s'installa à l'arrière de la voiture en souriant à part soi. Pour rendre Nadia heureuse, il suffisait de la faire mouiller. Le sexe constituait le moteur principal de son ego. Si elle allait bien de ce côté-là, alors elle allait bien tout court.

Ses jérémiades continuelles avaient beau agacer Noah, il fallait reconnaître que cette petite querelle s'était révélée plutôt stimulante. Il était paré pour sa confrontation avec Maris. Disons que c'était juste une répétition, pensa-t-il comme il quittait l'ascenseur et poussait les portes vitrées menant aux bureaux de la direction.

Il se dirigea directement vers celui de Maris, mais ne l'y trouva pas. En sortant, il tomba nez à nez avec son assistante.

— Puis-je vous aider, monsieur Reed ?

— Je cherche Maris.

Elle l'observa d'un air interrogateur, ses yeux agrandis par l'épais verre de ses lunettes.

— Elle ne vient pas aujourd'hui, monsieur Reed. Rappelez-vous, elle retourne en Géorgie.

En Géorgie ? Depuis quand ? Merde ! Voilà qui venait contrarier ses plans !

Il dut faire appel à tous ses talents d'acteur pour ne pas laisser transparaître sa surprise.

— Oui, je sais bien, mais elle devait repasser ici avant d'aller à l'aéroport.

— Vraiment ? Ce n'est pas ce qu'elle m'a dit.

— Hum. Elle aura changé d'avis.

Il se força à sourire en espérant avoir l'air naturel.

— Je vais essayer d'appeler sur son portable.

Il appela une bonne dizaine de fois mais tomba systématiquement sur la messagerie. De toute évidence, elle ne tenait pas à ce qu'on puisse la joindre. Il passa le reste de la journée à la maudire. Eût-elle soudain apparu qu'il l'eût volontiers étranglée.

Elle avait choisi le pire moment pour jouer les femmes trahies et prendre la fuite. Ne lui avait-il pas ordonné de rester tranquille et de ne pas chercher à lui jouer un sale tour ? Son petit manège risquait de tout foutre en l'air.

D'un autre côté, elle n'avait qu'à aller au diable.

Il avait en sa possession le document rédigé par Howard Bancroft, même s'il préférerait ne s'en servir qu'en tout dernier recours. En effet, d'un point de vue strictement légal, ce papier pouvait fort bien compliquer les choses et il aimait autant éviter les chicaneries juridiques. Le document n'en restait pas moins bien au chaud dans son coffre-fort. C'était son va-tout, son joker.

Se sentant de nouveau confiant et invincible, il arriva à l'appartement de Nadia peu après six heures. Il était d'humeur pour un verre bien frais, une bonne douche tiède et une partie de jambes en l'air torride.

Il monta l'escalier en sifflotant, mais sa gaieté et le sifflotement s'éteignirent dès qu'il pénétra dans l'appartement.

Un jeune homme baraqué en t-shirt moulant et pantalon noir sortait de la chambre en attachant sa montre. Il s'empara de son sac de sport et passa devant Noah en direction de l'escalier, se contentant de le saluer d'un geste de tête négligent.

Pendant plusieurs minutes, Noah resta interdit sur le seuil de la porte. Il bouillait de colère, une vraie chambre de combustion en costume Hugo Boss. Il tripota ses boutons de manchettes, se lissa les cheveux et essuya les gouttes de sueur qui perlaient sur sa lèvre supérieure. Une manière de s'occuper les mains pour ne pas les utiliser à frapper, déchirer ou détruire ce qui viendrait à lui tomber sous les yeux.

Lorsqu'il eut recouvré un semblant de calme, il se dirigea vers la chambre et poussa la porte d'un coup sec. Nadia était étendue sur le lit, nue au milieu des draps en soie froissés, les cheveux ébouriffés et humides. Une fine pellicule de sueur brillait sur sa peau.

En l'apercevant, elle s'étira et eut un sourire ensommeillé.

— Noah, trésor, il est déjà six heures ? J'avais complètement perdu la notion du temps.

Les tempes de Noah étaient prêtes à exploser, mais il parvint à maîtriser sa voix.

— C'était qui, ce type ?

— Oh, tu as croisé Frankie ? C'est mon coach sportif.

— Qu'est-ce qu'il foutait là ?

Elle se leva sur un coude et l'observa d'un air mauvais, à peine atténué par un sourire narquois.

— Ta question est incroyablement stupide, Noah.

Daniel Matherly venait d'achever la lecture du manuscrit.

— C'est tout ce que tu as pour l'instant ? demanda-t-il en empilant soigneusement les feuilles.

— Oui. Je n'ai rien reçu depuis mon retour. J'ai téléphoné plusieurs fois, mais je suis tombée sur Mike, son assistant. Selon lui, P... enfin, je veux dire, l'auteur, n'a pas écrit grand-chose ces derniers temps.

— Je me demande bien pourquoi.

— Il déprime...

— Sa muse s'est envolée.

— Je n'irais pas jusqu'à des considérations aussi mystiques. Je dirais plutôt qu'il fait sa tête de mule, comme d'habitude. Et comme toutes les mules, il a besoin d'un bon coup de bâton.

Elle hésita un instant avant d'ajouter :

— Je vais retourner là-bas.

— Vraiment ? Quand ça ?

— Je pars tout à l'heure.

— Je vois.

— J'étais juste venue prendre de tes nouvelles, te dire au revoir et te demander ton opinion à propos du manuscrit.

Cela faisait une semaine qu'elle avait projeté ce voyage. Après avoir surpris Noah chez Nadia Schuller, la conclusion s'était rapidement imposée : elle allait retourner à St. Anne Island.

Cette histoire l'avait amenée à se pencher sur les rapports ambigus et conflictuels qu'elle entretenait avec Parker. Mais par souci d'honnêteté, aussi bien pour lui que pour elle-même, elle avait repoussé le voyage jusqu'à avoir examiné le problème sous tous ses aspects. Elle ne voulait pas que son retour fût le fruit d'une réaction trop brutale liée à la succession rapide de bouleversements que venait de connaître son existence. Elle avait longuement mûri sa décision pendant ces sept jours.

En quittant St. Anne Island, elle avait ressenti une profonde colère envers Parker. Mais, elle l'admettait à présent, elle aurait préféré ne pas partir. Depuis, pas un moment ne s'était écoulé sans qu'elle eût voulu être à ses côtés.

Au début, la culpabilité l'avait dévorée. Elle était mariée. Devant l'autel, le jour de la cérémonie, elle s'était engagée pour la vie et avait pris ce serment très au sérieux.

Noah, en revanche, n'avait pas hésité à faire une entorse au règlement. Pour autant que Maris le sût, Nadia n'était pas la première avec qui Noah l'avait trompée. Il ne s'était jamais retrouvé en manque de conquêtes avant son mariage. Peut-être n'avait-il pas changé depuis cette époque et se conduisait-il toujours en célibataire. Il avait délibérément choisi de se montrer infidèle. Elle allait délibérément mettre fin à leur mariage.

Elle l'aurait quitté de toute manière, même si elle ne l'avait pas surpris avec Nadia. L'autre soir, devant l'immeuble de Chelsea, Noah avait révélé un aspect écœurant et effrayant de sa personnalité. Elle ne vivrait pas un jour de plus avec un homme qu'elle devinait capable d'une telle violence. C'en était bel et bien fini de leur mariage. Noah Reed faisait partie du passé.

Restait maintenant à déterminer si Parker Evans représentait l'avenir.

Elle ne pouvait plus ignorer ni nier son attirance pour l'écrivain. Ce n'était pas à strictement parler son intelligence et son talent qui l'avaient séduite, comme elle avait essayé de s'en persuader. Elle était attirée par l'homme. A d'innombrables reprises, elle avait fantasmé en imaginant qu'il l'embrassait à nouveau, qu'il posait ses mains sur elle...

Elle ne savait même pas s'il était capable de faire l'amour au sens conventionnel du terme, mais cela n'avait aucune importance. Elle rêvait de partager son intimité, à tous les niveaux et par tous les moyens possibles.

En tant que femme mariée, elle n'aurait jamais laissé libre cours à de tels désirs. Depuis qu'elle s'était fiancée, puis mariée à Noah, elle n'avait jamais regardé d'autres hommes, ni même nourri des fantasmes d'ordre sexuel, ce qui n'en avait rendu que plus troublante son attirance spontanée pour Parker.

Dans l'avion qui l'avait ramenée à New York, elle s'était persuadée que l'île était seule responsable de ces élans romantiques, et qu'une fois revenue dans un cadre familier elle cesserait d'y penser. Le temps qu'elle atterrisse à La Guardia, elle était parvenue à se convaincre que le fossé qui la séparait de Noah pouvait encore être franchi, que cette période creuse de leur mariage l'avait conduite à des rêveries fantasques qui se dissiperaient en même temps que renaîtrait leur passion endormie.

Elle s'était prise à croire qu'avec un peu d'ingéniosité, elle raviverait la flamme et éprouverait à nouveau cette exaltation, cette excitation qu'elle avait ressenties à l'église au bras de Noah.

Quelle stratégie naïve cela s'était avéré !

Et dire qu'elle était prête alors à assumer l'entière

responsabilité des problèmes que traversait leur couple. Comment avait-elle pu se montrer si crédule ? Etait-elle la seule à ignorer la liaison entre Noah et Nadia ? Les gens qui travaillaient avec elle tous les jours – savaient-ils ? Etait-elle l'objet des risées, la femme cocue qui s'ignore et dont on rit dans les couloirs ? Ils avaient dû se dire : pauvre Maris, qui s'acharnait au travail pendant que son mari s'éclipsait entre deux rendez-vous pour aller rejoindre sa maîtresse.

Noah avait ses adversaires au sein de Matherly Press, mais il avait aussi ses alliés, des gens qu'il avait débauchés de son ancienne maison d'édition. Le divorce serait une chose simple, mais il lui faudrait ensuite dissocier Noah de Matherly Press.

Ce qui l'amena à envisager un autre aspect du problème : informer Daniel de la rupture.

Elle retarderait cet instant le plus longtemps possible. Ce serait pour lui un double choc. Il perdrait d'un seul coup son gendre et son protégé. Maris était sûre qu'il encaisserait le coup, tout comme il avait encaissé les échecs et les déceptions qui avaient jalonné sa vie, mais elle ne jugeait pas utile de le tracasser avec ça pour le moment. En attendant, cela allait représenter un vrai défi que de lui cacher la réalité de la situation.

Il l'observait à présent avec cette perspicacité si troublante qui lui était propre. Elle eut peine à dissimuler sa gêne.

— Alors, qu'en penses-tu ?

— Du livre ? Je pense qu'il est très bon. En tant qu'éditeur, je pense que j'inciterais l'auteur à le terminer.

— Eh bien j'y vais de ce pas, fit-elle en se levant et en prenant son imperméable.

— Qu'en dit Noah ?

— Il n'a pas encore lu le manuscrit.

— Je ne parlais pas de ça, Maris. Que pense-t-il de ce voyage et du temps que tu vas passer avec cet écrivain ?

— Je n'ai pas besoin de sa permission.

Le voyant choqué par sa réponse plutôt abrupte, elle se reprit :

— Excuse-moi, papa. Je ne voulais pas te froisser.

— J'accepte tes excuses. Sache que je n'avais pas l'intention de m'immiscer dans ta vie privée. Simplement...

Il s'interrompit.

— Vas-y... Maintenant que tu as commencé.

Il lui prit la main.

— Simplement, je me souviens comment tu es tombée amoureuse d'un roman puis de son auteur.

Elle lui adressa un sourire pâle.

— C'est ce que tu penses ? Que je me suis entichée de cet écrivain ?

— Ce ne serait pas la première fois.

— J'ai grandi, papa, j'ai mûri.

Elle se retint d'ajouter : J'ai compris la leçon.

— La situation n'a rien de comparable. Ce livre et son auteur n'ont rien à voir avec Noah et notre mariage. Absolument rien.

C'était vrai. Son mariage était une chose révolue. Elle allait divorcer, qu'elle revoie Parker Evans ou non. Elle allait divorcer parce que son mari n'était qu'un imposteur, et leur mariage une vaste supercherie.

— Donc, Noah n'y voit aucune objection ?

L'opinion de Noah semblait revêtir une grande importance aux yeux de Daniel. S'il avait su... Elle fut tentée de retrousser ses manches pour lui montrer les bleus qu'une semaine n'avait pas suffi à estomper. Elle aurait pu lui expliquer qu'elle avait craché du sang pendant plus d'une heure après s'être mordu la langue. Qu'adviendrait-il si elle lui racontait comment Noah l'avait menacée, et l'inflexion sinistre de sa voix, plus terrifiante encore que les mots eux-mêmes ? Il serait aussi choqué qu'elle. Il serait prêt à aller trouver Noah et à lui infliger le châtiment qu'il méritait.

Voilà pourquoi elle préférait attendre un peu pour lui dévoiler la vraie personnalité de son mari. Elle voulait attendre d'avoir l'esprit plus clair. Pour l'heure, elle s'apprêtait à quitter la ville et avait de nombreux projets, aussi bien sur un plan privé que professionnel. Tant qu'elle n'avait pas résolu toutes ces questions, elle préférait taire toute l'histoire.

Maris fixa son père droit dans les yeux et, pour la première fois de sa vie, elle lui mentit :

— Non, il n'y voit aucune objection.

Il posa les mains en coupe autour de son visage et l'embrassa sur les deux joues.

— A quelle heure est ton avion ?

— J'ai juste le temps d'aller à l'aéroport.

Tourmentée par le mensonge qu'elle venait de proférer, elle le serra fort dans ses bras. Elle ferma les yeux et ne fut pas surprise d'y sentir des larmes.

— Tu es mon meilleur ami, papa. Je t'aime tellement...

— Moi aussi, je t'aime, Maris. Plus que tout ce que tu peux imaginer.

21.

Parker ouvrit la porte et la dévisagea longtemps d'un air ahuri.

— Que se passe-t-il ? Vous avez oublié quelque chose ?

— Toujours aussi charmant.

— Merci.

— Vous ne m'invitez pas à entrer ?

Il hésita un instant, comme s'il étudiait la question, puis finit par reculer son fauteuil pour la laisser passer.

— Mike n'est pas avec vous ?

— Il est allé faire quelques courses sur le continent. On n'avait plus de papier toilette.

— Il vous a laissé seul ?

— Je ne suis pas grabataire, lâcha-t-il d'un ton sec. Je savais me débrouiller avant de rencontrer Mike. Et d'ailleurs, je ne suis pas seul.

Il est avec une femme, pensa Maris.

Elle comprit immédiatement. L'absence de Mike. La chemise de Parker déboutonnée, ses cheveux plus ébouriffés qu'à l'ordinaire.

— Désolée... Je... C'est ma faute, j'aurais dû appeler avant de venir.

— Oui, vous auriez dû, dit-il avec humeur. Mais puisque vous avez fait le déplacement...

Il fit pivoter son fauteuil et se dirigea vers la salle à manger. Maris le suivit à contrecœur. Elle aurait voulu pouvoir s'enfuir sans passer pour une lâche. Et surtout, elle aurait voulu éviter de rencontrer sa petite amie dans cette tenue. Sa jupe en lin était froissée, l'un de ses bas filé, et son imperméable à peu près aussi inadapté qu'un masque de ski dans le Sahara.

Elle déposa sa valise et son manteau dans le hall puis arrangea ses cheveux décoiffés par le vent lors du trajet en bateau. Pas le temps de se refaire une beauté. Elle prit une profonde inspiration avant de franchir la voûte séparant le couloir de la salle à manger.

Sa coquetterie n'avait servi à rien. La pièce était vide. Elle observa Parker d'un air perplexe.

— Là-haut, fit-il en désignant le plafonnier.

— Oui, j'avais déjà remarqué qu'il bougeait. Ça doit être à cause de la ventilation.

— Explication plausible. Mais totalement fausse. C'est le fantôme du pendu.

Maris poussa un petit rire. Après avoir finalement découvert que Parker était seul, elle se sentait d'humeur frivole.

— Le fantôme du pendu ?

Il entreprit de lui narrer l'histoire du planteur.

— Ses tentatives désespérées pour refaire la fortune de la famille se sont avérées pour le moins infructueuses et n'ont servi qu'à les plonger un peu plus dans la faillite. Il s'est pendu ici, dans la salle à manger.

Il s'interrompit une seconde, puis, après réflexion, ajouta :

— Je suppose que personne n'était à table quand il a commis son geste.

— Vous croyez vraiment à cette histoire de fantôme ?

— Bien sûr.

— Et sa présence ne vous dérange pas ?

— Il vivait là bien avant nous, répondit Parker en haussant les épaules. D'habitude, on s'ignore, mais aujourd'hui il m'a tenu compagnie. Et je peux vous dire qu'il n'a pas la langue dans sa poche.

Maris l'observa d'un air suspicieux.

— Vous êtes ivre, Parker.

— Pas encore.

— Mais ça ne saurait tarder.

— J'y travaille, fit-il en s'approchant d'un petit

buffet sur lequel était posée une carafe à whisky. Voulez-vous m'accompagner ?

— Avec plaisir.

Il tourna la tête, surpris par sa réponse, puis un sourire vicieux s'afficha sur ses lèvres.

— La débauche vous va à ravir, madame Matherly-Reed. Vous devriez vous y adonner plus souvent.

Il sortit un deuxième verre et commença à servir.

— Vous me direz stop.

— Stop.

Il cala les deux verres entre ses cuisses et s'avança vers elle.

— Servez-vous.

C'était une provocation manifeste. Sans le lâcher du regard, elle se pencha vers lui.

— Prenez votre temps, susurra-t-il de sa voix traînante.

— A la vôtre, fit-elle en prenant son verre.

— Ça va peut-être vous colorer un peu les joues – vous en avez bien besoin – mais il va falloir boire davantage si vous voulez me rattraper.

Il leva son verre et le vida d'un trait.

Maris but avec plus de précaution.

— C'est à ça que vous occupez vos journées maintenant ? Vous vous saoulez au lieu d'écrire.

— Laissez-moi deviner... Vous avez parlé avec Mike ?

— Normal, vous refusiez de répondre à mes appels.

— Quelle commère, celui-là.

— Il y a des choses que je devine par moi-même.

— C'est vrai, vous êtes une femme intelligente.

— Pourquoi avoir arrêté d'écrire ? Et pourquoi je vous retrouve à moitié ivre au beau milieu de l'après-midi ?

— C'est le moment idéal, non ? Et puis tous les grands écrivains sont portés sur la bouteille, c'est bien connu. Je suis sûr qu'Homère se rendait régulièrement aux Alcooliques Anonymes. Sans oublier Poe, Fitzgerald et...

— Pourquoi faites-vous ça, Parker ?

— Et vous, pourquoi êtes-vous revenue ?

— J'ai posé la question en premier.

— Parce que je n'ai plus aucun narcotique et que j'aurais du mal à me pendre au plafonnier.

— Ce n'est pas drôle.

— Je ne disais pas ça pour être drôle.

— C'est la deuxième fois que vous évoquez le suicide. Je trouve ça choquant et de mauvais goût, surtout que l'un de mes amis s'est tiré une balle dans la tête la semaine dernière.

Parker détourna les yeux. Un long silence s'instaura. Maris but son whisky à petites gorgées, puis reposa le verre sur le buffet.

— Mike a fini le vernissage du manteau, fit Parker au bout d'un moment.

— Oui, j'ai vu. C'est magnifique.

Elle se dirigea vers la cheminée et fit courir ses doigts sur le bois satiné.

— Il a fait de l'excellent travail.

— Vous lui direz, ça lui fera plaisir.

— Je n'y manquerai pas.

— C'était qui, cet ami ?

— Notre avocat. Je le connais depuis mon enfance. Il était comme un oncle pour moi.

— Je suis désolé.

— Au moins, il n'a pas eu le temps de souffrir. Pour ses proches, par contre, la douleur ne fait que commencer.

— Il avait des problèmes ?

— Apparemment non.

— Alors que s'est-il passé ?

— Ça reste un mystère. Noah avait eu un entretien avec lui l'après-midi même, ajouta-t-elle comme si cette pensée venait de lui traverser l'esprit.

— Il n'avait rien remarqué d'anormal ?

— Non, rien.

— Et à quel propos, cet entretien ?

— Je ne sais pas exactement. Pourquoi ?

— Je me posais seulement la question…

— Pourquoi ?

Au lieu de répondre, il lui proposa un autre verre.

— Non, merci. J'ai déjà la tête qui tourne…

Il observa ses chaussures.

— Vous êtes habillée pour New York. Je vous conseille d'aller enfiler une autre tenue. Vous seriez plus à l'aise pour lire les dernières pages que j'ai écrites.

— Alors vous avez quand même travaillé ? fit-elle avec un sourire surpris.

— Il ne faut pas croire tout ce que dit Mike.

— Ça ne pouvait pas mieux tomber. Nous allons pouvoir parler librement.

Feignant la nonchalance, Noah fit paresseusement tournoyer l'olive qui flottait dans son verre de martini. Il voulait donner le change devant son invité.

— Maris est de nouveau en voyage.

— Ça lui arrive souvent ?

Morris Blume était arrivé chez Noah avec son air condescendant, qu'il arborait comme un accessoire de mode. Noah avait insisté pour un rendez-vous informel en tête à tête, sans ses sbires agglutinés comme des colibris autour d'un buisson de fleurs exotiques.

Il avait laissé au concierge un pourboire exorbitant pour s'assurer que ce dernier effacerait Blume de sa mémoire. Il attendait amicalement sur le pas de la porte lorsque son hôte avait surgi de l'ascenseur pour entrer d'un pas résolu dans l'appartement, inspectant tout sur son passage tel un sergent instructeur dans une caserne, ses yeux incolores scrutant la pièce à la recherche du moindre défaut. L'appartement avait semblé lui convenir.

— Très joli.

— C'est Maris qui s'occupe de la décoration. Elle a le coup d'œil pour ce genre de choses. Je vous sers un verre ?

Ils se tenaient à présent assis face à face, un verre de martini à la main, et le nom de Maris venait à nouveau de surgir dans la conversation.

— Elle s'absente souvent, non ? demanda Blume.

— C'est très récent. Elle travaille avec un auteur qui vit sur une île perdue au large de la Géorgie.

— Vous êtes sûr de ça ?

Noah, qui avait récemment perdu le contrôle sur sa femme et sa maîtresse, fut piqué au vif par l'insinuation de Blume.

— Sûr de quoi ? demanda-t-il sèchement. De l'emploi du temps de ma femme ?

Les lèvres pâles de Blume esquissèrent un semblant de sourire.

— J'ai connu un type dont la femme s'était soi-disant mise à consulter des décorateurs d'intérieur pour refaire la propriété vinicole qu'ils venaient d'acquérir à Sonoma. En fait, il s'est avéré qu'elle consultait un avocat spécialisé dans les divorces. Résultat des courses, elle a raflé la baraque et tout le reste, et elle s'est barrée avec l'avocat. Le type s'est estimé heureux qu'il lui reste au moins sa bite. Je crois qu'il y a une leçon à tirer de tout ça.

Le sous-entendu contenu dans ces propos lui resta en travers de la gorge, pourtant Noah poussa un ricanement.

— En l'occurrence, cet écrivain est infirme et cloué dans un fauteuil roulant. Je vois mal Maris tomber amoureuse de lui.

— Elle prépare peut-être quelque chose qui pourrait se révéler bien plus préjudiciable.

— Si vous pensez que ma femme fomente un complot, vous la connaissez mal, fit Noah en mastiquant son olive d'un air indolent. Elle ne raisonne pas comme vous et moi, Morris. C'est un rat de bibliothèque. Une romantique, une rêveuse. Croyez-moi, elle ne nous jouera pas de mauvais tours.

— J'imagine qu'elle sera surprise en apprenant que Matherly Press a été racheté par WorldView.

— Nous le saurons bientôt.

— J'aime vous entendre parler ainsi.

Sans se défaire de son sourire, Noah déposa son verre sur la table basse et s'empara de son attaché-case. D'un geste solennel, il ouvrit les deux fermoirs.

— Livré à temps, comme promis.

Il tendit à Blume le document rédigé par Bancroft. Après avoir découvert Nadia nue dans son lit, couverte de la sueur d'un autre homme, après avoir appris le départ inattendu de Maris, il avait décidé que sa prochaine action serait ferme et définitive.

Il était fatigué de jouer la prudence, fatigué des gens – surtout des femmes – qui lui dictaient sa conduite. Il devait maintenant se montrer vif et agressif. Il était temps de s'occuper de Noah, seulement de Noah, et d'envoyer les autres au diable. Qu'ils aillent se faire baiser par leurs stupides profs de gym ou par qui bon leur semblera.

Blume parcourut rapidement le document. Il connaissait suffisamment le jargon juridique pour comprendre l'essentiel. Noah se préparait déjà à recevoir des compliments, mais une fois sa lecture achevée, Blume reposa les feuilles sur la table et déclara :

— Parfait. Il ne manque plus que leurs signatures.

La poitrine fièrement bombée de Noah se dégonfla comme un ballon.

— Vous n'avez pas bien lu, Morris. Leurs signatures ne sont pas nécessaires.

— Je sais, fit-il en se levant et en reboutonnant sa veste grise impeccablement ajustée. Mais c'est une clause litigieuse, Noah. J'ai déjà assez de démêlés avec les lois antitrust.

Sa main blanche décrivit dans l'air un geste dédaigneux.

— Une simple perte de temps, rien de plus. A condition que tout le reste soit parfaitement en règle. Je ne vais pas m'aventurer à conclure une affaire aussi importante en risquant de tomber dans ce genre de piège juridique. En l'état actuel, ce document pourrait alerter les fédéraux. Et même sans ça, les Matherly crieraient haro. On serait tous baisés. Je ne sais pas pour vous, mais moi quand je me fais baiser, j'aime que ce soit agréable.

Il ponctua cette dernière phrase par un petit clin d'œil, et Noah eut envie de le tuer.

— Maintenant, excusez-moi, mais j'ai rendez-vous pour dîner, fit-il ensuite en se dirigeant vers la porte.

Noah le suivit.

— Ne vous en faites pas, j'aurai les signatures.

— Je ne m'en fais jamais, répondit Morris.

Il ouvrit la porte, marqua un temps de pause et se tourna vers Noah.

— Je pense qu'une seule des deux signatures suffirait. Celle de votre beau-père ou celle de votre femme.

Il réfléchit un instant, puis hocha la tête.

— Oui. Je me sentirais sécurisé s'il y avait une autre signature en plus de la vôtre.

— Tenez les antitrusts à distance, fit Noah froidement. Je me charge des Matherly.

— Avec plaisir. Des deux, j'aime autant les fédéraux.

Son sourire conférait à son visage l'apparence d'un crâne fraîchement exhumé.

— Appelez-moi quand vous aurez obtenu cette signature. Mais pas avant, d'accord ? Mon temps est précieux et cette histoire n'a que trop duré.

Il disparut.

Une heure plus tard, Noah entrait dans le bureau de Daniel. Troublé par les dernières paroles de Blume, il n'avait pas hésité longtemps avant de décider quel Matherly approcher.

Il n'avait pas parlé à Maris depuis une semaine. Elle était encore furieuse à cause de cette histoire avec Nadia. Evoquer ce problème de signature n'allait pas arranger les choses. De plus, elle avait récemment fait preuve d'une opiniâtreté qu'il ne lui connaissait pas.

Daniel était le plus faible des deux. Il avait fait ses preuves par le passé, mais le temps avait terni ses galons. Sa santé et son dynamisme déclinaient en même temps que sa pugnacité. Si jamais il opposait la moindre résistance, Noah était persuadé de parvenir à le faire céder.

Maxine ouvrit la porte et lui apprit que Daniel se trouvait dans son bureau.

— Il est monté aussitôt après le dîner. Il voulait lire un peu avant de se coucher.

Effectivement, en entrant, Noah aperçut un livre posé sur les genoux de Daniel. Mais sa tête pendait au-dessus de sa poitrine, et l'espace d'une seconde, Noah eut peur que le vieux con soit mort. Avec la poisse qu'il avait en ce moment...

— Daniel ?

Daniel releva la tête.

— Bonsoir, Noah. J'étais en train de lire.

— Vous ronflez souvent en lisant ?

— Ne me dis pas aussi que je bavais.

— Je n'ai pas remarqué, en tout cas.

— Bon. Assieds-toi. Tu veux boire quelque chose ?

— Non, merci.

En chemin, une pensée désagréable lui avait traversé l'esprit. Qu'adviendrait-il si Maris avait révélé à Daniel sa liaison avec Nadia ? Peut-être s'était-elle confiée à lui avant son départ ? Pour couronner cette journée merdique, il ne lui manquait plus que de se faire accuser d'adultère et chasser par son beau-père. Mais non, le vieil homme se comportait normalement.

Noah s'assit sur la causeuse.

— Désolé de vous déranger, Daniel, mais Maris doit m'appeler tout à l'heure et je serai tenu de faire un rapport détaillé. Elle voudra même savoir ce que vous avez mangé.

— Sole grillée, riz complet et légumes vapeur.

— Un menu qu'elle approuvera. Elle m'a également chargé de vous tenir compagnie en son absence.

— Je n'ai pas besoin d'une baby-sitter.

— Je suis de votre avis. Mais acceptez, ou je vais me faire passer un savon à son retour.

Il se pencha vers Daniel.

— Que diriez-vous d'un petit week-end de pêche à la campagne ? Un peu de détente nous ferait le plus grand bien.

— Il y a bien longtemps que je n'y suis pas retourné.

— J'ai soumis l'idée à Maris avant son départ, et elle a tout de suite été emballée. Je pense qu'elle se sent coupable de ne pas vous y emmener plus souvent. Ça l'apaiserait de savoir que vous avez pu profiter de la maison.

Daniel réfléchit un instant. Noah ne voulut pas insister davantage pour ne pas éveiller les soupçons du vieil homme. Il avait placé son boniment ; il était temps de la fermer et de laisser Daniel prendre sa décision.

— A quelle heure voudrais-tu partir, demain ?

Noah sentit la tension s'évacuer et sourit.

— J'ai un rendez-vous demain matin, mais impossible de décommander. On pourrait prendre la route juste après.

— Ça ne laissera pas beaucoup de temps à Maxine pour...

— En fait, Daniel, je pensais que nous irions seuls. Entre hommes.

Il jeta un coup d'œil par-dessus son épaule, comme pour s'assurer que la gouvernante n'était pas en train d'épier leur conversation, puis, baissant la voix, ajouta :

— Si Maxine vient, elle vous surveillera comme une mère poule. Il faudra rendre compte du moindre verre d'alcool, du moindre gramme de graisse que vous ingurgiterez. Et inutile de songer à fumer votre pipe.

— C'est vrai. Elle est pire qu'une épouse et elle répète tout à Maris.

— Parfois, il faut savoir s'imposer.

— Tout à fait d'accord.

— Alors vous êtes de la partie ?

— J'en suis.

— Bien !

Noah se leva pour aller serrer la main de Daniel.

— Je passerai vous prendre vers dix heures. Préparez juste quelques affaires. J'appellerai l'épicier du coin pour qu'il nous livre à boire et à manger.

Avant de quitter la pièce, il lança sans se retourner :

— Je vais aller moi-même annoncer à Maxine qu'elle n'est pas conviée au voyage.

22.

Tandis que Maris étudiait le manuscrit, Parker étudiait Maris.

Après avoir passé plus d'une heure dans le cottage, elle était revenue vêtue d'une longue jupe ample et d'un chemisier sans manches noué au-dessus de la taille, qui offrait par moments un bref aperçu de son ventre nu. Elle avait ôté ses sandales avant de s'installer sur le canapé, jambes repliées sous elle.

Ses cheveux étaient encore humides. Une fine couche de gloss donnait à ses lèvres un aspect brillant, et ses joues, sous l'effet du whisky ou des cosmétiques, avaient pris de belles couleurs. Tout en elle la rendait délectable.

Heureusement, le roman l'accaparait tout entière et il pouvait à loisir la contempler sans qu'elle s'en aperçoive. Elle était littéralement absorbée par sa lecture, et Parker se sentit étrangement jaloux de l'attention que recevait son manuscrit.

Avant cette arrivée inattendue, il avait passé le début de l'après-midi à s'enivrer. Il n'était pas parvenu à pondre la moindre ligne, bien que d'un point de vue météorologique, la journée s'y prêtât à merveille. Le ciel était sombre et nuageux, gris. D'ordinaire, par ce genre de temps, il s'immergeait totalement dans son récit, ne remontant à la surface que poussé par la faim, la soif, ou une envie irrépressible d'aller pisser.

Mais aujourd'hui, son cerveau était resté vide. Enfin... pas complètement. Il repensait constamment à

Maris. Son image le hantait depuis le matin de son départ.

Maris présidant une réunion.

Maris souriant à Noah.

Maris hélant un taxi.

Maris embrassant Noah.

Maris assise derrière son bureau.

Maris endormie au côté de Noah.

Maris sur la Cinquième Avenue, les bras chargés de sacs.

Maris ouvrant les cuisses pour Noah.

Ces visions auraient suffi à le rendre fou. Elles avaient suffi en tout cas pour qu'il se mette à boire.

Il se demandait à présent s'il avait eu une prémonition de son arrivée. Oui, peut-être bien que oui. Parce qu'il s'était réfugié dans la salle à manger, une pièce où il se rendait rarement. Il avait sifflé la bouteille de Wild Turkey aussi vite qu'il le pouvait, les yeux rivés à la fenêtre d'un air morose.

En entendant le bruit du moteur au loin, il avait supposé que c'était Mike qui revenait. Il se rappelait avoir espéré qu'il ait pensé à acheter des Milky Way.

Puis il avait aperçu Maris au volant de la voiturette et son cœur avait bondi dans sa poitrine, hoquetant comme un vieux moteur grippé.

L'avait-il inconsciemment guettée, comme une femme de marin scrute l'horizon pour tenter d'apercevoir le bateau de son mari ? Etait-il cet homme misérable et pathétique qui attendait que Maris daigne le gratifier de sa présence ? Mon Dieu, était-il donc tombé si bas ?

Il comprenait maintenant que oui, et ce depuis le matin où elle avait lui tourné le dos avant de quitter la fabrique désaffectée. Depuis lors, il macérait dans sa tristesse et sa jalousie, accroché à sa bouteille de whisky, torturé par ses fantasmes.

Des fantasmes horribles où il imaginait Maris avec Noah.

D'autres, délicieux, où il l'imaginait ici, dans ses bras.

La nuit, il faisait des rêves érotiques. Maris l'étreignait en scandant son nom, hors d'haleine, dans des murmures orgasmiques. La journée, il s'occupait l'esprit avec des visions du même ordre. Maris le caressait, ses doigts frôlaient son torse et son ventre ; sa bouche, doucement, venait le...

— Il était de Todd ?

Parker sursauta, comme parcouru par une décharge électrique.

— Hein ?

Il se racla la gorge et secoua la tête pour chasser ces rêveries lubriques.

— Pardon ?

— Le bébé que Mary Catherine vient de perdre. Il était de Todd ?

— A votre avis ?

— C'est ce que suggère le texte. Mais l'apprend-on par la suite ?

— Je pense qu'il vaut mieux laisser planer le mystère. C'est au lecteur de se forger sa propre opinion.

— Je suis d'accord.

Elle feuilleta à nouveau les pages, s'arrêtant par moments pour relire un passage.

— Roark est un personnage remarquable. Il est si... si héroïque. Comme le dit Mary Catherine, il est vraiment gentil.

Parker grimaça.

— Il n'est pas *trop* gentil, j'espère ? Je ne voudrais pas non plus qu'il passe pour un saint. Ou pire, pour une lopette.

— Non, rassurez-vous, fit-elle en souriant.

Mais Parker continuait de froncer les sourcils d'un air de doute.

— Faites-moi confiance, Parker. Je vous le dirais si c'était le cas.

— Les lectrices sont rarement excitées par les héros trop gentils, de même que les hommes n'éprouvent aucun désir pour les héroïnes trop vertueuses.

— Ne vous en faites pas pour ça. Les lectrices aimeront le personnage de Roark. Ses réactions sont très masculines. Il envisage toutes les situations dans un contexte sexuel avant d'étendre son point de vue à d'autres notions, comme la moralité.

» En même temps, il se montre sensible envers Mary Catherine. Lorsqu'elle lui fait des propositions, il décline l'offre et démontre ainsi qu'il sait où se situe la limite de la décence. Il défend son code de l'honneur, une certaine conception de…

Elle leva les yeux vers lui et le surprit en train de rigoler.

— Quoi ?

— Vous êtes décidément emballée par ce que vous venez de lire.

— C'est mon métier.

— Je comprends que vous ayez besoin d'être enthousiaste, mais ce n'est jamais qu'un roman, Maris.

— A mes yeux, c'est beaucoup plus que ça, fit-elle d'une voix douce, presque timide. Lorsque j'aime vraiment un livre, les personnages prennent vie. Je pense que c'est lié à la perte de ma mère. J'étais très jeune et j'avais besoin d'être entourée. Alors les princes et les princesses que je découvrais dans les contes devenaient mes frères et sœurs d'adoption.

» Je vivais dans des palais et sur des bateaux pirates. Je grimpais des sommets. J'explorais la jungle. Le sous-marin du capitaine Nemo m'est devenu aussi familier que ma chambre. Je suivais les personnages de romans dans leurs aventures. Je riais avec eux, je pleurais avec eux. Je me sentais impliquée dans leur vie. J'étais au courant de leurs secrets. Je savais leurs espoirs et leurs rêves. Ils sont devenus ma famille.

Elle haussa les épaules d'un air gêné.

— Je suppose que cette passion pour la fiction m'a poursuivie jusqu'à l'âge adulte.

Pendant un long moment, elle garda la tête baissée. Finalement, Parker se pencha vers elle et murmura :

— A part les livres, j'aimerais bien savoir ce qui vous excite.

Elle savait exactement à quoi il faisait allusion. Ils étaient tous deux sur la même longueur d'onde. Il le voyait dans son regard, il le sentait dans la façon qu'elle avait de respirer.

— J'adore me faire une bonne... vous savez, ce mot qui commence par un *b*...

— Par un *b* ?

— Oui, une bonne bouffe.

Il rejeta la tête en arrière et un éclat de rire monta de sa poitrine, si franc et spontané qu'il en fut surpris. Un rire qui, pour la première fois depuis des années, n'était pas empreint de cynisme et d'aigreur.

Elle pointa sur lui un pistolet imaginaire et fit mine d'appuyer sur la détente.

— Je vous ai eu.

— Je dois l'admettre. Vous avez faim ?

— Je *meurs* de faim.

— Mike ne me pardonnera jamais d'être un hôte aussi lamentable. Je pense pouvoir assembler divers ingrédients et élaborer un semblant de repas, mais il va falloir m'aider.

— Allons-y.

Ils se rendirent à la cuisine et travaillèrent côte à côte à la confection de sandwichs.

— Vous voulez de l'avocat ? demanda-t-il tout en réglant la minuterie du micro-ondes où il s'apprêtait à enfourner des tranches de bacon.

— Volontiers.

— Alors vous feriez mieux de les peler. Mike prétend que je suis incapable de les éplucher sans les écraser.

— Une chose que j'aime chez vous, Parker...

— Il n'y en a qu'une ?

— ... c'est que vous reconnaissez facilement vos défauts.

— Oh, vous savez, ils sont si peu nombreux que je peux me permettre de rester humble.

Elle lui jeta un morceau de pain pour le punir de son impudence.

Ils mangèrent des chips directement dans le paquet et des pickles qu'ils piochèrent dans un grand bocal.

— Très différent de ce à quoi vous êtes habituée, pas vrai ? demanda-t-il entre deux bouchées.

— Visiblement, vous me prenez pour une sale gosse pourrie gâtée.

— Non, répondit-il franchement. Vous êtes trop travailleuse pour coller à la description.

— Merci.

— Vous vous investissez à fond dans votre travail.

— J'essaie.

— C'est pour ça que vous êtes revenue, non ? Vous me considérez comme un travail à achever ?

— Je suis venue vous remettre la lettre d'acceptation, ainsi qu'un chèque de quinze mille dollars.

— Vous n'avez jamais entendu parler de Federal Express ?

— Je ne savais pas s'ils livraient à St. Anne.

Il lui lança un regard entendu. Elle détourna la tête et entreprit de balayer les miettes dispersées autour de son assiette.

— OK, jouons franc-jeu. Je voulais m'assurer que vous écriviez et, dans le cas contraire, vous donner un petit coup de fouet. Mon père m'a conseillé de venir.

— Je vois. Vous êtes venue parce que votre papa pensait que c'était une bonne idée.

— Pas exactement.

— Alors pourquoi, Maris ? Dites-le-moi.

Elle l'observa un instant, ouvrit la bouche pour parler puis se ravisa avant de déclarer finalement :

— On s'était disputés juste avant mon départ et je voulais remettre les choses en ordre. Sans quoi notre relation professionnelle...

Il poussa un petit bruit semblable au buzzer des jeux télévisés.

— Vous avez peut-être l'impression que j'habite dans le trou du cul du monde, mais croyez-le ou pas, nous avons le téléphone, Internet et divers autres moyens de communication.

— Vous ne répondiez ni à mes e-mails, ni à mes coups de fil.

— J'aurais bien fini par le faire.

— Je n'en étais pas convaincue.

— Vous mentez.

Il leva la main pour l'empêcher de parler.

— Vous avez sauté dans cet avion parce que vous vouliez me revoir. Avouez-le, fit-il en levant le menton d'un air de défi.

Il pensait qu'elle allait nier, mais à sa plus grande surprise, elle répondit :

— C'est vrai. Vous avez raison, j'avais envie de vous revoir.

Il croisa les bras sur la table et se pencha vers elle.

— Pourquoi ? Pas à cause de mon charme naturel. Nous en avons déjà discuté et nous étions tombés d'accord pour dire que j'en étais totalement dénué.

Il s'interrompit, se caressa le menton, et ajouta :

— Je me disais que vous et votre petit mari aviez peut-être eu une dispute. Alors vous vous êtes dit : Il va voir ce qu'il va voir. Je vais retourner à Trifouillis-les-Oies et me payer du bon temps avec l'autre gogol. C'est bien la raison de votre venue, non ?

Il crut qu'elle allait se ruer hors de la pièce, récupérer ses affaires et filer jusqu'à sa voiture après l'avoir copieusement injurié. Mais il se trompa à nouveau. Elle resta assise à sa place et s'adressa à lui d'une voix remarquablement calme.

— Dites-moi, Parker, pourquoi vous sentez-vous obligé d'être aussi cruel ? Est-ce une manière d'affirmer votre virilité ? Utilisez-vous la méchanceté pour compenser votre handicap, ou bien faites-vous chier les gens simplement pour les tenir à distance ? Vous les blessez avant qu'ils n'aient eu le temps de vous blesser ? Si c'est le cas, alors je suis navrée pour vous. En fait, pour la première fois depuis notre rencontre, vous me faites pitié.

Elle quitta la table d'un air digne, le dos droit, la tête haute. Tandis qu'il l'observait disparaître derrière la porte de la cuisine, Parker se sentit plus bas que terre.

Il l'avait accusée de vouloir l'utiliser contre Noah, alors que c'était précisément l'inverse qui se déroulait. C'était bien lui, Parker, qui se servait d'elle contre Noah.

Craignant qu'elle ne parte avant qu'il ait pu s'excuser, il actionna son fauteuil et se dirigea le long du couloir central menant à la porte d'entrée. Il fut soulagé de la trouver sous la véranda, appuyée contre l'une des colonnes, les yeux rivés sur les chênes géants en sentinelle de part et d'autre de l'allée.

— Maris.

— Je pars demain.

— Ne partez pas.

Elle laissa échapper un rire sarcastique.

— Vous ne savez pas ce que vous voulez, Parker. Ecrire. Ne pas écrire. Etre célèbre. Vivre en reclus. M'avoir auprès de vous. Me renvoyer. Vous n'êtes même pas sûr de vouloir vivre.

» Dans tous les cas, je n'aurais pas dû revenir. Tout ça n'était pas très clair dans ma tête. J'aurais mieux fait de rester à New York et de vous laisser vautré dans votre colère et votre amertume. Vous étiez bien mieux avec votre whisky et votre fantôme. Mais ne vous en faites pas, dès demain vous pourrez reprendre vos petits passe-temps pathétiques.

Il s'approcha d'elle et posa les mains autour de sa taille, juste au-dessus des hanches.

— Ne partez pas.

Il se pencha et pressa son visage au creux de ses reins. Ses doigts l'agrippèrent de plus en plus fort.

— Je me fous de savoir pourquoi vous êtes revenue, Maris. Je vous le jure. Même si c'est juste pour rendre votre mari jaloux, je m'en fous. Vous êtes là et c'est tout ce qui compte.

Il déplaça lentement ses mains vers son ventre et les laissa un instant contre le nœud de son chemisier avant de les glisser sous le tissu, contre sa peau.

Elle prononça son nom d'une voix plaintive où se mêlaient le doute et la résignation.

Il l'attira contre lui jusqu'à ce qu'elle se retrouve assise sur ses genoux, puis il la força à se retourner et la tint enlacée dans ses bras.

Elle l'observa avec inquiétude.

— Je ne vous fais pas mal ?

Il passa doucement la main dans ses cheveux. Il lui caressa le menton, les lèvres.

— C'est parfait, Maris.

23.

Il dut faire appel à toute sa volonté pour ne pas l'embrasser. Il savait qu'elle attendait ce baiser, une bonne raison pour ne rien faire. Et puis il se sentait encore coupable d'avoir suggéré que les motifs de son retour n'étaient pas purs. Etait-il pur, lui ?

— On va faire un tour ? demanda-t-il.

— Un tour ?

— Sur la plage.

— Je peux marcher, si vous voulez.

— Vous pouvez aussi rouler.

Il desserra le frein et engagea son fauteuil sur la rampe qui partait de la véranda et débouchait sur un petit chemin goudronné menant à travers bois.

— Très pratique, observa Maris.

— J'ai fait aménager ces accès pendant la rénovation de la maison.

— Mike m'a expliqué que vous ne vouliez pas d'un fauteuil motorisé.

— Vous avez vu comme il me nourrit bien ? Je préfère les fauteuils classiques, ça me permet de faire de l'exercice et d'éliminer la graisse.

— Qu'est-ce qui sent si bon ?

— Les magnolias.

— On dirait qu'il n'y a pas de lucioles, ce soir.

— Les *vers luisants* pensent qu'il va pleuvoir.

— Vous croyez ?

— On verra bien...

L'allée goudronnée se prolongeait jusqu'aux dunes de sable, où elle rejoignait un autre chemin surélevé, aux planches de bois usées par les intempéries. Maris sentit des branches lui frôler les cuisses tandis qu'ils franchissaient les dunes pour parvenir à une sorte de petite plate-forme carrée. Parker immobilisa le fauteuil et enclencha le frein.

La plage déserte s'étalait devant eux. Depuis ce point de vue, il était impossible d'apercevoir le continent. L'endroit semblait aussi primitif qu'à l'époque de sa création. Bien qu'obscurcie par un épais manteau nuageux, la lune dégageait une luminosité suffisante pour éclairer les vagues qui venaient se briser sur le rivage, laissant derrière elles un sillon argenté qui scintillait brièvement avant de se dissoudre dans le sable. La brise était aussi douce que le souffle d'un bébé endormi. Seul parvenait le chuintement continu du ressac.

— Quel endroit extraordinaire, fit Maris d'un chuchotement révérencieux habituellement réservé à l'église. Avec cette forêt qui vient plonger directement dans la mer.

— Et pas de complexe hôtelier pour gâcher la vue.

Plutôt que d'apprécier le paysage, Parker lissait les cheveux de Maris entre ses doigts, en étudiait la texture, appréciant leur contact soyeux.

Elle se tourna soudain vers lui.

— Quel genre de narcotiques preniez-vous ?

— Ah. J'étais sûr que ce détail ne vous avait pas échappé.

— C'est vrai. Je n'arrête pas d'y repenser. Alors ? Quel genre de narcotiques preniez-vous ?

Son expression n'avait rien de sévère, elle avait simplement l'air intéressé. Peut-être s'y mêlait-il aussi de la compassion.

— Des médicaments, des analgésiques. J'en prenais en grosses quantités. Par poignées entières.

— A cause de vos jambes ?

— J'ai mis longtemps à guérir.

— A guérir de quoi, Parker ?

— De ma stupidité.

Il s'interrompit un bref instant, pour l'emphase, avant de reprendre :

— J'ai subi plusieurs opérations. Il fallait d'abord reconstruire les os ; les chirurgiens ont remplacé les morceaux manquants par des éléments en métal et en plastique. Puis il a fallu rattacher les muscles et les tendons... Mais je ne vais pas tout vous raconter, Maris. Je n'y tiens pas et vous n'avez pas forcément envie d'entendre ce genre de détails. Disons juste que je suis resté plus d'un an à l'hôpital, puis j'ai été transféré vers... d'autres services. Au total, ma rééducation a duré plusieurs années. C'était pire que l'enfer. C'est à cette époque que je suis devenu accro aux cachets. Lorsque les médecins ont arrêté de m'en prescrire, je me suis mis à les acheter dans la rue, par l'intermédiaire de vendeurs indépendants.

— Des dealers, vous voulez dire ?

— Avec lesquels j'ai fini par lier amitié.

Elle ne semblait pas choquée, mais elle l'aurait été si elle avait su à quoi il en était réduit pour s'approvisionner.

— C'était une période assez compliquée, conclut-il pour résumer.

— Mais vous en êtes revenu.

— Non, quelqu'un m'a saisi par les couilles et m'a arraché à tout ça.

— Mike.

— Mike, répéta-t-il en hochant la tête comme pour saluer rétrospectivement ce miracle. Pour des raisons que je ne comprendrai jamais, il est venu à mon aide. Il a surgi un jour de nulle part. A travers mon hébétude brumeuse, je l'ai vu apparaître et m'observer avec l'air de se demander si je valais la peine d'être tiré de ma condition sordide.

— Il vous a peut-être été envoyé.

— Comme un ange-gardien ? Une bonne fée ? En tout cas, ce n'était pas la Faucheuse. Même si dans les semaines qui ont suivi, j'ai parfois eu envie de mourir. Avant que j'aie eu le temps de comprendre ce qui m'arrivait, il m'a confisqué mon stock et m'a envoyé en désintoxication.

— Ça n'a pas dû être une partie de plaisir.

— Je ne vous souhaite pas de subir ça un jour. Quand je suis sorti de cure, Mike m'a inscrit dans diverses thérapies, pour me reconstruire à la fois physiquement et mentalement. Il m'a installé un appartement adapté à mon handicap et m'a demandé ce que je comptais faire de ma vie. Lorsque je lui ai dit que je mourais d'envie d'écrire, il m'a apporté un ordinateur.

— C'est lui qui vous a poussé à écrire.

— Il m'a présenté ça comme un défi.

— Qui vous a donné une raison de vivre.

— Non, j'avais déjà décidé de continuer à vivre.

J'avais une excellente raison, pensa-t-il.

— Puis-je vous poser une question très personnelle, Parker ?

— Allez-y. Mais vous risquez de le regretter.

— Etes-vous Roark ?

Il avait toujours su qu'elle finirait par évoquer la question. Elle était trop intelligente pour ne pas faire certains rapprochements. Un écrivain racontant l'histoire d'un écrivain. Evidemment, le parallèle était facile à établir. Il avait déjà une réponse toute prête qui, sans pour autant constituer un mensonge, ne disait pas toute la vérité.

— Pas tout à fait.

— Comment ça ?

— Je ne peux rien dire de mieux.

Elle hocha la tête avec gravité mais ne chercha pas à en savoir plus.

— Avez-vous aussitôt commencé à écrire la série des Deck Cayton ?

— Non, je me suis d'abord essayé à d'autres genres. Pendant deux ans, j'ai dû jeter à la poubelle au moins un projet par semaine. Des milliers d'hectares de forêt y sont passés avant que le personnage de Deck Cayton apparaisse enfin. C'est le seul qui soit parvenu à susciter mon intérêt et à m'extraire de ma condition physique.

» Quand j'ai eu ce que je pensais être une histoire digne d'être publiée, j'ai contacté un agent et je lui ai demandé de s'occuper de mon manuscrit. Mais avant ça, je lui ai fait jurer sur sa vie et celle de ses enfants de ne jamais révéler ma véritable identité à qui que ce soit.

— Et Mackensie Roone a vu le jour. Une renaissance pour laquelle nous devrions tous être reconnaissants. Je regrette simplement les souffrances que vous avez endurées pour en arriver là.

— A long terme, ça devrait en valoir la peine.

A peine eut-il prononcé cette phrase qu'il craignit la réaction de Maris. Il avait peur qu'elle ne le questionne sur ses desseins, mais elle avait détourné la tête et contemplait la mer. Les lumières d'un tanker clignotaient à l'horizon.

Des gouttes de pluie se mirent à tomber, créant de petites perforations humides à la surface du sable. Elles s'abattirent en crépitant doucement sur la plate-forme de bois. Parker les entendit avant même de les sentir contre sa peau, chaudes et douces comme des larmes.

— Parker ?

— Hmm ?

— Quand je suis venue la première fois dans la fabrique, vous avez suggéré que Noah m'avait épousée pour promouvoir sa carrière. Vous vous en souvenez ?

— Ça vous a mis la puce à l'oreille.

— Oui. Mais au fond de moi, je le savais déjà.

Elle se tourna vers lui et le fixa droit dans les yeux.

— Je l'ai surpris cette semaine avec une autre femme.

Elle s'interrompit pour lui permettre de répondre, mais il conserva une expression neutre.

— Je vous passe les détails sordides, ajouta-t-elle alors.

— Sordides à quel point ?

— Sordides tout court.

— Assez pour que vous décidiez de rappliquer ici ? Histoire de lui rendre la monnaie de sa pièce ?

— Non. Je vous jure que je ne suis pas là pour ça. La liaison de Noah m'a fourni un prétexte pour revenir. Mais la vérité, c'est que je n'ai jamais voulu partir.

— Alors pourquoi l'avoir fait ?

— J'avais mauvaise conscience.

— Il ne s'était pourtant rien passé.

— Quelque chose avait changé en moi, s'exclama-t-elle en serrant le poing contre la poitrine. J'avais envie de rester avec vous, et c'était une raison suffisante pour rentrer à New York. Ma simple présence à vos côtés était préjudiciable pour mon mariage. J'avais peur des sentiments que j'éprouvais pour vous. Pour ma tranquillité d'esprit, j'avais besoin de réintégrer ma position de femme mariée et heureuse de l'être. Ironie du sort, j'ai découvert que Noah me trompait le lendemain de mon retour.

— Quel con.

Elle sourit à ce compliment indirect, mais une lueur de tristesse passa dans son regard.

— C'est moi qui suis stupide. J'aurais dû reconnaître plus tôt que mon mariage ne correspondait pas à mes attentes. Pas plus que Noah n'était l'homme de ma vie. Il n'avait rien du héros de son roman.

— Et maintenant, c'est Roark votre nouveau héros.

— Je ne confonds pas la fiction et la réalité, Parker. J'ai dépassé ce stade. Vous êtes bel et bien réel. Je peux vous toucher.

Elle joignit le geste à la parole et, du bout du doigt, traça le contour des veines de sa main.

— Mon mariage est derrière moi. Je ne veux plus jamais entendre parler de Noah.

— Tant mieux pour moi.

Il enfouit la main dans ses cheveux et amena doucement son visage près du sien. Il hésita le temps de quelques battements de cœur, puis pressa ses lèvres contre les siennes en essayant de trouver la bonne inclinaison. Il se contrôla jusqu'à ce qu'il l'entende pousser un petit gémissement. Il recula la tête, plongea son regard dans le sien et y lut ce même désir qu'il ressentait.

Dès lors, il ne fut plus question de retenue. Il couvrit son visage de baisers fougueux et elle fit pareil. Leurs langues entrèrent en contact et ils s'embrassèrent avec une avidité charnelle.

Au bout d'un moment, Parker éloigna son visage

pour reprendre son souffle, puis il procéda avec plus de modération. Du bout de la langue, il caressa sa lèvre inférieure ; il la mordilla avec douceur, déposa de légers baisers au coin de ses lèvres avant d'introduire sa langue dans sa bouche. Il inclina la tête d'un côté puis de l'autre, mais sans jamais rompre le contact. Même lorsqu'il se retira, ses lèvres restèrent contre les siennes.

— Le soir de notre rencontre, quand vous m'avez embrassée...

— Oui ?

— Je n'avais pas envie que ça s'arrête.

— Je sais.

— Vous savez ?

— Moi aussi je le ressentais, Maris.

En réponse, elle lui passa la main dans les cheveux avec une moue coquine. Ils s'embrassèrent à nouveau et Parker déboutonna son chemisier.

Ses seins étaient proportionnellement petits, d'une belle forme ronde, et à présent parsemés de petites gouttes de pluie. D'autres, plus grosses, coulaient le long de sa peau, en légers ruisseaux qui s'entrecroisaient pour dessiner des motifs érotiques.

— Parker ? Vous savez qu'il pleut ?

— Oui.

Il posa les mains sur sa poitrine.

— Comme vous me l'avez déjà dit, vous ne risquez pas de fondre.

Du bout des lèvres, il lui frôla les seins.

— Ça dépend, murmura-t-elle dans un soupir.

Comme dans ses fantasmes, elle passa les bras autour de son cou et le serra contre elle, haletante, en répétant son nom.

La main de Parker s'immisça entre ses cuisses et remonta lentement. Il la caressa à travers sa culotte et l'observa d'un air interrogateur.

Elle poussa un bruit qu'il prit pour une approbation. Son sexe était humide. Il glissa ses doigts en elle.

— Ooh, Parker.

Il la caressa avec son majeur tandis que son pouce

décrivait des cercles autour de son clitoris. Elle se mit à bouger les hanches en cadence.

— Laissez-vous aller, Maris.

Elle se relâcha, et bien que son souffle fût encore saccadé et rapide, elle ne chercha plus à atteindre l'orgasme. Ses tétons s'étaient durcis au contact de sa langue. Parker intensifia son mouvement et son pouce se concentra sur un point bien précis.

Il sentit alors la tension la gagner. Cette tension impérative, irrépressible. Elle se cambra, la tête rejetée en arrière, les yeux mi-clos. Son cou nu ne demandait qu'à être embrassé. Il se pencha vers elle et pressa ses lèvres contre sa gorge d'où s'échappaient des gémissements de plaisir. Il attendit que les soubresauts s'arrêtent, que son corps se détende, puis retira la main de sous sa jupe.

Il la tint longtemps serrée contre lui, le menton sur sa tête. Elle posa mollement la main sur son torse.

— Vous avez boutonné votre chemise ?

— Pour le dîner. Une règle que m'a inculquée ma mère.

La pluie continuait à s'abattre sur eux, détrempant leurs cheveux et leurs vêtements, mais ni l'un ni l'autre ne semblaient y prêter attention. Il lui caressa le dos, ses doigts s'attardant sur chaque vertèbre.

— Il ne vous a jamais baisée comme ça, pas vrai ?

Elle se raidit, et l'espace d'un instant, il craignit d'être allé trop loin, de l'avoir offensée par son langage. Mais cette réaction initiale ne dura pas.

— Il y a quelques minutes, j'étais encore persuadée du contraire, fit-elle doucement.

— Vous attendiez ça avec avidité.

— Je ne le savais pas jusqu'à ce que vous me touchiez. Ma vie sexuelle était une autre illusion.

Elle dut s'apercevoir qu'il souriait, car elle se redressa pour l'observer.

— Vous devez être fier de vous.

Il lui adressa un sourire égrillard qui se changea en une expression de douceur.

— Je me sens bien, Maris.

Il l'embrassa tendrement.

— Mais vous devez vous sentir encore mieux.

Ils échangèrent un long et langoureux baiser, auquel il mit fin à contrecœur.

— On ferait mieux de rentrer avant que Mike n'organise une battue pour nous retrouver, fit-il.

Il tendit le bras pour actionner le frein, mais elle le stoppa dans son geste.

— Et vous ? demanda-t-elle en se frottant contre son érection. Vous ne voulez pas... que je fasse quelque chose ?

— Oui. J'aimerais que vous arrêtiez de bouger comme ça, répondit-il en l'attrapant fermement par les hanches.

— Oh. Pardon.

— Quand on fera l'amour, je veux pouvoir me concentrer uniquement sur le plaisir, et non être en train de me demander comment jouir sans nous éjecter de ce fauteuil.

— C'est si intense que ça ?

— Oui, ça le sera.

— Mais j'ai eu beaucoup de plaisir...

— Vous n'avez encore rien vu.

Elle sourit. Il l'embrassa rapidement avant de faire pivoter son fauteuil pour reprendre le chemin de la maison.

— Au fait, étant donné que j'ai besoin de mes deux mains pour conduire ce maudit engin, je vous conseille de reboutonner votre chemisier si vous ne voulez pas que Mike s'en mette plein la vue.

Le lendemain matin, Daniel se leva de bonne heure. Il se doucha rapidement, s'habilla, puis rassembla quelques affaires avant de descendre à la cuisine. Maxine avait été plutôt mécontente d'apprendre qu'il avait projeté de partir sans elle, et n'avait pas hésité à exprimer sa colère. C'est pourquoi il se montra particulièrement aimable en lui demandant s'il était possible de servir le petit déjeuner dans la cour.

— Aucun problème, monsieur Matherly. J'en ai pour cinq minutes.

— Parfait. Je vais en profiter pour passer quelques coups de fil.

Il se rendit à son bureau et composa le premier numéro, qu'il connaissait maintenant par cœur. Il ne parla guère durant les cinq minutes que dura l'appel. Au lieu de ça, il écouta ce que William Sutherland avait à lui dire.

— Voulez-vous que je continue, monsieur Matherly ?

— Absolument.

Daniel appela ensuite les bureaux de Becker-Howe. Même tôt dans la matinée, alors que la plupart des New-Yorkais faisaient encore la queue au Starbucks et s'entassaient dans les métros pour arriver au travail à une heure raisonnable, Oliver Howe prit l'appel en personne.

Howe se targuait avec prétention de pouvoir travailler quatorze heures par jour, sauf pendant les vacances, où il n'en faisait que huit. Apparemment, en dépit de son âge avancé, son emploi du temps était toujours aussi chargé.

Sa carrière d'éditeur avait démarré à peu près en même temps que celle de Daniel, et dans des conditions similaires. Son grand-père lui avait légué sa maison d'édition quelques mois après l'obtention de son diplôme universitaire. Daniel et lui avaient toujours entretenu une rivalité amicale et se tenaient en haute estime.

— Salut, Ollie. Daniel Matherly à l'appareil.

Comme il s'y était attendu, son vieux confrère fut ravi de l'entendre. Ils échangèrent quelques plaisanteries.

— Je ne peux malheureusement plus jouer au golf, Danny Boy, déclara ensuite Howe. A cause de ces foutus rhumatismes.

— Ce n'est pas pour ça que je t'appelle, Ollie. Ceci est un coup de fil professionnel.

— Je croyais que tu avais pris ta retraite.

— C'est ce que dit la rumeur, mais te connaissant, je suis sûr que tu comprendras pourquoi je n'ai pas encore raccroché. En fait, j'ai une proposition qui devrait t'intéresser.

Daniel émergea de son bureau quelques minutes plus tard en se frottant les mains. Il marchait sans sa canne et se sentait revigoré.

— Maxine, pourrais-tu aller à la boulangerie kasher m'acheter ce pain que j'adore ?

— Ils n'ont pas de pain dans le Massachusetts ? M. Reed m'a dit qu'il vous ferait livrer directement là-bas.

— Je sais, mais j'en meurs d'envie. Tu sais, celui avec les graines dessus.

— Je vois tout à fait. La boulangerie est à l'autre bout de la ville. J'irai après votre petit déjeuner.

— Noah doit passer me prendre dans peu de temps. Tu ferais mieux d'y aller maintenant. Je m'occupe du petit déjeuner.

Elle l'observa avec scepticisme, et à juste titre. Ce caprice soudain n'avait d'autre but que de l'éloigner de la maison. Il attendait quelqu'un et ne tenait pas à ce que Maxine l'apprenne.

La vieille dame argumenta encore quelques instants, puis finit par se résoudre et se dirigea vers la porte de service en grommelant. Elle était à peine sortie que la sonnette retentit.

— Ma gouvernante est partie faire une course, expliqua Daniel en conduisant son hôte vers la cour.

Maxine dressait toujours la table pour trois personnes, au cas où Maris et Noah décideraient de passer à l'improviste. Maris était en déplacement et Noah devait arriver un peu plus tard, pourtant elle n'avait pas dérogé à son habitude, comme Daniel le constata avec soulagement.

— Asseyez-vous, fit-il en indiquant une chaise. Du café ?

— Volontiers.

— Merci d'avoir fait le déplacement dans un délai aussi bref, fit Daniel en lui tendant la crème et le sucre.

— Ce n'était pas tant une invitation qu'un ordre, monsieur Matherly.

— Alors pourquoi êtes-vous là ?

— Par curiosité.

Daniel salua cette franchise par un signe de tête.

— Mon appel à dû vous surprendre ?

— C'est le moins qu'on puisse dire.

— Je suis content que nous puissions parler ouvertement. Je sais que votre temps est précieux, et j'ai moi-même un programme chargé, ce matin. Mon gendre doit passer me prendre à dix heures. Il a profité de l'absence de ma fille pour m'inviter à passer le week-end avec lui à la campagne.

Il tendit à son hôte un petit panier doublé de tissu.

— Un muffin ?

— Non, merci.

— Pour des muffins au blé complet, ils ne sont pas mauvais. C'est ma gouvernante qui les prépare.

— Non, je vous remercie.

— Où en étais-je, reprit Daniel en reposant le panier sur la desserte.

— Monsieur Matherly, je sais très bien que vous n'êtes pas gâteux, alors n'insultez pas mon intelligence en jouant cette comédie. Vous ne m'avez quand même pas fait venir pour que je goûte les muffins de votre gouvernante.

Daniel planta ses coudes sur la table, les mains jointes, et observa son hôte par-dessous ses sourcils blancs.

— Je suis persuadé, et je suis prêt à parier ma fortune là-dessus, que Noah va profiter de ce week-end pour me présenter un document l'autorisant à mener les décisions au sein de ma maison d'édition, déclara-t-il avec ce franc-parler grâce auquel il avait assis sa réputation de négociateur hors pair. Il me pressera ensuite de le signer, ajouta-t-il en levant la main pour empêcher son hôte de prendre la parole. Non, ne dites rien. Vous feriez mieux d'écouter ce que j'ai à dire.

Après une longue et pensive hésitation quelque peu mâtinée de méfiance, son hôte lui fit signe de poursuivre.

Jaloux

Chapitre 20
Key West, Floride, 1988

Todd n'avait pas prévu que les choses traîneraient autant en longueur.

Il lui tardait de devenir riche et célèbre.

Une fois remboursé le prêt immobilier contracté par ses parents, le profit généré par la vente de la maison s'avéra dérisoire. La maigre assurance vie de son père avait servi à l'époque à couvrir ses frais d'enterrement, et Todd avait utilisé celle de sa mère pour la porter en terre. Il lui était resté à peine de quoi financer son emménagement en Floride, et en arrivant à Key West, il était quasiment à sec.

Même si Roark et lui vivaient dans des conditions sordides et mangeaient pour trois fois rien, la vie leur revenait cher. En tant que voiturier, Todd gagnait de bons pourboires, mais cet argent était vite englouti par le loyer et les diverses factures.

Sans oublier le remboursement de son ordinateur. A la différence de Roark, il n'avait pas un vieil oncle éloigné qui s'était senti obligé d'offrir à son petit-neveu un cadeau aussi onéreux pour l'obtention de son diplôme. Ce désavantage lui était resté en travers de la gorge. Il avait aussitôt rétabli l'équilibre en s'achetant un ordinateur à crédit.

Son manque d'argent le déprimait.

Son manque de créativité le déprimait encore davantage.

La gloire, moins encore que la fortune, ne semblaient pas prêts à lui sourire. L'écriture représentait un travail titanesque. Il avait lu des dizaines de livres sur le sujet, tous plus soporifiques les uns que les autres, mais aucun de ses profs de fac n'avait insisté sur la difficulté considérable que représentait une telle entreprise.

Une fois par semaine, Roark et Todd allaient visiter la maison d'Hemingway. La propriété, de style colonial espagnol, représentait pour eux un lieu sacré. Ils accomplissaient ce pèlerinage pour rendre hommage à l'écrivain. Todd avait toujours été l'un de ses admirateurs, mais il commençait seulement maintenant à apprécier toute la mesure de son génie.

Le talent, vous naissiez avec ou vous naissiez sans. Mais le talent seul ne suffisait pas. Il fallait fournir des heures et des heures d'efforts pénibles pour l'éveiller et l'exercer, pour écrire cette fameuse « phrase essentielle » qui semblait si évidente lorsqu'on la lisait.

Simplicité trompeuse. On ne parvenait pas à un tel niveau en claquant des doigts. L'écriture était une activité exigeante, solitaire et éreintante. Un écrivain explorait les galeries de son cerveau comme un mineur celles de sa mine, utilisant les mots en guise de pioche. Une semaine de labeur ne rapportait parfois qu'une maigre pépite, et vous pouviez alors vous estimer heureux et verser des larmes de gratitude.

Todd admirait le génie littéraire, mais cette admiration se teintait de ressentiment. Hemingway et ses semblables se montraient avares de leur talent. Vous pouviez passer des heures entières à étudier leurs œuvres, lire et relire chaque phrase, analyser chaque mot, pour autant leur génie ne vous déteignait pas dessus. Le talent n'est pas quelque chose de contagieux. Le désir ne comptait-il donc pour rien ? Certains jours, Todd ne trouvait pas la moindre miette de génie dans son travail.

Et visiblement, il n'était pas le seul à penser ça.

Il froissa la lettre de critique qu'Hadley venait de lui envoyer et la jeta avec colère dans un coin de la pièce.

Roark entra au moment où la boule de papier atterrissait par terre, à quelques centimètres de la corbeille.

— Hadley t'a descendu ?

— C'est moi qui vais le descendre, ce trou-du-cul.

— D'accord avec toi. Moi aussi, il m'a envoyé chier.

— Sérieux ?

— Eh oui. Ecoute, je me disais... Puisque c'est notre soir de repos, pourquoi on n'irait pas se bourrer la gueule ?

— J'aimerais bien, Roark, mais j'en ai pas les moyens.

— Moi non plus. Mais être barman a ses avantages, fit Roark en sortant une bouteille de scotch de derrière son dos.

— Tu l'as chourée ?

— Personne ne le remarquera. C'est de la pisse, ce whisky.

— Quel poète tu fais.

— Merci. Alors, on y va ?

— Pas besoin de me le demander deux fois, fit Todd en se laissant tomber de son lit.

Sur la plage, ils se firent tourner la bouteille en trinquant au coucher de soleil, au crépuscule et à la nuit. Ils burent à la santé du firmament jusqu'à ce que les étoiles commencent à s'estomper. L'univers se fit brumeux et flottant. Tout devint flou.

— Une étoile filante. Fais un vœu, Roark.

— J'aimerais que tu me passes le whisky.

Todd lui tendit la bouteille. Roark s'envoya une bonne rasade et s'étendit de tout son long. Il se mit à rire.

— Qu'est-ce qu'il y a ? demanda Todd tout en creusant le sable avec ses fesses pour s'installer plus confortablement.

— Cette histoire de vœu, ça me rappelle une blague.

— Raconte.

— C'est un gars qui trouve une lampe magique. Il la frotte, un génie apparaît et lui demande de faire trois vœux. « Je voudrais une Ferrari », fait le gars. Le lendemain matin, pouf ! il aperçoit une Ferrari garée devant chez lui. « Maintenant, je voudrais dix millions de dollars », demande ensuite le gars. Bingo ! le lendemain, il retrouve dix millions de dollars en petites coupures à côté de son lit. « Pour mon dernier souhait, je voudrais une bite qui touche par terre. » Et paf ! le lendemain, le gars se réveille avec des jambes de dix centimètres.

Lorsque leurs rires cessèrent, Roark ajouta :

— La morale de cette histoire, c'est qu'il faut faire attention à ce qu'on souhaite.

— J'aimerais que la bite d'Hadley se ratatine et qu'elle finisse par tomber, grommela Todd. Si toutefois il en a une, ce dont je doute.

— Quel texte tu lui as envoyé ?

— Le manuscrit historique.

— Tu l'as vachement bossé, ce roman. Qu'est-ce qu'il t'a dit ?

Todd but une gorgée de whisky.

— Mon intrigue tient la route, mais les dialogues sont pourris.

— Hadley a dit ça ?

— Pas exactement, mais ça revenait au même.

— Hum.

— Quoi ?

— Il m'a dit que mes dialogues étaient croustillants et bien menés, mais que l'intrigue était prévisible et manquait de punch. On devrait peut-être collaborer.

— T'es fou ? Déjà que j'ai fait un apprentissage de deux ans sans toucher le moindre fric.

— Et la nouvelle ?

— Tu parles ! Une histoire merdique que j'ai vendue à un journal local pour vingt-cinq billets et que personne ne lira, à part peut-être dans les chiottes.

Il ramassa un coquillage qu'il jeta dans l'écume.

— J'habite un appartement truffé de cafards. Les voisins du dessous sont des espèces de psychopathes.

— Mais la vue vaut le coup d'œil. Et le coup de paluche...

— C'est vrai, fit Todd, très solennel. Je ne me suis jamais autant branlé de toute ma vie.

— On ne pourra pas dire que tu as un poil dans la main.

— Buvons à la santé des stripteaseuses et à leur bronzage intégral, s'exclama Todd en levant la bouteille.

Roark en profita pour l'attraper au vol.

— En plus de ça, je suis tout le temps fauché, poursuivit Todd d'un air morose. Et ma voiture a franchi les trois cent mille bornes depuis belle lurette.

— D'un autre côté, tu gares des Porsche et des BM tous les soirs.

— Tu parles ! Un job débile que n'importe quel chimpanzé pourrait faire.

— Et vu qu'il serait plus mignon, il se ferait sûrement plus de pourboires.

Todd l'observa d'un œil noir.

— Tu vas me laisser finir, oui ou merde ?

— Désolé. Je ne voulais pas interrompre ta séance de lamentations, fit Roark en lui rendant la bouteille. Tiens, bois un coup.

— Merci.

Todd s'enfila une bonne lampée, puis laissa échapper un rot énorme et caverneux.

— Sans vouloir être salaud, Roark, quand je serai enfin récompensé de mes efforts, je veux la gloire pour moi, et pour moi seul.

— Pas de problème. Moi non plus, ça ne me dit rien de collaborer avec toi. Je disais ça en plaisantant.

— Oh, fit Todd en se laissant tomber lourdement sur le dos. Qu'est-ce que t'a vraiment dit Hadley dans ses notes ?

— Je te l'ai déjà dit.

— Où est la vérité ?

— Pourquoi je te mentirais ?

— Pour me remonter le moral.

— Je ne suis pas aussi charitable que tu le penses.

— C'est vrai, j'oubliais… t'es qu'un fils de pute. Alors peut-être que tu mens pour une autre raison.

Roark se redressa.

— Un problème, Todd ? Vas-y, explique-toi.

— Tu dédramatises toujours les critiques d'Hadley.

— Contrairement à toi, je ne me laisse pas plomber par la simple opinion d'un type.

— Peut-être.

— Peut-être que quoi ?

— Peut-être que ton explication est valable. Mais si ça se trouve, tu cherches juste à m'embrouiller.

— Tu me fais quoi, là, Todd ?

— Laisse tomber.

— Attends... Tu commences par me traiter de menteur, et ensuite tu me prêtes des intentions en inventant je ne sais quelle connerie. Excuse-moi, mais ça me choque.

— Ce qui me choque, moi, c'est que tu es persuadé d'écrire mieux que moi.

— Que tu *sois* persuadé.

— Va te faire foutre !

Todd bondit sur ses pieds, mais le décor se mit à tournoyer et il perdit l'équilibre. Il tomba sur le sable.

Roark l'agrippa par les épaules et le força à se retourner.

— Pourquoi je chercherais à t'embrouiller ?

Todd se libéra de son emprise et le repoussa.

— Parce que tu veux me distancer. Tu ne supportes pas l'idée que mon livre puisse être publié avant le tien.

— Oh, parce que toi, tu serais ravi si je vendais un manuscrit avant toi ?

— Je préférerais encore qu'on m'arrache les tripes et qu'on me les fasse ressortir par la gorge.

Une tension palpable s'installa entre eux, des milliers de molécules d'hostilité prêtes à exploser. Todd serra les poings en prévision d'une baston.

A sa surprise, Roark éclata de rire.

— Tu préférerais qu'on t'arrache les tripes et qu'on te les fasse ressortir par la gorge ?

Todd essaya de se retenir, mais il se mit à rire lui aussi.

— C'est tout ce que j'ai trouvé à dire sur le moment. Je crois que je suis un peu bourré.

— Je te déconseille de t'en servir dans un dialogue.

— Ce serait une mauvaise idée.

Ils contemplèrent l'océan.

— On rentre ? J'suis cassé, fit Roark au bout d'un moment.

Todd se réjouit de voir qu'il était le premier à s'effondrer.

— J'sais pas, mec. Moi aussi j'suis complètement défoncé.

Roark lui passa le bras autour de l'épaule et l'aida à se mettre debout. Ils parcoururent la distance qui les séparait du parking, mais le trajet dura longtemps car ils titubaient et s'arrêtaient souvent. Leurs gestes maladroits, imbibés d'alcool, les rendaient hilares. Ni l'un ni l'autre n'était en état de conduire, mais Roark, le moins ivre des deux, s'installa au volant.

Le lendemain midi, tandis qu'ils soignaient leur gueule de bois à coups de frites et de hamburgers, Todd remit la conversation sur le tapis.

— Tu sais, une petite rivalité ne nous ferait pas de mal.

— Arrête avec ça ! Je ne te considère pas comme un rival, Todd.

— Mon cul. Bien sûr que si.

— Explique-moi en quoi ça pourrait nous être bénéfique.

— Ça nous pousserait à travailler plus dur. Admets-le, quand tu me vois en train d'écrire, tu ne restes jamais à feignasser. Pas moyen que tu regardes un match de base-ball en te grattant les couilles. Et c'est pareil pour moi. Quand tu écris, je me culpabilise si je n'écris pas aussi. Si tu bosses pendant sept heures, j'aurai envie de bosser au moins aussi longtemps. C'est cette compétition qui nous porte.

— Personnellement, je ne suis porté que par le désir d'écrire.

— Saint Roark. Alléluia !

— Tu m'emmerdes, Todd.

— OK, OK. J'arrête.

Il mordit dans son cheeseburger et ajouta :

— Je ne sais pas pourquoi on parle de tout ça, puisque je vais toucher le pactole avec *The Vanquished* avant même que t'aies fini ton livre. On verra, après, qui sera vert de jalousie.

— Tu rêves...

Todd se mit à rire.

— J'aimerais que tu voies le regard maléfique que tu as en ce moment. Tu ne fais que conforter ce que je viens de dire.

24.

— Il y a du café ?

— Oui, comme tu peux le voir.

Parker décocha à Mike un regard sombre. Il se dirigea vers la cafetière et se servit une grande tasse.

— D'habitude, tu m'en proposes. Tu vérifies que je n'aie besoin de rien.

— Je ne voulais pas risquer de me faire arracher la tête. Tu nous as bien fait comprendre pendant le petit déjeuner qu'il valait mieux qu'on te foute la paix, et c'est ce qu'on fait.

— Je bosse sur un passage délicat. J'ai besoin de concentration.

— Tu aurais pu le demander gentiment, marmonna Mike dans sa barbe.

— Excuse-moi ? Tu peux répéter, s'il te plaît ?

Mike balança le torchon qu'il avait dans les mains et fixa Parker droit dans les yeux.

— J'ai dit qu'hier, quand tu t'es enfin décidé à revenir à la maison pour m'avertir de votre présence, j'ai remarqué que le chemisier de Maris était mal boutonné.

— Bravo, Mike ! Tu as dénoncé plusieurs transgressions en une seule phrase. Qu'est-ce qu'on fait ? On crève l'abcès et on dresse la liste de toutes les injustices, ou bien je retourne à mon travail en sachant que tu es aigri d'une manière générale ?

— Je te ferais remarquer qu'en rentrant, j'ai trouvé la maison grande ouverte, les lumières allumées, et personne à l'intérieur. J'ai cru que tu t'étais fait kidnapper.

— Et il ne t'est pas venu à l'esprit que j'avais pu me faire kidnapper par l'Extase ? Ça t'aurait vraiment fait chier, j'imagine...

— L'Extase et toi, ça fait deux. C'est bien la dernière chose à laquelle j'aurais pensé. Quant à la thèse de l'enlèvement, je l'ai vite écartée. Qui serait assez fou pour vouloir de toi ?

— Mais alors tu es *vraiment* en colère ?

— J'ai des raisons, non ? Je n'aurais même pas su que Maris était revenue si je n'avais pas vu les deux verres dans l'évier et si je n'étais pas allé faire un tour au cottage.

— Un vrai Sherlock Holmes.

— Tu aurais pu laisser une note pour me dire où vous étiez.

— J'y ai pensé. Et puis je me suis dit qu'avec ton côté mère poule, tu allais aussitôt rappliquer pour voir comment on allait.

— Et si vous n'étiez pas sur le point de faire des bêtises.

Parker perdit tout sens de l'humour et répliqua sèchement :

— C'est exact, Mike. Je ne voulais pas que tu nous surprennes en train de jouer à touche-pipi. Personnellement, ça ne m'aurait pas dérangé, mais Maris aurait pu être gênée.

— Ce qui m'amène au point suivant.

— Ça ne m'intéresse pas.

— Tu as concocté une vengeance et tu as l'intention d'aller jusqu'au bout, n'est-ce pas ?

— Fin de la discussion.

— N'est-ce pas ?

— Evidemment que oui ! hurla Parker.

— Quel est ton plan ? demanda Mike sans s'émouvoir de cet accès de colère.

— Quoi, tu voudrais que je te révèle la fin de l'intrigue ? Tu voudrais que je gâche l'effet de surprise ?

— Je suppose qu'il n'y aura pas de happy end.

— Je ne recherche pas les éloges des critiques.

— Tout ce qui t'intéresse, c'est ta revanche.

— Et les histoires de vengeance, c'est bien connu, donnent toujours lieu à des rebondissements. Ça y est ? Plus de questions ?

— Et Maris dans tout ça ?

— Elle fait partie du scénario.

— Tu te sers d'elle, c'est ça ? Malgré ce qu'elle représente.

— *A cause* de ce qu'elle représente.

Mike dut sentir la détermination inébranlable de Parker. Ou peut-être son ton impérieux lui rappela-t-il qu'il avait dépassé les bornes. Ou bien encore était-il fatigué par cette discussion. Quoi qu'il en soit, la colère du vieil homme se dissipa. Il s'affaissa et retrouva sa posture habituelle.

— Je te supplie d'abandonner ce projet, Parker. Laisse tomber. Va voir Maris et dis-lui tout. Pour ton propre bien autant que pour le sien.

— Me dire quoi ?

Au son de sa voix, les deux hommes se retournèrent brusquement. De toute évidence, elle était tombée au beau milieu d'une dispute.

— Me dire quoi ? demanda-t-elle à nouveau.

— J'ai des nouvelles pages à vous faire lire, répondit Parker. Je viens de lancer l'impression.

— Je vais les chercher, fit Mike en adressant à Parker un regard lourd de sens que Maris ne sut déchiffrer.

Il quitta la pièce.

— Il y a du café, si vous voulez, observa Parker.

— Merci, mais si je bois une goutte de plus, vous allez me retrouver en train de me balancer au bout du lustre avec votre ami le fantôme.

— Je suis prêt à payer pour voir ça, fit-il avec un sourire forcé, dans une tentative d'humour qui tomba à plat.

Il régnait dans la maison une atmosphère indéfinissable que Maris ne s'expliquait pas. Ç'avait commencé la veille au soir, à leur retour de la plage. Mike, qui était arrivé pendant leur absence, les attendait sous la véranda, l'air inquiet. Il leur avait reproché d'être restés sous la pluie. Il avait dit que, venant de Parker, ce genre de comportement stupide ne le surprenait pas, mais qu'il n'avait pas à entraîner Maris dans ses idioties.

Il avait ensuite pressé Parker vers sa chambre, située à l'arrière de la maison. Maris savait de quelle pièce il s'agissait, mais on ne la lui avait jamais montrée, pas même quand Mike lui avait fait visiter la maison, y compris sa propre chambre et les pièces en travaux du deuxième étage.

Légèrement déçue que cette soirée romantique s'achevât de façon aussi abrupte, elle était retournée au cottage. Elle sentait que ce n'était pas leur absence inexpliquée qui avait irrité Mike. Il était furieux, beaucoup plus inquiet que la situation ne le justifiait.

Elle ne comprenait pas ce qu'ils avaient bien pu faire, ou ne pas faire, pour provoquer ainsi son courroux.

Si ç'avait été quelqu'un d'autre que Mike, elle aurait pensé qu'il était jaloux. Il apparaissait logique qu'étant donné sa position, il accueille avec réticence l'arrivée d'un intrus dans l'existence confortable dont il avait la charge, un intrus qui viendrait perturber le rythme de leurs journées.

Il verrait en cette personne une menace, et son instinct le pousserait à vouloir protéger sa place au sein de la maison. Il chercherait aussi à protéger la personne dont il s'occupait et à lui épargner d'éventuelles souffrances.

Mais Mike ne s'était jamais montré jaloux envers elle. Il n'avait pas l'air de la considérer comme une menace pour Parker. Au contraire, il semblait ravi de sa présence à leur côté. Il lui avait toujours témoigné de la gentillesse, et, même lors des plus insignifiantes disputes qui l'opposaient à Parker, il se rangeait de son côté.

Néanmoins, elle ne pouvait s'empêcher de penser que Mike se faisait une idée assez précise de ce qui s'était passé sur la plage et qu'il désapprouvait leur conduite. Même si d'autres éléments étaient entrés en ligne de compte, son indignation était partie de là. En retournant dans sa chambre, elle avait remarqué que son chemisier était mal fermé. Dans la hâte, elle avait oublié un bouton et ce détail les avait trahis.

Malgré ça, elle était plus perplexe que gênée. Parker et elle avaient passé l'âge de répondre de leurs actes, et il aurait dû apparaître clairement à Mike que ce qui s'était passé sur la plage était le fruit d'un consentement mutuel. S'agissait-il d'une question de moralité ? Ne connaissant pas ses problèmes de couple, Mike avait-il perçu leur comportement comme un adultère ?

Dans tous les cas, cet épisode houleux qui avait suivi leur retour avait tué dans l'œuf toute velléité de poursuivre ce qu'ils avaient commencé sur la plage. Elle demeura prudemment dans sa chambre jusqu'au lendemain matin, et bien qu'elle fût restée éveillée une partie de la nuit en espérant qu'il la rejoindrait, Parker n'était pas venu. Durant le petit déjeuner, il s'était montré irritable et grincheux. Plus qu'à l'accoutumée. Et il s'était comporté avec elle comme si rien ne s'était produit la veille.

Tout cela la tourmentait au plus haut point. Elle luttait désespérément pour ne pas se laisser envahir par la tristesse. En dépit des moments tendres qu'ils avaient vécus sur la plage, sa relation avec Parker restait floue. Elle craignait à tout moment qu'un brusque mouvement égocentrique de ses émotions ne la plongeât dans le désespoir.

Elle s'était déjà fait avoir par un homme et ne tenait pas à répéter la même erreur. En tout cas certainement pas la même semaine.

Après cette vaine tentative de discussion autour du thème de la caféine et de ses effets secondaires, ni l'un ni l'autre n'avait prononcé le moindre mot. De plus, Parker semblait s'évertuer à éviter tout contact visuel.

Embarrassée, elle lui demanda s'il était content de ce qu'il avait écrit.

— Je pense que ce n'est pas trop mal, marmonna-t-il le nez dans sa tasse de café.

Cette situation était ridicule. Ils n'étaient plus des adolescents. Jusque-là, il avait toujours saisi la moindre opportunité de placer un sous-entendu érotique dans la conversation. On ne pouvait pas dire qu'il y était allé par quatre chemins pour lui faire comprendre qu'elle lui plaisait, à commencer par ce baiser, le soir de leur rencontre. Cette soudaine pudeur n'avait aucun sens.

— Mike vous a sermonné ?

Parker leva les yeux vers elle.

— A propos de ce qui s'est passé hier soir, nos attouchements ?

— Je... J'allais dire, le fait que vous ayez séduit une femme mariée.

— C'est ce que j'ai fait ?

— Non sans y avoir été encouragé.

— Alors peut-on vraiment parler de séduction ?

— Vous allez répondre à ma question, ou vous préférez jouer sur les mots ?

— Mike s'inquiète pour vous.

— Pourquoi ?

— Il pense que je suis pourri jusqu'à l'os.

— Au contraire, il vous idolâtre.

— Il a peur que je vous fasse du mal.

— Vous allez me faire du mal ? demanda-t-elle en le regardant avec intensité.

— Oui.

Surprise par cette réponse cinglante, elle se laissa tomber sur une chaise tout en continuant à le fixer.

— Au moins, vous êtes honnête.

— Un peu trop au goût de la plupart des gens.

— Je ne suis pas la plupart des gens.

Le visage de Parker se décrispa. Une lueur éclaira son regard encore si froid quelques secondes plus tôt. Ses yeux se posèrent sur sa bouche, ses seins, ses jambes. En repensant à ce qui s'était passé la veille sur la plage, Maris se mit à frissonner.

— Noté, fit-il d'un ton bourru.

Ils échangèrent un long regard que seule l'arrivée de Mike parvint à briser. Ce dernier apportait les pages fraîchement imprimées.

— J'ai dû remplacer la cartouche d'encre, expliqua-t-il en tendant les feuilles à Maris.

— Je vais me remettre au travail, fit Parker en se dirigeant vers le solarium. Merci de ne pas parler de moi dans mon dos.

— On a mieux à faire, crois-moi, rétorqua Mike.

Parker claqua la porte derrière lui, et Maris éclata de rire.

— On croirait deux frères qui passent leur vie à se disputer. Ou un vieux couple marié.

— Dieu m'en garde.

— Vous avez déjà été marié ?

— Non, je suis un célibataire endurci. Gratin de crabe, ça vous dit pour le déjeuner ?

— Je me régale d'avance. Et Parker ?

— Non, il n'a jamais été marié.

— Y a-t-il eu des femmes dans sa vie ?

Mike sortit un paquet de chair de crabe surgelée qu'il déposa sur le plan de travail avant de se tourner vers elle.

— A votre avis ?

Maris baissa les yeux. Du bout de l'index, elle se mit à tracer les nervures du bois.

— Je pense que oui.

— Il y en a eu. Ni trop, ni trop peu. Des filles de passage, rien de sérieux.

Elle hocha la tête. Mike continuait à réunir les ingrédients nécessaires à sa recette.

— Parker m'a raconté comment vous l'aviez tiré du gouffre, pour ainsi dire.

A l'expression de son visage lorsqu'il se retourna, Maris comprit que cette révélation l'avait surpris.

— Il exagère. Je n'ai fait que lui dire des choses qu'il savait déjà.

— Comme ?

— Je lui ai dit qu'il était sur la voie de l'autodestruction, puis je lui ai fait remarquer qu'il n'avait pas choisi la méthode la plus rapide. Je lui ai demandé pourquoi il tergiversait comme ça. S'il voulait vraiment mourir, il pouvait y parvenir beaucoup plus rapidement.

— Bonne psychologie.

Il haussa les épaules avec modestie.

— C'est vrai. Ça a marché. Que pensez-vous du dernier chapitre ? demanda-t-il en indiquant les pages de manuscrit qu'elle avait apportées avec elle.

— J'ai relu l'épisode de la fausse couche de Mary Catherine. Todd se révèle être le méchant.

— Intéressant, murmura Mike. C'est comme ça que vous le voyez.

— Ça vous étonne ?

— C'est en tout cas l'intention de Parker.

— Vous lisez tout ce qu'il écrit ?

— Seulement lorsqu'il me le demande.

— C'est-à-dire ?

Il sortit une casserole du placard et adressa un sourire à Maris.

— A chaque fois qu'il écrit quelque chose.

— Il accorde beaucoup d'importance à votre opinion.

— Seule son opinion compte à ses yeux, rétorqua Mike.

— C'est surtout le feedback qui l'intéresse. En travaillant avec les écrivains, j'ai appris qu'ils aimaient tester leur manuscrit sur les gens qui les entourent. Ils ont également besoin qu'on les écoute parler de leurs idées, de leurs personnages, des thèmes qu'ils vont développer. Vous lui rendez un précieux service, vous savez – sans parler de tout ce que vous faites à côté.

Mike décida de ne pas embrayer sur ce sujet. Au lieu de ça, il demanda à Maris si ses collaborateurs avaient lu le manuscrit.

— Etant donné que Parker tient à rester anonyme, je ne l'ai montré à personne. Seul mon père l'a lu. Il est aussi emballé que moi.

— Personne d'autre ?

— Non.

A plusieurs reprises, elle avait pressé Noah de le lire, mais ce dernier n'avait manifesté aucun intérêt. Il avait vaguement promis de le faire dès que son planning le lui permettrait. Maris comprenait à présent pourquoi son temps était si précieux...

— En parlant de mon père, justement... fit-elle soudain.

Il y avait peu de chances pour que son téléphone portable ait sonné sans qu'elle l'entende, mais elle vérifia tout de même : aucun appel en absence.

— Je vais essayer de le rappeler. J'ai essayé chez lui dans la matinée, mais personne n'a répondu. C'est bizarre.

Elle n'était pas encore inquiète, juste un peu curieuse de savoir pourquoi Maxine s'était absentée si longtemps. D'ordinaire, elle faisait livrer les provisions de manière à ne pas laisser la maison et Daniel sans surveillance. Si elle sortait, c'était toujours pour un court laps de temps.

Quant à Daniel, il n'était pas allé au bureau aujourd'hui ; Maris avait téléphoné pour vérifier.

Maxine et lui étaient-ils sortis tous les deux ? Peut-être pour une balade à Central Park, ou encore une visite au musée. Daniel aimait également aller voir un film de temps à autre, et il arrivait que Maxine l'accompagnât, heureuse de pouvoir échapper à sa routine.

Mais Maris avait tenté de les joindre à plusieurs heures d'intervalle. Elle avait laissé des messages leur demandant de rappeler sitôt après leur retour. Soit ils avaient oublié de consulter le répondeur, soit ils étaient sortis pour toute la journée, ce qui, dans un cas comme dans l'autre, était inhabituel.

— N'hésitez pas à utiliser le téléphone.

— Merci, mais je vais appeler depuis mon portable.

Avant de quitter la pièce, elle interrogea Mike pour savoir s'il avait besoin d'un coup de main.

— J'ai beau être une working-girl, j'ai quand même quelques notions de cuisine.

— Je vous laisserai servir le vin.

Elle savait qu'il refuserait son offre, tout comme Maxine refusait systématiquement son aide, mais elle avait tenu à lui proposer.

— Alors je vais vous demander de m'excuser, fit-elle en rassemblant les feuilles du manuscrit. J'ai hâte de voir à quoi ressemble ce nouveau chapitre.

25.

La sonnerie du portable de Noah retentit.

— Allô ?

— Où es-tu ?

— Nadia ?

— Oui, Noah, c'est Nadia à l'appareil, répliqua-t-elle d'un ton acerbe.

Noah jeta un œil par-dessus son épaule pour s'assurer que Daniel n'était pas encore descendu. Le soleil perçait à travers les lattes des volets, projetant de longues traînées lumineuses sur le parquet et les murs safran, qui prenaient une teinte flamboyante.

La maison des Matherly était un peu trop tarabiscotée à son goût, la décoration trop chargée. Il préférait le style contemporain. Les angles droits, les surfaces nettes. Mais il devait reconnaître qu'elle avait été parfaitement restaurée, dans la plus pure tradition coloniale américaine. Elle avait même fait l'objet d'un article dans la revue *Architectural Digest* : « La retraite campagnarde d'une icône de l'édition. »

Dans le salon où il se trouvait, les fauteuils étaient larges et profonds, chacun muni d'un repose-pieds. L'écran de cheminée en cuivre, avec ses motifs compliqués, datait de l'époque où la maison avait été construite. La collection d'assiettes en porcelaine de Rosemary Matherly, composée de pièces ramenées du monde entier, était exposée derrière les portes vitrées d'une imposante étagère.

Disposées un peu partout, des photos de Daniel au côté d'écrivains célèbres et autres sommités appartenant à des milieux aussi divers que le show-business, le sport et la politique, y compris deux présidents. D'autres photos retraçaient l'histoire de Maris depuis l'enfance en passant par l'adolescence et l'émergence dans l'âge adulte.

Il y avait aussi des photos de Noah et Maris ensemble. L'une d'elles avait été prise lors du mariage et représentait la mariée tout sourire approchant un morceau de gâteau de la bouche de Noah. Il éprouvait un plaisir pervers à la regarder tout en discutant avec sa maîtresse.

— J'ai essayé de te joindre toute la journée, fit Nadia.

— Et moi j'ai tout fait pour t'éviter. Quand je vois l'un de tes numéros s'afficher, je laisse sonner exprès.

— Ça, j'avais compris. C'est pour ça que j'ai emprunté le téléphone d'un ami.

— Un ami ou un *petit* ami ?

— Ça dépend. Tu acceptes de me parler ou pas ?

— Tu as la mémoire courte, Nadia. Apparemment, tu as oublié ce qui s'est passé l'autre jour.

— Bien sûr que non, je n'ai pas oublié. Mais ce matin, en me réveillant, j'ai décidé de te pardonner, et...

— Tu as décidé de me pardonner ? Ce n'est pas moi qui me suis envoyé en l'air avec mon coach sportif.

— Je le connais, ton coach. Personne ne voudrait coucher avec lui.

Elle recommençait à le tourner en dérision et à prendre un ton condescendant. Exactement comme le jour où il l'avait découverte nue dans son lit, béate entre les draps humides de sueur. L'entendre parler ainsi raviva la rage qu'il avait ressentie alors. Le sentiment qui l'avait envahi n'était pas né de la jalousie. Il se foutait bien de savoir avec qui elle baisait. Non, ce qui lui était resté en travers de la gorge, c'était sa manière de se moquer de lui.

Plutôt que d'éprouver de la gêne, des remords, de la honte ou de l'effroi – une réaction qu'il aurait terriblement voulu provoquer chez elle – elle l'avait défié avec un sourire insolent. Comment osait-elle, cette traînée ?

Sur le coup, il aurait été capable de la tuer. Des images fugaces avaient jailli dans son esprit : il s'était vu poser les mains autour de son cou et serrer jusqu'à ce que ses yeux deviennent globuleux, jusqu'à ce que son cœur s'arrête de battre.

Il avait su garder son calme et ne pas se laisser emporter, mais ces pulsions meurtrières avaient été assez fortes pour qu'il entraperçoive le côté sombre de sa personnalité. Telle la face cachée de la lune, elle était invisible mais néanmoins constamment présente.

Au cours de sa vie, il avait été amené plusieurs fois à l'explorer. Mais ces brèves incursions dans le royaume des ténèbres l'avaient ébranlé. Il sentait qu'il avait eu de la chance d'en revenir, et, à moins de n'avoir pas le choix, il préférait ne plus s'y aventurer.

Toutefois, il avait récemment vécu deux expériences pour le moins troublantes. La première avec Maris, lorsqu'elle l'avait surpris chez Nadia en flagrant délit d'adultère. La seconde avec Nadia. Dans les deux cas, il avait vraiment voulu leur faire mal. Les réduire au silence. Les laisser inanimées. Mortes.

Il était à présent intrigué et comme envoûté par la force de ce côté obscur. Il ne le savait pas si expansif, si dense. Le désir d'explorer cette facette de sa personnalité s'avérait presque irrésistible.

Ignorant ces pensées malveillantes, Nadia croyait encore qu'ils se disputaient à propos de son aventure avec le souleveur de fonte.

— Le fait est, Noah, que tu t'es montré incroyablement insultant l'autre jour, lors de ce déjeuner. J'ai jugé utile de te donner une petite leçon. Maintenant qu'on est quittes, on pourrait peut-être passer à autre chose.

Il fut tenté de l'appeler par ce nom obscène si approprié et de lui raccrocher au nez, mais le contrat avec WorldView n'étant pas encore concrétisé, une brouille avec Nadia risquait de tout compromettre. Elle avait largement contribué à le mettre en contact avec Blume, alors pourquoi ne pas continuer à se servir d'elle ? Elle aurait ce qu'elle méritait, mais en temps voulu. Les dix millions de dollars qui l'attendaient valaient bien un peu de patience. Pour obtenir cet argent et le contrôle de Matherly Press, il était même prêt à bien plus.

— Noah, s'il te plaît, dis-moi où tu es.

Sa voix s'était faite douce et conciliante. Il n'aurait pu rêver plus beau retournement de situation.

— Je suis à la campagne avec mon beau-père, fit-il en souriant à part soi.

— Daniel Matherly ?

— C'est le seul beau-père que j'aie.

— Qu'est-ce qui t'a pris de t'infliger ce calvaire ?

— En fait, c'est moi qui lui ai proposé. On doit parler affaires tous les deux.

— Ah... WorldView. Tu prépares le coup de grâce.

— Exactement.

Il lui expliqua que Maris était retournée en Géorgie et qu'ils avaient laissé Maxine à New York.

— Il n'y a que nous deux. On va pouvoir aller pêcher entre hommes.

— Tu vas lui mettre la pression.

— Je n'irais pas jusqu'à dire ça.

— Il ne lâchera pas prise facilement, Noah.

— C'est vrai, mais je suis sûr de pouvoir le convaincre.

— Tu n'as pas besoin d'une majorette pour venir te soutenir ? Tu n'aurais qu'à me cacher dans un petit coin. J'imagine que la maison est assez grande pour nous trois.

— C'est tentant, mais ce serait vraiment trop imprudent. Quand le vieux a un coup dans le nez, il a tendance à s'égarer. Imagine qu'il s'aventure dans la mauvaise chambre et qu'il tombe sur une scène tout droit sortie du Kama Sutra.

— Quelle page ?

— Tu es incorrigible, Nadia.

— Je n'ai aucune inhibition. Ça ne me dérangerait pas que le vieux nous surprenne. Qui sait ? Ce serait peut-être bon pour son cœur.

Elle prit une voix enjôleuse et susurra :

— Je pourrais apporter une boîte de chocolats. Tu

sais, ceux avec le cœur crémeux que tu aimes tant lécher.

— Très excitant, Nadia... Tu m'as stimulé comme jamais.

— Laisse-moi deux heures et j'arrive.

— J'adorerais être avec toi, mais tu sais bien que tu ne peux pas venir.

— Ne t'inquiète pas. Moi aussi j'attends beaucoup de cette fusion avec WorldView. Je n'ai pas envie de tout faire rater. C'est juste que tu me manques. Je vais devoir me contenter de mon fidèle vibromasseur.

— Il te reste assez de piles ?

— J'en ai toujours en réserve.

— Oups. J'entends Daniel qui descend. Je te laisse, on se verra à mon retour.

— A plus tard, trésor.

Il coupa la communication et ajouta :

— Moi aussi je t'aime, mon cœur.

Il se tourna juste à temps pour voir Daniel entrer dans la pièce.

— Zut ! J'étais en ligne avec Maris. Elle n'a pas voulu que je vous passe le téléphone par crainte d'interrompre votre sieste. Vous voulez que je la rappelle ? Je crois qu'ils étaient sur le point de dîner, mais avec un peu de chance...

— Non, non. Comment va-t-elle ?

— Elle bosse dur sur le manuscrit. Elle dit que l'atmosphère est étouffante... A cause de la chaleur, bien sûr, ajouta-t-il avec un sourire. On lui manque, mais à part ça, elle va bien.

— Alors inutile de la déranger.

Daniel s'installa dans l'un des fauteuils et déposa sa canne à côté de lui.

— Cette petite sieste m'a donné soif.

Noah éclata de rire et se dirigea vers la table qui faisait office de bar.

— Double scotch ?

— Oui. Avec des glaçons.

— J'ai prévenu l'épicerie en ville. Ils vont nous livrer des double Reuben et de la salade de pommes de terre avec de la mayonnaise maison. Et pour finir, gâteau au chocolat et glace à la vanille.

— Rien de tel que la vie de célibataire, fit Daniel en prenant le verre que Noah lui tendait. Quelle bonne idée d'être venus ici.

Maris se félicita d'avoir changé de tenue, car pour la première fois depuis son arrivée, le dîner avait lieu dans la salle à manger – et ce en dépit du fantôme.

Elle portait une robe de soie grise qu'elle avait achetée chez Bergdorf au début de la saison en pensant qu'elle serait parfaite pour les soirées à la campagne. Légère et évasée, elle s'avérait également idéale pour un dîner dans une antique maison coloniale. Maris l'avait assortie avec un collier de corail.

Des fleurs de magnolia, disposées dans un vase en cristal au centre de la table, diffusaient leurs effluves délicats. De part et d'autre, deux chandeliers en argent accueillaient des bougies blanches. Porcelaine, argenterie et verres en cristal : tous les attributs du bon goût et du raffinement luxueux étaient réunis.

— C'est superbe, Mike, observa-t-elle.

— Ne soyez pas trop impressionnée, lança Parker à l'autre bout de la table. Nous les avons loués pour la soirée.

— Oui. Tout vient de chez Terry, plaisanta Mike. Entre deux travers de porcs grillés, il loue aussi des services de table pour dîners officiels.

— Peu importe la provenance, je trouve ça très beau, fit Maris en riant.

— Cette vaisselle appartenait à la mère de Parker, expliqua Mike tout en servant le vin, oubliant ainsi la promesse qu'il lui avait faite un peu plus tôt.

Maris se tourna vers Parker pour confirmation.

— Ce service s'est transmis de génération en génération dans ma famille maternelle. Il était destiné à la première fille ou belle-fille. Ma mère n'ayant eu ni l'une ni l'autre, c'est moi qui en ai hérité. Je ne m'en étais encore jamais servi.

Il jeta un coup d'œil à Mike.

— Je ne savais pas qu'il s'agissait d'une occasion spéciale.

Maris leva son verre.

— Je bois à *Jaloux*.

— Moi aussi, fit Mike.

— Je ne l'ai pas encore terminé, leur rappela Parker en levant malgré tout son verre.

Ils trinquèrent. Le pinot gris, frais et vif, s'accordait parfaitement au repas concocté par Mike.

Parker avait beau jouer les cyniques, il s'était lui aussi changé avant de passer à table. Elle se demanda si c'était une requête de Mike ou s'il l'avait fait de son propre chef. Même s'il s'était peigné à la va-vite en se passant la main dans les cheveux, cet aspect négligé lui allait à merveille. Fraîchement rasé, il exhalait un parfum de bois de santal. Il portait l'un de ses pantalons habituels, mais avait pris la peine de rentrer sa chemise. Ses manches retroussées révélaient ses avant-bras puissants.

La lueur des bougies adoucissait les rides profondes que les années de souffrance avaient creusées sur son visage. Le ressentiment et l'amertume qu'on y lisait habituellement s'étaient estompés. Il semblait même détendu.

Au cours du repas, il les régala d'anecdotes incroyables à propos de Terry, le célèbre tenancier du non moins célèbre Snack-Bar. On le disait pirate des temps modernes, trafiquant de drogue et d'esclaves blancs.

— Je ne sais pas si les rumeurs qui circulent sont vraies, mais une chose est sûre, il fait les meilleurs hamburgers du monde.

Maris frissonna en se remémorant son passage chez Terry.

— Personnellement, je ne recommanderais l'endroit à personne. La clientèle est plutôt douteuse.

— Hé ! protesta Parker d'un air offensé.

Maris détourna harmonieusement la conversation en l'interrogeant sur le roman.

— La tension monte, on dirait.

— Entre Roark et Todd, vous voulez dire ?

— Elle devient de plus en plus palpable. Ce que j'ai lu aujourd'hui me laisse à penser qu'elle va bientôt atteindre son paroxysme.

— Je ne vous dirai rien.

— Pas même un petit indice ?

Parker se tourna vers Mike.

— Je crois que je vais être obligé de dévoiler quelques détails de mon intrigue.

Le vieil homme réfléchit un instant avant de déclarer :

— C'est ton éditrice après tout.

— C'est vrai ça, je suis votre éditrice après tout, confirma Maris, déclenchant l'hilarité des deux hommes. Et si vous étiez sur le point de commettre une terrible erreur ? Je pourrais peut-être vous guider pour vous éviter de tomber dans certains pièges et vous épargner ainsi de longues et pénibles séances de réécriture.

Parker plissa les yeux d'un air soupçonneux.

— Ça veut dire quoi, ça ?

— Rien de spécial, fit-elle en lui adressant un sourire charmeur. J'essaie simplement de vous soutirer des informations.

Il plaça la main par-dessus son verre de vin. Ses doigts puissants se mirent à tracer les motifs ciselés dans le cristal. Ils s'observèrent avec défi.

— Qui est partant pour un sorbet à la fraise ? proposa Mike en se levant. Je l'ai fait cet après-midi.

— Vous avez besoin d'aide ? proposa Maris sans lâcher Parker du regard.

— Non, ça ira.

Il disparut dans la cuisine.

Maris avait le souffle court. Elle ressentait un creux dans le ventre malgré le repas qu'elle venait d'avaler. Et ce n'étaient pas les deux verres de vin qui lui tournaient la tête. C'était cette façon qu'avait Parker de la regarder – comme si elle représentait le mets le plus appétissant autour de la table.

— Alors, Parker ? Que va-t-il se passer ?

— Vous savez quoi ?

Ses yeux se posèrent sur son décolleté puis remontèrent lentement vers son visage.

— Vous et moi, nous allons jouer à un jeu de cartes un peu particulier.

Maris haussa les sourcils avec curiosité.

— Vous vous rappelez la scène dans *Grass Widow*, quand Cayton et le témoin du meurtre jouent à ce jeu ?

— Oui, vaguement, mentit-elle.

Elle s'en souvenait parfaitement. A la sortie du roman, ce passage avait provoqué un vif émoi. « Une séquence d'un érotisme torride », avait dit le *Publishers Weekly*.

— Le témoin est une femme, non ? demanda-t-elle.

— Frenchy. Une fille fragile, belle et volage. Son surnom lui vient de...

— Pas la peine de m'expliquer, je m'en souviens.

Il afficha un sourire de vieux renard qui viendrait de repérer une poule bien dodue. Maris comprit qu'elle s'était fait avoir, mais cela importait peu. Elle tâchait simplement de lutter contre le petit sourire idiot qu'elle sentait naître sur ses lèvres.

— J'avoue avoir oublié les règles du jeu, fit-elle en adoptant une attitude sérieuse.

— C'est très simple. Chacun tire une carte. La plus forte gagne. Dans le cas où Cayton remporte la partie, Frenchy doit lui révéler un élément permettant d'identifier l'assassin.

— Et si c'est elle qui gagne ?

— Dans ce cas-là, Cayton doit lui accorder ses faveurs.

— Lui accorder ses faveurs ?

— Oui.

Elle se tapota les lèvres, visiblement déstabilisée par l'illogisme de la chose.

— Il me semble – et arrêtez-moi si je me trompe – que Cayton gagne dans les deux cas de figure.

— Eh bien, c'est lui qui a inventé les règles. Il n'est pas stupide.

— Et Frenchy...

— Est plutôt du genre à avoir le feu au cul. De longs cheveux roux, des jambes aussi magnifiques qu'interminables, les seins parsemées de taches de rousseur et un cul... Enfin, vous voyez où je veux en venir. Malheureusement, on ne peut pas dire que ce soit une lumière.

Maris fixa un instant le lustre qui continuait à se balancer.

— Résultat des courses, Cayton obtient l'information et la partie de jambes en l'air.

— Brillant, non ?

— Et vous espérez que je vais être aussi bête que Frenchy ? Vous pensez que je vais accepter de jouer selon vos règles ?

— Ça dépend.

— Ça dépend si je veux vraiment entendre la suite de *Jaloux*.

— Ça dépend à quel point vous avez envie que je vous accorde mes faveurs.

26.

Daniel tenait à la main le dernier document rédigé par Howard Bancroft au cours de sa carrière. Noah avait attendu la fin du dîner pour le lui présenter. Ils étaient confortablement installés dans le salon, à présent éclairé par les seules lampes de table.

Daniel venait d'achever la lecture de la procuration. Il observa Noah par-dessus ses lunettes.

— Tu avais donc une idée derrière la tête en me proposant ce petit week-end.

— Pas du tout, fit Noah en exhalant la fumée de son cigare. J'aurais très bien pu vous présenter ce document à un autre moment.

— Mais tu as choisi de le faire ce soir. Pourquoi ?

— Parce qu'ici, à la campagne, vous avez l'esprit clair. Vous n'avez pas Maxine sur le dos. Nous pouvons parler franchement, d'homme à homme, loin des préoccupations du travail et sans crainte d'être interrompus.

Le vieil homme restait dubitatif. Noah avait redouté une querelle, mais Daniel réagissait beaucoup plus calmement que prévu.

Le vieux n'en restait pas moins têtu et imprévisible. Son humeur pouvait considérablement évoluer en l'espace de quelques secondes. Noah l'observa avec méfiance tandis qu'il se levait de son fauteuil en s'appuyant sur sa canne.

— Vous avez besoin de quelque chose, Daniel ? Un autre verre de porto ?

— Je peux aller me servir, merci, lâcha Daniel d'un ton brusque.

Ce qu'il fit, laissant Noah dans un état d'agitation qu'il tâcha de dissimuler avec soin. Les pieds nonchalamment posés sur une ottomane, ses pensées semblaient aussi légères que les ronds de fumée qu'il envoyait en direction du plafond.

Daniel réintégra son fauteuil et but quelques gorgées de porto avant de prendre la parole.

— Explique-moi pourquoi tu as choisi ce week-end pour me parler de ça, alors que Maris est absente ?

Noah prit son temps pour répondre. Tout en étudiant le bout de son cigare fumant, il pesait avec soin chacun des mots qu'il allait employer.

— C'est un problème extrêmement délicat, Daniel.

— Oui, c'est également mon avis.

— Mais je ne pense pas qu'il soit judicieux de se précipiter sur le téléphone pour appeler Maris.

Il s'interrompit pour siroter son single malt. Remarquant la photo de mariage, il passa son doigt sur le cadre d'un air triste et rêveur. Son visage affichait un sourire ému.

— Maris réfléchit d'abord avec le cœur.

Son regard se posa à nouveau sur Daniel.

— Vous le savez aussi bien que moi. Vous la connaissez depuis plus longtemps.

— Maris n'est plus une enfant.

— C'est vrai. Maris est une femme. Son instinct et ses réactions sont typiquement féminins et font d'elle cette personne adorable que j'aime tant. Mais d'un point de vue professionnel, cela peut s'avérer préjudiciable. Souvenez-vous de sa réaction lorsqu'elle a appris mon entrevue avec Morris Blume. Je suis persuadé qu'elle réagirait de façon encore plus irrationnelle en découvrant ce document.

Il observa le dossier posé sur la table basse.

— Je connais ma femme. Elle risque de paniquer. Elle penserait qu'on lui cache quelque chose et tirerait des conclusions hâtives : vous avez un cancer en phase terminale, vous allez subir une greffe du cœur... Dieu sait ce qu'elle irait imaginer et nous passerions un temps fou à essayer de dissiper ses craintes.

Il hocha la tête et poussa un petit rire.

— La semaine dernière, elle nous a accusés de l'avoir laissée sur la touche pour la préserver d'une situation déplaisante. Si...

— Si je signe ce document sans la consulter, elle nous en voudra terriblement.

— Sans aucun doute. Reste à choisir le moment où nous devrons affronter sa colère. Soit avant, soit après la signature. Si c'est avant, elle voudra vous faire passer toute une batterie d'examens pour s'assurer que vous n'êtes pas à l'article de la mort.

» Si c'est après, sa réaction sera atténuée. A mon sens, c'est la meilleure solution.

Il s'interrompit pour tirer quelques bouffées de son cigare.

— Je pense aussi à elle, reprit-il. Je veux lui épargner ce genre de décisions pénibles. Il y a certaines choses qu'elle est incapable d'affronter.

— Comme l'inéluctabilité de ma mort.

Noah acquiesça solennellement.

— Ou même la possibilité d'un amoindrissement de vos capacités. Elle est dans le déni le plus complet. Vous avez toujours été son héros. Pour elle, ce document équivaudrait à trahir cette image. Elle y verrait même un mauvais présage, comme si nous cherchions à forcer le destin. Comme si vous alliez aussitôt être frappé par une maladie débilitante.

Il marqua un temps de pause stratégique et fit mine de réfléchir à ce qu'il venait de dire :

— En toute sincérité, je pense que Maris refuserait de le signer à moins que vous ne l'ayez vous-même signé avant. Ça la tranquilliserait.

Daniel s'empara du document et l'observa d'un air pensif.

— Ne me prends pas pour un crétin, Noah.

Noah sentit son cœur bondir dans sa poitrine.

— Je comprends parfaitement l'utilité d'un tel document.

Noah se détendit et tâcha d'adopter un ton calme.

— Apparemment, Howard aussi l'avait compris. C'est lui qui l'a rédigé.

— Ce qui me laisse perplexe. Howard savait qu'un document semblable existait déjà. M. Stern l'avait établi depuis plusieurs années, mais Howard en conservait une copie dans ses dossiers.

— Comme il me l'a expliqué, ces documents n'étaient plus valables.

Le plus délicat restait à venir. Jusque-là, il ne s'était agi que d'un simple exercice de persuasion. Ses arguments étaient solides, et, ainsi que Daniel l'avait remarqué, non dénués de pertinence. Mais il lui fallait à présent marcher sur un fil et le moindre faux pas pouvait le faire chuter.

Avec une désinvolture calculée, il tapota son cigare au-dessus du cendrier.

— Je pense qu'Howard avait dû se rendre compte du caractère obsolète de cette procuration. Il a attiré mon attention sur le problème avant d'en parler à Maris, et ce pour les raisons que nous venons d'évoquer. Il ne voulait pas l'inquiéter.

— Pourquoi ne m'en a-t-il rien dit ?

— Pour les mêmes raisons, Daniel.

Il détourna le regard, comme si ce qu'il s'apprêtait à dire le chagrinait.

— Howard redoutait votre réaction. Vous auriez pu penser qu'il vous croyait incapable de prendre cette décision par vous-même.

— Nous étions amis, rétorqua Daniel. Nous nous sommes toujours confiés l'un à l'autre. Je me souviens avoir plus d'une fois plaisanté au sujet de la vieillesse.

— En l'occurrence, il ne s'agit pas de se plaindre de quelques douleurs. Howard était sensible à la nature particulière de ce document.

Daniel ouvrit la bouche pour répondre, mais Noah l'arrêta d'un geste de la main.

— Je ne fais que répéter ce qu'il m'a dit. Il avait peur que vous ne preniez ombrage.

— Et que je me mette à le violenter ?

Noah haussa les épaules.

— C'est un sujet tellement délicat. Il préférait que ce soit quelqu'un de la famille qui vous en parle.

Daniel toussota et but une gorgée de porto. Il feuilleta à nouveau le document, s'arrêta pour relire l'une des clauses, et, avant même qu'il ait dit quoi que ce soit, Noah sut ce qui avait retenu son attention.

— Tant que Maris n'aura pas signé…

— Je serai le seul bénéficiaire de la procuration. Je sais. J'ai moi aussi constaté ce vice de forme.

— Pourquoi Howard aurait-il rédigé cette clause en sachant qu'elle allait à l'encontre de mes souhaits ? Ne va pas croire que je n'ai pas confiance en toi, Noah, mais Maris est totalement indissociable de Matherly Press et vice versa. Jamais aucune décision ne sera prise sans son accord.

— Bien entendu. Howard le savait. Lorsque je lui ai fait remarquer cette faille, il s'est vexé et m'a assuré qu'il s'agissait d'une erreur.

Noah poussa un petit rire.

— Je pense que son côté européen a ressurgi sans qu'il s'en aperçoive. Comme vous le savez, il avait énormément d'affection pour Maris. Je pense qu'il la voyait encore comme la petite fille qu'il faisait sauter sur ses genoux et non comme l'une des dirigeantes d'une compagnie multimillionnaire. Quoi qu'il en soit, j'ai insisté pour qu'il rajoute un codicille à la dernière page stipulant que ce document ne sera valide que lorsque nous l'aurons tous signé.

Il espérait que Daniel ne verrait pas que la page en question pouvait être détachée sans que le document ait l'air falsifié. Cette idée géniale lui était venue à la dernière minute. Il avait demandé à son avocat d'écrire le codicille, ce même avocat à qui il avait confié le document qui lui avait servi à menacer Bancroft. Le jargon juridique faisait illusion, bien qu'il manquât la petite touche classieuse qu'on trouvait dans le reste du document. Il espérait que Daniel ne remarquerait pas non plus ce détail.

Noah écrasa son cigare dans le cendrier et se leva.

— Personnellement, je suis vanné. On en reparlera

demain. La nuit porte conseil. Vous avez réfléchi à ce que vous vouliez pour le petit déjeuner ?

— Inutile d'attendre, fit Daniel brusquement. Passe-moi ce document que je le signe une bonne fois pour toutes. J'en ai assez de ces discussions.

Noah hésita.

— Vous n'êtes pas obligé de prendre une décision ce week-end, Daniel. Montrez-le d'abord à M. Stern.

— Pour contester le jugement de mon vieil ami ? Non. Le suicide d'Howard a déjà fait naître de vilaines rumeurs. Je ne laisserai personne mettre en doute ses compétences. Passe-moi un stylo.

— De toute manière, le document ne sera valide qu'une fois certifié conforme.

Cette question avait soulevé un autre problème, pour lequel la solution s'était rapidement imposée : l'avocat véreux, qui avait plus de culot que de scrupules. Une fois que tout serait réglé, Noah allait devoir s'occuper de lui ou risquer d'être victime de chantage. Mais chaque chose en son temps...

— Nous le ferons officialiser une fois revenus à New York, grommela Daniel, mais je veux régler cette question ce soir, pour ma tranquillité d'esprit. Sans quoi je serai incapable de me détendre. Demain, je ne veux avoir rien d'autre à penser que notre partie de pêche. Alors passe-moi un stylo qu'on en finisse.

Noah se félicita de sa superbe performance d'acteur. Il sortit un stylo à contrecœur et le tendit à Daniel.

— Vous avez beaucoup bu, dit-il en le fixant droit dans les yeux. Ça ne coûterait rien d'attendre jusqu'à d...

Daniel lui arracha brusquement le stylo et griffonna sa signature sur la ligne appropriée.

Sur St. Anne Island, la soirée s'était déplacée dans la véranda suite à l'intrusion d'une guêpe dans la salle à manger.

La menace bourdonnante avait surgi de nulle part

avant de se poser sur la tasse de Maris, qui avait aussitôt poussé un petit cri – inopportun étant donné le sujet plutôt coquin de leur conversation.

Se rappelant les instructions d'un moniteur de colonie de vacances, elle se figea sur place.

— Insecticide, vite ! hurla Parker.

Mike se rua hors de la cuisine armé d'une bombe de Black Flag. Il pointa son arme avec une précision mortelle et la guêpe se mit à agoniser sous l'œil des trois dîneurs qui s'éventaient pour disperser les vapeurs chimiques.

Parker hasarda une explication d'où il ressortait que l'insecte diabolique avait dû se cacher dans le bouquet de magnolias. Mike rétorqua en disant que s'il y avait eu une guêpe dans les fleurs, il l'aurait vue bien avant.

Pour éviter que la discussion ne dégénère en un véritable conflit armé, Maris avança avec tact que, compte tenu de l'éventail des possibilités, il était impossible de déterminer avec précision comment la guêpe était entrée dans la maison, puis elle suggéra d'aller prendre le dessert sur la véranda, qui serait agréablement fraîche si Mike allumait les ventilateurs.

Il servit les sorbets dans des compotiers garnis de feuilles de menthe. Maris insista pour verser elle-même le café à la manière que lui avait enseignée Maxine.

Parker, le visage renfrogné, observa la fine tasse de porcelaine.

— C'est quoi, ce dé à coudre ? On n'est pas des lilliputiens.

Ni Mike ni Maris ne prêtèrent attention à ses jérémiades. La jeune femme écoutait les bruits de la nuit, ces bruits qui, au début, lui avaient paru si étrangers, et lui étaient à présent si familiers.

— Qu'on leur jette une pièce, fit Parker.

— Je me demande si je pourrai un jour me réaccoutumer au vacarme de Manhattan, maintenant que je me suis habituée au chant des cigales et des grenouilles.

Mike débarrassa la table et retourna dans la cuisine.

Dès qu'il fut hors de portée de voix, Parker demanda :

— Vous avez l'intention de repartir bientôt ?

L'air des ventilateurs soulevait doucement ses cheveux. La lumière échappée des fenêtres n'éclairait qu'un seul côté de son visage, laissant l'autre plongé dans l'obscurité. Maris ne pouvait distinguer ses yeux. Son expression était impénétrable.

— Il faudra bien que je rentre un jour, répondit-elle. Quand votre premier jet sera terminé et que vous n'aurez plus besoin de moi.

— Ce sont deux choses complètement différentes, Maris.

De nouveau, elle ressentit un creux à l'estomac.

La porte s'ouvrit dans un grincement amical et réconfortant et Mike réapparut avec une cafetière pleine et une grande tasse pour Parker. Le rocking-chair émit un inquiétant craquement lorsqu'il s'y installa et tous les trois partirent d'un grand éclat de rire.

— J'espère que cette vieillerie va tenir le coup, observa Parker.

— Tu parles de moi, là, ou du fauteuil ? demanda Mike sur le ton de la plaisanterie.

— Personnellement, je n'oserais pas m'y asseoir, fit Maris en se passant la main sur le ventre. J'ai vraiment bien mangé.

— Le repas était excellent, Mike. Félicitations, ajouta Parker.

— Ravi que ça vous ait plu, fit Mike en déposant un morceau de sucre dans son café. Il ne manque plus qu'une bonne histoire pour finir la soirée en beauté.

— Si seulement nous connaissions un bon conteur, fit Maris d'une voix faussement timide.

Elle jeta à Parker un regard en coin.

Ce dernier grimaça et se mit à ronchonner, mais il était malgré tout content de leur curiosité.

— OK, OK. Vous avez gagné. Où en étiez-vous ?

— Ils sont allés sur la plage pour descendre une bouteille de whisky, fit Maris.

La scène était encore fraîche dans sa mémoire.

— Je ne comprends toujours pas pourquoi leur langage est aussi vulgaire, lança Mike.

Parker se rembrunit, mais fit signe à Maris de poursuivre.

— Todd a accusé Roark de lui avoir menti à propos des critiques d'Hadley, reprit-elle.

— Vous avez lu le passage où Roark se met en colère ?

— Oui. Et sa colère est justifiée. Il n'a jamais rien fait pour mériter la méfiance de Todd.

— A l'inverse, il aurait des raisons de lui en vouloir, remarqua Mike.

— Et notamment à cause de cette histoire avec Mary Catherine. Je devrais peut-être rajouter une scène avec elle, fit Parker comme à part soi. Elle pourrait avouer à Roark que l'enfant était de Todd.

— Je croyais que vous vouliez laisser le lecteur se forger sa propre opinion.

— Oui. Mais j'ai pu changer d'avis. Ça renforcerait encore un peu plus l'animosité entre les deux amis. Et si... Et si Todd la laissait carrément tomber ? Il se met à l'éviter, il va même jusqu'à la critiquer auprès de Roark, la traitant de pot de colle, de peste, etc.

» Dans le même temps, elle ouvre son cœur à Roark. Elle admet que le bébé était de Todd, qu'elle est tombée amoureuse de lui, et Roark, qui la considère comme une amie et qui était là le soir de la fausse couche, s'inquiète du comportement de son ami.

— Todd découvre-t-il qu'elle était enceinte de lui ?

— Non. Mary Catherine ne veut surtout pas qu'il le sache, et Roark ne trahira pas sa confiance.

— Je vous avais bien dit que ce jeune homme avait le sens de l'honneur.

— Minute, papillon, rétorqua Parker. Ça ne vous a pas frappés, cette réaction un peu excessive de Roark face aux accusations de Todd ?

— Maintenant que j'y pense, en effet... Il aurait donc menti ?

Parker porta la main à la poche de sa chemise et en tira plusieurs feuilles de papier.

— J'ai écrit ça en vitesse tout à l'heure.

Maris voulut s'en emparer, mais Mike suggéra que Parker les lise à voix haute.

— Ça vous dit ? demanda Parker en se tournant vers Maris.

— Bien sûr. Allez-y.

27.

Parker déplia les feuilles et les orienta vers la lumière :

— « *Cher Monsieur Slade* », lut-il, « *conformément aux souhaits établis dans votre dernière lettre, je vous ferai dorénavant parvenir ma correspondance non plus à l'adresse de votre domicile, mais à la boîte postale que vous venez d'acquérir. Cette requête résultant vraisemblablement – comme je ne peux que le présumer – d'un désir de vous simplifier la vie, sachez que je n'y vois aucune objection de principe.* »

Il eut un mouvement de recul.

— Mon Dieu. Plutôt verbeux, le vieux.

— Le fait est qu'il dirige un cours de technique de l'écriture, observa Maris. On s'attend à ce qu'il se montre expansif.

— Expansif, c'est une chose, mais là, c'est carrément indigeste, lança Mike.

Parker le fusilla du regard.

— Merci beaucoup, Mike, pour cette remarque aussi inattendue que dépourvue de tact.

— C'est toi qui as ouvert le feu.

— Je peux me le permettre. C'est moi l'auteur.

Maris réprima une envie de rire.

— Vous pourriez peut-être écrémer un peu, Parker. Rien qu'un peu.

— D'accord. Pas de problème. J'aimerais simplement ajouter, histoire d'apporter de l'eau à mon moulin, que la prolixité d'Hadley est parfaitement cohérente. Souvenez-vous qu'il est issu d'une vieille et honorable famille du Sud. Des gens fiers, au caractère opiniâtre, qui vivaient largement au-dessus de leurs moyens et exposaient des sabres de l'armée sudiste dans leur salon. Une matriarche qui soignait ses migraines à coups de whisky. Une tante célibataire un peu cinglée – comprenez « qui s'était fait déflorer puis larguer » – qui vivait dans le grenier, traînait avec elle une odeur de gardénia et refusait de manger des fruits crus.

— Je me rappelle avoir lu ces détails hauts en couleurs, fit Maris.

— Mes grands-parents avaient des amis un peu semblables, ajouta Parker. J'ai le souvenir d'un langage fleuri et ampoulé.

Maris se tourna vers Mike pour confirmation.

— Quel est votre avis, vous qui avez une parfaite connaissance de la culture sudiste ?

— Comme d'habitude, Parker force le trait, répondit le vieil homme. Mais je dois admettre qu'il y a là une part de vérité. Si vous grattez un peu, vous découvrirez, chez toutes les familles implantées depuis longtemps dans le Sud, au moins un ecclésiastique, un fou, un hors-la-loi et assez d'alcool pour mettre à flot une armada.

Maris éclata de rire, puis s'adressant à Parker :

— Reprenez, on vous écoute.

Il repéra l'endroit où il s'était interrompu.

— « *Une relation s'établit sur certaines fondations. Une fois détruite, il est ensuite malaisé de la reconstruire sur de nouvelles bases sans détruire en même temps la relation première.* »

— Tu m'as perdu, fit Mike. De quoi parle-t-il au juste ?

— J'ai dit que j'allais écrémer, OK ? rétorqua Parker, agacé par cette interruption.

Il parcourut rapidement le texte.

— En bref, il explique que, leur relation s'étant édifiée sur un rapport maître-élève, il éprouve des difficultés à commenter le travail de Roark en s'adressant à lui d'égal à égal. C'est bon, tu as compris ?

— Merci d'avoir éclairé ma lanterne.

— Bien, je reprends : « *Non que je me considère comme votre pair, Monsieur Slade. Votre écriture a surpassé mon aptitude à la critiquer. Elle mérite une évaluation bien plus distinguée que la mienne, même si vous aurez du mal à trouver une personne plus admirative de votre talent.* »

» Il continue comme ça pendant plusieurs paragraphes, allant jusqu'à avouer qu'il a lui-même cherché à devenir écrivain avant de reconnaître qu'il n'en possédait pas le talent. Il dit que son rôle est d'enseigner, d'instruire, d'inspirer, blablabla...

Il tourna la page.

— « *Il est rare que des personnes telles que moi aient l'opportunité de travailler avec un écrivain de votre valeur. Je considère comme un privilège d'assister ainsi à la naissance d'un grand romancier, ce que, je n'en doute pas, vous êtes appelé à devenir.* »

Parker leva la main pour leur signifier qu'il était sur le point de lire un passage crucial.

— « *La qualité de votre écriture dépasse de loin celle des étudiants que j'ai eu l'occasion de rencontrer, y compris votre ami, Todd Grayson. Ce dernier a écrit un roman intéressant, tant par son intrigue que par ses personnages – en particulier le protagoniste. Néanmoins, il y manque cette profondeur émotionnelle, ce supplément d'âme que l'on trouve dans votre prose. Il sera publié, j'en suis certain. Il sait produire un texte mécaniquement correct en y incorporant tous les éléments classiques d'une œuvre de fiction.*

« *Cela ne signifie pas pour autant qu'il soit un bon écrivain.*

« *Je peux inculquer à mes étudiants les règles basiques de l'écriture, ou encore les familiariser avec les auteurs qui ont su maîtriser ces techniques, mais Dieu seul prodigue le talent. Cette qualité aussi indéfinissable qu'insaisissable ne peut malheureusement être enseignée, ni acquise par quelque autre moyen, et ce nonobstant l'intensité du désir et l'ardeur avec laquelle un individu s'y emploierait. J'ai découvert cette triste vérité à mes dépens.*

S'il était possible d'atteindre au talent, croyez bien que j'écrirais mes propres romans.

« Remerciez votre dieu, Monsieur Slade, qui vous a doté de cette magie, ce don rare et merveilleux que votre ami, lui, ne possède pas. Je crains d'ailleurs que ce déséquilibre ne finisse par creuser une brèche entre vous.

« J'ai eu le loisir, durant ma carrière, d'observer des milliers d'étudiants, et me considère, pour cette raison, apte à juger les caractères. Du moins en suis-je un observateur perspicace et avisé.

« Certaines caractéristiques s'avèrent communes à chacun d'entre nous. Tout le monde passe par des accès de peur, de joie, connaît par moments la frustration...

« D'autres traits, en revanche, sont propres à certains individus. L'humilité, la charité, le courage, pour n'en citer que quelques-uns.

« Ils ont malheureusement leurs sombres pendants, telles la jalousie ou l'avidité. Les personnes gouvernées par ces sentiments ont coutume de se dissimuler derrière une façade de séduction, et, la plupart du temps, elles y parviennent aisément, car ces traits de personnalité sont invariablement accompagnés d'une habileté fourbe à duper les gens.

« Il n'en reste pas moins que ces défauts vivent et mûrissent en eux de façon insidieuse, attendant, et parfois même anticipant, le moment où ils pourront s'exprimer à l'encontre de tout élément perturbateur ou menaçant.

« Je ne souhaite pas dire du mal de votre ami. J'aimerais croire que le baromètre interne dont je me sers pour évaluer l'intégrité d'autrui est totalement déréglé, que je me trompe sur la nature de ses motivations.

« Mais je repense aux machinations de M. Grayson qui vous ont conduit à arriver en retard lors d'un important rendez-vous avec moi. Pour être franc, je considère cela comme une blague de mauvais goût, derrière laquelle je devine des intentions malveillantes. Je suis surpris que votre amitié y ait survécu. Tout le mérite vous en revient. Je ne pense pas que M. Grayson soit doué d'une telle capacité de pardon, ce qui constitue, là encore, une différence notoire entre vous deux.

« Je ne me permettrai pas de choisir vos amis à votre place, mais je conclurai en utilisant cette expression que j'ai souvent entendue sur le campus. Il s'agit d'une expression idiomatique qui, à mon sens, ne rend pas service à la langue. Mais en l'occurrence, elle me semble parfaitement appropriée : Faites gaffe !

« J'attends avec impatience la suite de votre manuscrit. Vous ne manquez pas dans vos lettres de me remercier pour le temps que je consacre à la lecture de votre travail. Sachez, Monsieur Slade, que je perçois cela non comme une corvée, mais comme un privilège. Bien à vous, Hadley. »

Parker replia les feuilles et les rangea dans la poche de sa chemise. Tous restèrent silencieux un moment. Maris avait été bercée par ses mots et la cadence à laquelle il avait lu. Elle secoua la tête pour sortir de sa torpeur.

— Ainsi, Todd avait vu juste. Les critiques de Roark étaient meilleures que les siennes.

Parker acquiesça.

— Et Roark s'est montré malhonnête.

— Je ne pense pas que ça ait beaucoup d'importance.

Il la fixa avec une intensité qui la força à préciser sa pensée.

— Eh bien je pense que Todd l'aurait mal pris si Roark lui avait dit : « Ecoute, vieux, tu as raison. Hadley pense que tu n'es qu'un écrivaillon sans intérêt, tandis que moi, j'ai le potentiel pour devenir le prochain Steinbeck. »

Mike approuva.

— Si Roark lui avait dit la vérité ce soir-là sur la plage, Todd aurait aussitôt mis fin à leur amitié. Et là, plus d'histoire. Fin du roman.

Pour toute réponse, Parker poussa un grognement.

La lecture du manuscrit semblait l'avoir assombri, bien que Maris ne comprît pas pourquoi. Il était évident que la lettre les avait passionnés. C'était en outre une manière habile de faire progresser le récit sans se cantonner à la stricte narration.

— Pourquoi cette mine renfrognée, Parker ? demanda-t-elle. Qu'est-ce qui vous tracasse ?

— Roark est censé être le gentil dans l'affaire, vous êtes d'accord ? Il est plus proche de l'agneau que du bouc.

— Oui, c'est une façon de voir les choses.

— Ça ne vous dérange pas qu'il ait menti à son ami ?

— Il ne s'agissait pas de le tromper. Il l'a fait par gentillesse. Il voulait épargner à Todd de connaître cette « triste vérité » à laquelle Hadley fait référence dans sa lettre. Il savait que ça l'aurait dévasté. Todd n'est tout simplement pas aussi talentueux que Roark. Et depuis le début, Roark...

Elle s'interrompit et claqua des doigts.

— Mais oui, c'est ça... il savait. Il savait que Todd n'avait aucun talent. Forcément. Sinon pourquoi aurait-il pris la peine d'ouvrir une boîte postale ? Il ne tenait pas à ce que Todd tombe sur les lettres de Hadley.

— Rien ne vous échappe, fit Parker qui semblait retrouver un peu de bonne humeur. Mais maintenant il va falloir oublier ce que vous savez.

— Pourquoi ?

— Parce que cet élément devient crucial dans le chapitre suivant.

— Cette histoire de boîte postale annonce quelque chose de déterminant ?

Il lui adressa un sourire énigmatique.

— Todd va tomber sur l'une des lettres, c'est ça ? Peut-être même celle que vous venez de lire, car c'est celle qui risque le plus de nuire à leur relation. Voyons... Euh... Mettons que Todd lui emprunte un jean sans lui en demander la permission et trouve la lettre dans une poche.

— Merci. Je n'avais pas envisagé ça, mais c'est une excellente idée.

Elle eut un sourire radieux.

— Bien sûr, il la lit. Et il n'en croit pas ses yeux. Ses pires craintes sont confirmées : Roark est plus doué que lui. C'est d'ailleurs bien pour ça qu'il avait essayé de saboter le rendez-vous avec Hadley. Mais ça n'a pas marché. Ses manigances se sont retournées contre lui, car Hadley l'a percé à jour. En plus de ça, il découvre que Roark a gagné son admiration. Une double gifle, pour Todd. Et du coup... Du coup ?

— A vous de me le dire.

Elle se concentra, se mordant inconsciemment la lèvre inférieure.

— J'allais dire qu'il se sent abattu, mais tout bien considéré, ça ne cadre pas avec le personnage. Todd est trop égocentrique pour laisser un prof d'université détruire ses ambitions. Je pense plutôt qu'il se mettrait dans une rage folle. Une colère explosive, incontrôlable.

— Et que fait-il, selon vous, pour canaliser cette colère ?

— Il va trouver Roark et lui montre la lettre.

— Non, vous n'y êtes pas.

— Parker ! coupa Mike.

— Il n'est pas assez honnête pour ça.

— Parker ! répéta Mike.

— Alors il attend, patiemment...

— Parker...

— Il...

— Parker !

— *Quoi ?* Qu'est-ce qu'il y a ? hurla Parker.

Il jeta au vieil homme un œil mauvais, mais Mike, sans se démonter, soutint son regard. L'atmosphère était de nouveau électrique. Mike observait Parker d'un air entendu.

Parker fut le premier à fléchir. Il ferma les yeux et se massa le front.

— Désolé. Je me suis laissé emporter.

— C'est bon. Je sais bien que tu n'aimes pas qu'on t'interrompe sur ta lancée.

— Le dîner était délicieux.

— Oui, tu me l'as déjà dit.

— Oh, c'est vrai. Eh bien, merci encore.

— De rien. Je suis content que ça t'ait plu, fit Mike en se levant.

Il prit le plateau où étaient entreposées la carafe et les tasses.

— Je vais rentrer avant de me faire dévorer par les moustiques.

— Oui. Bonne idée. Bonne nuit.

— Bonne nuit, Mike, fit Maris en écho.

Parvenu à la porte, Mike se retourna et, s'adressant à Parker, demanda :

— Tu veux que j'attende un peu pour t'aider à...

— Non, non. Je me débrouillerai. Va plutôt te coucher.

Le vieil homme hésita, jeta un coup d'œil à Maris, hocha la tête et s'éloigna.

— Vous pouvez m'expliquer ce qui vient de se passer ? demanda Maris lorsqu'il fut hors de portée de voix.

— Quand ça ?

— Là, à l'instant. Entre vous et Mike.

— Rien.

— Parker ! s'écria-t-elle avec un ton de reproche.

— Je vous assure qu'il ne s'est rien passé, fit-il d'un air innocent.

Elle l'observa longtemps mais il ne cilla pas. Vexée d'être ainsi mise à l'écart, elle se leva.

— Vous voulez jouer à ce petit jeu ? Eh bien vous y jouerez sans moi. Bonne nuit.

— Ne partez pas comme ça, voyons.

— Alors arrêtez de vous foutre de moi. Je déteste qu'on me traite avec condescendance.

— Vous avez raison. Je suis désolé.

Il prit une bouffée d'air suffocant et se plongea dans la contemplation des chênes verts.

— C'est juste que... Il y a cette *chose* entre Mike et moi. Parfois, il voit cette noirceur m'envahir, cette laideur. Comme à l'époque où il m'a sorti de la drogue. J'imagine que ça l'effraie. Il a peur que je replonge, alors il fait en sorte de ne pas me laisser m'enfoncer.

Se tournant vers elle, il la fixa droit dans les yeux.

— Voilà, vous savez tout.

— Merci.

Ils s'observèrent quelques instants.

— Quelle soirée mouvementée ! s'exclama-t-il.

— Oui, vous pouvez le dire. Mais j'en garderai un excellent souvenir.

Il se pencha soudain pour lui attraper le poignet. Elle s'approcha et il passa la main derrière son cou de manière à l'attirer à lui. Elle plaça alors les mains en coupe autour de son visage et leurs bouches entrèrent en fusion. Ils échangèrent un baiser fiévreux.

Lorsqu'ils desserrèrent leur étreinte, il pressa son visage contre son ventre.

— Je n'ai pensé qu'à ça de toute la journée.

— Je finissais par croire que vous aviez oublié notre soirée d'hier.

Il poussa un petit rire vicieux.

— Comment oublier ce genre de choses ?

Il lui caressa doucement les seins à travers sa robe. Elle sentait son souffle humide contre sa peau. Il posa les mains sur ses fesses.

— Parker, s'il vous plaît, fit-elle en lui passant la main dans les cheveux.

— Oui, demandez-moi tout ce que vous voudrez.

— Je...

— Qu'y a-t-il ?

— Je ne peux pas.

— Bien sûr que si. Rappelez-vous hier soir.

Il glissa la main sous sa jupe et remonta lentement entre ses cuisses.

Maris sentit ses jambes se dérober, mais elle le repoussa et s'écarta de lui.

— Je ne peux pas. Excusez-moi.

— Pourquoi ?

— Je suis inquiète. A cause de mon père.

— Votre père ? Vous avez peur qu'il désapprouve notre conduite ? Qu'il vienne me trouver avec un fusil ? Je ne comprends pas...

Elle sourit et secoua la tête.

— Non, ça n'a rien à voir. J'ai essayé de le joindre toute la journée sans succès.

Elle lui résuma brièvement la situation.

— Finalement, juste avant le dîner, j'ai réussi à tomber sur Maxine, notre gouvernante, en appelant chez sa sœur. C'est souvent là qu'elle passe la journée quand elle est en congé, ce qui est rare.

» Bref, elle m'a dit que mon père était à la campagne pour le week-end, dans notre maison du Massachusetts. Il est parti avec Noah et ils ont insisté pour qu'elle reste à New York. Ils préféraient y aller seuls.

— Et alors ? Ils sont grands, ils font ce qu'ils veulent. Quel rapport avec notre petite soirée coquine ?

— C'est vrai. Il n'y a aucun rapport.

— Alors ? Je ne vois pas.

— Maxine a l'habitude de veiller sur mon père. C'est une vraie mère poule avec lui. Je ne me ferais pas de souci si elle était avec lui. Je n'aime pas le savoir seul.

— Il n'est pas seul.

Non, il était seul avec Noah.

Elle avait omis de mentionner un détail : Noah avait assuré à Maxine que Maris était au courant de leur projet et qu'elle avait même trouvé l'idée excellente. La vieille gouvernante avait eu l'air affolé en apprenant que Maris ignorait tout de leur week-end.

— Pourquoi M. Reed m'a-t-il menti ?

Pourquoi, en effet ?

Maxine lui avait également appris que Daniel avait reçu de la visite à l'heure du petit déjeuner.

— Qui donc ?

— Je ne sais pas.

Elle lui avait expliqué comment Daniel l'avait envoyée en courses à l'autre bout de la ville.

— Je suis persuadée qu'il a inventé ce prétexte pour m'éloigner. A mon retour, il était en train de faire la vaisselle.

— Il faisait la vaisselle ?

— Visiblement, il ne voulait pas que je voie qu'il y avait deux tasses sales au lieu d'une. Lorsque je l'ai questionné à ce sujet, il s'est mis sur la défensive et il m'a dit que c'était sa vaisselle et qu'il avait le droit d'utiliser deux tasses si ça lui chantait. C'était complètement absurde. Il s'est d'ailleurs excusé par la suite. Tout ce que je sais, c'est que quelqu'un est venu à la maison pendant que j'étais en courses et qu'il ne tenait pas à ce que je l'apprenne.

— Avait-il l'air contrarié ?

— Non. En fait, il semblait de très bonne humeur et impatient de quitter la ville.

— Alors je crois qu'on s'inquiète pour rien.

Maris espérait que cette dernière phrase avait apaisé les craintes de la gouvernante. A ses propres oreilles, elle sonnait faux, même si elle venait de répéter la même chose à Parker.

— Je suis soulagée de savoir où il est, et je suis sûre qu'il va bien. Mais je me sentirais encore mieux si je pouvais lui parler.

— Vous avez téléphoné à la maison de campagne ?

— La ligne était occupée. J'ai même essayé le portable de Noah, mais je suis tombée sur le répondeur. Alors j'ai laissé un message en donnant votre numéro. Ça ne vous dérange pas ?

— Vous n'avez pas cité mon nom, j'espère ?

— Non, rassurez-vous. Mais pour l'instant personne n'a rappelé. Je vais consulter mon portable pour voir s'il y a un message.

— C'est quand même bizarre.

— Quoi ?

— Que votre père aille passer le week-end avec votre mari alors que vous venez de vous séparer.

— Il n'est pas au courant.

Parker eut l'air surpris.

— J'aurais dû lui en parler tout de suite, mais je n'ai pas trouvé le bon moment.

— Vous pensez que Noah va profiter du week-end pour lui apprendre la mauvaise nouvelle ?

— C'est ce que je craignais au début. J'avais peur qu'il lui demande d'intervenir en sa faveur auprès de moi. Il doit protéger sa place chez Matherly Press. S'il m'a épousée pour intégrer la boîte, alors il cherchera à éviter le divorce pour la même raison.

— Vous pensez que votre père interviendrait en sa faveur ?

— Bien sûr que non. Il sait très bien que j'étais malheureuse. La seule chose qu'il ignore, c'est à quel point je l'étais.

Elle baissa la voix et ajouta :

— Jusqu'à ce que je vous rencontre, je ne le savais pas non plus.

— Ne me regardez pas comme ça, Maris.

— Comme quoi ?

— Avec vos grands yeux tristes. Vous savez que vous êtes encore passée à côté d'une trique d'enfer. Je suis chaud comme la braise.

— Mike avait raison. Vous êtes vulgaire, fit-elle en riant.

Elle lui passa la main dans les cheveux pour les remettre en ordre.

— C'était une très belle soirée, Parker.

— Elle aurait pu l'être encore plus.

— Désolée.

Elle se pencha et déposa un baiser sur ses lèvres.

— Passez une bonne nuit.

— Oh oui, je vais dormir comme un bébé. Un petit bébé en rut.

— Si ça peut vous consoler...

— Oui ?

— Vous m'avez fait jouir hier. Et je m'en souviens encore...

28.

Il n'y avait aucun message sur son répondeur.

Elle essaya le portable de Noah, mais une boîte vocale lui apprit que la ligne de son correspondant n'était pas disponible. En proie à une terrible inquiétude, elle composa le numéro de la maison.

Daniel répondit à la deuxième sonnerie.

Elle poussa un soupir de soulagement.

— Où étais-tu, papa ?

— Je sors des toilettes. Pourquoi ? J'aurais dû demander la permission ?

— Excuse-moi. Je ne voulais pas te sauter à la gorge, mais j'ai essayé de te joindre toute la journée. Je ne savais pas que tu étais parti à la campagne. C'est Maxine qui me l'a appris.

— C'est la première fois que j'entends la sonnerie. Noah a appelé l'épicerie tout à l'heure, et avant de monter faire ma sieste, j'ai remarqué qu'il avait mal raccroché.

Ou, plus probablement, il l'avait fait exprès, sachant pertinemment qu'elle chercherait à joindre son père. Il se doutait qu'elle serait morte d'angoisse en constatant que personne ne répondait. Etait-ce sa manière de la punir parce qu'elle le quittait ? Elle songea avec étonnement à quel point elle voyait clair dans son jeu. Qu'est-ce qui avait bien pu l'aveugler durant toutes ces années ? *Un roman*, se dit-elle, abasourdie par sa propre naïveté.

En tout cas, naïve, elle ne l'était plus. Elle n'avait qu'une envie : voir Noah disparaître de leurs vies. Elle ne supportait plus l'idée qu'il fasse partie de la famille. Pourquoi attendre pour annoncer à son père la nouvelle de leur séparation ?

Heureusement, elle parvint à se raisonner avant de tout lui révéler sur un coup de tête.

Cela aurait nécessité une longue discussion, et il se faisait tard, aussi bien dans le Massachusetts qu'à St. Anne Island. Et puis c'était le genre de sujet qui nécessitait un entretien en tête à tête. Cette rupture allait tout autant affecter leur vie privée que leur vie professionnelle.

Laissant de côté son inimitié envers Noah, elle demanda à Daniel comment il allait.

— Pourquoi ? Je suis censé aller mal ?

— Tu me connais. Je me suis fait du souci.

— Comme moi quand tu rentrais de l'école avec dix minutes de retard.

— Tu penses que les rôles se sont inversés, papa ?

— Pas du tout. Je m'inquiète encore quand tu es en retard. Mais sois tranquille, j'ai passé une excellente journée.

A commencer par un invité mystère pour le petit déjeuner. Elle brûlait de le questionner, mais s'abstint pour ne pas trahir Maxine. Elle espérait qu'il lui donnerait spontanément l'information.

— Qu'as-tu donc fait de si spécial ?

— Rien du tout, justement.

— La maison était en ordre à votre arrivée ?

— Brillante comme un sou neuf.

— Vous êtes allés où pour le dîner ? Chez Harry, ou un autre de tes endroits favoris ?

— Nous avons mangé ici. Je pensais que Noah te l'avait dit.

— Pourquoi ?

— Tu l'as bien eu en ligne cet après-midi, non ? Je suis descendu juste au moment où il raccrochait.

Elle ouvrit la bouche, mais la referma sans avoir parlé. Noah lui avait menti. Selon toute vraisemblance, Daniel était arrivé à la fin d'une conversation téléphonique et Noah lui avait fait croire que c'était elle qui venait d'appeler. Quel salaud !

— Je n'ai pas dû faire attention.

— Ça ne m'étonne pas, fit-il sans remarquer la colère dans sa voix. Tu es très occupée. Alors, ce roman ?

— Formidable. C'est stupéfiant de voir comment l'auteur travaille, comment son esprit fonctionne. Je n'avais jamais été aussi impliquée dans le processus créatif, et c'est vraiment fascinant.

— Je vois que tu as l'air d'apprécier.

— Tu ne peux pas savoir à quel point.

— Et ton écrivain ? Toujours aussi râleur ?

— Soit il s'est adouci, soit je me suis habituée à lui. Je ne sais pas.

— Peut-être un peu des deux.

— Oui, probablement.

Il y eut un silence. Maris sentit qu'il hésitait à dire quelque chose.

— Je suis content que tu aies suivi ton instinct, fit-il au bout d'un moment. C'est bien que tu sois retournée travailler avec lui.

— Oui, je pense que c'était une bonne décision.

— Tu es heureuse, là-bas ? Avec ton travail. Ça te plaît ?

— Oui, beaucoup.

— Bien. Tu le mérites, Maris.

Pour n'importe quel observateur extérieur, cet échange aurait pu sembler banal. Mais étant donné la conversation qu'ils avaient eue juste avant son départ, il prenait une résonance toute particulière.

Daniel savait qu'elle était déçue par son mariage. Elle n'aurait pas été surprise qu'il fût au courant des infidélités de Noah. Daniel Matherly était connu pour son aptitude à deviner les secrets. Lors de sa dernière visite, elle n'avait pu dissimuler totalement les sentiments qu'elle éprouvait pour Parker. Sans le nommer, elle avait parlé de lui avec cette ferveur incontrôlable si propre aux personnes qui viennent de tomber amoureuses.

Cette conversation détournée signifiait que son père lui donnait sa bénédiction.

Elle sentit sa gorge nouée par l'émotion.

— J'avais besoin d'entendre ta voix, papa.

— Moi aussi je suis content de t'entendre.

— Je suis désolée de t'avoir dérangé si tard.

— Tu ne me déranges jamais, et de toute manière, je ne dormais pas.

— Je te rappellerai demain. Non, attends.

La pensée de Noah passant le week-end seul avec son père, tel le gendre fidèle, lui retournait l'estomac. Il avait sûrement comme projet de faire copain-copain et de se mettre dans les petits papiers de Daniel. Peut-être même avait-il décidé de lui faire une confession larmoyante et de plaider son cas avant que Maris n'ait eu l'opportunité de lui annoncer leur séparation.

Elle voulait absolument empêcher ça.

— Tu sais, papa, j'aimerais bien que Maxine vienne vous rejoindre demain. Sans compter qu'elle meurt d'envie d'aller cueillir des fleurs. Qu'en penses-tu ?

— Cueillir des fleurs... répéta-t-il d'un ton sceptique. Ça fait seulement une journée que je suis tranquille, mais si ça peut te faire plaisir...

— Ça me tranquilliserait. Je l'appellerai demain matin pour lui en parler.

Elle se sentit soulagée. Maxine pouvait arriver le lendemain avant l'heure du déjeuner.

— Passe-moi un coup de fil quand elle sera là.

— Je t'appellerai sans faute. Maris ?

— Oui ?

— Profite de ton séjour et ne t'inquiète surtout pas pour moi, tu m'entends ? Tout ira bien. Tu fais confiance à ton vieux père ?

— Je t'ai toujours fait confiance, fit-elle en appuyant sa joue contre le téléphone et regrettant que ce ne soit pas la main de son père. Bonne nuit, papa. Je t'aime.

— Moi aussi, je t'aime.

Le lit de Parker était une monstruosité. Relativement étroit, il gagnait en hauteur ce qu'il perdait en largeur. La tête de lit, en bois sculpté patiné par le temps, reflétait doucement la lumière de sa lampe de chevet.

Ce lit reposait au centre d'un immense tapis qui semblait être un authentique Aubusson. Un vieux ventilateur, comme elle n'en avait vu que dans les films, était suspendu à deux mètres du plafond et brassait mollement l'air.

Les trois grandes fenêtres, dépourvues de rideaux, étaient munies de volets à claire-voie, peints en blanc pour contraster avec les murs couleur caramel et le bois sombre du plancher. L'un des murs accueillait un immense chiffonnier orné de sculptures et devait à priori contenir tous ses vêtements, car il n'y avait ni armoire ni penderie.

Logés dans un meuble face au lit, la télé et le magnétoscope constituaient – avec le fauteuil roulant – les deux seuls éléments modernes de la pièce. Aucun équipement ne laissait à supposer qu'il s'agissait d'une chambre pour une personne handicapée, mais cela ne la surprit pas. Elle l'avait vu se soulever à la force des bras pour monter dans le Gator.

Parker, torse nu, lisait adossé contre la tête de lit lorsque Maris se glissa dans la pièce. Il reposa lentement son livre.

— Vous êtes perdue ?

Elle poussa un petit rire nerveux.

— Bien essayé, mais je suis certaine que vous attendiez ma visite.

— C'est vrai, j'espérais que vous viendriez. J'ai même dit mes prières.

— Alors je peux entrer ?

— Bien sûr que oui.

— Et si jamais Mike...

— Pas si vous fermez à clé.

Elle tira le loquet. Les mains derrière le dos, elle s'approcha du lit.

Les lattes du plancher étaient fraîches au contact de

ses pieds nus, et sa courte nuisette aussi légère que le souffle d'air qu'elle sentait sur sa peau. Parker dardait sur elle un regard brûlant.

— J'ai des cadeaux pour vous, fit-elle en sortant les mains de derrière son dos.

Le premier était un simple verre qu'elle lui tendit. Il l'observa quelques instants avec perplexité, puis éclata de rire en voyant les deux petites lumières clignotantes.

— Des vers luisants.

— Je les ai attrapés moi-même, déclara-t-elle fièrement.

— C'est un magnifique cadeau, merci Maris.

— De rien. Je peux ?

Elle reprit le verre et le posa sur la table de nuit.

— Et l'autre cadeau ? demanda-t-il en indiquant le livre qu'elle tenait serré contre sa poitrine. Vous allez me lire une histoire ?

— Oui, en quelque sorte.

— Je me demandais aussi pourquoi vous portiez vos lunettes.

— J'ai retiré mes lentilles.

D'un geste du menton, elle désigna la place vide à côté de lui.

— Je peux m'installer ?

— Je vous en prie.

— Je vous interromps dans votre lecture ?

Il referma son livre.

— Allez-y, je préfère entendre votre histoire.

Elle lui montra la couverture. Le titre était inscrit en lettres dorées.

— *Grass Widow*, lut-il en souriant.

— Par mon écrivain favori.

— Quoi, lui ?

— Ne jouez pas les modestes, monsieur Evans.

— Je connais votre niveau d'exigence, mademoiselle Matherly. Vous n'êtes pas facile à contenter. Qu'est-ce qui vous plaît dans ce roman ?

Il l'avait appelée par son nom de jeune fille et, même si ce détail ne lui avait pas échappé, elle ne voulait pas interrompre leur jeu en le lui faisant remarquer. Elle ouvrit le livre.

— J'aime particulièrement la scène où Deck Cayton, le beau séducteur, espiègle mais néanmoins attirant, se sert d'un jeu de cartes pour soutirer des informations à la bimbo.

— Frenchy.

— Peu importe. C'est une scène plutôt osée et qui ne laisse pas indifférent.

— C'est du moins l'opinion des fans. Et des critiques.

Elle prit un air sévère.

— Toutefois...

— Ah ! Je m'y attendais.

— Ce passage amène plusieurs remarques.

— Réflexion typique d'une éditrice. Derrière chaque compliment se cache une critique.

— Ecoutez, monsieur Evans, si mes arguments ne vous intéressent pas...

— Non, au contraire. Vous soutenez très bien ce que vous avancez, fit-il en lorgnant sur ses seins. Je vous écoute.

Il mit la main derrière la tête avec un petit sourire satisfait.

— C'était une image.

— J'avais compris, répondit-elle sèchement. Allez-vous enfin me laisser poursuivre ?

— Je vous en prie.

— Bien... Je constate que vous avez utilisé un langage très descriptif.

— N'est-il pas censé l'être ?

— Si, bien sûr, mais en l'occurrence, il est peut-être un peu trop...

— Explicite ?

— C'est le moins qu'on puisse dire.

— Vous trouvez ça gênant ?

— Je n'ai pas dit que c'était gênant. Simplement je m'interroge quant à la précision de vos descriptions.

— La précision...

— Tout à fait. Je ne suis pas sûre que les, euh...

positions que vous décrivez soient anatomiquement possibles. Pour des êtres humains, j'entends.

Il eut un petit rire étouffé puis se gratta le menton d'un air sombre.

— Je vois. Pourriez-vous être un peu plus claire ?

— Il y a plusieurs exemples. Alors je me disais...

Elle s'interrompit et s'éclaircit la gorge avant de reprendre.

— Nous pourrions mimer certaines scènes pour voir si ces configurations sont... réalisables ou pas.

— Ah oui ? fit-il d'une voix traînante et sexy.

— Oui, je pensais que ce serait une bonne idée.

Il la regarda un long moment, immobile, puis il retira la main de derrière sa tête.

— Si je me souviens bien, notre séduisant héros commence par placer sa main sur la cuisse de Frenchy. Il s'agit d'un geste réconfortant, rien de plus. Il veut lui montrer qu'il n'est pas animé de mauvaises intentions.

Il posa doucement la main sur sa cuisse, juste au-dessus du genou. Maris sentit la chaleur de ses doigts à travers la soie bleue de sa nuisette.

— C'est discutable, murmura-t-elle, mais soit, accordons-lui le bénéfice du doute.

— En échange de ce geste affectueux, et malgré le fait que Deck ait tiré la plus petite carte, Frenchy lui révèle qu'elle a entendu du bruit dans l'allée le soir du meurtre.

— Ce qui l'a poussée à regarder par la fenêtre de sa chambre. C'est alors qu'elle a aperçu... l'homme à la casquette rouge s'enfuir de l'immeuble voisin, fit-elle en se référant inutilement au texte.

— Une information capitale, renchérit Parker. D'autant que Frenchy va jusqu'à décrire le logo figurant sur ladite casquette. Pour la remercier, notre héros décide de l'embrasser.

Parker se pencha vers Maris et lui ôta ses lunettes. Il prit son visage entre ses mains, caressa ses pommettes et la contempla longuement avant de poser ses lèvres sur sa bouche. Il l'embrassa tendrement.

Maris réprima à peine un gémissement de plaisir.

— Il la trouve incroyablement attirante, dit-il tout bas.

— Ce n'est pas mentionné dans le texte.

— Vraiment ? Pourtant, Deck ne peut s'empêcher d'aller plus loin.

— Frenchy n'oppose pas de résistance.

Il continua à l'embrasser doucement. Maris sentit son corps s'embraser. Son cœur battait la chamade. Elle était comme droguée. Une délicieuse lassitude l'envahit, mais elle avait conservé assez de lucidité pour reprendre le fil du jeu.

Fébrile, elle tenta en vain de chausser ses lunettes.

— Tant pis, fit-elle en les déposant à côté du livre. De toute manière, je connais la suite. Frenchy, cette petite chanceuse, tire à nouveau la carte la plus forte.

— Cayton aussi a de la chance. Il est obligé de lui accorder ses faveurs.

— Mais leur position est inconfortable...

Parker la prit par la taille. Elle se mit à genoux et le chevaucha.

— Il me semble que Cayton commence par lui mordiller l'oreille, puis il descend peu à peu...

Mais Parker, qui, après tout, était l'auteur du roman et connaissait parfaitement la séquence, la devança. Il fit glisser les bretelles de sa nuisette, puis posa les mains sur ses seins et lui frôla doucement les tétons. Il en prit un dans sa bouche et se mit à le sucer, le pressant avec vigueur entre sa langue et son palais.

Sans pudeur, elle passa les bras autour de son cou et couvrit ses cheveux de baisers, ses tempes, tous les endroits qu'elle pouvait embrasser sans le gêner, car elle ne voulait pas qu'il s'arrête.

Son sexe déjà humide s'ouvrit comme un fruit trop mûr. Parker remonta entre ses cuisses et, lorsqu'il la toucha, elle eut un frisson incontrôlé. Son corps tout entier se referma autour de ses doigts.

— Allez-y Maris, laissez-vous aller.

Elle commença à onduler le bassin de plus en plus vite jusqu'à atteindre l'orgasme.

Du moins le pensa-t-elle, jusqu'à ce que Parker la soulève par les hanches pour l'amener contre sa bouche. Une vague de plaisir si intense la submergea qu'elle en eut tout d'abord le souffle coupé, puis elle poussa un long soupir.

Elle s'appuya avec les mains contre la tête de lit mais ce support devint bientôt inefficace et elle dut se pencher davantage, la joue collée contre le bois frais tandis qu'elle se livrait à sa langue experte.

Les cheveux de Parker étaient soyeux au contact de son ventre, sa barbe agréablement piquante contre ses cuisses.

Elle se perdit dans ses sensations ; son corps et son âme entièrement gouvernés par des impulsions sensuelles, elle s'abandonna à la jouissance.

A plusieurs reprises elle fut sur le point de succomber à l'orgasme, mais chaque fois Parker s'interrompait pour l'embrasser doucement, lui susurrer des mots tendres avant de l'emmener à nouveau au bord de l'explosion. Lorsque enfin il la fit jouir, ce fut une vraie lame de fond, les derniers fragments de lucidité s'envolèrent et elle perdit prise, en proie à un véritable délire des sens.

Elle reprit peu à peu ses esprits. La raison lui revint lentement, langoureusement, comme une plume flottant au gré du vent.

Elle était moite de sueur, ses tétons raides et rougis. Chaque battement de cœur résonnait lourdement dans son crâne. Elle resta appuyée contre la tête de lit jusqu'à ce que son souffle retrouve un rythme normal. Lorsqu'elle rouvrit les yeux, elle se rendit compte qu'ils étaient emplis de larmes.

Elle se laissa retomber sur le torse de Parker, à bout de force, telle la victime d'un naufrage rejetée sur le rivage après de longues heures de dérive. Ses cheveux lui collaient au cou et au visage. Parker lui massa le bas du dos, puis ses mains se posèrent sur ses fesses, qu'il pressa doucement. Elle eut un petit sourire.

Son cœur battait encore très vite. Elle ressentait les pulsations jusque dans ses oreilles. A chaque inspiration, les poils de Parker lui chatouillaient le nez. Elle avait une vue plongeante sur son téton et s'amusa à le titiller du bout du doigt. Il se durcit à ce contact et le souffle de Parker se fit plus rapide. Elle sentait son érection contre son ventre.

— Donnez-moi encore un instant, dit-elle d'une voix faible.

— Rassurez-vous, je ne vais nulle part, répondit-il en riant.

Plusieurs minutes s'écoulèrent. Elle comprenait à quel point il était merveilleux de partager une telle intimité avec un homme. Elle repensa à Noah. Comment pouvait-il exister une telle différence entre deux spécimens du même sexe, de la même espèce ?

— Vous avez un peu dévié par rapport au texte, murmura-t-elle.

— Ah oui ? Mes souvenirs doivent être un peu confus.

— Il n'y a rien de semblable dans votre livre. Ni dans aucun roman, d'ailleurs.

Elle leva la tête et plongea son regard dans le sien. Ils s'embrassèrent avec ardeur et Maris commença à se frotter contre son sexe raide.

Il recula soudain le visage et l'agrippa par les hanches pour qu'elle arrête de bouger.

— Que se passe-t-il ? demanda-t-elle d'un air innocent.

— Ça non plus, ce n'est pas dans le livre.

— Oh, désolée. Voyons ce que dit le texte.

Sans changer de position, elle attrapa ses lunettes et, s'emparant du livre, elle fit semblant de lire en silence.

— Ah, voilà ! Cayton lui prend la main et la dirige vers...

— Sa bite.

— Oui, c'est ce qui est écrit.

Elle reprit sa place à côté de lui et s'apprêtait à remettre les bretelles de sa nuisette lorsque Parker lui adressa un signe de tête négatif. Elle l'ôta alors et la tint un instant serrée contre sa poitrine avant de la jeter au pied du lit. Parker prit une profonde inspiration.

Il fit courir ses mains le long de ses seins, son ventre, son sexe encore humide, puis remonta vers sa poitrine. Il lui pinça doucement les tétons et les observa se raidir.

Elle posa la main sur son ventre, mais Parker stoppa son mouvement.

— Le fantasme s'arrête là, Maris, fit-il avec un regard dur.

A l'expression de son visage, elle comprit qu'il ne plaisantait pas. Il semblait tout à coup renfermé et distant.

— Je ne comprends pas, Parker.

— Il ne s'agit plus de fiction.

— Et c'est tant mieux.

— On est dans la réalité, Maris.

— Je sais.

— Vous ne comprenez toujours pas ? lança-t-il sèchement. Soulevez la couverture et vous y reviendrez brutalement, à la réalité.

Elle jeta un bref coup d'œil à ses jambes, dissimulées par les draps.

— Vous pensez que vos cicatrices me posent un problème ? demanda-t-elle en souriant.

— Je pense qu'elles ne vont pas tarder à vous en poser un, oui.

— Vous vous trompez.

Elle le fixa droit dans les yeux, au bord des larmes.

— Vous ne pouvez pas savoir ce que vous avez fait pour moi, Parker. Non, écoutez-moi, fit-elle en voyant qu'il cherchait à l'interrompre. Je n'aurai peut-être plus jamais le courage de vous dire ça.

Elle ôta ses lunettes, se frotta les yeux et sourit tristement.

— Je n'avais jamais joué à ce genre de jeux auparavant. J'en avais seulement entendu parler dans les livres et je les croyais réservés à la littérature. Ce que vous m'avez dit l'autre soir sur la plage était vrai. Avec Noah, je ne me suis jamais sentie libre de m'exprimer sexuellement. Ce qui s'est passé ce soir entre nous, je ne l'aurais même pas envisagé il y a quelques semaines.

» La femme que vous avez devant vous n'a plus rien à voir avec celle qui a franchi la porte de chez Terry à votre recherche. Je viens seulement de comprendre tout ce que j'ai manqué. J'ai toujours voulu connaître une passion comme la nôtre. Cette fusion des sens. Cet abandon total. Tout ça, vous me l'avez offert. Mais il me manque quelque chose. Mon bonheur ne sera complet que lorsque je pourrai le partager. Laissez-moi vous le faire partager. S'il vous plaît...

Il continuait à la regarder fixement, mais son visage paraissait moins crispé, moins tendu. Il semblait presque vulnérable.

— Je ne suis pas beau, Maris.

— Si, vous l'êtes.

Elle se pencha timidement vers lui et cette fois il n'essaya pas de l'en empêcher. Elle l'embrassa dans le cou et descendit peu à peu, ses lèvres glissant doucement, sa langue effleurant sa peau avec légèreté. Parker s'affaissa en proférant un mot blasphématoire et enfouit ses doigts dans sa chevelure.

Il poussa un grognement quand elle posa la main sur son pénis. Son sexe était tendu, palpitant de vitalité. Elle le caressa doucement, intensifiant par moments la pression de ses doigts pour accroître le plaisir.

— Que disiez-vous à propos du surnom de Frenchy ?

— Maris...

La phrase s'évapora sur ses lèvres lorsqu'elle se pencha au-dessus de lui.

Elle se délecta de son parfum musqué. Elle aimait sentir son membre vigoureux dans sa bouche, entendre ses gémissements plaintifs.

Il lui fit bientôt comprendre qu'il était temps qu'il se retire et qu'ils changent de position. Elle grimpa sur lui, il prit son pénis dans sa main et le frotta délicatement contre son sexe jusqu'à ce qu'elle ne puisse plus résister à l'appel du désir. Alors elle se laissa tomber sur lui et tout son corps se mit à trembler d'excitation.

— Attendez, souffla-t-il.

Elle s'immobilisa. Parker glissa ses mains le long de ses cuisses, puis, peu à peu, ses doigts s'immiscèrent dans sa toison ; il la caressa, lentement, jusqu'à ce qu'elle renverse la tête en murmurant son nom.

Alors seulement il donna à son bassin une petite impulsion. Maris se mit à bouger au-dessus de lui, modifiant parfois la cadence et l'inclinaison de son corps, stoppant son mouvement lorsque, pour faire durer le plaisir, il le lui demandait ; elle se contractait pour exercer une pression sur son membre ; le regard de Parker s'assombrissait, il lâchait un flot d'obscénités puis l'incitait à reprendre.

Penchée vers lui, elle pressa ses seins contre son visage, puis, le corps arqué, elle l'enfouit un peu plus en elle, comme pour le posséder complètement.

Enfin il l'attira contre lui et ils jouirent à l'unisson, passionnément étreints, abandonnés l'un à l'autre. Ils auraient voulu être encore plus proches, dans une fusion totale, ne faire plus qu'un.

Au bout d'un moment, Maris se redressa. Sous le drap, elle sentait le relief de ses cicatrices, mais elle chassa volontairement cette pensée. Elle aussi portait des cicatrices. Moins visibles que les siennes, elles n'en demeuraient pas moins douloureuses et profondes. Par la suite, elle aurait bien le temps de lui poser des questions, de l'écouter avec compassion et d'enterrer pour toujours ce sombre passé.

Elle ne voulait pas gâcher l'instant présent. Elle voulait savourer la certitude de lui avoir procuré du plaisir. Elle repensa avec amertume à toutes ces fois où Noah avait repoussé ses avances, toutes ces fois où elle s'était sentie insignifiante, incapable de combler ses désirs.

Mais non, elle n'allait pas perdre ces instants précieux à songer à Noah. Cette pensée s'envola comme une douleur fugace. Blottie contre Parker, les jambes serrées, le ventre fermement appuyé contre le sien, elle l'embrassa tendrement dans le cou.

— C'est fini ?

Il laissa s'écouler quelques secondes avant de répondre :

— Pas tout à fait, Maris.

Mais elle s'était déjà endormie.

29.

Planté devant la fenêtre de la cuisine, Daniel mangeait un sandwich en observant la pluie tomber. Des éclairs venaient par moments illuminer la campagne endormie, mais c'était un orage plutôt amical, le genre de pluie estivale qui se dissiperait rapidement et laisserait place à un ciel dégagé au lever du soleil.

Ebranlé et pensif suite à sa conversation téléphonique avec Maris, il s'était mis à gamberger à cent à l'heure. Si, à l'instar de son cerveau, son corps avait connu un tel sursaut d'énergie, il aurait été capable de revenir à New York à vélo et de courir un marathon dans la foulée.

Pendant plus d'une heure, il avait tenté en vain de trouver le sommeil et fini par capituler. Les grignotages de minuit lui étant habituellement interdits – surtout lorsqu'ils dépassaient la quantité de graisse autorisée pour la semaine –, il en avait profité pour descendre à la cuisine se préparer une collation. Maxine serait là dès le lendemain à le surveiller comme un gosse, et d'ici là, il voulait en profiter un peu.

Remercions le ciel, pensa-t-il en riant. Il ne savait pas ce qu'il aurait fait sans elle. Après la mort de Rosemary, Maxine s'était occupée d'eux avec dévotion.

Il finit d'avaler son sandwich. Les restes du dîner s'étaient avérés satisfaisants – sans parler de la douce chaleur procurée par les deux verres de cognac. Plutôt que de l'assoupir, l'alcool l'avait revigoré. Il sentait son esprit en ébullition.

En homme d'action qu'il était, il avait coutume de

régler les problèmes à la source, sans perdre de temps. Il détestait gaspiller son énergie à douter, à se perdre en tergiversations. L'immobilisme n'était pas son style.

Mais cette affaire particulièrement délicate méritait réflexion. Il ne savait pas encore dans quel ordre prendre les mesures nécessaires. Sa stratégie avait beau être en place, elle requérait une orchestration minutieuse, un timing parfait. Voilà ce qui occupait son esprit.

Cette situation ne comportait pas de noyau central sur lequel il aurait pu se focaliser. Elle ne se prêtait pas non plus à une attaque éclair. Changeante, instable, elle constituait une énigme à multiples facettes où se mêlaient vie privée et professionnelle, sentiments et pouvoir. Une combinaison d'autant plus complexe que sa fille était impliquée dans l'affaire.

Il était content de la savoir en Géorgie, loin de New York. Les choses n'allaient pas tarder à mal tourner – pour parler crûment, la merde n'allait pas tarder à gicler un peu partout – et il ne tenait pas à ce que Maris assiste au spectacle. Il y aurait fatalement des retombées médiatiques et elle finirait tôt ou tard par découvrir la vérité, mais en attendant il tenait à la protéger le plus possible, et l'éloignement géographique pouvait y contribuer. Sa vie personnelle s'en trouverait déjà suffisamment affectée. Elle n'avait pas en plus à supporter le regard du public.

Même si elle ne sera pas sans consolation, songea-t-il avec un sourire.

Il avait compris depuis déjà plusieurs mois que Noah la rendait malheureuse. De même, il paraissait évident que son retour sur l'île, aussi exotique et luxuriante fût-elle, n'était pas lié à la seule perspective de collaborer à l'élaboration du roman.

Ses responsabilités au sein de Matherly Press suffisaient amplement à l'occuper. En temps normal, son travail quotidien l'empêchait de s'impliquer à titre personnel envers un écrivain ou un roman, et ce même si elle en avait manifesté le désir, ce qui ne s'était jamais produit auparavant.

Pas besoin d'être un savant pour conclure qu'elle était tombée sous le charme de Parker Evans, alias Mackensie Roone.

Oh, oui. Il avait découvert l'identité du mystérieux écrivain, ainsi que son célèbre nom de plume. Des années plus tôt, lorsque la série des Deck Cayton avait commencé à apparaître régulièrement sur les listes de best-sellers, il avait tenté de soutirer le nom de l'auteur à son agent : flatterie, chantage, menaces, il avait eu beau employer toutes les méthodes, elle ne s'était pas laissée impressionner par le vénérable Daniel Matherly. « Si je vous révélais son identité, Daniel, il faudrait que je vous tue. » Elle avait tenu bon, et Daniel, à contrecœur, l'avait admirée pour sa ténacité.

A présent, il savait.

Depuis plusieurs semaines, il louait les services d'un détective privé. Avec l'espoir que ses doutes s'avéreraient infondés, il l'avait engagé pour enquêter sur le passé de son gendre.

Etant d'un naturel franc et direct, il avait longuement hésité avant d'entreprendre cette démarche sournoise. Il s'était imaginé avoir affaire à un type tout droit sorti d'une série B sordide, le genre débraillé arborant un petit sourire fourbe.

William Sutherland contredisait ce stéréotype. Ancien membre des services secrets et fondateur d'une prestigieuse agence, il portait un costume sombre impeccablement coupé. Poignée de main ferme, allure autoritaire, il jouissait en outre d'une excellente réputation.

Moins de cinq minutes après le début de leur entretien, Daniel lui présentait ses requêtes. Il ne pensait pas alors découvrir la véritable identité de Mackensie Roone. De façon inattendue, l'un des secrets les mieux gardés du monde de l'édition était parvenu jusqu'à lui.

Mais la révélation la plus surprenante restait à venir : Parker Evans et Noah Reed avaient une histoire commune.

Ils s'étaient rencontrés à l'université, dans le Tennessee, où ils partageaient une chambre d'étudiants.

Après leur diplôme, ils avaient emménagé ensemble en Floride, à Key West, avant de se brouiller pour des raisons encore inconnues. Sutherland devait pousser plus loin les investigations et Daniel était persuadé que la vérité finirait bientôt par apparaître au grand jour.

Il récapitula les informations dont il disposait : Maris se trouvait actuellement sur une île perdue en Géorgie, dans une ancienne maison coloniale appartenant à Parker Evans, un ancien ami de son futur ex-mari. Le synopsis rassemblait les ingrédients dignes d'un roman savoureux : amitié, amour, haine, trahison, vengeance. Jalousie ? Possible.

Restait à déterminer les motivations du personnage principal, Parker Evans.

Il avait attiré Maris avec ce roman dans un but bien précis. Il ne l'avait pas choisie au hasard. Sachant qu'elle était mariée à Noah, qu'est-ce qui avait pu le pousser à entrer en contact avec elle ?

Maris était-elle au courant de leur relation passée ? Elle aurait pu chercher à se venger de l'infidélité de Noah en se consolant dans les bras de son ancien ami. Non, ce genre de comportement puéril ne lui ressemblait pas.

Et puis si elle savait, elle se serait montrée réticente à tomber amoureuse de Parker Evans. Or, amoureuse, elle l'était. Cela devenait chaque jour un peu plus évident.

Daniel aurait aimé célébrer son bonheur retrouvé, mais tant qu'il ne connaîtrait pas les tenants et les aboutissants de cette histoire, il continuerait à se méfier de sa liaison avec Parker Evans. Pendant un temps, il avait voulu l'interroger, soit en personne, soit par l'intermédiaire de Sutherland, histoire de savoir ce qu'il mijotait. Mais il craignait qu'en agissant de la sorte, Maris et Noah ne découvrent ses manigances, et il était encore un peu tôt.

Il était donc forcé d'attendre son heure pendant que Sutherland poursuivait son enquête.

Les motivations d'Evans pouvaient également apparaître sous une autre forme – à savoir son manuscrit.

A la lumière du dernier chapitre que Maris lui avait fait lire, Daniel était persuadé que l'écrivain se servait du roman pour relater son amitié mouvementée avec Noah. Peut-être allait-il accoucher de son histoire avant que Sutherland ait eu le temps de mener à bien son enquête.

En attendant, Maris restait sa préoccupation principale. Il connaissait l'existence de Parker Evans avant qu'elle ne reparte à St. Anne. Il aurait pu l'en empêcher. Il ne l'avait pas fait. Premièrement parce qu'elle brûlait de retourner le voir. Ensuite parce que, comme l'avait appris Sutherland en envoyant l'un de ses hommes sur place, Parker Evans semblait apprécié des habitants de l'île, qui voyaient en général d'un mauvais œil l'arrivée d'étrangers sur leur territoire.

Daniel avait pris le pari qu'elle serait en sécurité avec l'écrivain. Si son amitié avec Noah s'était brisée sur une question d'honneur, alors Daniel estimait que Parker Evans était quelqu'un d'honorable.

Au contraire de Noah Reed. Sans parler de cette histoire, les liens existant entre Noah et les Matherly étaient sur le point de se briser. S'il pensait s'attirer les bonnes grâces de Daniel avec ce week-end entre hommes à la campagne, il se fourrait le doigt dans l'œil. Daniel n'avait accepté de le suivre que par curiosité, secrètement écœuré par les mensonges de son gendre.

Sûr de lui, tout auréolé de son insupportable suffisance, ce dernier ne se rendait compte de rien. Pourtant le couperet n'allait pas tarder à tomber.

D'un geste symbolique, Daniel balaya les miettes de son assiette. Contrairement à ses prédictions, l'orage s'était intensifié. Les éclairs et les coups de tonnerre se faisaient de plus en plus menaçants. Un claquement fit trembler les murs de la maison. La collection d'assiettes en porcelaine de Rosemary se mit à vibrer sur les étagères.

Chère Rosemary. Vingt ans déjà qu'elle les avait quittés. Cette maison ravivait la nostalgie de Daniel. Ils y avaient passé des moments de bonheur inoubliables.

Il quitta la cuisine et s'engagea dans l'escalier en

s'appuyant contre la rampe afin de soulager ses articulations douloureuses. Dieu qu'il détestait la vieillesse !

A peine cette pensée avait-elle fusé dans son esprit qu'une voix jaillit de l'obscurité.

— Vous avez oublié votre canne.

— Doux Jésus !

Daniel porta la main à son cœur. A la faveur d'un bref éclat de lumière bleutée, il aperçut Noah sur le palier.

— Tu m'as fait peur.

— Ce n'est pas très prudent de vous déplacer sans votre canne, Daniel.

— Ne t'en fais pas pour moi, va.

Il reprit sa lente et pénible ascension.

— L'orage t'a réveillé ? demanda-t-il.

— Je ne dormais pas.

Le ton glacial de Noah le laissa perplexe, mais Daniel afficha un sourire qui se voulait amical.

— Moi aussi, j'avais du mal à trouver le sommeil. J'en ai profité pour aller casser la croûte tant que le sergent Maxine n'est pas dans les parages.

Il se trouvait à présent à deux marches du palier, mais apparemment, Noah n'avait pas l'intention de venir l'aider. Il semblait avoir pris racine, comme s'il voulait lui barrer le chemin.

Daniel n'aimait pas le savoir ainsi juste au-dessus de lui, mais il fit en sorte de ne pas laisser paraître son trouble. Indiquant les feuilles que Noah tenait à la main, il demanda :

— Tu relisais le document que j'ai signé tout à l'heure ?

Ne te gêne surtout pas, pensa-t-il. Tu peux même l'apprendre par cœur si ça te chante.

— Non, répondit calmement Noah. Ceci est le rapport de William Sutherland, le détective privé que vous avez engagé pour enquêter sur moi.

Daniel ne fut ni choqué, ni inquiet. Il était surtout furieux que Noah ait osé fouiller dans ses affaires. Un masque solennel se figea sur son visage. Tous ceux qui avaient eu un jour à subir la colère de Daniel auraient reconnu cette expression.

— Ce document se trouvait dans un tiroir fermé à clé.

— Je sais. Il a fallu forcer un peu, mais j'ai fini par réussir à l'ouvrir. Très intéressant.

— C'est aussi mon avis, rétorqua sèchement Daniel.

— Vous pensiez vraiment que je ne me rendrais compte de rien ? demanda Noah en rigolant. Vous avez dégoté un fin limier, Daniel. Le meilleur et le plus cher, un ancien des services secrets... Mais il aurait dû se montrer plus habile en interrogeant l'un de mes amis.

— A en croire le rapport, tu n'as pas d'amis.

— Mon partenaire de tennis n'est peut-être qu'une simple connaissance, mais c'est quelqu'un d'intelligent. Assez en tout cas pour repérer le petit manège de Sutherland.

Son sourire s'évanouit d'un seul coup.

— Je suis curieux de savoir quand la surveillance a commencé.

Daniel n'avait plus aucune raison d'user de faux-fuyants.

— J'y songeais depuis déjà plusieurs mois, mais ça n'a commencé qu'après la soirée d'anniversaire.

— Pourquoi à ce moment-là ?

— C'est le jour où j'ai compris que tu étais un manipulateur et un menteur aguerri.

Noah resta impassible. Seul l'un de ses sourcils se dressa.

— Vraiment ?

— Je ne sais pas si tu nous as trompés dès le départ ou si tes manigances n'ont débuté qu'à l'époque où Blume a pris contact avec toi pour racheter Matherly Press à mon insu. Je préfère croire à la deuxième hypothèse, mais je doute qu'on puisse acquérir aussi vite une telle maîtrise dans l'art de la duperie. Ces choses-là, ça se travaille, ça...

— Vous devenez redondant, Daniel. Vous avez déjà dit que j'étais un menteur aguerri.

— Exact. Pourtant, lors de la soirée d'anniversaire,

je t'ai surpris plusieurs fois en train de mentir. Si certains de ces mensonges s'expliquaient par rapport à l'organisation de la surprise, d'autres en revanche m'ont troublé. Et puis ça ne te ressemblait pas d'organiser une soirée d'anniversaire aussi longtemps à l'avance alors que d'habitude tu envoies ta secrétaire acheter les cadeaux au dernier moment. Alors j'ai commencé à t'observer de plus près, pour tenter de déceler l'homme qui se cachait derrière le personnage public. Et je t'ai vu tel que tu étais.

— Vous êtes d'une intelligence rare, Daniel.

— Oh non. Si j'avais été intelligent, je t'aurais démasqué dès le départ. Tu es doué pour la mascarade, Noah. Tu as également prouvé ton talent d'homme d'affaires et d'éditeur. J'admirais ces qualités bien avant que tu intègres Matherly Press. Comme Maris, j'avais été très impressionné par *The Vanquished*, et j'en avais déduit que seule une personne intègre était capable d'écrire un tel livre.

Noah croisa les bras et se remit à sourire.

— C'est de la fiction, Daniel. Ce n'est pas un hasard si j'ai écrit ce roman d'un point de vue aussi humble, avec ce côté vertueux qui plaît tant aux péquenauds. J'ai créé des personnages au caractère noble, avec des principes élevés non parce que j'y adhérais, mais parce que c'est ce qui fait vendre. L'Américain moyen veut croire que le bien peut triompher du mal et que la vertu est toujours récompensée. C'est avec ce genre de conneries qu'ils prennent leur pied.

» *The Vanquished* est truffé de ces bons sentiments si chers aux gens du Sud et dont mes parents m'ont gavé pendant l'enfance. Je les ai saupoudrés tout au long du roman, et une fois la couverture refermée, je les ai laissés dedans.

» L'héroïne ingénue, le héros courageux malgré ses défauts, leur vibrante histoire d'amour que tout semble vouloir contrarier, tout ça ne signifiait rien pour moi. Je ne voyais que les royalties. Et puis les critiques ont été unanimes. Ce roman m'a fait connaître dans le milieu et m'a finalement ouvert les portes de votre maison d'édition.

— Pourquoi avoir choisi Matherly Press ?

— Parce que vous connaissiez un succès phénoménal et que vous étiez le seul éditeur à avoir une fille célibataire qui, de plus, clamait sur tous les toits que *The Vanquished* était son roman préféré.

Même en connaissant la vraie nature de Noah, Daniel fut stupéfait par cette déclaration.

— C'est donc comme ça que tu envisages ton métier, ton entourage et la vie en général ?

— Vous avez tout compris.

— Quel gâchis ! Une personne de ton talent... fit Daniel en secouant tristement la tête.

— Allons, Daniel. On ne va pas verser des larmes sur mon hypocrisie. Je vous rappelle que nous publions une série policière écrite par un auteur qui, entre deux chapitres mettant en scène son héros viril et hétérosexuel, se fait prendre les fesses par son jeune assistant. Nous avons également un auteur de livres religieux qui a été reconnu coupable de fraude fiscale et d'arnaque à l'assurance, et vous venez me parler d'hypocrisie ?

» Sur la liste de votre soirée de Noël, on trouve plusieurs alcooliques, un frère et une sœur dont la relation plus que fusionnelle ne manquerait pas de scandaliser les mères de famille qui lisent leurs livres à leurs enfants le soir. Nous publions aussi un accro à la cocaïne dont vous avez payé au moins deux fois les frais d'hospitalisation lorsqu'il s'est retrouvé en cure.

» Tous écrivent de très bons livres et nous les éditons. Pour autant que je sache, je ne vous ai jamais vu choqué par leurs penchants et leurs aberrations. Tant que ça fait rentrer de l'argent... Car c'est ce fric qui sert à payer vos séances de massage, votre maison de campagne, vos limousines avec chauffeur et tous les autres petits plaisirs dont vous profitez allègrement dans votre tour d'ivoire.

— Il y a du vrai dans ce que tu dis, concéda Daniel avec colère. Je n'ai jamais nié être intéressé par l'argent. Je me glorifie d'avoir toujours été un excellent homme d'affaires. J'ai mené avec succès bien des combats contre des ennemis peu scrupuleux et j'ai survécu à des crises économiques que les plus pessimistes croyaient insurmontables.

» Et il est exact qu'à plusieurs reprises, pour le bien de Matherly Press, j'ai dû faire preuve d'hypocrisie. J'ai eu recours à la fourberie lorsque c'était nécessaire.

Ses yeux percèrent l'obscurité.

— C'est pourquoi j'ai fini par la détecter chez toi, Noah. Tu pues l'imposture.

Noah s'appuya nonchalamment contre le pilastre. Il baissa les yeux vers les feuilles qu'il tenait à la main, bien qu'il fît trop sombre pour pouvoir lire. Seuls de brefs éclairs illuminaient le palier.

— Ce rapport n'est vraiment pas flatteur, fit-il.

De quoi était-il exactement au courant ? Daniel ne se rappelait plus quelles informations lui avaient été transmises par écrit et quelles autres le détective lui avait données par téléphone la veille, avec la promesse d'un compte rendu écrit à venir.

— A en croire ce détective, je suis vraiment un sale type. Je vous admire d'avoir su rester aussi courtois.

— Ça n'a pas été facile.

— Je m'en doute. J'imagine que c'est surtout mon alliance avec WorldView qui vous a rendu furieux.

Daniel préféra ne pas lui ôter ses illusions. Il valait mieux le laisser croire à ses chimères.

— Ça, encore, je peux te le pardonner. Mais ce que je n'excuse pas, c'est ton comportement envers Maris.

— A propos, elle sait que je la trompe avec Nadia, dit-il d'un ton placide.

Il lâcha les feuilles, qui tombèrent en se dispersant.

— Je sais.

— Elle vous l'a dit ? demanda Noah, visiblement déconcerté.

— Non, mais j'ai bien remarqué qu'elle était malheureuse.

— Elle a été bien assez heureuse comme ça, rétorqua-t-il avec un geste blasé. Elle aime plus que jamais son travail, surtout depuis qu'il y a ce nouvel auteur. Il est handicapé, et je pense que c'est ça qui lui plaît. Elle adore se sentir indispensable.

Il ne savait donc pas pour Parker Evans ! songea Daniel avec réjouissance.

— Peut-être que je ne satisfaisais pas son côté maternel, poursuivit Noah avec une nonchalance écœurante. Je suis sûrement trop indépendant à son goût. Ça a d'ailleurs provoqué quelques prises de bec, mais, malgré tout, votre petite fille chérie n'était pas si mécontente de son existence. Jusqu'à ce qu'elle me surprenne avec Nadia.

— Ce n'est pas toi qui la rendais heureuse, Noah. Elle était heureuse malgré toi, et tu as même tout fait pour qu'elle ne connaisse pas le vrai bonheur.

Noah claqua des doigts.

— Vous faites référence à la vasectomie ?

— Oui, répondit Daniel d'un ton amer.

Ç'avait été l'une des pires révélations du rapport de Sutherland.

— Cette vasectomie que tu as fait pratiquer en secret. Dans mon souvenir, tu avais prétexté une obligation professionnelle pour ne pas nous accompagner en Grèce.

— Maris avait dans l'esprit de baiser pendant toutes les vacances et de revenir enceinte. J'ai inventé cette excuse pour échapper au voyage, ce qui m'a laissé tout le temps pour régler ce problème et ne plus jamais avoir à m'en inquiéter.

— J'avoue que ça m'a surpris. Un enfant n'aurait-il pas renforcé les liens avec Maris et la fortune des Matherly ?

Daniel marqua une pause et fixa Noah droit dans les yeux.

— Tu ne voulais pas avoir à partager avec un enfant ?

— C'est votre première inexactitude depuis le début de la conversation, Daniel.

— Tu nies ?

— Je ne nie pas. Mais vous faites erreur si vous

pensez que je pourrais me contenter d'une misérable part.

Daniel eut un grognement méprisant.

— Ne te réjouis pas trop vite, Noah. Le document que tu m'as fait signer n'a aucune valeur.

— Vous croyez ça ?

— J'ai joué le jeu simplement pour voir jusqu'où tu étais prêt à aller. La seule chose qui me fâche c'est que tu aies associé le nom d'Howard à tes combines. Il n'aurait jamais...

— Détrompez-vous, l'interrompit Noah. C'est bien lui qui a rédigé le texte. S'il avait refusé, j'aurais fait circuler la rumeur selon laquelle son père était un nazi responsable de l'extermination de milliers de Juifs.

Daniel reçut la nouvelle comme un coup de poing en pleine face.

— Tu t'es servi de cette histoire pour le faire chanter ?

— Vous étiez au courant ?

— Howard était mon ami, fit Daniel les dents serrées. Il m'avait confié son histoire plusieurs années auparavant et je l'admirais parce qu'il avait su devenir quelqu'un de bien malgré ça.

— Mais son passé a fini par le rattraper. Il n'aurait pas été capable de vivre avec cette vérité tragique.

— Une vérité que tu avais menacé de révéler.

Noah haussa les épaules. Un sourire béat illumina son visage.

— C'est la différence entre vous et moi, Daniel. Comme tout le monde, vous voulez parvenir à vos fins, mais votre conscience a tracé une ligne invisible que vous n'osez pas franchir. Vous êtes englué dans vos principes et votre éthique. Et ce sens moral, que les gens admirent tant, vous restreint terriblement.

» Quant à moi, je ne me laisse pas freiner par ce genre d'obstacles. Je cherche les points faibles chez les autres, et je m'en sers pour les asservir. Je ne recule devant rien pour obtenir ce que je veux.

— Quitte à pousser un honnête homme au suicide.

— Je ne l'ai poussé à rien. Howard a pris cette

décision de son propre chef. Mais je dois reconnaître qu'il m'a rendu un sacré service en enfonçant ce pistolet dans sa bouche. A votre avis, à quoi pensait-il en appuyant sur la détente ? Au paradis ? A l'enfer ? A sa mère en train d'écarter les cuisses ?

Howard avait toujours souffert en silence de son terrible secret. Toute sa vie, il avait voulu se racheter en faisant montre de gentillesse, de tolérance. Avec le temps, il avait fini par accepter.

Mais cet ersatz d'être humain était venu le torturer avec cette histoire. Le pire, c'est que Noah avait le cran d'en reparler devant lui avec le sourire.

Daniel comprit qu'il avait affaire à la dépravation faite homme. L'indifférence de Noah le mettait en rage. Des larmes de colère lui embuèrent les yeux. Le sang pulsait dans ses veines comme s'il s'était mis à bouillir.

— Tu es abject, grogna-t-il avant de grimper les deux dernières marches.

30.

Lorsque Maris ouvrit les yeux, son regard tomba aussitôt sur Parker et rien n'aurait pu lui faire plus plaisir. Assis dans son fauteuil, il la regardait dormir. Elle lui sourit et demanda d'une voix ensommeillée :

— Comment avez-vous fait pour grimper là-dedans sans me réveiller ?

— L'entraînement.

Elle poussa un long soupir, s'étira avec volupté et s'assit en ramenant les couvertures à elle.

— Quelle heure est-il ?

— L'heure que vous déguerpissiez. Sauf si vous voulez que Mike vous surprenne en flagrant délit.

Il ne portait qu'un simple short. Les muscles de ses bras et de ses épaules étaient fermes et bien dessinés, son ventre plat. Son sexe, bien qu'au repos, offrait à la vue d'agréables formes pleines.

Encore plus bas, il y avait ses jambes. La veille, en constatant sa gêne, elle avait fait mine de ne pas s'y intéresser. Apparemment, leur nuit d'amour l'avait convaincu que son appréhension était inutile. Il n'aurait pas exposé ainsi ses jambes s'il avait voulu les lui cacher.

Alors elle regarda.

Et ne put dissimuler sa réaction. Elle faillit pousser un cri et, si elle parvint à se contenir, Parker, qui dardait sur elle un regard intense, ne put faire autrement que constater son émoi.

— Je vous avais prévenue, lâcha-t-il d'une voix tranchante comme une lame de rasoir, le visage figé.

— Oh, Parker, vous avez dû souffrir horriblement.

Elle se glissa hors du lit et s'agenouilla devant lui. Une attaque de requin. Ce fut la première chose qui lui vint à l'esprit. Elle avait vu des images de rescapés qui s'étaient fait arracher d'énormes morceaux de peau. Les cicatrices de Parker ne pouvaient être comparées qu'à ce genre de visions brutales.

La pire de toutes était un creux aussi large que le poing, à l'endroit où une partie de son quadriceps avait disparu. De là, une balafre large d'un centimètre courait le long de sa cuisse droite, qu'elle contournait pour rejoindre l'arrière du genou. Le bas de ses jambes était couvert de cicatrices entrecroisées, certaines en relief et d'aspect irrégulier, d'autres semblables à des rubans de plastique brillants tendus entre les plis de la peau. Ses mollets, petits et flasques, étaient disproportionnés par rapport au reste de son corps. Il lui manquait les deux derniers orteils du pied droit.

Pleine de compassion en imaginant les douleurs atroces qu'il avait dû subir, elle passa timidement le doigt sur l'une des boursouflures :

— Elles vous font encore mal ?

— Parfois.

Elle leva vers lui un regard attristé, puis se pencha pour embrasser une cicatrice qui courait en serpentant sur son tibia. Se penchant à son tour, il lui caressa tendrement le menton. Elle s'empara de sa main et déposa un baiser sur sa paume.

— Maintenant que vous avez satisfait votre curiosité morbide, on pourrait peut-être baiser vite fait avant le petit déj', lança-t-il.

— Quoi ?

— Vous m'avez très bien entendu.

Aussi choquée que s'il venait de la frapper, elle se releva d'un bond, attrapa sa chemise de nuit et la serra contre elle comme un bouclier dérisoire.

— Qu'est-ce que...

— Rien. Juste une petite trique matinale qui ne demande qu'à être soulagée.

Elle secoua la tête d'un air égaré. Il ne s'agissait pas

tant de son langage vulgaire. Cette grossièreté était gratuite. Pas le moindre clin d'œil charmeur pour accompagner ses paroles. Sa muflerie semblait n'avoir d'autre but que de la blesser.

— Pourquoi faites-vous ça ?

— Je suis comme ça, c'est dans ma nature.

— Non, Parker, vous n'êtes pas comme ça.

— OK, si ça peut vous faire plaisir.

Il recula son fauteuil et se dirigea vers le chiffonnier.

— J'ai quelque chose pour vous.

— Parker ! s'écria-t-elle, exaspérée.

— Quoi ?

— Pourquoi faites-vous ça ? Je ne vous comprends pas. Que s'est-il passé depuis hier soir ?

— Vous ne vous rappelez pas ? Laissez-moi vous rafraîchir la mémoire. Entre hier soir et ce matin, vous avez eu plusieurs orgasmes, mais j'avoue avoir arrêté de compter à partir du cinquième. Bien sûr, avec les femmes, c'est toujours dur de savoir quand s'arrête l'un et quand commence l'autre. On ne peut même pas savoir si vous jouissez vraiment. En tout cas, si vous simulez, vous êtes une excellente comédienne.

Il ouvrit la porte du chiffonnier, en sortit une boîte en carton, puis fit pivoter son fauteuil pour se retrouver face à elle. Il l'observa de haut en bas avec un sourire cruel.

— Et je vais vous dire un truc, madame Matherly-Reed. Vous êtes chaude comme la braise. Et aussi humide qu'une bouche. Je me demande pourquoi votre mari est allé voir ailleurs.

Maris était mortifiée ; ses yeux s'embuèrent. D'un geste nerveux, elle essuya une larme qui coulait le long de sa joue. Elle enfila sa chemise de nuit à la hâte.

— Je ne sais pas ce qui cloche chez vous, mais moi, je jette l'éponge. Je ne peux pas rivaliser avec votre grossièreté.

— Bien sûr que si, vous pouvez. Vous avez beaucoup de vocabulaire. Il est peut-être moins fleuri que le mien, mais si vous creusez un peu, je suis certain que vous trouverez matière à riposter. Vous n'aurez qu'à y réfléchir dans votre avion pour New York. Car j'imagine que vous allez partir.

Sans même daigner répondre, elle se dirigea vers la porte.

— Attendez !

Il approcha son fauteuil.

— Tenez. La version finale de *Jaloux*, fit-il en lui fourrant la boîte dans les mains.

— Vous l'avez fini ? demanda-t-elle l'air surpris.

— Depuis longtemps. Les chapitres que vous avez lus n'étaient que des brouillons.

Elle l'observa bouche bée. Les mots lui manquèrent.

— Je n'ai pas pour habitude de soumettre un manuscrit partiel, Maris. Je ne laisse personne lire mes livres avant qu'ils ne soient entièrement écrits. Ce prologue, je ne vous l'aurais pas envoyé sans un livre derrière.

— Pourquoi, Parker ? Pourquoi ?

Feignant de ne pas comprendre le sens de sa question, il haussa les épaules.

— C'est ma politique. J'ai toujours travaillé comme ça.

Maris sentit le sol se dérober sous ses pieds. Le plancher semblait s'éroder progressivement, prêt à l'engloutir d'un instant à l'autre. Mais il était hors de question qu'elle sombre sans lutter.

— Vous avez toujours travaillé comme ça ? répéta-t-elle en hurlant. Pourquoi cette mascarade, Parker ? Si c'est bien votre nom... Combien d'identités avez-vous, au juste ? Et pourquoi ces mensonges, ces jeux ? Dans quel but ?

— On s'est bien amusés, non ? Vous avez eu l'air de prendre votre pied, cette nuit. N'allez pas dire le contraire. Vous gémissiez : « Oh oui, Parker, plus fort, plus fort. »

Longtemps elle resta à le dévisager. Elle se demandait comment il avait pu devenir cet étranger au ton sarcastique. Elle jeta la boîte de toutes ses forces. Le couvercle s'ouvrit et les quatre cents pages de manuscrit s'éparpillèrent en tous sens sur le plancher verni et le tapis Aubusson.

Elle se précipita vers la porte, qu'elle ouvrit d'un coup sec.

Mike se tenait sur le seuil, une main levée prête à toquer, l'autre tenant un téléphone sans fil.

— Maris.

Il n'y avait pas trace de surprise dans sa voix. Il savait qu'il la trouverait dans la chambre de Parker. Il parut cependant alarmé par son état.

Jetant un coup d'œil derrière elle, il comprit aussitôt la situation. Le regard qu'il adressa à Parker allait au-delà du simple reproche ; c'était celui d'un juge s'apprêtant à rendre le verdict. D'un geste raide, il tendit le téléphone à Maris.

— C'est pour vous. Je ne voulais pas vous déranger, mais la personne m'a dit qu'il s'agissait d'une urgence.

Elle prit le combiné d'une main tremblante et sortit sur le palier. Mike s'engouffra dans la chambre et ferma la porte derrière lui. Maris s'appuya contre le mur et prit un instant pour se calmer. Elle inspira profondément, renifla et essuya ses larmes. Puis, après s'être éclairci la gorge :

— Allô ?

— Maris ?

— Noah ?

Elle le reconnut à peine. Sa voix était étrangement sourde.

— Il est impératif que tu rentres immédiatement à New York. J'ai pris la liberté de te réserver un avion. Ton billet t'attend à l'aéroport de Savannah. L'avion décolle à onze heures dix, alors il faut que tu te dépêches.

Une terreur immense l'envahit, si intense qu'elle eut l'impression d'avoir une enclume à la place du cœur. Elle eut soudain très froid. Elle ferma les yeux mais sentit les larmes couler au travers. Elle ne chercha pas à les refouler.

— C'est papa ?

— J'ai bien peur que oui.

— Il a eu une attaque, c'est ça ?

— C'est-à-dire... Oh, mon Dieu, comment te l'annoncer par téléphone, Maris ? Il... Il est mort.

Elle poussa un cri. Ses genoux se dérobèrent et elle s'évanouit.

Parker était installé derrière son bureau dans le solarium, mais il ne travaillait pas. Non, il contemplait l'océan, ne détournant les yeux que de temps à autre pour se prendre la tête à deux mains dans un geste de désespoir et de dégoût envers lui-même.

Il avait entendu Mike revenir du continent, mais n'avait pas cherché à lui parler, pas plus que Mike n'était venu le voir. Ce dernier était monté directement dans sa chambre et semblait n'en avoir pas bougé depuis. Apparemment, il arpentait la pièce de long en large.

Parker, lui, ne cessait de se rejouer mentalement sa dernière conversation avec Maris. Si l'on pouvait appeler ça une conversation. Il avait l'estomac noué en repensant aux choses horribles qu'il lui avait dites. Son visage malheureux le hantait.

Elle aurait pu se consoler en le sachant aussi triste qu'elle, mais Parker en doutait. Sa seule consolation aurait été qu'il soit découpé en morceaux puis jeté à une horde de cochons affamés. A commencer par sa bouche. Sa bouche d'où ne sortaient que des imbécillités, des paroles grossières et méchantes.

L'après-midi s'étirait sans fin. Il régnait une chaleur étouffante et humide qui avait pénétré la maison pour rajouter à l'atmosphère suffocante. Mais fallait-il blâmer la météo ? N'étaient-ce pas plutôt les remords qui l'oppressaient ainsi ?

— Je suis resté avec elle jusqu'à l'embarquement.

Parker ne l'avait pas entendu entrer. Il se redressa dans son fauteuil et jeta un coup d'œil en direction de la porte. Mike se tenait là, aussi raide qu'un poteau dans son costume en seersucker.

— L'avion a bien décollé à l'heure, ajouta-t-il.

Sitôt ses valises bouclées, Maris était partie avec Mike rejoindre le continent. Elle avait quitté la maison sans un mot à l'intention de Parker, mais d'un autre côté, il ne s'était pas attendu à ce qu'elle lui dise au revoir. Il ne méritait même pas qu'elle l'insulte. Elle était partie sans même lui adresser un signe de la tête, une attitude bien plus éloquente que n'importe quelle épithète. Eloquente, classe et digne, comme à son habitude.

Caché derrière les rideaux, il avait observé leur départ à la fenêtre de la salle à manger. Elle lui avait semblé petite sous son large chapeau de paille. Elle portait des lunettes de soleil pour dissimuler ses yeux rougis par les larmes. Elle était pâle. Son bronzage s'était comme estompé au moment où elle avait appris la mort de son père. Elle lui avait paru vulnérable, faible, comme si même la simple pression de l'air lui était insupportable.

Et pourtant, on sentait en elle une dignité, un courage qui suggéraient une grande force intérieure.

Mike avait rangé les bagages dans le coffre du Gator, puis aidé Maris à s'installer. Parker l'avait vue remuer les lèvres pour le remercier. Il était resté à la fenêtre jusqu'à ce que la voiture disparaisse au loin sous la voûte des arbres. Il savait qu'il ne la reverrait probablement jamais. Il s'y était attendu.

En revanche, il n'avait pas imaginé que son départ serait si douloureux.

Après ce qu'il avait enduré au cours de sa vie, il s'était cru immunisé contre toute forme de douleur. Il ne l'était pas. Il avait alors décidé de s'anesthésier à coups de bourbon, mais le premier verre l'avait rendu tellement malade qu'il était allé vomir. Il n'y avait apparemment aucun analgésique capable de combattre ce type de souffrances.

Il se tenait à présent dos à Mike, le regard tourné vers l'océan, les yeux brûlants.

— Maris s'inquiétait pour son père, hier soir. Elle a dû avoir une prémonition.

— Ça ne me surprendrait pas. Ils étaient très proches.

Après le coup de fil de Noah, Maris s'était retrouvée en état de choc, mais elle avait tout de même trouvé la force d'expliquer à Mike que son père avait fait une chute du haut de l'escalier. Il était mort sur le coup, la nuque fracturée. L'accident avait eu lieu au milieu de la nuit.

Réveillé par le bruit, Noah s'était précipité pour lui venir en aide, mais voyant qu'il ne réagissait pas, il avait appelé les secours. L'ambulance était arrivée quelques minutes plus tard, mais cela n'avait servi à rien. Daniel Matherly était mort.

Noah ayant refusé de croire au diagnostic, l'ambulance était retournée pleins gaz jusqu'au petit hôpital du coin où les médecins avaient officiellement déclaré le décès. Noah n'avait pas jugé utile d'appeler Maris avant le lendemain matin.

— Elle doit se sentir coupable de ne pas avoir été présente, fit Parker.

— Oui, c'est à peu près ce qu'elle m'a dit dans la voiture.

— Comment allait-elle quand tu l'as quittée ?

— A ton avis ? lança Mike d'un ton railleur.

Parker se rembrunit mais ne tenta pas de répliquer. A question stupide, réponse idiote.

— Elle devait avoir l'impression d'être passée dans un broyeur à ordures.

— Tu y es aussi pour quelque chose.

Cette fois, Parker ne pouvait laisser passer la réflexion.

— Es-tu en train de suggérer que je me suis comporté comme un vaurien ?

— Je pense que tu le sais sans que j'aie besoin de te le dire.

— Tu comptes faire quoi, Mike ? Me garer dans un coin avec un bonnet d'âne ? Me priver de télé ?

— En fait, je pense que c'est toi qui mériterais de passer au broyeur à ordures.

Parker avait beau être d'accord avec Mike, il n'apprécia pas la remarque.

— Tu devais bien te douter que, tôt ou tard, j'allais chercher à l'attirer dans mon lit.

— Effectivement. Ça ne veut pas dire que j'appréciais.

— Personne ne t'a demandé d'apprécier.

— Et toi ?

— Quoi, moi ?

— Tu as apprécié ?

Une riposte cinglante lui vint aux lèvres, mais le regard incisif de Mike le dissuada de répondre. Il détourna la tête et grogna :

— Ça n'a aucun rapport.

— Au contraire. Je pense même que c'est l'élément qui va déterminer la suite des événements.

— Excuse-moi, mais j'étais en train de travailler.

— Eh bien vas-y. Tourne-moi le dos. Fixe ton écran vide. Regarde le curseur clignoter jusqu'à ce que mort s'ensuive, si ça t'amuse. Toi et moi, on sait très bien que tu n'écriras pas la moindre ligne.

Parker se retourna, furieux.

— Parle, Mike. Je sens que tu meurs d'envie de me livrer ta conclusion. Alors vas-y, dis-moi tout. Je sais très bien que tu ne me foutras pas la paix avant d'avoir craché ton venin.

— Je ne veux pas me battre avec toi, Parker. Mais effectivement, je vais te dire deux trois petites choses que tu as besoin d'entendre.

Ignorant Parker qui levait les yeux au ciel, il poursuivit.

— Tu as ressuscité à un moment où ta vie avait sombré. J'étais là pour t'épauler. Je t'ai harcelé sans relâche et tu as fini par t'en sortir. Tu t'es montré héroïque. Tu as soulevé des montagnes. Tu as triomphé des obstacles les plus infranchissables. Tu ne t'es pas seulement remis sur les rails, tu es devenu plus fort.

— Gloire à moi !

Mike ne prêta pas attention à cette interruption caustique :

— Ton corps a guéri, mais les dommages que ton âme a subis sont mille fois pires que les blessures qui t'ont ôté l'usage de tes jambes. Tu as des broches, des plaques pour tenir tes os, la peau s'est refaite, mais ton âme, elle, n'est pas encore cicatrisée.

— C'est ce que j'essaie de te dire depuis des années, Mike. Je suis un cas désespéré.

— Tu n'es pas un cas désespéré, tu es un lâche, s'emporta Mike. Il est plus facile de ruminer le passé que d'affronter l'avenir avec courage.

— Excellent, Mike. Je devrais l'écrire. C'était quoi déjà ? Il est plus facile de…

— Des sarcasmes ? Comme tu voudras. Si je t'agace, c'est qu'au moins j'attire ton attention.

Il prit un air grave.

— Laisse Dieu ou le Diable régler le sort de Noah Reed. Laisse-les décider qui sera apte à le juger et quel sera son châtiment.

» Et retourne vers Maris. Si elle accepte de t'écouter, ouvre-lui ton cœur. Raconte-lui toute l'histoire. Parle-lui de Noah. Confesse-toi. Elle te pardonnera peut-être. Mais dans tous les cas, tu seras libéré de ce qui s'est passé à Key West. C'est le seul moyen de revenir à la vie.

Parker sentait les pulsations de son cœur jusque dans ses tympans. Pourtant il se força à rester impassible.

— Très bon sermon, Mike. Très émouvant. Mais je vais en rester à mon plan de départ.

— Et gâcher l'opportunité de vivre heureux avec une femme que tu aimes ?

— Une femme que j'aime ? Qui a parlé d'amour ?

— Toi. Chaque fois que ton regard se posait sur elle.

— Tu t'es remis à lire des romans d'amour en cachette ? Tu sais que c'est mauvais pour ta tension, Mike.

— OK. Fais de l'humour. Nie être amoureux d'elle. Maris te fait autant d'effet que les drogues que tu prenais avant. Tu as flashé sur elle dès la première rencontre. Et après ça tu n'as plus pu t'en passer. Elle…

— Elle a épousé Noah !

Parker se sentit perdre le contrôle, comme si, dans son cerveau, un fil venait de rompre.

— Ils sont passés devant l'autel, « Mes bien chers frères, nous sommes aujourd'hui rassemblés, blablabla... » Ils sont mariés, et pour moi c'est tout ce qui compte, hurla-t-il en brandissant le poing. Peu importe ce qu'on ressent l'un pour l'autre, ou ce que Noah et elle ressentent l'un pour l'autre.

» Tout ce que je vois, c'est qu'elle est mariée à Noah, et que je l'ai baisée. Avec les doigts, avec la langue, avec mon putain de cerveau, je l'ai baisée, cria-t-il en se frappant la poitrine, les yeux brillants de larmes provoquées par la colère qui s'emparait de lui chaque fois qu'il repensait à la trahison de Noah.

Mais ces larmes, aujourd'hui, venaient aussi de la culpabilité qui le dévorait.

Une profonde déception se lut sur le visage de Mike.

— Tu as raison, Parker. Ton cas est désespéré. Tu es d'une cruauté sans bornes. Tout ce qui t'intéresse, c'est ta revanche.

— Alors ça y est, tu as enfin pigé ?

— Et quel est le prochain épisode ?

— Eh bien, étant donné que Maris m'a balancé le manuscrit à la gueule, je ne pense pas pouvoir compter sur elle pour le transmettre à Noah. Il va falloir que je l'envoie moi-même en recommandé, accompagné d'une petite lettre pour expliquer que j'ai soumis le texte à tous les éditeurs de New York. Si ça ne suffit pas à lui ébouriffer le brushing, il y aura toujours le post-scriptum concernant les merveilleuses fellations que fait sa femme.

Mike secoua la tête avec dégoût.

— Et ensuite ?

— Ensuite, le dénouement, le point culminant de l'histoire.

Mike fixa sur lui un regard sévère, puis disparut dans la cuisine. Il revint avec deux grandes valises.

— Tu pars en voyage ?

— Je m'en vais loin de toi. Je n'ai pas envie de prendre part à tout ça.

Ainsi donc, Mike le quittait ? Cette nouvelle l'ébranla plus qu'il ne le laissa paraître.

— N'oublie pas que tu m'as aidé à la faire venir ici.

— Et crois bien que je le regrette. Ma collaboration prend fin à partir de maintenant.

— Parfait. Alors bon voyage.

— Ça ira ?

— Ce n'est plus ton problème, Mike.

Il fit pivoter son fauteuil et se retrouva face à son écran vide. Peu de temps après, il entendit Mike refermer la porte. Cette fois, il était vraiment seul.

31.

Après coup, Maris eut peine à se remémorer son voyage de retour. Elle vécut la scène comme dans un rêve, sans toutefois la certitude inconsciente que tout cela était irréel et prendrait fin dès son réveil. Le comportement inexplicable de Parker et la mort de son père lui avaient infligé une double gifle. Afin de se protéger, elle mit son raisonnement et ses pensées en pilotage automatique pour ne plus avoir à gérer que les actes routiniers.

Mike Strother avait discrètement prévenu l'hôtesse de la situation. Maris fut traitée avec déférence et passa le voyage à fixer le hublot, indifférente à ce qui se déroulait autour d'elle.

Noah l'accueillit à La Guardia. Elle ne fut pas ravie de le voir, mais il la soulagea des habituelles tracasseries liées à l'arrivée dans un grand aéroport. Ils récupérèrent rapidement ses bagages. Une voiture avec chauffeur les attendait.

Tandis que la limousine les conduisait vers Manhattan à travers une circulation dense, Noah la mit au courant des détails qu'il ne lui avait pas transmis par téléphone. Le corps de Daniel se trouvait dans le Massachusetts, où une autopsie devait être pratiquée. Il se pouvait que la chute ait été causée par une défaillance physique. Une embolie pulmonaire. Une attaque cardiaque. Un anévrisme que les dernières analyses médicales n'auraient pas révélé.

— Mais à mon avis, il a simplement perdu l'équilibre, fit Noah.

La canne de Daniel avait été retrouvée dans sa chambre. Il était probablement tombé en montant l'escalier.

— Et puis il avait bu plusieurs verres, ajouta Noah à contrecœur. Tu sais, Maris, on a toujours eu peur qu'il lui arrive ce genre d'accidents.

Il lui apprit également que le corps serait rapatrié à New York après l'autopsie. Il s'était chargé des préparatifs de l'enterrement mais attendait son accord avant de prendre une décision définitive. Sachant qu'elle attacherait une grande importance au choix du cercueil, il avait remis ce problème à plus tard.

Elle lui fit remarquer à quel point il s'était montré prompt à régler tous ces détails.

— Je voulais t'éviter ce genre de désagréments, répondit-il d'une voix doucereuse.

Il était obséquieux, dégoulinant de sollicitude.

Elle ne supportait pas sa présence.

Elle ne supportait même pas d'avoir à respirer le même air que lui et demanda au chauffeur de la conduire chez son père. Acceptant la proposition d'une amie qui s'était déclarée prête à lui venir en aide par tous les moyens, Maris l'envoya à son appartement avec une liste de vêtements et d'affaires diverses. Elle aimait autant éviter de retourner à l'endroit où elle avait vécu avec Noah.

Elle réintégra donc son ancienne chambre. Durant les trois jours qui suivirent, lorsqu'elles n'étaient pas occupées par les gens venus présenter leurs condoléances, Maxine et Maris se réconfortèrent l'une l'autre. La vieille gouvernante était inconsolable. Elle s'en voulait d'avoir laissé Daniel partir sans elle. Elle disait que sa présence aurait pu éviter l'accident. Maris tenta de l'apaiser, mais elle aussi se sentait coupable.

Son père était mort pendant qu'elle faisait l'amour avec Parker.

Chaque fois que ses pensées s'engouffraient dans cette direction, ce qui était fréquent, elle les stoppait volontairement. Elle refusait d'endosser la moindre culpabilité. Daniel l'avait exhortée à retourner en

Géorgie. Elle était repartie à St. Anne avec sa bénédiction. La dernière chose qu'il lui avait dite, c'est qu'elle méritait d'être heureuse et qu'il l'aimait. Sa mort n'avait rien à voir avec la nuit qu'elle avait passée dans le lit de Parker.

Néanmoins, le lien entre les deux avait été établi, et, dorénavant, elle ne pourrait plus repenser à l'un sans se remémorer l'autre.

Elle apprit que la mort d'un membre de la famille était un événement prenant, surtout lorsqu'il s'agissait d'une personne du standing de Daniel Matherly. Dernier patriarche d'une grande dynastie d'éditeurs, il faisait partie du paysage new-yorkais. Sa nécrologie fit la une du *New York Times* et les journaux locaux couvrirent ses funérailles.

Maris endura la journée avec la ferme intention de ne pas céder à la pression. Vêtue de noir des pieds à la tête, elle fut photographiée à son entrée, puis à sa sortie de la cathédrale, devant la tombe et recevant les condoléances du maire.

Les témoignages silencieux furent ceux qu'elle apprécia le plus – une brève poignée de main, un regard compatissant et compréhensif. La plupart des gens avaient tendance à trop parler. Quelques personnes bien intentionnées lui dirent de se consoler du fait que Daniel avait eu une vie longue et bien remplie. Qu'il n'avait pas souffert avant de mourir. Qu'on devrait tous avoir la chance de partir aussi vite. Qu'au moins il n'était pas mort dans d'atroces souffrances. Qu'une mort aussi soudaine était une bénédiction.

Ce genre de phrases mettaient ses nerfs à rude épreuve.

Mais la personne qui la surprit et l'offensa le plus fut sans conteste Nadia Schuller. Noah était en conversation avec un groupe de collègues lorsque Nadia se faufila au côté de Maris, juste après l'observance, et lui agrippa la main.

— Je suis désolée, Maris. Terriblement, terriblement désolée.

Ce ne fut pas tant l'audace de sa présence que son

air attristé qui laissa Maris abasourdie. Elle dégagea sa main, remercia froidement et voulut se détourner, mais Nadia la retint :

— Il faut qu'on se parle, Maris. Le plus tôt possible.

— Si tu as besoin d'informations pour ta rubrique, adresse-toi directement à notre service de presse.

— Je t'en prie, fit Nadia en se penchant vers elle. C'est important. Appelle-moi.

Elle lui fourra une carte de visite dans la main puis s'éloigna d'un pas pressé, évitant par décence le regard de Noah.

Ce dernier représentait pour Maris l'épreuve la plus rude.

Elle s'efforçait de ne pas tressaillir à son contact, mais il semblait décidé à ne pas la lâcher d'une semelle. Lors de la réception qui suivit les funérailles, il n'hésita pas à lui passer le bras autour des épaules ou à lui tenir la main, faisant ainsi preuve, devant leurs amis et collègues, d'une affection et d'un amour grossièrement faux. La scène aurait pu être hilarante si elle n'avait été aussi obscène.

Le crépuscule était déjà tombé lorsque les derniers invités prirent congé. Maxine refusa de se retirer dans sa chambre comme le lui avait suggéré Maris et entreprit de remettre la maison en ordre. C'est le moment que Maris choisit pour aborder Noah.

— Je dois te parler.

— Bien sûr, ma chérie.

Sa voix mielleuse lui fit grincer les dents. Il était tout bonnement répugnant. Elle avait l'impression que celle qui avait partagé sa vie et son lit pendant deux ans était une autre femme.

La seule chose qui la rachetait à ses yeux, sa seule excuse, tenait au fait que Noah était un excellent comédien. Un menteur hors pair. Daniel et elle s'étaient laissé prendre à son jeu.

— Tu peux arrêter tes simagrées, Noah, les gens sont partis. Il n'y a plus que Maxine et elle sait déjà que je t'ai quitté.

Elle le conduisit au bureau de son père. La pièce

sentait l'odeur de Daniel et de son tabac à pipe, mêlées à celle du cognac et des livres qu'il avait tant aimés. L'endroit évoquait des souvenirs si poignants qu'elle y éprouvait à la fois claustrophobie et réconfort.

Elle prit place sur le large fauteuil de cuir derrière le bureau. C'était le meilleur moyen qu'elle avait trouvé pour se rapprocher de son père. Elle avait passé les quatre derniers jours pelotonnée dans ce fauteuil, sanglotant entre deux sommeils agités durant lesquels elle rêvait de Parker. Elle avait beau hurler son nom, plus elle criait, plus elle le voyait s'éloigner. Ses efforts désespérés pour tenter de l'attraper n'y changeaient rien. Elle se réveillait en pleurs, désemparée par cette double perte.

Noah passa la main sur son costume pour le défroisser et s'installa lui aussi dans un fauteuil.

— J'espérais que ce deuxième voyage dans le Sud t'aurait détendue, Maris, mais je m'aperçois que tu es aussi irritable qu'avant ton départ.

— La mort de mon père n'a rien changé entre nous. Elle n'a pas non plus changé ton caractère. Tu es un menteur et un adultère.

Elle s'interrompit brièvement avant d'ajouter :

— Et à mon avis, ce sont là les moindres de tes péchés.

— Ça veut dire quoi, ça ? demanda Noah avec un regard perçant.

Elle ouvrit l'un des tiroirs du bureau et en sortit une carte de visite.

— Je suis tombée là-dessus en feuilletant l'agenda de mon père. Il s'agit d'une simple carte qui, étrangement, ne contient que très peu d'informations. J'ai décidé d'appeler, par curiosité. Et là, imagine ma surprise.

Il la fixa sans un mot, puis haussa paresseusement les épaules d'un air interrogateur.

— Je me suis entretenue en personne avec l'homme que mon père avait engagé pour enquêter sur toi. M. Sutherland m'a transmis ses condoléances, puis je lui ai demandé comment sa carte de visite avait bien pu se retrouver dans l'agenda de mon père. Il s'est montré d'une discrétion et d'un professionnalisme exemplaires.

» Il m'a expliqué que le code de déontologie l'empêchait de communiquer les affaires de ses clients, même décédés. Toutefois, il m'a dit que si je pouvais avoir accès aux dossiers de mon père, je trouverais certainement le rapport qu'il lui avait adressé. Il est tout à fait disposé à m'accueillir dans sa clientèle si je souhaite poursuivre l'enquête, et il a même proposé de tenir compte de l'avance déjà versée par mon père.

Elle posa les mains sur le bureau.

— J'ai cherché ce fameux rapport, Noah. Il n'est nulle part. Ni là, ni au bureau, ni dans le coffre de la chambre, ni dans celui de la banque.

» Et comme par hasard, il se trouve que tu es venu ici le matin de votre départ à la campagne. Pendant que mon père faisait ses bagages, tu as expliqué à Maxine que tu avais des coups de fil à passer. Tu es ensuite venu dans ce bureau et tu as fermé la porte derrière toi. Elle a trouvé ça bizarre, parce que d'habitude tu utilises ton portable. Mais ça lui est tout de suite sorti de la tête. Jusqu'à ce que je lui demande si tu n'avais pas fouiné dans les affaires de mon père ce jour-là.

Noah secoua la tête et se mit à rire.

— Ecoute, Maris, je ne sais pas de quoi tu parles. Oui, il est possible que je sois venu dans cette pièce ce matin-là. Franchement, je ne m'en souviens pas. Mais depuis quand l'accès du bureau m'est-il interdit ? J'y suis venu des milliers de fois. Et quand je passe un coup de fil privé, je ferme toujours la porte. Tout le monde le fait. Si c'est encore à cause de Nadia...

— Ça n'a rien à voir avec elle, le coupa Maris. Je me moque de Nadia ou des autres femmes avec qui tu peux coucher.

Il lui adressa un regard signifiant qu'il en doutait sincèrement et elle eut une furieuse envie de le frapper, de lui enlever cet air suffisant qu'il arborait.

— J'ai également contacté la police du Massachusetts.

— Eh bien dis donc, tu en as fait des choses.

— J'ai remis en doute la conclusion selon laquelle la mort de mon père était accidentelle.

Cette dernière phrase produisit sur Noah un effet certain. Il sembla perdre un peu de son arrogance. Son sourire se figea et son dos se raidit.

— Conformément à ma demande, ils ont accepté de rouvrir l'enquête. Ils sont actuellement à la recherche d'une preuve.

— Une preuve de quoi ? fit Noah en bondissant de son siège.

— Nous avons rendez-vous demain avec M. Randall, le chef de la police, pour discuter de ce qu'ils auront découvert. Je te conseille d'être présent.

L'équipe du bureau de police local comptait en tout et pour tout six personnes : Randall, quatre agents de patrouille et une réceptionniste qui occupait également la fonction de commère du quartier. Ils avaient à gérer des affaires de moindre importance comme des pannes de chasse-neiges, des animaux perdus, des contraventions pour les touristes de passage qui s'attardaient un peu trop chez les antiquaires, et, de temps à autre, un conducteur en état d'ivresse.

Par rapport à une ville comme New York, les ragots n'avaient rien de scandaleux. Untel avait envoyé sa fille en cure de désintoxication à la suite d'une violente dispute familiale. Telle personne s'était rendue à New York pour un lifting, telle autre vendait sa maison à une star de cinéma qui tenait vainement à rester anonyme. Dans le coin, les gens n'avaient pas besoin de fermer leur porte à clé : les voleurs se faisaient plutôt rares.

Le dernier homicide remontait à l'époque de Lyndon Johnson et l'affaire avait été vite bouclée, le coupable ayant avoué à l'arrivée de la police sur les lieux.

Aussi leur manque d'expérience en matière de crime jouait-il en la défaveur de Maris. D'un autre côté, ce genre d'enquête soulevait bien plus d'enthousiasme que la pose de panonceaux annonçant la disparition d'un chaton, ou l'installation des gradins en vue du concert de la fête nationale.

Les policiers s'étaient penchés sur cette enquête avec le désir zélé de découvrir qui avait pu assassiner un citoyen aussi honorable que Daniel Matherly, même si celui-ci n'était pas un résident permanent.

Noah et Maris firent le trajet chacun dans leur voiture. L'extérieur du bâtiment, couvert de lierre, faisait davantage penser à une mercerie qu'à un hôtel de police. Maris arriva quelques minutes avant Noah. Ils furent aussitôt conduits dans le bureau du chef de la police. Tous deux refusèrent le café et les croissants qu'on leur proposa.

L'officier Randall, homme au visage rougeaud coiffé d'une perruque blonde mal peignée, comprit que Maris tenait à entrer directement dans le vif du sujet. Il abrégea donc les banalités d'usage et s'installa derrière son bureau. Il semblait plus déçu que soulagé en leur communiquant les conclusions de son enquête.

— J'ai bien peur de ne pas pouvoir vous en apprendre plus que dans notre rapport initial, madame Matherly-Reed. Mes hommes ont passé la maison au peigne fin, mais ils n'ont rien découvert qui laisserait envisager un meurtre.

Du coin de l'œil, Maris vit Noah croiser les bras d'un air suffisant.

— Les officiers en charge de l'enquête et moi-même pensons que votre père est tout simplement tombé dans l'escalier. Des traces de sang ont été découvertes à l'endroit du corps, mais elles s'expliquent par le fait que le crâne s'est fendu au moment où il a heurté le sol.

Maris avala sa salive et demanda :

— Que dit le rapport d'autopsie ?

Randall ouvrit le dossier et chaussa une paire de lunettes trop étroites pour son large visage. Elles avaient l'air d'être posées de travers.

— Le contenu de son estomac a révélé qu'il avait mangé quelques minutes avant sa mort, comme

M. Reed l'avait supposé, fit Randall en observant Noah par-dessus ses lunettes.

Ce dernier acquiesça d'un geste de tête solennel.

— Lorsque je me suis rendu à la cuisine pour appeler les secours, j'ai vu de la vaisselle dans l'évier. Etant donné que j'avais tout nettoyé après le dîner, j'en ai conclu que Daniel avait dû descendre se préparer une collation. Il est tombé en voulant retourner à l'étage.

— Quelqu'un aurait-il pu maquiller la scène de crime ?

— Maquiller ?

— Par exemple en plaçant les couverts dans l'évier pour faire croire que mon père les avait utilisés ?

— Oh, mais il les a bien utilisés. Nous avons relevé ses empreintes et uniquement les siennes.

— Ces couverts auraient pu être utilisés à l'étage. Il se préparait souvent un plateau le soir pour manger au lit. Comment savoir s'il était vraiment au rez-de-chaussée ?

— A cause des miettes.

— Pardon ?

— Il y avait des miettes de pain sur sa robe de chambre, sur ses pantoufles, ainsi que sur le sol autour de l'évier. Selon moi, il devait être en train de manger debout devant la fenêtre.

Il s'interrompit, passa la main sur sa perruque comme pour s'assurer qu'elle était bien en place, puis, consultant à nouveau son dossier :

— Son taux d'alcoolémie était légèrement supérieur à celui autorisé pour prendre le volant.

— Y avait-il des traces d'autres substances ?

— Seulement les médicaments qu'il prenait d'habitude. Nous avons vérifié auprès de son médecin traitant. Si l'on se réfère à sa dernière prescription, les doses décelées dans le sang étaient normales. De plus, rien n'indique qu'une dispute ait eu lieu dans la maison.

— Vous avez retrouvé sa canne dans sa chambre ?

— Elle était appuyée contre la table de nuit. Nous avons effectué un relevé d'empreintes. Encore une fois, il n'y avait que les siennes. Pas de trace d'effraction.

Aucune marque sur le corps hormis la lésion au niveau du crâne. Les examens ont montré qu'elle avait été causée par la chute. Selon le légiste, le décès est intervenu quelques minutes après l'appel de M. Reed. Tout est détaillé dans le rapport.

Randall ôta ses lunettes et posa sur Maris un regard bienveillant.

— Lorsque survient un accident aussi tragique et qu'un être cher vient à disparaître, les proches cherchent toujours des explications. Un bouc-émissaire. Quelque chose ou quelqu'un à blâmer. Je sais que c'est dur pour vous de l'accepter, mais il semble bien que votre père ait rencontré quelques difficultés en voulant regagner l'étage. Il a perdu l'équilibre et la chute lui a été fatale. Je suis désolé, madame Matherly-Reed.

Maris n'éprouvait ni satisfaction ni déception. Les conclusions étaient celles qu'elle avait imaginées. Elle ramassa son sac à main et se leva.

— Je vous remercie pour vos efforts, fit-elle en serrant la main de l'officier.

— Je n'ai fait que mon travail. J'ai également placé la maison sur le trajet de nos rondes quotidiennes. On tâchera de la surveiller régulièrement.

— C'est très gentil à vous. Merci.

Une fois sortie, Maris se dirigea droit vers sa voiture. Noah la rattrapa avant qu'elle n'ait eu le temps d'ouvrir la portière.

Il lui agrippa le bras, la força à se retourner et plaça son visage à quelques centimètres du sien.

— Satisfaite ?

— Tout à fait, répondit-elle d'un ton calme. Pour moi, il n'y a pas l'ombre d'un doute : c'est bien toi, la « difficulté » que mon père a rencontrée en voulant monter l'escalier.

Les fines lèvres de Noah se figèrent en un sourire qui donna à Maris la chair de poule.

— Il n'y a absolument aucun élément pour confirmer tes vilains soupçons, Maris.

— Lâche-moi le bras, Noah, ou je me mets à hurler.

Je suis certaine que l'officier Randall se ferait un plaisir de venir à ma rescousse.

Noah jugea effectivement plus sage de s'exécuter.

— Ce policier serait sûrement intéressé d'apprendre que mon père avait engagé un détective privé pour enquêter sur toi.

— Simple coïncidence. Je ne vois pas où ça peut te mener.

— Nulle part. Tu as fait en sorte de ne laisser aucun indice, mais tu as sous-estimé ma capacité à reconnaître une bonne intrigue.

— Il ne s'agit pas d'un roman.

— Malheureusement non. Mais si c'était le cas, je te suspecterais d'être le méchant. Une partie de mon travail consiste à isoler les motivations des personnages, pas vrai ? Leurs intentions doivent apparaître clairement sans quoi le livre ne tient pas la route. Eh bien, Noah, ton objectif est clair. Pourquoi avoir amené mon père à la campagne précisément quand j'étais en voyage, alors que nous venions de nous séparer ? Et pourquoi, alors que tu aimes tant te faire servir, avoir insisté pour que Maxine reste à New York ?

» Tu as menti à propos de Nadia. Tu as menti quand tu m'as dit que tu allais te remettre à écrire. Que dois-je inclure dans la liste ? WorldView ? Oui, j'en mettrais ma main à couper. Lorsque j'ai découvert par inadvertance que tu avais rencontré Morris Blume, tu as essayé de m'embobiner avec tes explications. Tu avais assuré tes arrières en informant mon père au préalable, au cas où l'un de nous deux aurait eu vent de l'histoire. Mais malgré tout, je n'étais pas certaine de ton innocence. A présent je suis même convaincue de ta culpabilité.

» Je pense que mon père t'avait à l'œil. Sinon pourquoi aurait-il engagé William Sutherland ? Il devait savoir que tu tramais quelque chose. Peut-être même avait-il des preuves. Et lorsqu'il t'a confondu avec les faits, tu l'as tué.

» J'espère simplement que tu n'as pas commis ce meurtre dans l'espoir d'assurer ton contrat avec

WorldView. Car si c'était ton intention, tu risques d'être déçu. Mets-toi bien ça dans le crâne, Noah, Matherly Press restera une maison d'édition indépendante, comme elle l'a toujours été.

— Fais très attention, Maris.

Sa voix était sourde, vibrante de menace. Il attrapa une mèche de ses cheveux qu'il enroula autour de son index. Pour n'importe quel passant, ce geste pouvait sembler affectueux. Mais il tira sur la mèche assez fort pour lui faire mal.

— C'est *toi* qui vas te mettre *ça* dans le crâne : personne ne pourra m'empêcher d'obtenir ce que je veux.

Elle avait eu raison de le craindre, l'autre soir. La violence latente qu'elle avait devinée en lui était bien réelle. Elle avait entraperçu son côté sombre, une facette de sa personnalité qui ne se contentait plus de rester en sommeil.

Mais bizarrement, elle n'avait plus peur de lui. Il avait perdu la faculté de l'intimider ou de l'effrayer. Elle poussa un petit rire.

— Et tu comptes faire quoi, Noah ? Me pousser dans l'escalier ?

— Daniel est seul responsable de sa mort. Il s'est montré imprudent et en a payé les conséquences. Si tu veux t'en prendre à quelqu'un, alors c'est lui que tu dois blâmer. D'un autre côté, poursuivit-il d'une voix suave, je dois reconnaître que sa mort a été un soulagement.

Maris eut un brusque mouvement de recul, mais Noah la tenait toujours par les cheveux et ce sursaut lui causa une douleur assez vive pour qu'elle sente les larmes lui monter aux yeux. Pourtant, elle y prit à peine garde.

Sa mort a été un soulagement.

Cette phrase, elle l'avait lue au moins une dizaine de fois. C'était une phrase clé. Elle avait voulu la remanier afin de l'améliorer, mais après plusieurs tentatives, elle était parvenue à la conclusion qu'il n'y avait rien à changer. Elle était parfaite. Sa franchise était délibérée et n'en rendait la déclaration que plus choquante.

Parker l'avait utilisée pour offrir un bref aperçu de la noirceur du personnage. La vérité s'imposa brutalement.

— Tu es Todd.

Noah l'observa avec perplexité.

— Quoi ? Qui ?

Un flot de pensées se bousculait dans la tête de Maris. L'une d'elles fit surface et apparut nettement. Ce ne pouvait être une coïncidence.

— Pour la dernière fois, Noah, laisse-moi partir, lâcha-t-elle avec une férocité dont elle ne se serait pas crue capable.

— Bien sûr, ma chérie.

Il la libéra.

— Tu peux partir, maintenant qu'on se comprend, tous les deux.

Elle prit place derrière le volant et mit le contact. Avant de refermer la portière, elle lâcha :

— Tu n'as pas idée à quel point je te comprends.

Jaloux

Chapitre 22
Key West, Floride, 1988

C'était l'une de ces journées où l'inspiration ne venait pas.

Roark se pressa le crâne comme un melon avec l'espoir de voir les mots jaillir des pores de sa peau. Sans effet. Depuis le début de la journée, son manuscrit s'était enrichi en tout et pour tout de deux phrases et demie. Dix-neuf mots au total. Trois heures déjà qu'il regardait son curseur bloqué au même endroit, clignotant sans fin comme pour le narguer.

— Sale petit con, murmura-t-il avant de taper sur son clavier : *L'herbe est verte. Le ciel est bleu.* Alors, tu vois que je peux écrire une phrase si je veux.

La veille, pendant son jour de congé, il avait passé seize heures à pianoter sans boire ni manger, ne s'interrompant qu'en cas d'extrême nécessité pour se rendre aux toilettes. Il avait ainsi pondu plus d'une vingtaine de pages. Mais cette euphorie était retombée au réveil, lorsqu'il avait découvert qu'au cours de la nuit, des esprits maléfiques s'étaient glissés en lui pour lui dérober ce talent éphémère. Quelle autre explication ?

Sa frustration était telle qu'il envisagea de tout laisser tomber pour aller au cinéma, à la plage, ou encore à la pêche. Mais on prenait vite ce genre de mauvaises habitudes. Trop facile de jeter l'éponge au moindre blocage, car alors ce blocage risquait de devenir permanent, et c'était cette perspective effrayante qui le maintenait collé à sa chaise, les yeux rivés sur son écran vide, à se faire railler par un curseur qui refusait de bouger.

— Roark !

La porte claqua trois étages plus bas et les pas de Todd résonnèrent dans la cage d'escalier. Depuis peu, il s'était mis à travailler à l'heure du déjeuner pour arrondir ses fins de mois. Roark accueillait avec soulagement les moments où il se retrouvait seul dans l'appartement. Il pouvait écrire sans être distrait par la simple présence d'une autre personne à ses côtés.

Il tourna la tête juste à temps pour voir Todd se ruer dans la pièce.

— Qu'est-ce qui se passe ? L'immeuble est en feu ?

— Je l'ai vendu.

— Quoi ? Ta bagnole ?

Ce fut la première chose qui lui vint à l'esprit. Todd n'arrêtait pas de pester contre sa voiture.

— Mon livre ! J'ai vendu mon livre ! s'écria Todd.

Les joues en feu et les yeux pleins de fièvre, il arborait un large sourire dents blanches façon VRP.

Roark l'observa d'un air stupéfait.

— Tu as entendu ce que je viens de dire ? reprit Todd d'une voix anormalement criarde. J'ai vendu mon manuscrit !

Roark se leva en titubant.

— Je... C'est... C'est super, Todd. Je ne savais même pas que... Tu l'as envoyé quand ?

Sans se départir de son sourire, Todd se composa un air penaud.

— C'est vrai, je te l'avais caché. Je l'ai envoyé sur un coup de tête il y a environ deux mois, et je ne voulais pas en faire une montagne parce que j'avais peur d'essuyer un refus. Et voilà que tout à l'heure, au boulot, je reçois un coup de fil.

— L'éditeur connaissait le numéro ?

— Oui. Dans ma lettre, j'ai laissé tous les numéros où ils pouvaient me joindre. Au cas où, tu vois ? Bref, le manager – tu sais, ce petit pédé qu'on déteste – vient me voir pendant le service et m'explique que quelqu'un me demande au téléphone. Il me sort que les coups de fil personnels ne sont pas autorisés et que je ne dois pas m'absenter plus de trois minutes. Comme si on était débordés... Tu parles, ça faisait au moins une demi-heure que je me tournais les pouces. Moi, je me suis dit que ça devait être toi qui appelais, ou une des filles (Todd appelait leurs voisines « les filles »). J'imaginais déjà un problème de plomberie, ce genre de trucs. Et au lieu de ça, *au lieu de ça*, un type se présente, m'explique qu'il est éditeur, qu'il a lu mon manuscrit et qu'il a été fasciné. Texto : « Votre roman m'a fasciné. » Et il enchaîne en me disant qu'il veut le publier. J'ai failli pisser de joie dans mon froc, mec.

» L'espace d'un instant, j'ai quand même eu des doutes. Je me suis dit que c'était peut-être toi qui faisais une blague, ou encore ce petit pédé de manager qui cherchait à se foutre de ma gueule. Mais non, le type au téléphone embraye en me parlant du roman, il cite les personnages par leurs noms, etc. Et il conclut en disant qu'il est prêt à m'offrir une somme à cinq chiffres. Mais bon, vu comment il s'est extasié sur le livre, ma main au feu qu'il est prêt à augmenter la mise.

Il se mit à rire.

— Tu m'entends ? Putain ! Je suis là à parler de fric alors que je n'ai même pas encore eu le temps de comprendre ce qui m'arrivait. J'ai vendu mon putain de livre !

S'efforçant de paraître joyeux, Roark s'avança vers son ami et lui donna une franche accolade à grand renfort de claques dans le dos. Il le prit dans ses bras et le souleva de terre, le congratulant à la manière virile des étudiants de leur confrérie.

— Félicitations, mec. Tu as travaillé dur et tu le mérites.

— Merci, Roark.

Todd le repoussa et le fixa droit dans les yeux. Ils échangèrent une poignée de main solennelle, mais deux secondes plus tard, Todd se mettait à hurler comme une sirène d'alerte, à bondir dans l'appartement de manière stupide et incohérente avec l'énergie d'un rhésus qui aurait pris du speed.

— Je ne sais même pas par quoi commencer, fit Todd en riant.

— Appelle Hadley.

— Qu'il aille se faire foutre. Il n'a jamais eu confiance en moi. Pourquoi je devrais partager la nouvelle avec lui ? Non, j'ai une meilleure idée. On va fêter ça tous les deux. Une méga fête. C'est moi qui régale.

Roark, qui ne s'était jamais senti aussi peu d'humeur à faire la fête, secoua la tête d'un air négatif.

— Tu n'es pas obligé de...

— Je sais, mais ça me fait plaisir. Tiens, pourquoi pas ce soir ? Je me charge de tout.

— Je dois aller au taf.

— Laisse tomber le travail.

— C'est facile pour toi de dire ça. Tu viens de vendre ton manuscrit pour une somme faramineuse.

En entendant ça, Todd cessa de bondir et se tourna vers Roark avec un regard noir.

— Oh, je comprends maintenant. Tu es dégoûté parce que je vais être publié et pas toi.

— Pas du tout.

— Tant mieux, lança Todd d'un air sarcastique. Parce que si c'était le cas, ça voudrait dire que tu te comportes comme un crétin au lieu de partager ma joie.

Todd avait raison. Il se comportait comme un crétin. La jalousie l'avait rendu con et il s'apprêtait à gâcher le plus beau jour de la vie de son meilleur ami.

Dans la situation inverse, Todd aurait eu une réaction similaire, peut-être même pire. Il aurait entamé une longue litanie de plaintes sur l'injustice de la vie. Il se serait montré amer, caustique, pour finir par avoir des paroles cruelles.

Mais au fond, depuis quand devait-il prendre modèle sur lui ? Roark se plaisait à penser qu'il possédait un sens de l'amitié plus développé que celui de Todd, que son tempérament et son intégrité étaient plus forts.

Il se força à sourire.

— OK, je vais appeler pour me porter pâle. Ce petit pédé de manager n'a qu'à me virer, je m'en fous. A quelle heure, cette petite fête ?

Todd demanda à Roark de lui laisser un peu de temps pour tout préparer. Ayant lui-même deux ou trois choses à finir, Roark n'y vit aucune objection. Sitôt après le départ de Todd, il s'abandonna au désespoir.

Il contempla son écran d'ordinateur en se demandant pourquoi la nature l'avait affligé d'un désir aussi ardent de se lancer dans ce métier sans lui donner l'opportunité de pouvoir l'exercer. Pourquoi Dieu lui avait-il joué ce mauvais tour ? Le doter du talent nécessaire pour y croire et finalement maintenir ce rêve hors de portée ?

Il se répéta comme un mantra qu'il était heureux pour Todd. Et il l'était. Il *l'était.* Mais il éprouvait aussi de la rancune. Il en voulait à Todd d'avoir envoyé son manuscrit en douce. Bien sûr, ils ne s'étaient pas juré de s'avertir dès que l'un ou l'autre soumettrait son roman à un éditeur. Todd n'avait brisé aucun pacte, mais pour Roark, cela revenait au même.

Il avait envie d'attribuer le succès de Todd à un coup de bol, à la morosité du marché du livre, ou encore aux goûts de chiotte de son futur éditeur, tout en reconnaissant que de telles pensées étaient injustes. Todd avait travaillé dur. C'était un écrivain talentueux, qui méritait d'être publié.

Mais Roark estimait le mériter davantage.

Todd revint au bout d'une heure avec deux bouteilles de champagne, et insista pour qu'ils les boivent sans plus attendre avant de passer à la deuxième phase de la soirée.

Cette seconde phase incluait Mary Catherine. Un samedi après-midi, peu de temps après sa fausse couche, Roark l'avait emmenée manger une glace. En voyant de jeunes couples se promener avec leurs enfants, elle avait eu les larmes aux yeux. Elle lui avait confié que Todd était le père du bébé qu'elle avait perdu.

— Ce salaud doit avoir une sorte de sixième sens, parce que depuis, il m'évite.

Les mois s'écoulèrent. La relation entre Todd et

Mary Catherine restait fraîche. Ils finirent par se réconcilier, mais restèrent simples amis. Pour autant que Roark sût, ils n'avaient pas recouché ensemble. Par accord tacite, probablement.

A présent, tout cela était de l'histoire ancienne. Vêtue d'un bikini presque virtuel composé de trois minuscules pièces de tissu, Mary Catherine arriva juste à temps pour les aider à liquider le champagne :

— Eh ! Vous auriez pu me laisser plus que deux gorgées.

— T'inquiète poupée, il y a d'autres bouteilles qui nous attendent, fit Todd en lui pinçant les fesses.

Il l'embrassa sur les lèvres d'un air de regret et, la forçant à se retourner, la poussa doucement vers Roark.

— Elle est à toi ce soir, mon pote. Tu ne pourras plus dire que je ne t'ai jamais rien offert.

— C'est mon lot de consolation ? demanda Roark avec une pointe de malice.

— Pas mal comme consolation, non ?

Mary Catherine lui passa les bras autour du cou, appuya ses seins contre son torse et commença à se frotter à lui :

— Moi en tout cas, ça me va. Ça fait longtemps que tu me plais, minauda-t-elle avant d'introduire sa langue dans sa bouche.

Le champagne avait rendu Roark d'humeur égrillarde. Elle avait un goût agréable. L'embrasser était un régal. Son ego en avait pris un coup et Todd essayait juste de l'aider à retrouver le moral. Il aurait été débile de refuser.

Ils échangèrent un long baiser langoureux.

— Bon ! s'impatienta Todd au bout d'un moment. Je ne vais quand même pas être obligé de vous jeter un seau d'eau ?

Tous trois éclatèrent de rire. Ils quittèrent l'immeuble et s'entassèrent dans la voiture tant décriée de Todd, direction la marina. Todd avait loué un bateau à un vieux loup de mer dénommé Hatch Walker, à qui ils avaient déjà eu affaire plusieurs fois. Ses tarifs étaient les plus bas de Key West et il ne vous injuriait que modérément si vous dépassiez l'heure de retour.

D'ordinaire plutôt avare de sa sympathie, Walker se montra ce jour-là carrément contrariant. Il hésitait à confier l'une de ses embarcations à trois jeunes dont l'état d'ébriété semblait plus qu'évident. Roark, déjà passablement ivre – et plutôt excité par la séance de *lap dance* exécutée spécialement pour lui par Mary Catherine sur le siège arrière de la voiture – se souciait assez peu de ce que le vieil homme pensait d'eux et de leur consommation d'alcool.

Sitôt le contrat de location signé, Todd sauta à bord du bateau et s'installa sur le siège du pilote. Roark grimpa en titubant et tendit la main pour aider Mary Catherine à monter. Elle trouva le moyen de trébucher contre lui en sautant sur le pont.

— Oh là là ! s'écria-t-elle en ricanant bêtement et en se tortillant contre lui.

Elle adressa à Hatch un petit geste de la main tandis que celui-ci détachait les cordages qui retenaient le bateau.

— Satanés gamins, grommela-t-il dans sa barbe.

— J'ai l'impression qu'il ne nous aime pas beaucoup, fit Mary Catherine d'une voix plaintive.

— Moi, ce que je pense, c'est que tu devrais enlever ça, fit Roark en tendant la main pour lui détacher son soutien-gorge.

Mary Catherine se mit à hurler et à lui donner des claques sur la main, mais n'opposa en réalité qu'une faible résistance. Roark parvint assez vite à défaire le haut et le brandit en l'air comme un étendard pendant que Todd dirigeait le bateau hors de la marina. Dès que l'embarcation eut franchi le chenal, il mit les gaz et ils s'engagèrent sur l'Atlantique.

Todd avait proclamé que cette soirée serait une fête inoubliable et il n'avait pas lésiné sur les moyens. Roark était surpris par les dépenses extravagantes de son ami. Les glacières regorgeaient de victuailles et d'alcools en provenance d'un traiteur dont l'enseigne clamait : « Aux délices de Key West ».

— J'ai un peu de mal, avec cette salade de crevettes, fit Roark en léchant la mayonnaise au coin de ses lèvres.

— Laisse-moi faire, susurra Mary Catherine.

Elle se mit à califourchon au-dessus de lui et fit disparaître la mayonnaise d'un petit coup de langue habile. Elle prenait son rôle de consolatrice très à cœur et semblait entièrement dévouée à lui procurer du plaisir. Ou peut-être à le convertir à l'hédonisme. Dans tous les cas, il était prêt à se laisser faire.

Leur secret concernant la fausse couche avait tissé entre eux des liens particuliers. Lorsqu'ils étaient seuls, Roark l'appelait Sheila. Elle avait abandonné l'idée de la sirène pour des raisons pratiques, mais envisageait de camper un personnage de soubrette et avait demandé à Roark de lui trouver un nom de scène accrocheur et facile à retenir.

Même s'ils flirtaient souvent, leur relation en était restée à un stade platonique. Elle avait bien tenté plusieurs approches, mais chaque fois Roark avait fait semblant de ne rien remarquer. Il ne voulait pas risquer de compromettre leur amitié.

Pourtant, tandis qu'elle lui léchait les lèvres, il se demanda ce qu'il y aurait de si terrible à ce que leur relation franchisse un nouveau cap. Qui avait décrété qu'il était impossible d'être à la fois amis et amants ?

Pourquoi ne pas soulager cette trique monumentale qu'avaient fait naître ses formes généreuses, sa langue agile et ses mains qu'elle avait glissées sous son short ?

Todd avait peut-être loué ses services pour la soirée, et alors ? C'était juste une fille bien, qui utilisait ses dons pour essayer de mener une vie décente.

Et même si elle le draguait dans le seul but de rendre Todd jaloux, Roark s'en moquait. En fait, ce soir-là, il se foutait de tout.

Au diable la littérature, au diable les éditeurs. Au diable son manque chronique d'inspiration.

Et bonjour Mary Catherine. Elle était sa priorité de la soirée. Il en avait plus qu'assez de jouer les boy-scouts. Il passait son temps à bosser, et tout ça pour quoi ? Que dalle.

Alors ce soir, il allait s'empiffrer jusqu'à en gerber. Il allait picoler jusqu'à plus soif. Et surtout, il allait laisser Mary Catherine exercer sur lui ses innombrables talents. Il avait la ferme intention de prendre du bon temps, quitte à en crever.

Roark s'éveilla allongé à côté de Mary Catherine. Après une séance de baise bien tonique dans la petite cabine, tous deux avaient sombré dans le sommeil. Assoiffé et assailli par une terrible envie de pisser, il se tortilla pour s'extraire tant bien que mal de la couchette. Mary Catherine poussa un râle de mécontentement. Elle tenta brièvement de le retenir, mais abandonna assez vite.

Roark ramassa son short, et après un intense effort de concentration et plusieurs tentatives avortées, parvint finalement à l'enfiler.

Il grimpa les marches qui menaient sur le pont d'un pas mal assuré en finissant d'attacher son cordon. Todd, une bouteille de Bacardi à la main, contemplait les étoiles. En entendant Roark approcher, il se retourna et sourit.

— Alors ? Tu as survécu ?

— Tout y est mon commandant, lança Roark après avoir inspecté le contenu de son short.

Todd poussa un petit rire.

— Vous avez fait tellement de raffut qu'à un moment, j'ai carrément hésité à venir à ta rescousse.

— Il y a eu des moments où c'était *moi* qui aurais voulu que tu viennes me sauver.

— Elle a fait le truc avec son pouce ?

Roark détourna la tête avec un sourire, mais ne répondit pas.

— Oh, c'est vrai. J'avais oublié. Monsieur ne dévoile jamais les détails croustillants. Un vrai gentleman.

Roark était sur le point d'effectuer une courbette, mais étant donné l'état dans lequel il se trouvait, il se ravisa et se contenta d'un petit geste de la tête.

— Sers-toi, fit Todd en désignant l'une des glacières.

— Merci, mais je suis trop déchiré pour me lever.

— Et surtout tu es jaloux.

— Quoi ?

— Tu es jaloux.

— Ouais. Peut-être un peu, admit-il en haussant les épaules.

— Plus qu'un peu, Roark. Plus qu'un peu.

Todd amena la bouteille de rhum contre son œil comme s'il s'agissait d'une longue-vue et observa Roark au travers :

— Reconnais-le, tu étais persuadé de vendre ton manuscrit avant moi.

Roark se sentait nauséeux. L'horizon tanguait devant lui. Le tournant qu'avait pris la conversation le rendait mal à l'aise.

— Ecoute, Todd, je n'ai jamais été aussi heureux, d'accord ?

— Mais tu le serais encore plus si tu avais vendu ton livre. Hadley aussi serait ravi. Je suis sûr qu'il se branle en lisant tes manuscrits. Qu'est-ce qu'il a dit, déjà, à propos de ton travail ? Que c'était un privilège et un honneur de collaborer avec toi ?

Il s'interrompit pour boire une gorgée de rhum et ajouta :

— Oui, je crois que c'était quelque chose comme ça.

— Tu as lu la lettre ?

— C'était une bonne idée d'ouvrir une boîte postale, Roark, mais tu n'aurais pas dû laisser traîner ton courrier. L'autre jour, il me manquait de la monnaie pour payer la pizza. J'ai vu ton jean par terre et j'ai décidé de fouiller les poches pour voir s'il y avait du fric. Devine un peu ce que j'ai trouvé ?

— Tu n'avais pas à lire mon courrier.

— Et toi, tu n'avais pas à me mentir au sujet d'Hadley.

— Tu t'en fous pas mal de ce que pense Hadley, non ?

— C'est vrai. Surtout qu'au final, c'est moi qui ai vendu mon manuscrit.

Todd se leva lentement. Sa démarche était bien

assurée pour quelqu'un censé avoir bu toute la soirée. Il s'avança le long du pont d'un air malveillant.

— C'est quoi, le problème, Todd ? Tu as gagné. Hadley avait tort.

— Peut-être en ce qui concerne mon talent. Mais il avait en partie raison.

— Comment ça ?

— A propos de ma personnalité et de mes innombrables défauts. Tu te rappelles ? Avide, jaloux, envieux.

Roark sentit son estomac se soulever et la bile envahir sa bouche.

— C'est des conneries, tout ça. Je n'y ai même pas fait attention.

— Moi si.

Il ne vit rien venir. Todd se jeta sur lui et lui asséna un violent coup de bouteille sur la tempe. Ce fut comme s'il avait reçu un coup de marteau. Il poussa un hurlement de douleur.

Malgré la puissance de l'impact, Roark avait conservé assez de lucidité pour esquiver le second coup et la bouteille, au lieu de heurter son crâne, se fracassa contre la paroi de la cabine dans une pluie de verre brisé et de rhum.

Todd attaqua alors avec une férocité accrue, balançant ses coups les uns après les autres en essayant d'atteindre Roark au visage. La plupart firent mouche. Abruti de douleur mais fou de rage, Roark riposta en lui envoyant un coup de poing en pleine face. Il sentit les dents s'écraser douloureusement contre ses articulations. Todd était sonné. Le sang coulait de sa bouche.

Roark en retira une jouissance indicible. En d'autres circonstances, il aurait été surpris d'éprouver une telle satisfaction à voir ainsi couler le sang de son ami. Fou de jalousie, il eut envie de le faire saigner davantage. Il voulait le punir de son succès, le punir pour le sentiment de nullité qu'il éprouvait à cause de lui.

Mais la rage de Roark s'avérait bien tiède comparée à celle de Todd. Sa soif de sang était sans limite. Grognant et soufflant comme un sauvage, il se rua sur Roark qui, de son côté, avait commencé à reculer, déjà prêt à faire la trêve.

Mais Todd ne l'entendait pas ainsi. Il s'acharna alors même que Roark avait cessé de se montrer agressif et ne cherchait plus qu'à parer les coups.

— Arrête ça, merde !

— Jamais !

Les dents serrées, la bouche dégoulinante de sang, Todd revint à la charge.

— Qu'est-ce qui se passe ? demanda Mary Catherine qui était apparue sur le seuil de la porte, entièrement nue à l'exception d'un bracelet de cheville en or.

N'obtenant pas de réponse, elle s'avança d'un pas chancelant sur le pont et posa le pied sur un tesson.

— Aïe ! Mais qu'est-ce qui se passe ?

— Ta gueule ! brailla Todd en lui assénant un coup de poing dans le ventre.

Déjà en équilibre instable à cause de son pied blessé, elle bascula en arrière. Le rail de sécurité ne put retenir sa chute. Elle passa par-dessus bord et son cri s'éteignit dès qu'elle heurta la surface de l'eau.

Roark observa l'endroit où elle était tombée et dessaoula aussitôt.

— Elle est ivre, Todd ! Elle va se noyer !

Il plongea sans attendre. L'eau salée provoqua une brûlure au contact de ses plaies. Il remonta à la surface haletant, luttant contre une nausée due à son absorption massive d'alcool et au coup qu'il avait pris sur le crâne.

Mais il y prêta à peine attention et se mit à nager sur place en clignant des yeux pour tenter d'apercevoir un signe de Mary Catherine.

— Tu la vois ? hurla-t-il à Todd qui l'observait depuis le pont, le menton et le torse couverts de sang. Putain, Todd ! Tu m'entends ou quoi ? Tu la vois ?

— Non.

— Mets les lumières.

Todd restait planté les yeux rivés sur la mer, visiblement paralysé par le choc.

— Et merde !

Le cœur battant à tout rompre, la tête sur le point

d'éclater, Roark sonda désespérément l'eau autour de lui. Ses yeux lui brûlaient mais il se força à les garder ouverts. Cela ne changeait pas grand-chose. Il aurait aussi bien pu se trouver dans une bouteille d'encre géante. Il ne distinguait même pas ses mains qui fouillaient à l'aveuglette dans l'hypothétique espoir d'entrer en contact avec un bras, une jambe, des cheveux.

Il resta sous l'eau jusqu'à ce que la brûlure dans ses poumons devienne insupportable. Il refit surface pour prendre une profonde inspiration et fut surpris de constater à quel point il s'était éloigné du bateau. Au moins, Todd était sorti de sa stupeur : il avait enfin allumé les lumières. Les ampoules projetaient une sinistre lueur verte autour de l'embarcation, mais leur éclat était trop faible pour percer la surface de l'eau.

Roark avait les bras et les jambes lourds comme du plomb, son cerveau semblait incapable de les contrôler, pourtant il entreprit de se rapprocher du bateau. Todd, pendant ce temps, s'affairait dans un coin.

— Alors, tu l'as trouvée ? hurla Roark. Tu l'as vue ?

— Non. Et toi, t'as été plus chanceux ?

Chanceux ? Il ne s'agissait pas d'une partie de pêche. Qu'est-ce qu'il racontait au juste ?

— Appelle le garde-côte. Je ne la trouve pas. Oh, mon Dieu !

Comprenant d'un seul coup toute l'horreur de la situation, Roark fut pris de sanglots. Elle était peut-être déjà morte. Mary Catherine – Sheila – s'était peut-être noyée à cause de lui.

— Appelle le garde-côte, répéta-t-il avant de plonger à nouveau.

Tout en sachant ses efforts vains, il se mit à nager furieusement, brassant l'eau sans rien agripper. Il refusait d'abandonner. S'il y avait la moindre chance qu'elle soit encore vivante, alors il fallait la saisir...

Il plongea encore et encore, ne remontant à l'air libre que pour reprendre sa respiration avant de descendre à nouveau, si profond que ses oreilles lui faisaient mal.

Il refit surface une dernière fois, emplit ses poumons avec avidité et comprit qu'il ne survivrait pas à une nouvelle plongée. Sa fatigue était telle qu'il n'avait pas la force de nager jusqu'au bateau. Il resta sur place, luttant pour ne pas couler.

— Todd ! appela-t-il d'une voix enrouée. Todd !

Todd apparut contre le rail. Les yeux décapés par l'eau de mer, Roark peinait à le distinguer.

— Je ne la trouve pas. J'ai plus la force de plonger. Envoie-moi la bouée.

Todd partit la chercher, et Roark se demanda vaguement pourquoi il ne l'avait pas déjà sortie.

Epuisé, il avait envie de fermer les yeux pour atténuer la sensation de brûlure, mais il craignait de disparaître sous l'eau et de se noyer avant d'avoir retrouvé assez d'énergie pour remonter. Ses yeux durent se fermer malgré lui. Il dut être à deux doigts de perdre conscience car il fut comme tiré d'une sorte de léthargie en entendant le bruit du moteur.

Todd n'aurait pas dû le démarrer. Il aurait mieux fait de lui jeter une bouée de sauvetage. S'il avait communiqué leur position au garde-côte, il valait mieux ne pas bouger et attendre les secours. C'était stupide d'allumer le moteur alors que Mary Catherine et lui se trouvaient à si peu de distance du bateau.

Ces pensées fusèrent dans son esprit en un éclair, non sous la forme de mots distincts, mais plutôt en un bloc compact.

— Todd, qu'est-ce que tu fous ?

Roark battit des bras et des pieds en une parodie de nage, mais c'était comme remuer de la gelée dans des sables mouvants. Et puis cela ne servait plus à rien de se débattre. Todd arrivait avec le bateau.

Seulement il se rapprochait un peu trop vite.

— Hé !

Ce fut un cri comme dans ces cauchemars où, au paroxysme de l'horreur, vous voulez hurler mais qu'aucun son ne sort de votre bouche. Roark voulut agiter les bras, mais ils pesaient chacun une tonne. Il ne put même pas les lever.

— Todd, vire à bâbord ! Je suis là ! Tu me vois ou quoi ?

Oui, il le voyait. Il regardait droit vers lui à travers le pare-brise du cockpit. Les lumières du tableau de bord projetaient leur lueur sur son visage tuméfié, formant comme un masque d'Halloween. Ses yeux lançaient des flammes. Les torches de l'enfer.

Roark hurla une dernière fois, puis la peur le força à plonger sous l'eau. Quelques secondes plus tard, il fut pris dans un remous infernal. La terreur s'empara de lui. Une terreur absolue. Une terreur comme peu d'hommes ont le malheur d'en connaître dans leur existence. Si intense que la mort semble une bénédiction.

Une terreur que seule la douleur parvient à surpasser. Atroce, incommensurable.

Une douleur qui vous brise le corps et laisse votre âme pour morte.

32.

Nadia arriva vêtue d'une robe noire moulante au décolleté faussement pudique. Elle portait un extravagant chapeau de soirée dont le voile lui recouvrait la moitié du visage. Un sac à main noir orné de plumes pendait à son épaule au bout d'une fine chaîne dorée. Très séduisante. Très *femme fatale*.

Les têtes se tournèrent vers elle tandis qu'elle s'avançait dans la salle. Le bar était plein de la faune branchée de Manhattan. Les gens la saluaient sur son passage. Elle adressa un geste de la main à un petit groupe attablé dans un coin.

Lorsqu'elle atteignit la table de Noah, ce dernier débordait de fierté : la femme la plus exquise de l'assemblée avait rendez-vous avec lui. Il l'étreignit avec chaleur mais une pointe de circonspection, déposa un baiser amical sur sa joue et murmura :

— Je pourrais te baiser sur place.

— Toujours aussi romantique, fit-elle en se glissant sur la banquette à côté de lui.

— Martini ?

— Avec plaisir.

Noah passa commande auprès du serveur qui s'était précipité à leur table, puis se tourna vers elle en souriant.

— Tout le monde te connaît, ici.

— Je suis connue partout, tu sais.

Noah éclata de rire.

— Vous m'avez manqué, toi et tes reparties cinglantes. J'ai l'impression que ça fait une éternité.

— Depuis cette stupide dispute.

— C'est de l'histoire ancienne, à présent.

Il inhala profondément et ajouta :

— Ahh. Ce parfum provocant.

— Chanel.

Un sourire espiègle illumina son visage.

— Non. C'est l'odeur du sexe. Dommage que tu ne puisses pas le mettre en bouteille. Tu gagnerais une fortune.

Il la contempla avec adoration.

— Tu es superbe, Nadia. J'adore le voile.

— Merci.

— Ça te donne un air mystérieux incroyablement sexy, fit-il en pressant sa cuisse contre la sienne.

— Tu m'as l'air plutôt vigoureux, ce soir. Ça fait longtemps que tu n'as pas tiré ton coup, je me trompe ?

— J'ai été pas mal occupé.

— Je sais.

Elle semblait soudain fascinée par son sac à main. Elle caressa doucement les plumes aux reflets irisés.

— Tu as été très occupé par l'enterrement de ton beau-père.

— Quelles sottises.

— J'ai trouvé les panégyriques très émouvants.

— Oui, je suppose que c'est le genre de discours que méritait Daniel Matherly. Je suis bien content que ce soit fini. On va enfin pouvoir arrêter de l'applaudir et penser un peu à nous.

— D'habitude tu aimes ça, être sous les feux de la rampe. Je pensais que tu aurais adoré le rôle du gendre loyal accablé de chagrin.

— J'ai fait de mon mieux, dit Noah, la main sur le cœur.

Le serveur apporta les martinis. Ils trinquèrent et burent chacun une gorgée.

— En fait, ce n'était pas si terrible. Le plus dur a été de calmer Maris.

— Elle était bouleversée, ça se comprend.

— Son comportement a dépassé le simple stade du chagrin.

Nadia s'arracha à la contemplation de son sac et leva les yeux vers lui.

— Ma femme s'est mis en tête que j'étais responsable de la chute de son père.

Il la dévisagea.

— Tu imagines ?

— Assez bien, répondit-elle en portant son verre à ses lèvres.

La fixité de son regard avait quelque chose de déroutant. Il feignit de ne pas saisir le sens de sa phrase.

— Maris a toujours eu un caractère emporté, mais cette fois, elle a carrément pété les plombs.

— Pourtant, à l'enterrement, elle a fait preuve d'un sang-froid admirable.

— C'est vrai. Mais aussitôt après, elle a perdu les pédales. Figure-toi qu'elle a demandé aux flics du Massachusetts de mener une nouvelle enquête.

— Et ?

— Bien entendu, ils n'ont rien trouvé.

— Tu as eu de la chance.

— La chance n'a rien à voir là-dedans, Nadia.

— Oui, fit-elle comme à part soi tout en observant la foule. J'imagine que si tu l'avais poussé dans l'escalier, tu aurais été assez malin pour ne pas te faire prendre.

— Je ne l'ai pas poussé. Mais effectivement, si je l'avais poussé, j'aurais fait en sorte de ne pas me faire prendre. Et c'est bien pour ça que tu m'aimes, non ?

— Oui, c'est vrai. Je ne pourrais pas fréquenter un loser. Je n'aime que les gagnants.

— On se ressemble tellement, tous les deux, que c'en est presque effrayant, dit-il avant de se pencher vers elle pour ajouter, sur le ton de la confidence : C'est surtout les autres qui feraient bien d'avoir peur.

Il s'interrompit pour boire une gorgée de martini.

— Quoi qu'il en soit, Daniel est bel et bien mort et enterré, et c'est plutôt une bonne nouvelle.

— Pour l'amour du ciel, Noah, fit-elle en jetant un regard à la ronde comme pour s'assurer que personne ne l'avait entendu. Si tu appelles ça une bonne nouvelle, alors quelle est la mauvaise ?

— Il n'y en a pas, trésor. Sa mort a sonné la fin de mon mariage. Impossible de sauver les meubles à présent.

— Félicitations, ou condoléances ? demanda-t-elle en levant son verre.

— Félicitations, bien sûr. Et j'ai une nouvelle encore meilleure.

— J'ai hâte.

— Tu es sûre de vouloir l'entendre maintenant ? Tu risquerais d'avoir un orgasme.

— Tu m'as déjà vue refuser ce genre d'opportunité ?

Le sourire de Noah s'élargit.

— Avant cette chute fatale, j'avais réussi à persuader Daniel de signer une procuration me donnant le pouvoir de vendre Matherly Press à WorldView sans que Maris puisse s'y opposer.

— Mais Matherly Press ne t'appartient pas, Noah, fit Nadia en écarquillant les yeux.

— Nadia ! Te voilà !

Morris Blume venait de se matérialiser devant eux.

Noah ne l'avait pas vu approcher, et cette intrusion soudaine ne lui plaisait pas du tout. Il avait projeté d'emmener Nadia au restaurant et de passer une soirée romantique. Avant de conclure le deal avec WorldView, il voulait la mettre de son côté. Il avait besoin qu'on parle de lui dans la presse, et personne ne pouvait faire ça mieux que Nadia.

Mais manque de chance, voilà qu'il venait de tomber sur Morris Blume. Le P-DG de WorldView était plus terne que jamais : costume gris, chemise grise, cravate couleur argent. Même ses dents et ses gencives semblaient avoir pris une teinte grise et malsaine.

— J'ai cru un instant que je m'étais trompé d'heure, fit Blume en s'adressant à Nadia.

— Tu es parfaitement à l'heure.

Elle se leva de table et, au grand désarroi de Noah, se jeta dans les bras de Blume. Ils s'embrassèrent à pleine bouche, puis elle lui remit sa cravate en place d'un geste affectueux.

— Tu es absolument magnifique, Nadia, fit Blume après l'avoir jaugée des pieds à la tête.

— Ça te plaît ? J'ai acheté cet ensemble en pensant à toi.

— Sensationnel.

Elle minaudait d'une façon coquette qui ne lui ressemblait pas du tout. Blume lui passa le bras autour de la taille. Elle avait le bassin collé contre le sien, une spécialité de Nadia qui vous donnait automatiquement envie de la baiser.

Tous deux prêtaient aussi peu d'attention à Noah que s'il avait été l'un des tableaux pop art accrochés au mur. Tout son corps vibrait de colère, et, chose pour lui assez rare, d'humiliation. Il venait de se faire piquer la plus belle femme de l'assemblée par une espèce de vieux chauve, et devant tout le monde.

— Tu veux boire un verre, mon chéri ? demanda Nadia.

— Tu lis dans mes pensées, comme toujours.

Nadia fit signe au serveur, qui rappliqua aussitôt pour prendre la commande de Blume. Au lieu de retourner s'asseoir sur la banquette, elle prit la chaise que Blume lui proposait. Tous deux s'installèrent en face de Noah.

Elle se rapprocha aussi près que possible de lui. Pour un peu, on aurait pu croire qu'ils étaient assis sur la même chaise. Blume avait posé une main ferme sur sa cuisse comme pour marquer sa propriété.

Noah était persuadé que ces démonstrations d'affection n'avaient d'autre but que de le rendre jaloux. Nadia se montrait délibérément aguicheuse. De toute évidence, elle jubilait. Il eut envie de lui foutre une énorme baffe.

Il était manifestement victime d'un coup monté orchestré par Nadia. Il l'avait appelée un peu plus tôt en revenant du Massachusetts pour l'inviter à passer la soirée en sa compagnie. « Nous sommes libres de nous fréquenter, à présent », lui avait-il dit.

Comme à son habitude, Nadia avait laissé planer

sur la conversation un climat d'érotisme chargé de promesses. Elle avait elle-même choisi le lieu et l'heure du rendez-vous, comme si elle avait hâte de le revoir. Et elle l'avait mené droit dans ce traquenard.

OK. Elle voulait parader devant lui avec sa nouvelle conquête ? Parfait. Ça ne changeait rien – sauf que la vie sexuelle de Nadia allait connaître un net ralentissement. A en juger par l'extrême pâleur de Blume, elle allait avoir du mal à le faire bander.

Morris remercia le serveur qui venait d'apporter son verre et se tourna vers Noah.

— Ma secrétaire m'a dit que vous aviez appelé aujourd'hui pour solliciter un rendez-vous.

— C'est exact. A la lumière de ma récente tragédie familiale...

— Au fait, mes condoléances.

— Merci, fit Noah en ôtant une poussière invisible sur la manche de sa chemise. La mort de Daniel a retardé quelque peu nos affaires, mais vous allez être ravi d'apprendre que la situation a considérablement évolué depuis notre dernière entrevue. Quels sont vos projets pour demain ?

— Je ne vois plus vraiment l'utilité d'un rendez-vous, cher Noah.

Réponse pour le moins étrange. Que s'était-il donc passé durant son absence ?

— Que voulez-vous dire ? demanda Noah en dissimulant son trouble.

— Noah et moi allions justement aborder ce point quand tu es arrivé, Morris, fit Nadia. Il y a apparemment confusion. Je suis très embarrassée.

— Pourriez-vous éclairer ma lanterne ?

Nadia jeta un coup d'œil interrogateur à Blume, mais ce dernier se contenta de hausser les épaules. Elle se tourna alors vers Noah.

— Je pensais que quelqu'un t'aurait mis au courant. Par respect pour Daniel, ça fait une semaine que je garde le silence sur cette histoire.

Noah commençait à avoir très chaud dans ses vêtements. La sueur qui lui dégoulinait sur le torse n'avait rien à voir avec le verre de martini. Il se sentait comme un homme sur le point de connaître les résultats de sa biopsie testiculaire.

— Quelle histoire ?

— L'autre jour, Daniel Matherly m'a invitée chez lui pour le petit déjeuner. C'était le matin de votre départ à la campagne. Qui aurait pu penser que ce petit week-end s'achèverait de façon si tragique ? Je regrette de ne pas lui avoir conseillé de rester à New York.

Elle marqua une pause et lança à Noah un regard chargé de sens.

— Quoi qu'il en soit, reprit-elle en secouant la tête comme pour reprendre le fil de ses pensées, il m'a donné un scoop en me demandant de ne pas le publier tout de suite. Il voulait attendre le retour de Maris.

Blume dardait sur Nadia un regard brûlant. On aurait pu croire qu'il était sur le point de lui lécher le cou. Nadia lui caressait distraitement la main.

— Tu ne m'as toujours pas dit en quoi consistait ce scoop, fit Noah en se forçant à sourire.

— Daniel a nommé Maris présidente-directrice générale de Matherly Press. Je pensais que Daniel t'aurait appris la nouvelle pendant que vous étiez à la campagne. Non ? Eh bien... il a dû penser qu'il était plus juste d'en informer d'abord Maris.

Elle l'observa fixement tout en caressant le bord de son verre.

— Tu m'avais laissé croire que Daniel Matherly était presque sénile. Je peux te dire qu'après avoir discuté avec lui, je me suis aperçue du contraire. Je t'assure qu'il avait toutes ses facultés. Il savait parfaitement ce qu'il faisait.

Tous les capillaires de Noah s'étaient dilatés. Derrière ses globes oculaires, derrière ses tympans, derrière chaque centimètre carré de peau, il sentait son pouls de plus en plus rapide. Il parvint cependant à sourire.

— Daniel ne te portait pas dans son cœur, Nadia. J'ai bien peur qu'il ait voulu te jouer un mauvais tour.

— Oui, cette éventualité m'a traversé l'esprit. Mais j'ai eu confirmation par un certain M. Stern, l'avocat des

Matherly. La nomination de Maris est sans appel. A moins qu'elle ne donne sa démission.

Noah avait la bouche tellement sèche que sa langue s'était collée à son palais.

— Je suis curieux de savoir pourquoi tu ne m'en as pas parlé plus tôt, Nadia. Tout à l'heure, par exemple, quand je t'ai eue au téléphone.

Ou encore quand tu m'as appelé dans le Massachusetts, pensa-t-il. Elle savait déjà, cette garce. Elle avait juste voulu s'amuser un peu à ses dépens.

— Ce n'était pas à moi de le faire.

— Et maintenant oui ?

— Je veux simplement t'éviter d'avoir à le découvrir dans ma colonne. Je publie la nouvelle demain, fit-elle en lui adressant un sourire compatissant. Honnêtement, Noah, je pensais que tu étais déjà au courant. Mais il faut croire que depuis que ton mariage est fini, tu ne fais plus partie du cercle des initiés. Tu n'es plus qu'un simple employé.

— Voulez-vous boire autre chose, Noah ?

— Non merci, Morris. J'ai d'autres rendez-vous et je suis déjà en retard.

S'il ne quittait pas le bar sur-le-champ, il allait soit la tuer, soit exploser de rage. Dans un cas comme dans l'autre, il préférait qu'il n'y ait pas de témoins.

— Oh, je t'en prie, reste, fit Nadia d'une voix enjôleuse. On a tant de choses à fêter. Sais-tu que WorldView vient d'acquérir Becker-Howe ? Tu connais Oliver Howe, un vieil ami de Daniel ? C'est Daniel en personne qui l'a mis en contact avec Morris. Il savait que WorldView était à la recherche d'une maison d'édition et que, contrairement à lui, Ollie Howe serait intéressé par l'offre.

— C'est vrai que mon cœur penchait en faveur de Matherly Press, fit Blume. Mais puisque c'est désormais Maris qui tient les rênes...

— J'ai pensé qu'il était important que Morris soit mis au courant, le coupa Nadia.

— Et vu qu'elle a clairement exprimé son intention

de ne jamais vendre, j'ai décidé d'acquérir une autre maison.

Noah avait les mâchoires tellement serrées qu'elles en étaient douloureuses.

— Vous m'en voyez ravi.

— J'ai payé un peu cher, mais au diable l'avarice, fit Blume en poussant un petit rire. C'est un investissement très rentable. Becker-Howe est à peine moins grand que Matherly Press, mais plus pour longtemps. Nous allons être en concurrence à présent, cher Noah. Prenez garde.

Cause toujours, fils de pute, pensa Noah. Il fit semblant de consulter sa montre.

— Je regrette de devoir vous quitter, mais il faut vraiment que j'y aille.

— Attends ! J'ai encore une bonne nouvelle, s'écria Nadia en posant la main sur la table. Tu ne l'as peut-être pas vu – ou alors tu as été trop poli pour me le faire remarquer – mais je porte une énorme bague de diamants. Morris et moi allons nous marier dimanche prochain au Plaza.

Elle gratifia Morris d'un sourire radieux, puis, revenant à Noah, ajouta :

— La cérémonie débute à trois heures. Nous serions vraiment très déçus si tu ne venais pas.

33.

Ce maudit Michael Strother.

Parker n'arrêtait pas de pester contre son ami – ou plutôt son ancien ami, à en juger par les récents événements. Furieux, il éteignit son ordinateur, mettant ainsi fin à une nouvelle séance d'écriture totalement improductive. Il était resté toute la journée les mains en suspension au-dessus du clavier dans l'attente d'une soudaine montée d'inspiration qui n'avait pas eu lieu. Depuis quelques jours, cet état de fait se répétait avec une fréquence pour le moins alarmante.

Il avait entamé un nouvel épisode des aventures de Deck Cayton, et ce dernier s'était métamorphosé en une espèce de benêt qui n'avait rien d'intelligent à dire. Il n'était plus ce personnage espiègle et attachant. Le méchant n'était qu'une caricature de méchant. Quant à la fille… Parker ne l'aimait pas non plus. Il la trouvait superficielle et stupide.

Pour l'instant, Mike n'avait donné aucun signe de vie, et, depuis son départ, Parker s'était avéré incapable de pondre la moindre ligne un tant soit peu digne d'intérêt. Le vieil homme avait probablement dû lui jeter un sort, un de ces trucs qu'il avait appris en étudiant les Gullahs, une peuplade qui occupait autrefois la pointe sud de l'île. Mike s'était toujours passionné pour leur langue et leurs coutumes, transmises de génération en génération depuis leurs ancêtres africains. Parker, bien sûr, ne croyait pas plus aux sortilèges qu'aux potions magiques et autres foutaises du même genre. Mais après tout, peut-être y avait-il du vrai là-dedans.

Quand Mike vivait encore avec lui, Parker recherchait sans cesse le silence et la solitude pour écrire. Maintenant, bizarrement, il regrettait de ne plus voir le vieil homme traîner autour de lui. Il se surprenait à guetter le bruit de ses pas, le cliquetis des casseroles dans la cuisine, les portes du placard qui se referment ou le bourdonnement de l'aspirateur, quelque part dans la maison. Ces bruits lui auraient été d'une grande distraction, d'un grand réconfort. Pour tout dire, il se sentait terriblement seul.

Des années plus tôt, alors qu'il était allongé sur son lit d'hôpital en présence d'inconnus, soigné par des infirmières compétentes mais impersonnelles, il avait ressenti avec douleur son manque d'amis. C'est alors que la Haine était devenue sa compagne. Son amie imaginaire. Sa couverture de survie.

Par la suite, bien souvent, il en avait eu assez de ce nouvel acolyte. Surtout après le succès des Deck Cayton. Il ressentit alors sa présence comme une nuisance. Il aurait voulu pouvoir s'en débarrasser.

Il se mit à la malmener dans l'espoir qu'elle partirait de son propre chef. Mais non, elle s'accrochait. Elle restait là, collée à ses basques et Parker n'eut jamais le courage de l'abandonner. Au lieu de ça, il l'avait nourrie tous les jours, il lui était resté loyal jusqu'à tomber avec elle dans une relation d'interdépendance. La Haine l'aidait à survivre. La Haine le poussait dans ses motivations.

A présent, Mike était parti, et il se retrouvait à nouveau seul avec la Haine, son alliée de toujours qui, pourtant, le rongeait comme une maladie parasitaire.

Il se sentait misérable, mais l'ironie de la situation ne lui échappait pas. Ce désespoir, il se l'était lui-même infligé.

— Tu es tombé bien bas, mon pauvre Parker, murmura-t-il à part soi. Le seul point positif, c'est que cette histoire aura une fin.

Il avait lancé son dernier dé en envoyant le

manuscrit de *Jaloux* à Noah. Trop tard pour faire machine arrière. D'une manière ou d'une autre, la fin était proche et il allait enfin tourner la page. Tout ce qu'il avait fait, dit ou écrit au cours de ces quatorze dernières années, avait eu ce seul objectif. Tout allait se jouer ici et maintenant.

Que l'issue lui soit favorable ou pas, une chose était sûre : il avait payé un lourd tribut. Ses livres connaissaient un succès mondial, et pourtant personne ne connaissait son nom. Il avait sacrifié la gloire à l'anonymat. Il était riche, mais son argent ne lui servait à rien. Il possédait une belle maison qui n'avait pour lui rien d'un foyer. Il partageait ces pièces vides avec le fantôme d'un pendu. Son besoin de vengeance lui avait coûté son meilleur ami, et, par la suite, Maris.

La douleur de l'avoir perdue, il la ressentait jusque dans son corps. S'il avait été une femme, ou un enfant, nul doute qu'il se serait endormi tous les soirs en pleurant. Il passait de longs moments à errer dans la maison, touchant les objets qu'il l'avait vue toucher, inhalant profondément pour tenter de capter un effluve de son parfum. Il était aussi pathétique et timbré que la vieille tante d'Hadley dans son grenier, avec ses souvenirs aigres-doux et sa peur des fruits.

Maris avait constitué un élément essentiel de son intrigue. Il n'avait pas prévu qu'elle deviendrait l'élément le plus important de son existence.

Enfin, le deuxième élément le plus important, corrigea-t-il.

Sinon il aurait déjà envoyé Noah au diable comme Mike le lui avait suggéré, et aurait passé le reste de sa vie à aimer Maris, et à recevoir son amour en retour. La nuit, lorsqu'il ne parvenait pas à dormir, il avait des visions. Il s'imaginait sur la plage avec elle. Il se voyait en train de lancer un bâton à un golden retriever tout en surveillant leurs deux enfants occupés à construire un château de sable en riant. Un tableau idyllique, digne d'une pub pour Kodak.

Bien trop souvent à son goût, il revivait, au péril de sa santé mentale, la nuit d'amour qu'ils avaient vécue.

Dieu que ç'avait été doux. Le simple fait de la tenir serrée contre lui. De sentir son cœur battre sous sa main. De sentir son souffle contre sa peau. De s'autoriser à oublier qu'après cette seule et unique nuit passée en sa compagnie, il la ferait horriblement souffrir, de façon irréparable.

Maris était le seul élément du complot qui aurait pu l'amener à imaginer une autre fin.

Mais il n'était pas seul à entrer en ligne de compte. Cette vengeance, il la voulait également pour Mary Catherine. Peut-être ne méritait-il pas réparation, mais Sheila, elle, le méritait largement. Parker savait bien que derrière cette fille plantureuse à la morale aussi légère que ses vêtements, se cachait un être tendre et généreux. A bien des égards, c'était une innocente.

Et Noah l'avait tuée.

Tout comme il avait probablement tué Daniel Matherly. Parker espérait que Maris et les autorités locales allaient se pencher à fond sur cette enquête, car pour sa part, il ne croyait pas une seule seconde au récit de Noah. Selon lui, sa culpabilité ne faisait pas l'ombre d'un doute. Cela avait beau puer le meurtre à plein nez, il y avait fort à parier qu'ils ne pourraient rien prouver contre lui. Il avait tout fait pour maquiller la mort du vieil homme en banal accident domestique et ses explications étaient parfaitement plausibles. Il avait le chic pour baratiner.

Jamais il n'aurait ouvertement agressé son beau-père. Il était beaucoup plus malin et subtil que ça. Oh, il était parfaitement capable de se battre. La cicatrice sur le visage de Parker, au-dessus du sourcil, était là pour le prouver. Mais la vraie force de Noah était d'ordre cérébral. La fourberie constituait son arme la plus redoutable. Il manœuvrait de façon insidieuse et vous n'aviez pas le temps de le voir arriver. Ce qui faisait de lui l'espèce la plus dangereuse de la planète.

Mais il avait également une faiblesse : il ne supportait pas qu'on cherche à le tenir en défaite.

Sûr qu'en lisant le manuscrit de *Jaloux*, il allait rappliquer aussi sec. Il serait incapable de résister à la tentation. Le livre serait pour lui l'équivalent d'un drapeau rouge brandi devant ses yeux. Il ne pourrait l'ignorer.

Durant toutes ces années, si Noah avait jamais pensé à Parker, ç'avait dû être sous la forme d'un ennemi vaincu, une menace définitivement écartée.

Il viendrait à St. Anne au moins par curiosité. Il viendrait voir ce qu'était devenu ce bon vieux Parker. Il viendrait voir ce que sa femme avait bien pu trouver de si intéressant chez son ancien camarade de chambre.

Noah allait rappliquer, et Parker, lui, l'attendrait de pied ferme.

Les premiers cours de la matinée étaient sur le point de débuter lorsque Maris rangea sa voiture de location sur le parking du campus réservé aux visiteurs. On était en pleine session d'été, et les étudiants étaient beaucoup plus rares à se précipiter vers les amphis qu'au début du premier semestre, après la fête du travail.

Elle n'était jamais venue dans cet endroit, pourtant elle s'orienta sans problème, sans jamais demander son chemin. Le campus n'était pas seulement semblable à celui décrit dans le manuscrit de *Jaloux*. *C'était* le campus de *Jaloux*.

Et il était situé à des kilomètres du petit poste de police du Massachusetts où elle se trouvait encore vingt-quatre heures plus tôt.

Les paroles de Noah l'avaient hantée durant tout le trajet jusqu'à New York. Elle avait conduit comme poussée par une sorte d'urgence, dévalant les routes de campagne à une vitesse bien supérieure aux limitations. Depuis son téléphone portable, elle avait réservé un billet d'avion pour Nashville.

Elle avait l'intention de se rendre directement à son bureau de Manhattan, pour consulter son assistante et jeter un coup d'œil à son courrier, avant de retourner chez Daniel faire sa valise puis foncer à l'aéroport.

Mais rien ne se déroula comme prévu.

Dès son arrivée, son assistante lui sauta dessus.

— Dieu merci, te voilà. J'ai essayé de te joindre toute la journée.

— Mon portable n'avait plus de batterie.

— Attends deux secondes, fit sa secrétaire tout en composant un numéro. Oui, dites à M. Stern qu'elle est là, expliqua-t-elle au téléphone avant de se tourner à nouveau vers Maris. Il m'a dit qu'il devait absolument te parler aujourd'hui.

— A propos de quoi ? Il a précisé ?

— Non, mais il a déjà appelé plusieurs fois. Il pensait que tu serais là.

— Je sais, mais il a fallu que je m'absente de New York. Et j'ai très peu de temps devant moi.

— Je suis vraiment désolée, Maris, mais il m'a fait jurer de le prévenir dès ton arrivée. Je te le passe sur la 2.

Maris quitta la pièce et alla s'installer derrière son bureau Et elle fit bien de s'asseoir, car la nouvelle était de taille.

— M. Matherly voulait vous faire la surprise à votre retour de Géorgie. Il n'en a malheureusement pas eu l'opportunité, mais en l'occurrence, sa décision intervient à point nommé.

Il marqua une courte pause avant d'ajouter :

— J'espère que vous êtes contente.

Elle était fière et très touchée que son père lui ait accordé une telle confiance. Elle allait prendre son nouveau rôle très à cœur.

— Je ne pourrais pas être plus heureuse.

Stern la mit au courant des détails, mais ce qui retint le plus son attention, c'était le fait que son père lui ait confié la charge de cette maison d'édition à laquelle il avait consacré toute sa vie.

Stern eut un toussotement.

— C'est à vous de juger si vous allez garder M. Reed. M. Matherly m'a laissé entendre qu'étant donné l'imminence de votre divorce, il vous serait peut-être embarrassant de continuer à travailler avec lui.

Ainsi donc, il savait. Bien entendu. La décision de

nommer Maris à la tête de Matherly Press n'était pas venue par hasard. Daniel l'avait probablement envisagée depuis longtemps, comprenant que la dissolution de leur mariage entraînerait d'inévitables querelles pour savoir qui de Maris ou de Noah prendrait le contrôle des affaires.

— Pour parler franchement, votre père n'avait plus trop confiance en Noah Reed. Mais encore une fois, c'est à vous de statuer.

La conversation se poursuivit encore un instant.

— Eh bien merci beaucoup, monsieur Stern, fit Maris en conclusion.

— Il n'y a pas de quoi. J'espère que nous continuerons à travailler ensemble.

— Cela va sans dire.

— J'en suis très honoré... Dites-moi, Maris, ça fait quoi d'être devenue l'une des femmes les plus importantes de New York ?

— Pour tout vous dire, je pense surtout à l'avion que je dois prendre tout à l'heure, répondit Maris en riant.

Elle donna ensuite ses consignes à son assistante et prit un taxi pour se rendre à la maison de son père.

Là, une autre surprise l'attendait.

Tandis qu'elle gravissait le petit escalier de grès, une limousine se rangea le long du trottoir. Nadia Schuller en descendit avant même que le chauffeur ait eu le temps de lui ouvrir la portière.

— Bonjour, Maris.

Elle portait une robe noire et un chapeau qui, sur n'importe quelle autre personne, auraient semblé ridicules.

— Je comprends très bien que tu ne veuilles pas me parler. Je sais que tu me considères comme un vulgaire mégot juste bon à finir écrasé sous ta semelle, mais ce que j'ai à dire ne prendra qu'une minute.

— Je n'ai même pas une minute, Nadia. Je suis vraiment pressée.

— Je t'en prie. J'ai bu deux martinis pour me donner du courage.

Maris hésita quelques secondes. A contrecœur, elle finit par accepter de l'écouter.

Nadia lui fit le récit de son rendez-vous matinal avec Daniel.

— On m'a dit qu'il avait eu un invité mystère, mais jamais je n'aurais pu supposer qu'il s'agissait de toi.

— J'avoue que j'ai été stupéfaite lorsqu'il a appelé pour me proposer de venir prendre le petit déjeuner en sa compagnie. J'ai eu l'impression qu'il me faisait venir en cachette de sa gouvernante. Mais le vrai choc, je l'ai eu lorsqu'il m'a parlé de ce document que Noah allait le presser de signer. Il m'a ensuite offert l'exclusivité sur ta promotion. Félicitations.

— Merci.

— La nouvelle sera publiée demain dans ma colonne. Daniel m'avait demandé d'attendre une semaine avant de le faire. J'ai accepté. Bien sûr, je ne pouvais pas prévoir... qu'il ne serait plus là pour le lire.

Maris fut surprise de voir les yeux de Nadia embués de larmes, des larmes que même le voile de son chapeau ne parvenait pas à dissimuler.

— Ton père était un gentleman, Maris. Même moi, il me traitait avec respect.

Elle s'interrompit un instant.

— J'aurais dû le mettre en garde, lui dire de ne pas y aller.

— Tu veux dire, avec Noah ?

Nadia acquiesça d'un signe de tête.

— Je suis sûrement la mieux placée pour savoir que Noah est un être perfide. Je ne le pensais pas capable d'aller jusqu'au meurtre, mais lorsque j'ai appris les circonstances de la mort de Daniel, je me suis vraiment posé des questions.

— Moi aussi.

— Oui, c'est ce que m'a dit Noah.

Maris lui raconta leur rendez-vous dans le Massachusetts avec l'officier Randall.

— S'il l'a poussé du haut de l'escalier, alors il a fait en sorte que personne ne puisse le prouver.

— Ce matin-là, lorsque j'ai dit au revoir à ton père,

j'aurais dû l'avertir du danger qu'il courait, fit Nadia en suppliant Maris du regard pour qu'elle la pardonne.

— Moi aussi, j'aurais pu le prévenir. Pourtant, je ne l'ai pas fait.

— Je pense que nous avons tous sous-estimé Noah.

— Oui, je le pense aussi.

— Au fait, lui et moi, c'est de l'histoire ancienne.

— Ça ne m'intéresse pas, Nadia.

Nadia encaissa la remarque sans broncher. C'était parfaitement justifié.

— Juste avant de venir, j'ai eu le plaisir de lui annoncer ta nomination à la tête de Matherly Press. Je crois que ça ne lui a pas fait très plaisir. Méfie-toi, Maris.

— Je n'ai pas peur de lui.

Nadia l'observa avec admiration.

— Je sais.

Elle baissa la tête un instant, puis, affrontant de nouveau le regard de Maris, ajouta :

— D'habitude, je n'ai aucun scrupule. Mais cette fois, c'est différent. Merci de m'avoir écoutée, Maris.

Maris hocha la tête et pivota sur ses talons. Mais avant d'avoir atteint le porche, elle se retourna. Morris Blume était sorti de la limousine et tenait la portière à Nadia. Il salua Maris d'un geste de tête amical, mais ce fut à Nadia qu'elle s'adressa :

— A ton avis, pourquoi mon père t'a-t-il invitée à prendre le petit déjeuner. Pourquoi est-ce à toi qu'il a offert le scoop ?

— Je me suis posé la question un millier de fois. Je pense avoir trouvé une réponse. Ce n'est bien sûr qu'une hypothèse.

— J'ai quand même envie de l'entendre.

— Il savait que Noah te trompait, mais il était trop vieux pour lui régler son compte d'homme à homme. Alors il a voulu se servir de ma colonne pour lui donner une bonne leçon. Il savait que Noah serait publiquement humilié à la sortie de l'article, quand le monde découvrirait, noir sur blanc, que le jeune prodige de l'édition s'était fait évincer.

Elle sourit et ajouta :

— Et il devait sûrement trouver l'idée très romanesque d'appâter la maîtresse de son gendre avec un scoop auquel elle ne pourrait pas résister.

— Oui, probablement, fit Maris avec un sourire ému.

C'était en réalité son vieux père qu'ils avaient tous sous-estimé.

— Maris, si jamais ça peut te consoler...

— Oui ?

— Je crois qu'il a pris beaucoup de plaisir à orchestrer tout ça. Il était d'excellente humeur, ce matin-là.

— Merci de me l'avoir dit. Ça représente beaucoup pour moi.

Elle resta dans la maison à peine une demi-heure et arriva à la porte d'embarquement juste au moment où les derniers passagers montaient dans l'avion pour Nashville. Elle avait réservé une chambre dans un hôtel de luxe situé à proximité de l'aéroport et s'effondra sur le lit tout habillée. Le lendemain matin, elle prit un petit déjeuner gargantuesque et conduisit pendant deux heures avant d'atteindre l'université.

A présent, elle flânait dans les allées du campus en repensant aux événements de la veille, et avait peine à croire qu'elle se trouvait là. Elle éprouvait une forte impression de déjà-vu, ce qui n'avait rien de surprenant. Cet endroit, elle l'avait visité en lisant le livre de Parker. Même s'il lui avait attribué un nom fictif, les descriptions étaient conformes à la réalité.

Elle se dirigea directement vers le bâtiment de la confrérie. Il était tel que Parker l'avait décrit. L'immeuble en brique avec ses fenêtres à pignon et l'allée bordée de poiriers de Bradford étaient pour le moment déserts, mais elle n'avait aucun mal à imaginer l'agitation qui devait y régner pendant l'année.

Elle s'engagea dans l'allée qu'avait suivie Roark ce matin venteux de novembre, deux jours avant Thanksgiving. Ses souvenirs la guidèrent jusqu'au bâtiment qui abritait le bureau d'Hadley. Elle gravit l'escalier où

Roark avait croisé l'un de ses camarades avant d'être invité à rejoindre un groupe d'étude.

Le couloir du deuxième étage s'étendait devant elle – interminable, sombre, désert et silencieux. Elle passa devant un bureau ouvert où une femme était assise devant un écran d'ordinateur.

Elle poursuivit son chemin jusqu'au bureau 207. La porte était entrebâillée, comme lors de cette fameuse matinée de novembre, quand Roark s'était présenté avec son mémoire. Le cœur battant à tout rompre, elle poussa la porte.

Un homme était assis derrière le bureau, dos à elle.

— Monsieur Hadley ?

— Bonjour, Maris, fit-il en se retournant.

Elle s'appuya contre le montant de la porte et poussa un petit rire.

— Mike.

— Je vous en prie, asseyez-vous.

Il ôta une pile de livres de la seule chaise disponible et la posa sur le sol, à côté d'autres piles de papiers en tous genres. Sans le quitter du regard, Maris se laissa tomber sur la chaise.

— Je savais que vous finiriez par comprendre. Qu'est-ce qui a provoqué le déclic ?

— Ça fait plusieurs jours que j'ai fait le lien entre Roark et Parker. Tout du moins entre certains aspects de leurs personnalités. Et puis hier, Noah a cité mot pour mot l'une des répliques de Todd. Il a dit que la mort de mon père avait été pour lui un soulagement.

— Tout comme la mort de sa mère. Ça lui permettait de se rendre enfin en Floride.

— J'aurais dû comprendre plus tôt que vous étiez le professeur Hadley.

— Pour être honnête, je suis content de vous entendre dire ça. On ne peut pas dire que les descriptions de Parker étaient très flatteuses. Je me serais senti insulté si vous m'aviez reconnu dans ce personnage.

Le regard de Maris erra autour du petit bureau surchargé.

— Quelle est votre position au sein de l'université ?

— Professeur honoraire.

— C'est un titre très prestigieux.

Il s'éclaircit la gorge avant de répondre.

— C'est un titre qui ne veut pas dire grand-chose à part que vous êtes trop vieux pour faire ce que vous faisiez avant. J'ai la jouissance du bureau jusqu'à ma mort. En échange, deux fois par an, j'anime un séminaire sur Faulkner devant des jeunes gens qui ont l'air de s'ennuyer ferme et ne viennent que parce qu'ils y sont forcés. Je me sens flatté si au moins l'un d'entre eux reste éveillé jusqu'à la fin. Ce sont là mes seules responsabilités.

— Je suis sûre que Parker ne s'endormait jamais.

— C'est vrai. C'était un étudiant exceptionnel. Il n'a pas exagéré dans son livre, en parlant de l'admiration que je lui témoignais. Il l'a peut-être même minimisée.

— Vous l'avez vraiment sauvé de la drogue ?

— Comme je l'ai déjà dit à plusieurs reprises, il s'est sauvé lui-même. Il était devenu dépendant aux analgésiques, et compte tenu des souffrances qu'il a endurées, je peux difficilement le blâmer. Mais ça avait atteint un stade où les pilules lui servaient plus à calmer les douleurs psychiques que les douleurs physiques.

» J'ai tiré la sonnette d'alarme, mais c'est lui qui a connu le manque et l'enfer de la désintoxication. En fin de compte, je lui ai tendu le fouet, et il s'est corrigé tout seul, conclut-il en souriant.

— Il a quand même une dette envers vous.

— Et j'en ai une envers lui. Il m'a offert le privilège de travailler avec l'un des écrivains les plus talentueux de sa génération.

— Dommage qu'il ne soit pas aussi doué pour les relations humaines.

Mike l'observa un instant en silence, puis il se pencha pour ouvrir un tiroir d'où il tira un manuscrit entouré d'un élastique. Il le tendit à Maris. En le regardant, elle eut un petit sourire aigre.

— Merci, Mike, mais je l'ai déjà lu.

— Oui, mais pas dans son intégralité. Il y a certains

passages que vous ne connaissez pas. Lisez-le avant de juger Parker trop sévèrement.

Il se leva et se dirigea vers la porte.

— Je vais chercher un café. Vous voulez quelque chose ?

34.

L'un des traits les plus marquants de la personnalité de Noah, c'était cette faculté de nier que tout allait mal alors même que sa défaite était évidente.

Au lendemain de son rendez-vous désastreux avec Nadia, il se rendit en taxi au siège de Matherly Press, persuadé de pouvoir arranger les choses et de s'en tirer, au final, mieux que prévu. Sur l'échelle de Richter des missions impossibles, celle-ci s'élevait au moins à 10.

Il était content que Matherly Press soit resté indépendant. Blume, de son côté, s'était offert un cheval boiteux. Depuis plusieurs années, tous les gens du milieu savaient que la survie de Becker-Howe ne tenait qu'à un fil, et que ce fil était sur le point de rompre. Ollie Howe était un être encore plus borné que Daniel. Il refusait de s'adapter aux nouvelles lois du marché et restait totalement hermétique au développement de l'édition électronique.

Noah se chargerait de faire de cette fusion une erreur abyssale, et de Morris Blume la risée du métier. Premièrement pour s'être cru éditeur, ensuite pour avoir épousé une pute. Tous les hommes à qui il serrait la main étaient susceptibles d'être passés sur sa femme un jour ou l'autre.

Quant à ce scoop que Nadia lui avait révélé, il n'y croyait pas non plus.

Daniel n'était plus là pour corroborer et Nadia mentait sûrement à propos de Stern. Dès la parution de l'article, Noah clamerait haut et fort qu'elle avait écrit ça par dépit. Il admettrait avoir eu une liaison temporaire avec Nadia, reconnaîtrait que ç'avait été une erreur et qu'il le regrettait amèrement. Il expliquerait que la mort soudaine de son beau-père lui avait ouvert les yeux et qu'il n'avait qu'une envie : retourner vivre auprès de sa femme dans le respect le plus sacré des devoirs qu'impose le mariage. Il raconterait que Nadia n'avait pas supporté leur rupture et qu'elle s'était vengée en inventant n'importe quelle histoire farfelue.

Le temps que le tapage retombe, tout le monde aurait oublié les détails de l'affaire. Les faits auraient été déformés à force d'être racontés et re-racontés. Plus personne ne saurait qui croire. Il pouvait très bien s'en tirer sain et sauf, avec de surcroît l'image d'un homme courageux, qui n'avait pas hésité à demander publiquement pardon à sa femme pour l'avoir trompée.

Sa femme. Maris était justement le point le plus problématique.

Il comptait sur le fait qu'elle ne prêterait aucune attention à l'article de Nadia. Elle n'allait quand même pas lui donner satisfaction en confirmant ou en infirmant la nouvelle de sa nomination. Mais au-delà de ça, qu'adviendrait-il si Daniel avait effectivement nommé Maris à la tête de Matherly Press ? Que faire alors ? Et si l'avocat, Stern, avait des documents pour le prouver ?

Pas de problème. Il n'avait qu'à dire que Daniel l'avait informé de cette décision pendant leur week-end à la campagne. Voilà ! Ils en avaient longuement discuté et Noah avait accepté l'idée que Maris prenne le poste et les responsabilités inhérentes. Mais Daniel lui avait demandé d'être son assistant et de la conseiller pour éviter les prédateurs et contourner les nombreux pièges qui allaient jalonner sa route.

Oui. Excellente idée. Et puis qui irait le contredire ?

Peut-être devrait-il avouer qu'il avait caressé l'idée d'une fusion avec WorldView et rencontré Blume pour en discuter. Mais il affirmerait ensuite que, depuis la mort de Daniel, il n'avait qu'une seule hâte : se remettre au travail au côté de Maris afin de préserver, et même de consolider, Matherly Press.

Excellent. Ça, c'était réglé.

En revanche, que faire pour se rabibocher avec Maris ? Délicat, mais pas impossible. Il pouvait facilement la calmer. Par exemple en faisant semblant de s'intéresser à ce fameux bouquin dont elle lui avait tant rebattu les oreilles. Il proposerait de s'impliquer personnellement dans la publication et promettrait de tout faire pour que le livre rencontre un énorme succès. Ça lui plairait forcément.

Ou bien peut-être allait-il suggérer de s'essayer à nouveau à la conception d'un petit héritier. C'était bien sûr physiquement impossible, mais ça la rendrait heureuse le temps qu'il trouve autre chose pour la préoccuper et la rendre malléable.

Il avait le choix entre plusieurs options. Il y en aurait forcément une qui allait marcher.

Enfin il restait le problème du détective privé. A force de creuser, il se pouvait qu'il finisse par déterrer cette vilaine histoire en Floride. Et puis après ? C'était un accident tout à fait regrettable, rien de plus. On ne l'avait jamais mis en cause. Evidemment, avec ce genre d'affaires, les gens risquaient de se poser des questions, mais il ferait taire les rumeurs en criant à la diffamation.

Une fois toutes ces solutions trouvées, c'est d'un pas allègre, l'air joyeux et optimiste qu'il sortit de l'ascenseur pour se diriger vers son bureau. Même sa secrétaire se tenait au garde-à-vous, se tordant les mains comme dans l'attente d'un ordre quelconque.

— Cindy ? Un café, je vous prie.

— Monsieur Reed, il...

Noah passa devant elle et entra dans son bureau. Il se figea si brutalement sur place qu'on aurait pu croire qu'il venait de percuter une vitre invisible.

— Stern ?

Il y avait une indéniable ressemblance avec Howard Bancroft. Même crâne chauve et pointu.

— Monsieur Reed, répondit Stern d'un ton sec.

— Qu'est-ce que vous foutez là ?

Ignorant ce manque de politesse, Stern désigna d'un geste les deux hommes qui l'accompagnaient.

— Ces deux gentlemen travaillent pour ma société. Ils ont accepté de venir vous aider à rassembler vos affaires. Vous avez une heure, au terme de laquelle vous devrez me restituer vos clés, ainsi que votre passe. Je vous escorterai ensuite jusqu'à la sortie située sur la 51e. Lorsqu'elle a stipulé son désir de vous renvoyer, Mme Matherly a été très claire sur ce point. Elle voulait vous épargner l'embarras de passer par l'entrée principale, même si, à mon sens, vous ne méritez pas de tels égards.

D'un geste rapide, il fit signe aux deux hommes de se mettre au travail. Puis il consulta sa montre.

— Je pense qu'il est temps de commencer.

Cindy passa la tête par la porte.

— Excusez-moi, monsieur Reed ? Il y a là un livreur qui refuse de laisser son paquet tant que vous n'aurez pas signé le reçu.

Noah se retourna et la fixa d'un œil noir, prêt à laisser exploser sa colère sur elle.

Cindy eut un mouvement de recul et ajouta :

— Ça vient d'un certain Parker Evans.

Maris venait d'achever sa lecture lorsque Mike réintégra le bureau. Elle se tenait immobile, les pages du manuscrit posées sur ses genoux. Elle était restée les yeux rivés sur la dernière phrase jusqu'à ce que les lettres deviennent floues.

Une douleur qui vous brise le corps et laisse votre âme pour morte.

Parce qu'elle était bouleversée par cette phrase et celles qui avaient précédé, elle ne remarqua le retour de Mike que lorsque celui-ci posa la main sur son épaule.

— Je me suis souvenu que vous aimiez le thé. Ça vous va ?

Elle prit le gobelet qu'il lui tendait. Mike s'installa dans son fauteuil et ouvrit un paquet de sucrettes. Dans le silence pesant qui s'était abattu, le bruit du plastique froissé sembla démesurément amplifié.

— Une ou deux ? demanda-t-il.

— Une, merci.

Elle ôta le couvercle de son gobelet. Mike laissa tomber une sucrette dans le thé fumant et lui tendit une petite cuillère. Elle touilla plus longtemps que nécessaire. La première gorgée lui brûla la langue.

— L'histoire ne s'arrête pas là. Il manque un chapitre, n'est-ce pas ? demanda-t-elle.

Mike fronça les sourcils par-dessus sa tasse de café.

— Même moi, il ne me l'a pas fait lire. Je pense qu'il ne l'a pas encore écrit. C'est peut-être une épreuve trop douloureuse.

— Plus douloureuse que ça ? Mon Dieu, s'écria-t-elle. C'est insensé. J'ai du mal à croire que c'est arrivé.

Mike lui adressa un regard lourd de sens. Ce qu'elle venait de dire était une phrase rhétorique, car elle croyait évidemment au récit de Parker. Noah avait bel et bien fait subir ça à ses amis, et Maris le savait. Elle l'en savait capable.

— Que s'est-il passé ensuite, Mike ?

— Todd…

— Appelez-le Noah. Il ne s'agit plus de fiction.

— Eh bien Noah est retourné à la marina.

— Comme dans le prologue. Il a fait croire que Parker avait perdu la tête sur le bateau, qu'il s'était jeté sur lui sans raison. Ils se sont battus. La fille est tombée à l'eau, ainsi que Parker, et Noah a soi-disant essayé de les sauver.

— Il a dû plonger pour que ses vêtements soient mouillés et que son histoire ait l'air plausible.

— Selon lui, Parker a été pris d'un violent accès de jalousie.

— Un mensonge, bien sûr. Mais parfaitement crédible. Le garde-côte a organisé une opération de recherche.

— Mary Catherine ?

— Son corps n'a jamais été retrouvé. Elle a été déclarée noyée.

— Et Parker ?

Mike but une gorgée de café avant de répondre, pour l'effet, une tactique qu'elle décela clairement.

— Parker a été retrouvé dans la nuit tout à fait par hasard. C'est un pêcheur qui l'a repéré. Les coordonnées fournies par Todd étaient pour le moins « approximatives ».

— Oui, j'imagine.

— Après être resté dans l'eau pendant plusieurs heures, c'était un miracle qu'il soit encore vivant. C'est probablement le choc qui l'a sauvé. Il avait continué à remuer les bras pour ne pas couler, mais dieu seul sait comment il en a trouvé la force. Ses jambes avaient été broyées par les hélices du moteur. Lorsque les pêcheurs l'ont aperçu, ils l'ont pris pour une carcasse d'animal qui aurait été utilisée comme appât. Il y avait tellement de sang autour de lui...

Maris reposa son gobelet d'une main tremblante. Elle n'avait pu boire qu'une seule gorgée.

— Il est resté dans un état critique pendant plus d'une semaine, reprit Mike. On ne sait pas trop comment il s'en est sorti. Avec le temps, les médecins sont parvenus à reconstruire ses jambes.

— Il m'a dit qu'il avait subi plusieurs opérations. Que faisait Noah pendant ce temps-là ? Il devait avoir peur que Roark donne sa propre version de l'histoire et finisse par convaincre les autorités qu'il avait raison.

— Je vous ai donné une version très abrégée, expliqua Mike. Le rétablissement a pris des années. Les premiers jours, les chirurgiens spécialisés en traumatismes se sont escrimés à le maintenir en vie. Il a ensuite passé plusieurs semaines en soins intensifs à cause d'une grave infection. Il n'y avait pas de produits assez forts pour calmer la douleur plus de quelques heures. Le reste de la journée, il le passait à hurler, à supplier les médecins de l'euthanasier. Ça, il l'a reconnu devant moi.

Maris avait les lèvres qui tremblaient, les mains humides et froides, les yeux brûlants de larmes.

— Il avait perdu énormément de sang. C'est peut-être pour ça qu'ils ne l'ont pas amputé tout de suite. Ils avaient peur qu'il ne supporte pas l'opération. Ou bien ils voulaient attendre que son état se stabilise avant de lui faire subir une intervention chirurgicale aussi lourde. Je ne sais pas... Tout ça, je ne l'ai appris que bien plus tard. A l'époque, personne ne m'avait mis au courant de l'accident. Je l'ai découvert par hasard.

» Au bout d'un moment, il a été assez fort pour entamer une rééducation. Il hurlait comme un diable si jamais un chirurgien avait le malheur de faire allusion à une éventuelle amputation. Même partielle. Honnêtement, je ne sais pas pourquoi ils lui ont obéi. Peut-être parce qu'il était jeune... Je ne sais pas, répéta-t-il en haussant les épaules. Une intervention divine ? La Providence ? Ou bien peut-être les médecins ont-ils admiré sa volonté de fer et décidé de lui faire honneur. Quoi qu'il en soit, ils ne l'ont pas amputé. Ils ont choisi de lui donner une chance de se reconstruire en reconstruisant ses jambes du mieux qu'ils pouvaient.

— J'ai vu les cicatrices.

— Les cicatrices visibles. Celles que vous ne voyez pas sont encore plus profondes.

— Comme celles causées par la trahison de Noah ?

— Pendant que Parker se battait pour rester en vie, Noah, lui, faisait son cirque devant les autorités. Sans Mary Catherine pour contester sa version des faits, c'était sa parole contre celle de Parker. Il a dépeint Parker comme un être jaloux et envieux. Il a raconté que c'était une forte tête, et que ce soir-là il s'était enivré, qu'il était soudain devenu violent et s'était jeté sur lui. Mary Catherine aurait alors tenté de les séparer, Parker lui aurait mis des coups de poing et elle aurait basculé par-dessus bord. Dans son élan, Parker serait tombé lui aussi à l'eau.

» Le temps que les médecins autorisent la police à l'interroger, Parker était déjà considéré comme le suspect. Confronté aux accusations, il a, à l'en croire, fait le jeu de Noah en réagissant exactement comme l'aurait fait une personne jalouse et envieuse, un exalté au tempérament violent. Il a traité Todd de menteur et menacé de le tuer.

Mike eut un petit sourire.

— Je suppose qu'il a dû mettre à profit sa maîtrise

de la langue et employer tous les termes d'argot qu'il connaissait. Je l'imagine se débattre sur son lit, l'écume aux lèvres.

— A mon avis, vous n'êtes pas loin de la réalité.

— En tout cas, il est passé pour un fou furieux, dangereux aussi bien pour lui-même que pour les autres. Ils ont cru à la version de Noah et Parker s'est retrouvé inculpé d'homicide involontaire pour la mort de Mary Catherine. Lorsqu'il a été en mesure de quitter l'hôpital, ils l'ont conduit directement au tribunal pour lui lire l'acte d'accusation. Il a plaidé coupable.

— Mais pourquoi ? s'exclama Maris. Il était innocent.

— Oui, mais il se sentait responsable.

— C'est Noah le responsable, fit Maris en secouant la tête.

— Je suis d'accord avec vous. Mais Parker s'en voulait de n'avoir pas pu la sauver. Noah n'a pas assisté au procès. Il a envoyé une cassette vidéo de sa déposition. Sur la bande, il apparaissait humble, l'air triste, il s'exprimait d'une voix douce quand il ne se mettait pas carrément à sangloter. Il expliquait qu'il regrettait d'avoir à dire l'horrible vérité et parlait de double tragédie : la mort de Mary Catherine et la fin de son amitié avec Parker Evans. Il disait qu'il pensait le connaître, mais qu'en l'espace de quelques heures, son meilleur ami était devenu son ennemi.

» Il disait aussi que Parker et lui avaient été plus proches que des frères, mais que lorsque Parker avait appris la publication prochaine de son roman, ça l'avait rendu fou. Là, il a fixé la caméra d'un air solennel et s'est exclamé en pleurant : « Je ne comprends pas ce qui lui a pris. Il s'est montré sournois, lubrique. C'était devenu un meurtrier. » Je crois le citer mot pour mot.

Maris prit une profonde inspiration et expira lentement.

— Et il a débarqué à New York tout auréolé du succès de *The Vanquished*.

— Et Parker s'est retrouvé en prison.

— *En prison* ? En prison...

Elle baissa la tête, le front appuyé contre la paume de la main :

— Il m'avait dit qu'il avait passé plusieurs années dans des centres de désintoxication et « d'autres services ». Je n'aurais jamais imaginé qu'il faisait référence à la prison.

— Compte tenu des circonstances atténuantes et de son handicap, il a été incarcéré dans une prison spécialisée et on l'a autorisé à poursuivre sa rééducation. Il était condamné à huit ans mais ils l'ont relâché au bout de vingt-deux mois. Il s'en serait peut-être mieux sorti s'ils l'avaient gardé plus longtemps. Quand il s'est retrouvé livré à lui-même, il a commencé à partir à la dérive.

Il s'interrompit et observa Maris en fronçant les sourcils.

— Comme vous le savez, il était déjà tombé très bas lorsque j'ai appris ce qui était arrivé à mon élève vedette et que j'ai décidé de lui venir en aide.

Elle rassembla les feuilles posées sur ses genoux.

— Je regrette d'avoir croisé un jour le chemin de Noah Reed. Je l'aimais, vous savez. Ou du moins le pensais-je. Nous étions mariés. Je voulais qu'il me fasse des enfants. Comment ai-je pu être aussi aveugle ?

— Tout simplement parce que vous ne regardiez pas. Vous étiez dans l'ignorance.

— Mais j'aurais dû être capable de voir les signes. Je savais qu'il avait fréquenté l'université, mais il ne parlait jamais de son passé. Pas la moindre allusion. Aucun objet souvenir, aucune photo à part une de lui et de ses parents. Il n'avait gardé aucun contact avec d'anciens amis. Il disait qu'il préférait se tourner vers l'avenir plutôt que de ressasser des vieux souvenirs, et comme une idiote, j'acceptais ses explications sans poser de questions. Pourquoi ne m'est-il jamais venu à l'esprit qu'il avait quelque chose à cacher ?

— Ne soyez pas trop dure avec vous-même, Maris. Noah est un personnage double. Vous n'êtes pas la seule qu'il ait réussi à duper.

— Et cette lettre à laquelle Parker fait référence

dans *Jaloux*, où vous lui conseillez de se méfier de Noah, vous l'avez vraiment écrite, ou bien était-ce juste un élément de l'intrigue ?

— J'ai effectivement écrit une lettre quasiment similaire à celle que Parker nous a lue l'autre soir.

— Vous aviez donc percé Noah à jour, alors qu'il n'était que votre étudiant. Moi, j'étais sa femme. C'est dire ma lucidité...

— Parker aussi a vécu avec lui, ne l'oubliez pas. Pendant presque six ans. Ici, sur le campus, et ensuite en Floride. Il lui est arrivé de déceler un peu d'égoïsme, voire même d'égocentrisme, mais ce n'est qu'en se retrouvant à l'eau ce soir-là qu'il a vraiment compris quel monstre se cachait derrière Noah.

— J'ai moi aussi eu plusieurs aperçus de ce côté sombre, fit Maris.

Elle baissa les yeux vers le manuscrit et fit doucement courir ses doigts sur la page de garde.

— Parker n'est pas aussi méchant que Noah, mais il s'est tout de même montré cruel envers moi. Pourquoi a-t-il fait ça, Mike ?

— Pour se venger.

— Pourquoi m'avoir mêlée à toute cette histoire ?

— J'ai moi aussi ma part de responsabilité. Je vous dois des excuses, Maris. Je me suis senti mal à l'aise dès le début, et encore plus lorsque j'ai commencé à vraiment vous connaître.

Il s'affaissa sur son siège. Son regard se fixa vers un coin du plafond tandis qu'il remettait de l'ordre dans ses idées.

— Dans sa déposition, Noah accusait Parker de s'être montré lubrique envers Mary Catherine.

— Et Parker a fait de cette accusation une réalité. Avec moi.

— Oui, quelque chose comme ça. Le succès des Deck Cayton aurait pu lui suffire, mais non. La plus belle vengeance qu'il pouvait imaginer, c'était de raconter son histoire dans un livre, et de l'écrire de telle manière qu'une éditrice de votre renommée puisse s'y intéresser.

— Une éditrice, et en même temps la femme de Noah...

— Je pense que l'idée lui est venue quand il est tombé sur cet article où il était question de votre mariage.

— J'étais l'élément qui rendait l'intrigue possible.

Mike acquiesça d'un air sombre.

— Dans une bonne intrigue, il y a toujours une pièce qui permet de tenir l'ensemble du puzzle.

— Quel est le dernier chapitre ?

— Il n'a jamais voulu m'en parler.

— Peut-être qu'il n'y en a pas. Peut-être que le simple fait de m'avoir menti et d'avoir couché avec moi en se jouant de Noah lui a suffi.

Mike fut sensible à son amertume.

— Je ne cherche pas à lui trouver des excuses, Maris. Mais j'arrive à le comprendre. Quand il entreprend quelque chose, il se dévoue corps et âme. C'est sa manière à lui de fonctionner. Partant de cette logique, il est normal qu'il ait cherché à aller au bout de sa vengeance.

» Il voulait que Noah souffre ne serait-ce que le quart de ce que lui avait souffert. Il voulait qu'il sache ce que ça fait d'être trahi. Alors il a manœuvré pour vous attirer à lui. En couchant ensemble, vous avez tous les deux trahi Noah et...

— Oh, mon Dieu ! s'écria Maris en agrippant Mike par la manche. Je viens de comprendre...

— Comment ça ?

— La fin de l'histoire, fit-elle en s'humectant les lèvres. Tout à l'heure, vous avez cité l'une des phrases de la déposition de Noah. Il accusait Parker de s'être montré sournois, lubrique et...

— D'être un meurtrier, fit Mike en se tapant sur le front. Pourquoi n'y ai-je pas pensé plus tôt ? J'aurais dû deviner où cette intrigue allait mener. C'est pour ça qu'il refusait de me raconter le dernier chapitre.

— Parker a fait tout ce dont Noah l'avait accusé. A part...

Elle s'interrompit et observa Mike d'un air inquiet.

— Non, il ne le fera pas, fit-elle d'une voix rauque. Je sais qu'il ne le fera pas.

— Moi non plus, je ne pense pas qu'il en soit capable, fit Mike à son tour.

Mais aucun des deux ne semblait très convaincu.

— Non, il en est incapable, répéta Maris. Je n'aurais pas été attirée par lui, je n'aurais pas pu...

— Tomber amoureuse ?

— Pour l'amour du ciel, Mike. Je suis tombée amoureuse du personnage principal de *The Vanquished*. Et j'ai projeté cet amour sur l'auteur du roman. Regardez où ça m'a menée. Je n'ai plus confiance en mon jugement. Je pensais que Parker m'aimait, sinon je n'aurais pas couché avec lui... Mais peut-être que je me trompe. Peut-être que...

Elle se remémora les paroles cruelles qu'il avait eues l'autre matin. Etant donné la douleur, la rancune et la colère qui couvaient en lui depuis quatorze ans, peut-être était-il capable de commettre un meurtre.

Noah lui avait volé sa vie. Œil pour œil, dent pour dent. Il allait à son tour lui voler la sienne. La vie de Noah en échange de celle de Mary Catherine.

Cela, elle n'avait aucune peine à y croire. Parker ne tuerait peut-être pas par vengeance, mais par souci de justice. Il aimait cette fille. Il la considérait comme une amie et ressentait de la compassion pour elle. Il tuerait Noah pour la venger et se justifierait ainsi.

— Il faut l'en empêcher ! s'écria-t-elle en se précipitant vers la porte.

Mais au moment de franchir le seuil, elle s'arrêta net. Elle avait paniqué pour rien.

— Dieu soit loué, fit-elle en se tournant vers Mike, les mains jointes comme si elle priait. Noah ignore que l'écrivain avec lequel j'ai travaillé est Parker. Et il n'a pas lu le roman.

— Oh, non, gémit Mike en se passant la main sur le visage.

35.

Fraîchement débarqué du bateau, Noah entra chez Terry avec un air hautain qui le catapulta immédiatement au premier rang sur la liste des espèces en danger.

En règle générale, les habitants de l'île n'aimaient pas trop les étrangers, mais ils avaient une aversion toute particulière pour ceux qui les toisaient de haut. Ils méprisèrent Noah dès le premier regard. En fait, ils auraient même été capables de lui interdire de descendre du bateau si Parker n'avait fait passer le mot, expliquant à tout le monde qu'il attendait un visiteur genre yankee endimanché. Il avait donné pour consigne de le diriger directement vers le bar de Terry.

Noah s'approcha du comptoir.

— Hé ! lança-t-il à Terry d'un ton grossier.

Terry était en train de décapsuler une bouteille de bière qu'il envoya glisser le long du zinc vers l'un de ses clients. Il fit mine d'ignorer Noah.

— Vous êtes sourd ou quoi ?

— J'entends très bien, lança Terry en faisant passer l'allumette qu'il mâchouillait d'un coin à l'autre de sa bouche. Mais les gens qui m'causent, ils m'causent correctement ou ils dégagent. Alors vous allez m'foutre le camp.

— Tu as déjà assez abusé de notre hospitalité, Noah...

Noah se retourna et aperçut Parker qui lui souriait.

— ... Et pourtant tu viens à peine d'arriver.

Noah l'observa des pieds à la tête.

— Elle m'avait dit que tu étais estropié.

Terry sortit une batte de base-ball de derrière le comptoir. Un client posa la main sur l'étui à couteau accroché à sa ceinture. Toutes les personnes présentes dans la salle dardaient sur Noah un regard mauvais.

— Et moi, elle m'a dit que tu étais un connard, rétorqua Parker sans se défaire de son sourire. Mais ça, je le savais déjà.

Noah éclata de rire.

— C'est reparti comme au bon vieux temps, à ce que je vois. Je me rends compte que ça m'a manqué.

— C'est marrant, moi, pas du tout. Tu veux une bière ?

— Je crois que je vais m'en passer, répondit Noah en jetant un coup d'œil à Terry.

Parker lui fit signe de le suivre.

— Je te réglerai plus tard, Terry.

— Pas de problème.

Tous les regards étaient braqués sur eux tandis qu'ils se dirigeaient vers la porte. Ils se retrouvèrent dans la chaleur étouffante.

— Tu as du cran, Noah. Il faut au moins te reconnaître ce mérite.

— D'être venu ici ? lança Noah d'un ton railleur.

— Non. D'avoir osé te pointer chez Terry avec ces mocassins, répondit Parker en indiquant ses chaussures Gucci flanquées d'un petit sigle doré sur le devant. Tu es à la mode, dis-moi.

Noah ignora la remarque.

— Le climat est agréable, fit-il d'un ton sarcastique en enlevant sa veste.

— Ça ne te rappelle pas Key West ?

Noah ne se laissait pas démonter, mais il ne mordait pas à l'hameçon. Parker le conduisit jusqu'au Gator.

— Grimpe.

— Comme c'est pittoresque, lâcha Noah en s'installant sur le siège jaune vif. On n'en voit pas beaucoup, des comme ça, sur Park Avenue.

Parker se hissa sur le siège conducteur à la force des bras, puis se pencha pour replier son fauteuil qu'il déposa à l'arrière de la voiture.

— Tu es devenu un parfait petit snobinard, Noah, fit-il en tournant la clé de contact.

— Toi, tu as juste l'air vieux.

— La douleur et la souffrance, tu sais, ça laisse des traces.

Ils roulèrent un instant en silence. Noah ne manifestait pas le moindre intérêt pour le paysage. Il gardait les yeux rivés sur la route. Parker, quant à lui, répondait aux saluts des gens qu'ils croisaient le long du chemin. Une femme leur fit signe depuis le porche de sa maison.

— Tu es quoi, au juste ? La star locale ?

— Le seul handicapé de l'île.

— Je vois.

— Et le seul écrivain qu'ils connaissent.

— Tu n'as pas encore vendu ton livre ?

— Non, mais les romans de Mackensie Roone se vendent mieux que des capotes dans une maison close.

Enfin. Il avait enfin obtenu une réaction spontanée de la part de Noah. Parker explosa de rire devant son air stupéfait.

— Tu ne savais pas ? Eh bien voilà... surprise !

Mais, comme à son habitude, Noah retrouva vite son aplomb.

— C'est donc grâce à ça que tu peux te permettre cette jolie maison et le majordome dévoué dont ma femme m'a parlé.

Même s'il ne manqua pas de remarquer la façon possessive dont Noah avait fait référence à Maris, Parker décida de ne pas relever.

— La maison a encore besoin de pas mal de travaux. Quant au majordome dévoué, il m'a quitté cette semaine.

— Pour quelle raison ?

— Il désapprouvait ma conduite. Il pense que je suis un pourri.

— Pas si dévoué que ça, alors.

— Oh, il reviendra.

— Tu en es sûr ?

— Certain.

Le soleil était tombé sous la cime des arbres quand

ils atteignirent la fabrique de coton désaffectée. Le crépuscule lui conférait un aspect encore plus désolé qu'en plein jour. La végétation qui l'envahissait semblait plus touffue que jamais, comme pour la protéger de l'obscurité naissante.

Noah examina le bâtiment délabré.

— Je vois ce que tu veux dire à propos des travaux.

Parker se retourna pour attraper son fauteuil. Il le déplia et le posa au sol.

— Il ne s'agit pas de ma maison, mais c'est un endroit très intéressant. Et puisque tu es là, autant en profiter pour découvrir l'histoire de l'île.

Sur ces mots, Parker se dirigea vers l'entrée. Noah n'eut d'autre choix que de le suivre. A l'intérieur, la lumière déclinante perçait à travers les fissures des murs et les trous du plafond, projetant de minuscules taches lumineuses sur le sol, comme autant de pièces de monnaie éparpillées. A part ça, le bâtiment était plongé dans une obscurité lugubre et compacte. L'air était si lourd qu'il fallait presque se concentrer pour respirer.

Tel un guide touristique ressassant son éternel laïus, Parker lui décrivit la fabrique, relatant son histoire et ses légendes comme il l'avait fait pour Maris, incluant dans son récit la tentative avortée de passage à la vapeur.

Fatigué de son monologue, Noah l'interrompit en plein milieu d'une phrase.

— J'ai lu ton livre.

Parker fit lentement pivoter son fauteuil pour se retrouver face à Noah.

— Bien sûr que tu l'as lu. Sinon tu ne serais pas là. Tu l'as reçu quand ?

— Ce matin.

— Eh bien ! Tu n'as pas traîné. Le rêve de tous les écrivains dans l'attente fébrile d'une réponse.

— Je n'ai lu que le début, mais ça m'a suffi pour comprendre où l'intrigue allait mener. C'est très bien écrit, à propos.

— Merci.

— J'ai loué un jet privé pour être sûr d'arriver le plus vite possible. J'ai feuilleté la suite pendant le vol.

— Mais tu connaissais déjà l'histoire.

— Tout ce que je sais, c'est qu'il ne sera jamais publié.

Parker haussa les épaules.

— Ça prouve à quel point on peut se tromper... J'étais persuadé qu'après toutes ces années, tu serais prêt à soulager ta conscience.

— Arrête tes conneries, Parker.

La voix de Noah déchira le silence comme un coup de fouet.

— Je suppose que ce manuscrit est celui pour lequel Maris s'est tant enthousiasmée.

— Exactement. Elle l'a lu de bout en bout. Et même plusieurs fois. Elle adore le concept, la rivalité entre les deux amis. Elle trouve que les personnages sont dépeints de manière très vivante, très réaliste. Elle voit en Roark un prince et en Todd, euh... disons... plutôt un crapaud.

— Oui, elle adore les mélodrames.

— Faux. C'est une éditrice talentueuse.

— Une gamine qui joue les madames.

— Au contraire, elle a beaucoup de classe.

Noah poussa un ricanement.

— Qu'est-ce qui se passe ? Tu l'as baisée, c'est ça ?

Parker serra les mâchoires et refusa de répondre, provoquant le rire de Noah.

— Ah, Parker, Parker. Tu as les cheveux gris et plus de rides qu'un curé pourrait en bénir. Mais il y a des choses qui n'ont pas changé. Tu es toujours cet amant chevaleresque qui refuse de donner les détails croustillants.

Il secoua la tête d'un air amusé.

— Tu as toujours eu un faible pour les femmes. J'imagine bien la raison qui t'a poussé à mettre Maris dans ton lit. Tu voulais me faire cocu. Tu as dû te donner beaucoup de mal, j'espère au moins que tu n'as pas été trop déçu. On ne peut pas dire que ce soit une bombe au plumard.

Il posa un regard insistant sur les jambes de Parker.

— Ou alors peut-être que tu remercies le ciel pour la moindre activité sexuelle, même les efforts pitoyables de Maris.

Il s'interrompit et se gratta pensivement le nez.

— Par contre, si tu avais laissé la lumière, tu as dû remarquer qu'elle avait une belle toison bien fournie.

Parker eut une envie folle de le tuer. Il voulait le voir crever dans une lente agonie, voir les flammes de l'enfer lui lécher les chevilles.

Sans remarquer les pulsions meurtrières qui s'étaient emparées de Parker, Noah reprit d'un ton nonchalant :

— Ne crois pas que je me plaigne de Maris. Elle m'a été très utile.

— Pour l'avancement de ta carrière.

— Tout à fait, répondit Noah en s'avançant d'un pas. Et tu dois savoir que je ne laisserai jamais rien ni personne me reprendre ce que j'ai acquis. Ton livre ne sera jamais publié.

— Je ne l'ai pas écrit pour le publier. Je l'ai écrit pour moi.

— Une sorte d'autobiographie cathartique ?

— Non.

— Alors tu t'en es servi pour séduire ma femme ?

— Non plus.

— Tu abuses de ma patience, Parker.

— Je l'ai écrit pour t'attirer ici, sur mon territoire, pour voir ta tête quand tu vas mourir, tout comme tu me regardais depuis le cockpit du bateau cette nuit-là.

— Quoi ? Tu veux me rouler dessus avec ton fauteuil ? s'esclaffa Noah.

Parker afficha à peine un léger sourire et sortit un petit boîtier de sa poche de chemise.

— Oh, je vois, tu vas appuyer sur un bouton et hop, je vais mourir.

— Je suis propriétaire de cette ancienne fabrique, fit Parker sur le ton de la conversation. J'aime bien venir ici. J'aime l'ambiance. Mais il y a des gens qui trouvent le bâtiment dangereux. Imagine que des gamins viennent traîner ici et qu'ils tombent là-dedans, ajouta-t-il en désignant le puits d'un geste du pouce. C'est pourquoi j'ai pris la décision de le détruire.

Il pressa l'un des boutons du boîtier. Un bruit d'explosion se fit entendre à l'autre bout du bâtiment. Une étincelle jaillit de l'ombre. Surpris, Noah se retourna et vit des flammes lécher le mur.

Parker profita de cet instant pour se propulser vers lui. Noah s'en aperçut et se jeta sur lui. Les séances d'entraînement quotidiennes l'avaient maintenu en forme. Il avait d'excellents réflexes et réussit à placer quelques coups bien sentis.

Mais le torse et les bras de Parker étaient doués d'une force exceptionnelle. Il arrêta la plupart des coups tout en parvenant à rester sur son fauteuil. Son atout principal tenait à sa parfaite connaissance de la tactique de son adversaire. Noah se battait comme un enragé. Il ne luttait que pour vaincre. Et peu importait la méthode.

C'est pourquoi lorsqu'il commença à le pousser en direction du puits, Parker ne fut pas surpris. Il envoya quelques swings que Noah esquiva facilement. Sentant qu'il faiblissait, Noah redoubla d'ardeur. Les efforts désespérés de Parker pour se défendre ne faisaient que renforcer sa détermination. Il se rua sur lui comme un fou furieux, aveuglé par la rage, tel un prédateur fondant sur sa proie.

A cet instant précis, Parker tira le levier du frein. Son fauteuil s'immobilisa et l'inertie projeta Noah en avant. Ses Gucci dérapèrent au bord du puits. Il battit des bras pour tenter en vain de retrouver l'équilibre et chuta dans le vide.

Son cri de panique résonna comme l'écho diabolique du hurlement de Mary Catherine tombant pardessus bord.

La respiration haletante, Parker essuya le sang qui lui coulait du nez.

— Toi, espèce de fils de pute ! hurla Noah.

— Alors tu n'es pas mort ?

— Enfoiré !

— Tu n'es qu'un pauvre type, Noah. Un loser. Tu t'es fait avoir par un handicapé. Tu voulais me pousser là-dedans, c'est bien ça ? A ton avis, pourquoi je n'ai pas arrêté de faire référence à ce puits ? N'importe quel écrivain digne de ce nom aurait deviné la suite.

— Fais-moi sortir de là.

— Allez, arrête de chouiner. C'est pas aussi profond que l'Atlantique. Et à ma connaissance, il n'y a pas de requins. Pour les serpents, par contre, je ne peux rien affirmer.

— Tu comptes faire quoi ? Remplir le puits avec de l'eau et me noyer ?

— Allons... ne me prends pas pour un con. Tu n'aurais plus qu'à nager en attendant que le niveau atteigne le bord.

— Alors quoi ?

Parker fit exploser une nouvelle charge.

— Il y en a encore une douzaine comme ça. Mais tu seras déjà mort asphyxié avant qu'elles aient toutes explosé. Ce n'est pas aussi théâtral que de se noyer dans l'océan, avec l'eau de mer qui vous remplit peu à peu les poumons. Ce n'est pas aussi dramatique que de se faire dévorer par un requin, mais c'est très efficace, tu ne crois pas ?

— Ooh, tu vas presque réussir à me faire peur. Comme si tu allais me laisser mourir au fond de ce puits.

— Et pourquoi pas ? Après tout, je suis un meurtrier, non ? C'est toi-même qui l'as dit. Tu ne t'en souviens pas ? Allez... un petit effort de mémoire. Tu l'as certainement répété des centaines de fois, ton petit speech larmoyant. Bien vu, les larmes. Très convaincant. J'ai presque failli y croire, moi aussi. On était comme David et Jonathan tous les deux, jusqu'à cette expédition en mer. Et puis sur le bateau, d'un seul coup, je suis devenu sournois, lubrique. Un meurtrier. Ça te dit quelque chose, maintenant ?

— Je... J'ai...

— Tu m'as envoyé croupir en taule. Et puisque j'ai

purgé ma peine, j'estime être en droit de le commettre, ce crime.

Noah resta un instant silencieux.

— Je crois que je me suis cassé la cheville, Parker.

— Comme c'est dommage.

— Ecoute, j'ai vraiment mal.

— Arrête ton char, Noah.

— OK. Je me suis mal comporté. C'est vrai. J'ai eu la frousse. J'ai paniqué. Je n'avais plus le choix. Je comprends que tu m'en veuilles, mais maintenant ça ne sert plus à rien.

— Ça ne t'a pas suffi de me laisser crever dans l'océan ? Il a fallu que Mary Catherine y passe aussi ?

— Si tu me laisses mourir ici, on t'accusera.

— Je ne crois pas. Toi, personne ne t'a accusé…

— Les gens verront la fumée, ils appelleront les pompiers.

— La caserne est à l'autre bout de l'île. Tu suffoqueras avant.

— Et tu seras accusé.

— Tous les clients chez Terry ont entendu ta remarque cruelle. Ils savent que ta femme a vécu chez moi pendant plusieurs jours. Ils imagineront que tu as débarqué de Yankeeland pour me foutre une raclée. Pour eux, je suis le pauvre handicapé qui vit au bout de la route. Entre nous deux, qui soupçonneraient-ils, à ton avis ? Ou bien plutôt qui *choisiraient*-ils de soupçonner ?

» Tout ce que j'ai à faire, c'est de leur dire la vérité. On s'est disputés et tu t'es jeté sur moi. Ils verront bien que j'ai le nez en sang. Tu as perdu l'équilibre et tu es tombé dans le puits. Malheureusement, j'avais déjà fait exploser les charges et l'inévitable s'est produit. J'ai essayé de te venir en aide, mais en vain. Je suis handicapé, n'oublie pas.

Il se pencha au-dessus du puits et adressa un grand sourire à Noah, dont le visage livide était levé vers lui.

— C'est tout aussi plausible que ce que tu as raconté au garde-côte, non ?

— Parker. Parker. Ecoute-moi.

— Excuse-moi un instant.

Il pressa un bouton et une nouvelle charge explosa. Les flammes se faisaient maintenant de plus en plus hautes et menaçaient d'atteindre le grenier.

— Arrête ça, Parker.

— Non.

— Pour l'amour du ciel !

— Pour l'amour du ciel ? Tu veux dire pour l'amour de toi. Je pense que même Dieu me pardonnerait de t'avoir tué. Au départ, je voulais te tirer une balle. J'aurais plaidé la légitime défense.

» Mais après j'ai réfléchi et j'ai repensé à toutes ces heures que j'avais passées à me débattre au milieu de l'océan avant d'être repêché. Toutes ces heures que j'avais passées à l'hôpital à souffrir comme un chien. D'une certaine manière, ç'aurait été une mort trop douce. J'ai attendu quatorze ans avant de pouvoir réaliser ma vengeance et j'ai bien l'intention d'en profiter. J'ai songé un instant à te couper les couilles et te laisser te vider ton sang. Mais je ne voyais pas comment justifier ça devant la police.

» Et puis un jour, j'étais là à travailler sur l'un des Deck Cayton et je me suis surpris à fixer ce puits. C'est là que j'ai eu l'étincelle. J'ai eu une image de toi en train de t'asphyxier, les yeux en larmes et de la morve plein le nez. Ça m'a tellement excité que j'ai failli jouir dans mon froc.

» Ah au fait, l'équipement fonctionne parfaitement, merci. Et Maris était peut-être mariée avec toi, mais elle n'a jamais été ta femme. Tu ne la connais pas. Tu ne sais pas qui elle est vraiment.

» Où en étais-je, déjà ? Ah, oui. C'est un pote à moi qui a installé les charges. Tout bête, ce système. Un peu comme un allume-barbecue géant. J'ai prévenu tout le monde que j'allais faire brûler le bâtiment. Un feu sous contrôle, comme lorsqu'ils faisaient brûler les champs de canne à sucre. Peu de flammes. Beaucoup de fumée.

L'odeur était devenue insoutenable.

— Il faut que tu nous sortes de là, Parker.

Parker se mit à rire.

— T'inquiète pas pour moi, j'ai mon fauteuil. Toi, par contre, tu es plutôt dans la merde.

Noah décida de changer de tactique.

— OK. Tu veux que je te supplie ? Alors voilà, je t'en supplie, sors-moi de là.

— Désolé Noah, fit Parker en toussant. Même si je voulais te sauver, il est trop tard. Il va falloir que je sorte. Je n'aurai pas le plaisir de te regarder mourir, mais...

— Parker ! Déconne pas, se mit à sangloter Noah. Me laisse pas crever, merde ! Qu'est-ce que je peux dire d'autre ?

— Dis que tu es désolé.

Noah cessa de gémir, mais garda le silence.

— Tu ne connais même pas le vrai nom de Mary Catherine.

— Quelle différence ça peut faire ?

— Elle s'appelait Sheila. Tu aurais au moins pu connaître le prénom de la femme qui a perdu ton bébé.

— Il n'y avait pas de bébé. C'était une ruse. Elle a voulu me piéger.

— Alors tu savais, murmura Parker. Je m'étais toujours posé la question.

— C'est de l'histoire ancienne, Parker.

— Au contraire. C'est tout à fait d'actualité. Si tu veux sauver ta peau, Noah, avoue que tu l'as poussée par-dessus bord et qu'après ça tu n'as rien, mais alors strictement *rien* fait pour la sauver.

Noah hésita. Parker posa les mains sur les roues de son fauteuil et commença à le faire pivoter.

— A plus, mec.

— Attends ! C'est d'accord. Ce qui est arrivé à Mary Catherine...

— Sheila.

— Sheila. Ce qui est arrivé à Sheila est de ma faute.

— Et moi ? Tu m'as délibérément foncé dessus avec le bateau.

— C'est vrai.

— Dis-le.

— Je t'ai délibérément foncé dessus avec le bateau.

— Pourquoi ?

— Je… Je voulais te tuer et maquiller ça en accident. Je voulais que tu disparaisses de ma vie.

— Et de ta carrière.

— Oui.

— C'est aussi pour ça que tu as tué Daniel Matherly ?

— Salaud !

— Tu l'as tué, n'est-ce pas ? hurla Parker. Avoue, enfoiré, ou sinon tu meurs asphyxié. Si tu ne t'es pas déjà noyé dans ta pisse.

— Je… Je…

— Comment ça s'est passé ?

— Je l'ai provoqué. À propos de son vieil ami. Il s'est mis en colère et il s'est jeté sur moi. J'ai voulu l'arrêter…

— Tu l'as poussé.

— OK. C'est vrai.

— Dis-le !

— Oui, je l'ai poussé, lança Noah d'une voix désespérée. Je n'étais pas obligé de le faire, mais je l'ai poussé. Pour être débarrassé.

Parker toussait de plus en plus. Ses yeux lui brûlaient.

— Tu es une ordure, Noah. Un misérable et un assassin. Mais tu ne vaux pas la peine d'être tué, fit Parker en secouant la tête d'un air de regret.

Il se recula. Paniqué, Noah se mit à hurler son nom. Parker resta hors de vue le temps d'aller récupérer la corde qu'il avait cachée en préparation de cet instant. Il la laissa pendre au-dessus du puits pour que Noah puisse la voir.

— Tu es certain de vouloir sortir de là ? Tu iras en prison, tu sais.

— Jette-moi cette corde, cria Noah en faisant de grands gestes.

— Je sais exactement ce que tu ressens. Je savais que mes jambes étaient broyées. J'aurais fait n'importe quoi pour que la douleur s'arrête. Sauf mourir. J'ai cru un moment que je le voulais, mais quand ces pêcheurs sont venus à mon secours, j'ai quand même attrapé les mains qu'ils me tendaient.

Il lança le bout de la corde à Noah, qui l'agrippa avec avidité.

— Enroule-la autour de ta taille et serre bien.

— Ça y est, cria Noah après avoir suivi les instructions de Parker. Tire-moi.

Parker recula pour tendre la corde.

— Prêt ? Si tu peux, essaye de te servir de tes pieds pour te hisser.

— Je peux pas. Ma cheville.

— OK. Alors reste tranquille. Surtout...

Il était sur le point de dire « ne tire pas ». Mais il était trop tard.

36.

Dans la panique, Noah avait donné un coup sec sur la corde. Parker fut projeté au sol.

— Bordel !

— Quoi ? Qu'est-ce qui se passe, Parker ?

Pendant de longues secondes, Parker resta allongé face contre terre. Il prit plusieurs inspirations. Puis, à l'aide de ses avant-bras, il se traîna lentement jusqu'au bord du puits.

— Tu m'as fait tomber de mon fauteuil.

— Eh bien, remets-toi dedans.

— J'aimerais bien, mais explique-moi comment.

— Je sais pas. Fais quelque chose.

La voix de Noah était empreinte du désespoir le plus profond. Même au fond du puits, il devait entendre les craquements du bois en train de brûler. La fumée se faisait de plus en plus épaisse.

— Parker, il faut que tu me tires de là.

— Désolé, mon pote, mais je suis handicapé, tu te rappelles ? Je reconnais que je n'avais pas prévu ça. Tu n'étais pas censé mourir. Je voulais simplement que tu saches ce que ça fait de se retrouver face à la mort, d'être confronté à la terreur. Je voulais te faire flipper pour que tu confesses tes péchés. Je voulais te voir ramper devant moi en me suppliant de te sauver la vie. Et c'est ce que tu as fait. Ça devait normalement en rester là.

Il poussa un petit rire.

— Je vois bien que tu es paniqué à l'idée de mourir.

Mais j'espère que tu as suffisamment de lucidité pour te rendre compte de l'ironie de la situation.

» Je suis ton seul espoir de survie, mais je suis incapable de te venir en aide à cause des blessures que tu m'as infligées. Incroyable, non ? Dommage, on n'aura ni l'un ni l'autre l'occasion de s'en servir dans un livre. C'est le genre de situation ironique que Mike Strother aurait adoré.

Au nom de leur ancien mentor, la distance qui les séparait sembla se rétrécir. Leurs regards se rencontrèrent.

— Il me semble que tu as encore un péché à confesser, Noah.

— Je voulais être le premier, Parker. Il fallait que je sois le premier.

— Ça faisait plus d'un an que Strother n'avait pas eu de nos nouvelles. Toutes ses lettres lui revenaient avec la mention « n'habite pas à l'adresse indiquée ». Il était plutôt troublé, et même un peu offensé de cette disparition aussi soudaine qu'inexplicable.

» Ce n'est qu'en voyant le livre dans une librairie qu'il a su que tu avais vendu *The Vanquished*. Il a immédiatement reconnu le titre et ton nom et il en a acheté un exemplaire. Il était curieux de voir comment tu avais finalisé le manuscrit. Il voulait savoir si tu avais tenu compte de ses remarques. Bien sûr, il était fier que l'un de ses étudiants ait publié le roman qui alimentait toutes les conversations dans les soirées, les salons de coiffure et les cafétérias. Le roman était en tête de toutes les listes de best-sellers.

— Parker...

— Alors imagine sa surprise quand il s'est installé dans son fauteuil, qu'il a allumé sa lampe et qu'il a ouvert ton livre : *The Vanquished*, par Noah Reed. Imagine sa surprise lorsqu'il s'est rendu compte que ton livre était en réalité le mien. Le *mien*, Noah.

— C'était à cause de cette lettre, hurla Noah. Strother n'en avait que pour toi. Il pensait que tu étais le plus talentueux, que ton manuscrit était formidable. J'ai voulu avoir une deuxième opinion. Un jour, tu étais sorti, et je suis allé fouiller dans ton ordinateur. J'ai imprimé une copie de ton roman. J'ai mis mon titre et je l'ai envoyé à un éditeur avec mon nom.

— Et en voyant qu'il voulait l'acheter, tu as voulu te débarrasser de moi. Le jour même.

— C'était mon plan.

— Tu as dû chier dans ton froc en apprenant que j'étais encore en vie.

— Ça m'a surpris, mais j'ai gardé la tête froide. Je me suis dépêché de mettre mon manuscrit dans ton ordinateur et vice-versa. Les flics n'auraient pas cru à ton histoire parce que je t'avais déjà décrit comme un gars instable et violent.

— Strother avait toujours beaucoup aimé ton sens de l'intrigue.

— Notre cher professeur représentait un autre problème, mais je me suis dit que si jamais il essayait de me confondre, je…

— Tu aurais trouvé un moyen de t'en sortir.

— J'ai toujours réussi à m'en sortir.

— Jusqu'à aujourd'hui.

— Au moins je mourrai en sachant que tu es le prochain sur la liste. Tu arriveras peut-être même en enfer avant moi.

— Tu crois ça ?

— Tu ne pourras pas ramper assez vite pour sortir de là.

— Non, mais je peux marcher.

Sous l'œil incrédule de Noah, Parker se mit péniblement à genoux et se leva.

— Espèce d'enculé, tu m'as…

— C'est la marque de fabrique de Mackensie Roone, fit Parker avec un sourire espiègle. Je garde toujours un ultime rebondissement pour la fin.

— Je te tuerai, Parker. Je te retrouverai en enfer et…

— Monsieur Evans ? Tout va bien ?

Le shérif-adjoint Dwight Harris entra en courant dans le bâtiment, suivi de près par deux de ses collègues.

— Je suis épuisé, mais ça va.

Il pressa un bouton et les flammes s'éteignirent aussitôt.

— Les pompiers sont arrivés. On commençait à avoir peur.

On entendit le bruit du jet d'eau contre le mur.

— Je dois reconnaître que j'ai eu peur moi aussi. Ces machines à fumée sont redoutables.

— Votre bâtiment a souffert, fit Harris en contemplant les murs noircis par la fumée.

— Il en a vu d'autres. Et puis ça en valait la peine.

— Vous l'avez ?

— C'est dans la boîte.

Parker souleva un pan de sa chemise. Un petit enregistreur était accroché à la ceinture de son pantalon. Il débrancha le fil du micro et le tendit au shérif-adjoint. Il eut juste une légère grimace en arrachant le petit microphone scotché sur sa poitrine.

— Merci de m'avoir fourni le matériel, monsieur Harris.

— C'est moi qui vous remercie de m'avoir contacté. Je n'aurai probablement plus jamais l'occasion de mener une opération de ce genre.

Les deux hommes échangèrent une poignée de main.

Pendant tout ce temps, Noah n'avait cessé d'hurler des insanités, mais Harris n'avait pas encore prêté attention à lui.

— Je suis curieux de rencontrer votre invité, monsieur Evans. Allez, on va le remonter.

Il fit signe à ses deux collègues.

— Comment ça va, au fond, monsieur Reed ? L'officier Randall, dans le Massachusetts, est sûrement impatient d'entendre ce que vous avez à lui raconter à propos de cette histoire avec votre beau-père. On est aussi en contact avec nos collègues en Floride.

Parker se détourna, laissant symboliquement Noah entre les mains de Satan comme Mike le lui avait conseillé.

Il fut surpris, mais pas choqué, de voir son vieil ami

à la porte de la fabrique. Mike semblait avoir un don pour se retrouver là lorsqu'il avait le plus besoin de lui.

Maris se tenait à ses côtés.

Constatant l'hésitation de Parker, Harris s'approcha de lui.

— Ils arrivaient à fond dans une petite voiturette. Je les ai interceptés avant qu'ils risquent de tout faire foirer. J'ai eu du mal à les retenir. Ils s'inquiétaient pour vous.

— Ils avaient peur que Noah me tue ?

— Non, m'sieur, ils avaient peur qu'ce soit vous qui cherchiez à le tuer.

— Je me demande où ils sont allés pêcher cette idée, fit Parker en souriant.

— Le vieil homme m'a baragouiné un truc à propos de votre intrigue, comme quoi Mme Matherly aurait reconstitué le puzzle, ou quelque chose dans le genre.

— Ça ne m'étonne pas.

Il se dirigea vers la sortie en claudiquant. Mike ne chercha pas à l'assister. Ce n'est que lorsqu'il fut à quelques pas qu'il lui proposa d'apporter le fauteuil.

— Merci, Mike.

Le vieil homme s'exécuta. Immobile, Maris avait le regard posé sur Parker.

— Vous pensiez que j'étais paralysé ?

Elle acquiesça d'un signe de tête.

— Je m'en doutais. J'ai jugé préférable de ne rien vous dire. Pour que mon plan fonctionne, il fallait que Noah le croie aussi.

Il décida de tout lui révéler.

— Je marche aussi souvent que possible, mais c'est à peu près tout ce dont je suis capable. Et ça n'évoluera plus.

— Ça n'a aucune importance, Parker. Ça n'en a jamais eu.

Une larme roula le long de sa joue.

— Le plus beau cadeau qu'on m'ait jamais offert,

c'est toi qui me l'as fait, l'autre soir, quand tu m'as ramené ces lucioles dans un verre.

Ils venaient juste de faire l'amour et Parker lui caressait tendrement le dos.

— Les vers luisants, rectifia-t-elle.

— Tu apprends vite. Avec un peu d'aide, tu pourrais devenir une vraie fille du Sud.

— C'était la plus belle soirée de ma vie, tu sais. Jusqu'à ce soir.

— Maris, pour reparler du lendemain matin...

— Chut. J'ai compris pourquoi tu avais dû te montrer aussi rude.

— Vraiment ?

— Tu devais te débarrasser de moi avant d'attirer Noah sur l'île.

Il plongea son regard dans le sien.

— Mais je me suis aussi servi de toi.

— Ton plan de départ consistait sûrement à ce qu'il nous surprenne tous les deux au lit.

Il contempla leurs deux corps enlacés.

— C'est vrai.

— Mais tu as dû bouleverser ton programme quand tu es tombé amoureux de moi. Tu ne voulais pas que j'assiste à ce genre de scènes. Tu m'as blessée pour me protéger, pour être sûr que j'allais te quitter.

— Tu es vraiment clairvoyante.

— Alors j'ai raison ?

— Oui. Surtout à propos du fait que je sois tombé amoureux de toi.

— C'est vrai, tu étais amoureux de moi ?

— Pourquoi « étais » ? Je le suis encore.

Il amena son visage tout près du sien et l'embrassa d'une façon qui n'avait rien d'équivoque.

— Il y a encore une chose qui m'intrigue, fit-elle ensuite. Je sais qu'on a promis de ne pas en parler ce soir, mais il y a un point que j'aimerais clarifier.

Ils s'étaient mis d'accord pour ne pas ressasser toutes ces histoires. Des mois, voire des années de tracasseries juridiques les attendaient avant que Parker soit innocenté et Noah jugé et puni pour ses crimes.

Maris avait une maison d'édition à diriger, lui des livres à écrire. Ils ne savaient pas encore comment ils allaient partager leur temps entre New York et St. Anne Island. Le processus de deuil ne faisait pour Maris que commencer et risquait d'être long, et Parker s'interrogeait pour savoir s'il devait révéler à ses fans la véritable identité de Mackensie Roone. Ils avaient beaucoup de problèmes à résoudre, mais se montraient déterminés à mener tous ces combats.

Quoi qu'il en soit, ils avaient décidé de s'accorder toute une nuit rien que pour eux, une nuit entière dédiée au plaisir.

— Je n'ai pas trop envie d'inviter Noah dans notre lit, fit Parker.

— Je te comprends. Moi non plus. Mais il ne s'agit pas vraiment de lui.

— OK. On parle de ça, mais après, je veux qu'on refasse ce qu'on vient de faire.

— Promis, fit-elle en souriant. Mike a découvert que *The Vanquished* était en réalité ton livre et que Noah avait simplement rajouté son titre.

— C'est ça.

— Et il a cherché à te contacter pour te demander des explications.

— Il a mis presque un an à retrouver ma trace. Le temps de ça, la version poche était déjà sortie.

— Pourquoi Mike n'est-il pas allé trouver Noah à ce moment-là ?

— Parce que j'avais menacé de le tuer s'il faisait ça.

— Pourquoi ?

— J'étais dans une situation plus que merdique. Un ex-taulard avec une dégaine de clodo et une vie de clodo. Et puis j'étais cloué dans mon fauteuil. Ce n'est qu'après plusieurs années de rééducation que j'ai réussi à remarcher un peu. Si on peut appeler ça marcher... Quand Mike est venu me trouver, j'étais faible, complètement accro aux cachetons, une vraie épave. Je ne voulais pas affronter Noah dans cet état-là, alors que lui était l'écrivain le plus en vogue.

— Et qu'il jouissait du succès qui te revenait de droit.

— J'ai préféré attendre de me sentir plus fort et plus en confiance.

— Tu voulais attendre d'avoir rencontré le succès, toi aussi.

— C'est vrai. Je voulais l'affronter d'égal à égal, avec suffisamment de références pour appuyer mes accusations par rapport à ce roman qu'il m'avait volé. Je savais que ça pouvait prendre des années, mais j'étais prêt à patienter.

— Je suis surprise que Mike ait accepté de t'aider.

— Il n'a pas accepté. Il a seulement fini par céder.

— Comment ça ?

— J'avais menacé de ne plus jamais écrire s'il refusait.

— Aah. Ça ne pouvait que marcher.

A présent qu'il avait répondu à ses questions, elle se mit au-dessus de lui et écarta les cuisses. Il la pénétra en poussant un grognement de plaisir et se mit à bouger les hanches.

— Humm. Vous êtes doué, monsieur Evans.

— Oui. J'écris aussi des romans pas trop mauvais.

Elle se redressa et tendit la main derrière elle pour venir caresser la base de son pénis. Il se retint de pousser un juron.

— Vous aussi, vous êtes douée. Où avez-vous appris ça ?

— Dans l'un de vos romans.

— Ah oui ? Je ne me savais pas aussi bon.

Elle continua à le caresser jusqu'à ce qu'il l'attire contre lui et, tout en l'étreignant, il jouit en elle. Le souffle court, il poussa quelques jurons étouffés par la poitrine de Maris.

Il se relâcha bientôt, la tête rejetée en arrière sur l'oreiller. Maris ôta les mèches de cheveux qui lui collaient au front.

— C'était bien ?

— Ça l'est encore.

Il posa ses mains en coupe autour de son visage et murmura :

— On devrait peut-être prendre des précautions, non ?

— Je m'en fous. J'aimerais avoir un bébé.

— C'est OK pour moi.

— Et même deux.

— Encore mieux.

— Parker ?

— Humm ?

— Fais-moi jouir.

Elle était prête ; il n'eut qu'à la caresser un peu.

Ils s'allongèrent ensuite côte à côte, la tête sur le même oreiller. Parker faisait courir son doigt sur sa fine clavicule lorsqu'elle dit :

— Je t'ai reconnu dès notre premier baiser, le soir de notre rencontre.

— Quoi ?

— C'est pour ça que ça m'avait tant troublée. Parce que je te connaissais. Et même de façon intime. J'avais passé tellement de nuits avec toi, à étudier chaque phrase, chaque mot de ton roman. Ce livre, c'était comme une lettre d'amour qui m'était adressée. Comme si tu ne l'avais écrit que pour moi.

» Quand tu m'as embrassée, j'ai ressenti une telle impression de familiarité... C'était comme si nous avions déjà échangé des milliers de baisers. Je t'aime depuis si longtemps, Parker...

Parker avait la gorge nouée par l'émotion.

— Tu m'as parlé de ce livre avec une telle passion, Maris, s'écria-t-il. Tu avais compris exactement tout ce que j'avais voulu communiquer à travers ces personnages et cette histoire. En t'entendant parler, j'ai cru que mon cœur allait exploser. Tu imagines comme c'était dur pour moi de ne pas te dire que j'étais l'auteur ? Que c'était de moi, et non de Noah, que tu étais tombée amoureuse ?

— Pourquoi ne m'as-tu rien dit ?

— Je ne pouvais pas. Il était trop tôt. Et puis j'avais peur de te décevoir, de ne pas répondre à tes attentes.

Elle lui passa la main dans les cheveux.

— Tu as dépassé mes attentes, Parker. Tu as créé mes fantasmes et maintenant tu les réalises.

Ils échangèrent un baiser langoureux, puis elle lui demanda quel était le titre original.

Il le lui dit.

Et elle le trouva bien meilleur.

Photocomposition Facompo
14100 Lisieux

Impression réalisée sur CAMERON
par BRODARD ET TAUPIN
La Flèche
en janvier 2006

Imprimé en France
Dépôt légal : janvier 2006
N° d'édition : 74983/01 - N° d'impression : 33627